AF218744

ACCESO GRATIS *a la Lectura en la Nube*

Para visualizar el libro electrónico en la nube de lectura envíe junto a su nombre y apellidos una fotografía del código de barras situado en la contraportada del libro y otra del ticket de compra a la dirección:

ebooktirant@tirant.com

En un máximo de 72 horas laborales le enviaremos el código de acceso con sus instrucciones.

PROTECCIÓN A LA INFANCIA Y JUSTICIA JUVENIL. ESPECIAL REFERENCIA A HONDURAS

PROTECCIÓN A LA INFANCIA Y JUSTICIA JUVENIL. ESPECIAL REFERENCIA A HONDURAS

Dirección:

DIEGO JOSÉ VERA JURADO
MARÍA JOSÉ BENÍTEZ JIMÉNEZ

Coordinación:

CARMEN ROCÍO FERNÁNDEZ DÍAZ

tirant lo blanch
Valencia, 2020

© Varios autores

© TIRANT LO BLANCH
EDITA: TIRANT LO BLANCH
C/ Artes Gráficas, 14 - 46010 - Valencia
TELFS.: 96/361 00 48 - 50
FAX: 96/369 41 51
Email: tlb@tirant.com
www.tirant.com
Librería virtual: www.tirant.es
DEPÓSITO LEGAL: V-1328-2020
ISBN: 978-84-1336-562-6
MAQUETA: Innovatext

Si tiene alguna queja o sugerencia, envíenos un mail a: *atencioncliente@tirant.com*. En
caso de no ser atendida su sugerencia, por favor, lea en *www.tirant.net/index.php/empre-
sa/politicas-de-empresa* nuestro Procedimiento de quejas.

Responsabilidad Social Corporativa: *http://www.tirant.net/Docs/RSCTirant.pdf*

Autores:

ANDREA AGRELO

MARÍA JOSÉ AMESTOY JURADO

ROSARIO ARAGÓN MARTÍNEZ

YENSY MARÍA BARRIENTOS FONSECA

MARÍA JOSÉ BENÍTEZ JIMÉNEZ

ÁLVARO BURGOS MATA

MIGUEL ÁNGEL CANO

JOSÉ MANUEL ("MENIN") CAPELLÍN

JOSÉ LUIS DÍEZ RIPOLLÉS

LUZ MARÍA DURÁN MORENO

Mª ÁNGELES FERNÁNDEZ GÓMEZ

ELISA GARCÍA ESPAÑA

KAMEL TARICK JOSÉ CASTRO

DIANA MANUELA MEDINA MEJÍA

PATRICIA AZUCENA MEJÍA SAN MARTÍN

ANA PAMELA MONTES OBANDO

EDSON MANFREDO NOLASCO ABREGO

MARÍA DE LAS OLAS PALMA GARCÍA

SULMA MILADI PÉREZ GARCÍA

ISAAC RAVETLLAT BALLESTÉ

MÓNICA REGINA BRAN

BLANCA SILLERO CROVETTO

AMILCAR IVÁN VALLADARES CORRALES

CARLOS VILLAGRASA ALCAIDE

NOHEMI LIZZETH VINDEL VINDEL

ROSA MARGARITA ZAMBRANO PÉREZ

YURY DEYANIRA ZEPEDA ORDÓÑEZ

Índice

PRIMERA PARTE
PROTECCIÓN A LA INFANCIA

Capítulo 1

La convención sobre los derechos del niño: ¿sueño o realidad?

JOSÉ MANUEL ("MENIN") CAPELLÍN

Capítulo 2

Las reivindicaciones internacionales por los derechos de la infancia desde una perspectiva de género

CARLOS VILLAGRASA ALCAIDE

Capítulo 3

**El comité de los derechos del niño como mecanismo para la promoción
y protección de los derechos de la infancia y la adolescencia:
mención al caso hondureño**

Isaac Ravetllat Ballesté

Capítulo 4

**La intervención social con menores en situaciones de riesgo:
enfoques y estrategias**

María de las Olas Palma García

Capítulo 5

**Nacer indefenso: la construcción emocional, psicológica
y social del ser humano**

María José Amestoy Jurado

Capítulo 6

Modalidades alternativas de cuidado de los niños, niñas y adolescentes

Dra. Blanca Sillero Crovetto

Capítulo 7

**Intervención con menores en régimen de adopción nacional
e internacional**

Mª Ángeles Fernández Gómez

Capítulo 8

Niñas, niños y adolescentes viviendo como testigos protegidos
SULMA MILADI PÉREZ GARCÍA

Capítulo 9

**Diseño de un programa de adiestramiento para familias
de protección temporal en la DINAF**
ANA PAMELA MONTES OBANDO

Capítulo 10

**Determinación de los factores psicosociales de los niños
y niñas dedicados a la venta ambulante en ciudad universitaria,
tegucigalpa, de agosto a octubre del año 2018**
NOHEMI LIZZETH VINDEL VINDEL

Capítulo 11

Proteccion a niñez hondureña desplazada por violencia. Mecanismos impulsados por la dirección de niñez, adolescencia y familia (DINAF)

Yury Deyanira Zepeda Ordóñez

Capítulo 12

Factores que inciden en la deserción escolar en estudiantes del Centro Educativo Héctor V. Medina, Municipio de Valle de Ángeles, Departamento de Francisco Mozarán, Honduras 2018

Rosario Aragón Martínez

Capítulo 13

Reflexionando sobre la eficacia de los recursos de la Cooperación Internacional en la mejora de la situación de la niñez en Honduras en los últimos 3 años

MÓNICA REGINA BRAN

Capítulo 14

**Factores psicosociales de apoyo a la inclusión educativa de niños y niñas
viviendo con VIH en el proyecto "Montaña de Luz", Morocelí, El Paraíso**

AMILCAR IVÁN VALLADARES CORRALES

SEGUNDA PARTE
JUSTICIA JUVENIL

Capítulo 15

Principios para la prevención de la delincuencia

ELISA GARCÍA ESPAÑA

Capítulo 16

La delincuencia juvenil internacional y hondureña

LUZ MARÍA DURÁN MORENO

Capítulo 20

Evolución, características y contextos problemáticos de la delincuencia juvenil en España

MIGUEL ÁNGEL CANO

Capítulo 21

Aspectos significativos de la justicia penal juvenil en Costa Rica a más de 24 años de la entrada en vigencia de la Ley de Justicia Penal Juvenil

ÁLVARO BURGOS MATA

Capítulo 22

**La falta de medidas cautelares especializadas como factor de fracaso
en la formación integral del niño infractor y su reinserción
en la familia y la sociedad**

KAMEL TARICK JOSÉ CASTRO

Capítulo 23

El proceso penal aplicado en menores infractores
EDSON MANFREDO NOLASCO ABREGO

Capítulo 24

Causas de reincidencia de la niñez en conflicto con la Ley Penal en Honduras
PATRICIA AZUCENA MEJÍA SAN MARTÍN

Capítulo 25

Eficacia de la sanción de privación de libertad para la reeducación y reinserción social de los niños y niñas en el proceso penal juvenil en Honduras

Yensy María Barrientos Fonseca

Capítulo 26

**La respuesta del estado a la situación característica
de los y las adolescentes en conflicto con la Ley**

DIANA MANUELA MEDINA MEJÍA

Capítulo 27

**Fundamentación de un modelo de prevención de la violencia
a través del recurso comunitario**

Rosa Margarita Zambrano Pérez

Abreviaturas

ACNUR	Alto Comisionado De Las Naciones Unidas Para Los Refugiados
ADDIA	Asociación para la Defensa de los Derechos de la Infancia y la Adolescencia
CIPPDV	Comisión Interinstitucional Para La Protección De Personas Desplazadas Por La Violencia
CONADEH	Comisión Nacional de Derechos Humanos
DINAF	Dirección de Niñez, Adolescencia y Familia
IRCA	Institución Residencial de Cuidado Alternativo
IUDPAS	Instituto Universitario En Democracia, Paz Y Seguridad
NNA	Niños, Niñas y Adolescentes
ROSCPPD	La Red de Organizaciones de la Sociedad Civil para la Protección de Personas Desplazadas.
SIGADENAH	Sistema Integral de Garantía de Derechos de la Niñez y Adolescencia
UDFI	Unidad De Desplazamiento Forzado Interno, Defensoría Nacional De Personas Migrantes, CONADEH
UNAH	Universidad Nacional Autónoma De Honduras

Prólogo

No es fácil para mi presentar el libro colectivo que el lector tiene entre sus manos. Y no lo es porque realmente no me encuentro ante la presentación de un libro –lo que siempre es una delicada tarea– sino ante la explicación de algo más complejo, una experiencia más ambiciosa y transversal que supera los límites del trabajo impreso.

Son algo más de veinte años los que me unen a Honduras, tiempo en el que he tenido la oportunidad de conocer y casi comprender su realidad diversa, intensa y desproporcionada. Y aunque han sido muchos los acontecimientos vividos, uno resalta por encima de todos. Me refiero a la experiencia académica que ha dado lugar a la elaboración de este trabajo.

Cuando perteneces a un país –también a un continente– con una inmensa mayoría de ciudadanos adultos –ancianos, en muchos casos– te sorprenden los escenarios cotidianos cuyos protagonistas principales son los niños y los jóvenes. En los arcenes de carreteras y caminos, en los parques y calles en el campo o en cualquier esquina de la ciudad, los niños y jóvenes ocupan todo el espacio visual de Honduras. Es suficiente decir, que cerca del 50% de la población hondureña tiene menos de 14 años, y solo un 3% tiene más de 65 años. Con ello se subraya el principal potencial del país, a la vez que describimos uno de sus principales problemas. Dos caras, en definitiva, de una misma moneda en la que la fortaleza de la juventud es directamente proporcional a la vulnerabilidad que sufre en todos sus ámbitos (educación, sanidad, igualdad, vivienda, integración...).

La historia que ampara la publicación de este libro trata, como se podrá imaginar ya el lector, de las fortalezas, pero muy especialmente de la vulnerabilidad.

Sobre el año 2016, y dedicándome a otras actividades académicas en el país, tuve la fortuna de coincidir con dos personas claves en este relato, Lolis Salas y José Manuel Capellín (Menin). Ambos me propusieron un reto que yo trasladé a mi Universidad: organizar una maestría universitaria sobre derechos de la infancia y justicia juvenil.

Manifestaban, con esta propuesta una significativa preocupación por la formación de calidad y por la necesidad de implantar un lenguaje común entre todos los actores del país vinculados a esta materia. Demandaban capacitar a los profesionales hondureños relacionados con la protección de un colectivo que comprende a más del 50% de la población y cuya situación de vulnerabilidad roza niveles insoportables.

Para conseguir este objetivo era necesaria la confluencia de factores y actores diversos, no siempre coincidentes. Por una parte, la Academia, representada en este caso por la Universidad de Málaga y la Universidad Nacional Autónoma de Honduras. El Gobierno de Honduras a través de la Dirección de Niñez, Adolescencia y Familia (DINAF), por otra. Y, finalmente, una serie de entidades e instituciones públicas y privadas sin cuya colaboración no hubiera sido posible mantener el tipo en este proyecto: UNICEF-Gobierno de Canadá, USAID-PropónteMás, Plan Internacional, Kindernothilfe-KNH, Consejo General de la Abogacía Española y Fundación General de la Universidad de Málaga (FGUMA).

La suma de todos estos actores tuvo como resultado la *I Maestría Universitaria en Protección de la Infancia y Justicia Juvenil*, en unas condiciones extraordinarias e inéditas. Noventa alumnos procedentes de diferentes sectores profesionales –juristas, psicólogos, periodistas, forenses, asistentes sociales– y becados en su totalidad. Se configuró, además, un equipo de profesores de nivel internacional que impartieron sus clases en la ciudad de Tegucigalpa durante un año y medio en unas condiciones de integración más que sobresaliente.

Creo que no exagero si afirmo que la experiencia ha sido única e irrepetible tanto para los alumnos –provenientes de instituciones hondureñas con visiones nada coincidentes sobre la infancia y la juventud– como para los profesores. Queda en mi recuerdo de manera muy especial la defensa y lectura de los trabajos finales. Algunos de ellos, por su brillantez y valentía, se contienen en esta obra, y su elaboración ya justificaría el esfuerzo que hemos realizado.

Aunque es más que evidente que los problemas continúan y que la vulnerabilidad de los niños y jóvenes en Honduras permanece, la experiencia académica ha servido, sin embargo, para demostrar varias cosas. Para demostrar, por una parte, que cualquier éxito, por pequeño que sea, está en la suma de diferentes esfuerzos. Para demostrar, por otra, que la educación sigue siendo el arma más poderosa para cambiar la realidad.

La maestría, una vez finalizada, generó una inercia positiva que intentamos aprovechar. A su amparo se celebró en Málaga en noviembre de 2018 el Congreso Mundial de Derechos de la Infancia y la Adolescencia y, unos meses más tarde, se constituyó en Tegucigalpa la estructura inicial de lo que será el Instituto Interuniversitario de la Infancia de Honduras, bajo la coordinación de la Universidad Pedagógica Nacional Francisco Morazán, Universidad de Málaga y DINAF. En el saldo positivo de la maestría quedará también el interés que otras entidades públicas y privadas de Guatemala, República Dominicana, Colombia, México y Perú han tenido por el proyecto académico.

Las personas a las que es obligado citar son muchas y quiero destacarlas aun a riesgo de incurrir por torpeza en alguna omisión. A la licenciada Lolis Salas y a José Manuel Capellín (Menin), impulsores fundamentales del proyecto. A la profesora María José Benítez, compañera de facultad y amiga, persona clave e imprescindible en el desarrollo de esta experiencia. A las profesoras y profesores que de diferente manera –presencial o virtual– han impartido los módulos de la maestría (José Luis Díez Ripollés, Blanca Sillero, Fátima Pérez, Rocío Diéguez, Marta Fernández, Carmen Fernández, Fátima Cisneros, Carlos Villagrasa, Isaac Ravetllat, María de los Ángeles Fernández, Mariola Palma, María José Amestoy, Miguel Ángel Cano, Álvaro Burgos, Luz María Durán, Andrea Agrelo, Hugo Morales y Elisa García). Todos ellos profesionales y académicos de primer nivel. A Eleonora Chang y a todo el personal de la UNAH que hicieron más fáciles las cosas.

En otro orden de agradecimientos, no puedo olvidar a mis queridos amigos hondureños Carlos Talavera, Silvia González y Francesca Randazzo, con más relevancia en esta historia de la que ellos imaginan. A María Eugenia Lara. A Patricio Larrosa y Álvaro Ramos de quienes tanto he aprendido sobre la infancia y sobre Honduras, aunque ellos están en otro nivel (inalcanzable) de compromiso. A Danna por pintar el sol que iluminó esta historia. En fin, a todos los niños, niñas y jóvenes de Honduras, destinatarios de este humilde esfuerzo.

Málaga, noviembre de 2019

Diego Vera Jurado
Director de la Maestría

PRIMERA PARTE
PROTECCIÓN A LA INFANCIA

Capítulo 1
La convención sobre los derechos del niño: ¿sueño o realidad?

José Manuel ("Menin") Capellín
Defensor de los niños y niñas
Dirección de la Niñez, Adolescencia y Familia (DINAF)
Honduras

1. ESTADO ACTUAL DE LA CUESTIÓN

A 30 años de la firma de la Convención sobre los Derechos del Niño pareciera que los niños de Latino América y de manera muy especial los niños de Honduras no están, ni de cerca, viviendo sus mejores momentos. Los sueños que tuvimos de verlos lanzar papelotes al aire, correr en los parques, perseguir pájaros, patinar en las calles de las ciudades, ir a la escuela o disfrutar de su familia se esfumaron.

La mayoría de los que eran niños hace 30 años, viven en la marginalidad, en la pobreza, muchos de ellos fuera de la Patria, bastantes se convirtieron en actores importantes del crimen organizado o fueron víctimas de las pandillas y del narco tráfico.

Las políticas neoliberales impulsadas por los gobiernos en la región han empobrecido a la ciudadanía ensanchando más la brecha entre los que más tienen y los que menos tienen. Los índices de pobreza –y de miseria– se dispararon hasta límites insospechados afectando de manera muy especial a los más pequeños.

Miles y miles de ciudadanos abandonaron el país en las últimas décadas buscando mejores alternativas para sus vidas y para los suyos. En un primer momento se fueron los hombres. En la década de los 90 siguieron su camino las mujeres y finalmente los niños buscando a sus familiares, huyendo de la violencia, asumiendo el papel de adultos yendo a "buscarse la vida" para ayudar a los que dejaron atrás. El goteo de la huida hacia el Norte, casi individual y en manos de los coyotes se convirtió recientemente en auténticas riadas, caravanas de miles desde la patria común centroamericana.

Entre otras tragedias provocadas por esta migración las familias se desintegraron y asistimos hoy a un nuevo modelo familiar en donde la figura paterna e incluso materna han dejado de existir. Habrá que reinventar a la familia y la crianza de los más pequeños.

En muchas regiones del país en más del 60% de las familias una mujer, generalmente una abuela, está al frente y como única responsable de la educación y mantenimiento de los niños y niñas. La ausencia de una figura paterna y materna, ha provocado entre otras cosas que los más pequeños crezcan sin patrones afectivos adecuados y en una tremenda soledad sentimental.

Los embarazos en adolescentes (los partos en hospitales públicos del país nos señalan que cerca del 60% son de niñas entre 12 y 16 años) han aumentado en número y cada vez más en edades más bajas. Niñas a partir de los 12 años se convierten en mamás de otros niños. Embarazos producto de violaciones en algunos casos provocadas por parientes cercanos o amigos de la familia. La ausencia de educación en salud sexual reproductiva, el tabú a hablar de estos temas en las escuelas, en las iglesias provoca que los niños y niñas crezcan con un desconocimiento absoluto del mundo de los afectos confundiéndolos y posibilitando el abuso de los adultos o de sus pares hacia ellos.

Los índices de desnutrición en el país no mejoran y cerca del 30% de niños menores de 5 años de manera particular en zonas rurales, alcanzan cuotas tremendamente altas. Esto tiene que ver con una economía de subsistencia, en último término con los altos índices de pobreza y miseria que vive el país.

El trabajo infantil sigue siendo una de las terribles lacras de nuestras sociedades. Para el caso de Honduras alrededor de medio millón de niños trabajan y en términos generales son explotados. Bajo el amparo de la ley ningún menor de 15 años puede trabajar y desde esa edad hasta los 18 años no puede hacerlo más de seis horas por día, garantizando su escuela y autorización de sus padres y trabajar en un ambiente seguro y de protección. Sin embargo seguimos viendo con harta indiferencia niñas y niños en los mercados vendiendo en las calles como actores importantes de la economía informal, niños trabajando en la construcción, niñas acarreando agua antes de que amanezca para el consumo familiar, niños trabajando en la zafra, en la agroindustria, en la pesca, en las minas a cielo abierto, niños con edades inferiores a los 15 años en mendicidad explotados por adultos.

El sistema educativo no ha logrado mejorar los niveles de educación que deberíamos esperar en estas últimas décadas. El Estado propone 200 días de clase para garantizar la educación primaria y secundaria gratuita y obligatoria pero lamentablemente los conflictos gremiales pero también las condiciones de marginalidad económica, salud, escuelas destruidas tanto en el área urbana como rural, la violencia de las maras, de las propias autoridades hacen que el sueño de una educación adecuada y consistente se desvanezca y el ausentismo, la deserción, la propia calidad de la educación sean el caldo de cultivo que permiten que los niveles de educación en el país son los más bajos de la región. (Según la Encuesta Permanente de Hogares del Instituto Nacional de estadísticas-INE en 2016 de casi 3 millones de niños entre 3 y 17 años únicamente estudia 1,7 y 1,2 millones quedan fuera del sistema de educación)

En la década de los 80 comenzó en el "Triángulo Norte" de Centro America (Guatemala, Honduras, El Salvador) el asesinato con premeditación y alevosía de niños viviendo en las calles. Autoridades policiales conformaron lo que se dio en llamar escuadrones de la muerte (recordando con ese nombre los escuadrones de la muerte con fines políticos que surgieron en la región y que asesinaron a militantes políticos de signo contrario a los que detentaban el poder).

Muchos niños y niñas fueron lamentablemente víctimas (doy fe porque tuve la oportunidad de cuidarlos en vida y también en la muerte enterrándolos en diferentes cementerios de los países del Triángulo). No quisiera convertir en estadísticas los miles de rostros, de historias, de vidas, de familias que sufrieron y aún sufren esas muertes sucedidas de una manera muy concreta en la primera década de la firma de la Convencion.

Hoy seguimos cargando con la lacra de la muerte repetida día tras día, de niños y niñas víctimas de algunas autoridades y también del crimen organizado, el narco menudeo y las maras. Los niños y niñas que en el pasado fueron víctimas hoy se han convertido en victimarios. Fuerzan a nuestros niños y niñas a ejercer como sicarios, gatilleros, extorsionadores, asesinos.

La violencia general que viven nuestros países se refleja en la vida de los niños. Se ejerce desde la familia. Desde la escuela. Desde el propio entorno comunitario. Altísimos índices de Bullying en las escuelas. Abusos también desde el ámbito religioso hacen que nuestros niños no puedan sentirse felices y peor aún repitan esos comportamientos y esquemas de violencia.

Hace algunos años se registraban al menos 20 mil niños no inscritos al nacer. Hoy se documentan iguales o mayores cantidades que hacen que no existan legalmente como ciudadanos. Resultan siendo apátridas en términos legales aunque sus ombligos hayan sido enterrados en la tierra que los vio nacer. La ausencia de registros se da principalmente en áreas rurales, marginales geográficamente, en donde la pobreza y la ausencia de servicios públicos son más notorias.

Quisiera ver el vaso medio lleno y reconocer los esfuerzos que, aunque insuficientes, hacemos como país ante el enorme desafío de hacer de la Convencion un documento no "teórico" y de darle vida a través de la vida de los niños.

2. HACIA UN NUEVO PARADIGMA: LA FAMILIA COMO EJE

Efectivamente en el caso de Honduras estamos tratando de avanzar en la creación de un nuevo paradigma que tiene como premisa el que todos los derechos lleguen a todos los niños. Los derechos no se negocian por condición económica, académica, social, política, étnica, religiosa etc...Los derechos no son exclusivos para unos pocos, deben ser inclusivos para todas y todos. ¿Cómo hacerlos realidad? Quiero confirmar que estamos comenzando a llenar el vaso a través de muchas acciones que tal vez no se van a ver reflejadas de manera inmediata en nuestra realidad nacional y me parece oportuno señalar algunas que me parecen claves y que tienen que ver con el compromiso de la Autoridad Nacional en materia de niñez, la Dirección de la Niñez, Adolescencia y Familia (DINAF).

Recién, en los tiempos en que estoy escribiendo este ensayo, se acaba de conformar en Honduras con el protagonismo de la DINAF y el apoyo de las autoridades nacionales el Sistema de Garantías de Derechos de la Niñez Hondureña (SIGADENAH) que tiene como enfoque principal articular todos los servicios tanto públicos como privados, nacionales como internacionales en favor de los niños para de manera efectiva garantizar sus derechos.

Una forma de garantizarlos es devolviendo la responsabilidad y el compromiso al municipio, a la sociedad, creando entre otros mecanismos los Consejos Municipales de la Niñez que permitan atender, dar seguimiento, buscar propuestas de solución a los problemas que viven los niños y sus familias. Tal vez, dicho de una manera poco ortodoxa, el niño debe ser atendido en donde ha sido parido. Allí de manera muy especial debe ser protegido.

Es allí en donde se deben detectar cuales son las flagrancias, los abusos, el desamparo y articular todos los servicios y esfuerzos de la comunidad para brindarle protección en primer lugar pero también desarrollar mecanismos de prevención, apoyo para su desarrollo emocional, físico.

Hasta el mes actual se han conformado 140 Consejos Municipales y Oficinas de la Niñez en igual número de municipios de 298 posibles. Se están conformando también los Consejos Departamentales y ya ha sido instalado el Consejo Nacional que lo integran diferentes Secretarias de Estado y que preside el Presidente de la Republica como señal inequívoca del compromiso del Estado Hondureño.

Previamente y para construir y posteriormente desarrollar el Sistema de Garantías, desde la DINAF y con el apoyo de la Universidad de Málaga y las Universidades públicas de Honduras (UNAH y UPNFM), organismos internacionales (UNICEF), gobiernos amigos (Canadá, EEUU, España), y Organizaciones de sociedad civil que trabajan por la infancia se ha desarrollado una alianza para formar una masa crítica nacional en materia de derechos de la infancia a través de una Maestría en Derechos de la Infancia y Justicia Juvenil en la que participaron jueces, fiscales, trabajadores sociales, policías, comunicadores, psicólogos, periodistas, médicos, en definitiva profesionales que por su trabajo tienen que ver con la infancia (en total se graduaron 82 profesionales).

Además se está desarrollando un diplomado dirigido a los miembros de los 140 Consejos Municipales de Garantía con un enfoque especial al estudio y comprensión de la Convencion y al conocimiento del Sistema de Garantías para su aplicación y puesta en práctica.

Como consecuencia de esta relación entre las Academias y la DINAF se firmó un convenio para la creación de un Instituto inter académico de la infancia conformado por la Universidad de Málaga, la Universidad Pedagógica Nacional y la DINAF para desarrollar cuatro grandes áreas de acción: formación (continuando con el desarrollo de nuevas ediciones de maestrias y diplomados), Investigación, Documentación y un Observatorio sobre los Derechos de la Infancia.

Creo que es muy importante señalar la participación de la Academia en el reto de la construcción del nuevo paradigma. Se pretende "bajar" y compartir los conocimientos, las herramientas científicas, los compromisos vocacionales, institucionales y ponerlos al servicio de los niños y de la sociedad que los debe cuidar.

La historia reciente en Honduras en materia de protección a la niñez desamparada tiene mucho que ver (y agradecer) con las organizaciones de sociedad civil. A través de un mapeo georreferenciado conocemos de la existencia de 175 que atienden bajo diversas modalidades y metodologías a alrededor de 7.000 niños y niñas. Hemos comenzado un proceso de certificación para garantizar que efectivamente cumplen los requerimientos minimos para la atención a la infancia y a través de convenios de tercerización de servicios, la DINAF acompaña mediante convenios de cooperación a las organizaciones civiles previamente certificadas, para que ante la ausencia de una familia protectora (propia o ajena) los niños puedan crecer y desarrollarse armónicamente.

Honduras carecía de una ley de Adopciones por lo que en el pasado no siempre hubo una transparencia en los procesos seguidos para adoptar en nuestro país. Hubo una época obscura en la que había "Casas de engorde" (asi llamaba la sociedad a los lugares en donde niños recién nacidos eran ocultados, alimentados y preparados para darlos en adopción a familias fundamentalmente extranjeras).

También niños "regalados" por mamás adolescentes a familias que los inscribían con sus nombres como hijos propios, niños robados de hospitales a mamás muy humildes que no podían defenderlos. Niños llevados a través de fronteras, sin controles adecuados, para traficar con ellos. Niños de "crianza" entregados por la pobreza, por la miseria a familias que los "adoptaban" como propios.

La nueva Ley de adopciones permite y desarrolla un marco legal mediante el cual se pueda ofrecer una familia para un niño, no un niño a una familia. Se propician además las adopciones nacionales aunque no se rechazan las familias extranjeras.

Se han desarrollado y están ya en aplicación nuevas leyes que posibiliten que los niños de Honduras tengan un marco legal que los proteja y les garantice sus derechos de especial manera el derecho a la familia, y a la nacionalidad.

Ley Especial para una maternidad y paternidad responsable (MAPA) que tiene como propòsito establecer mecanismos y procedimientos para garantizar que todos los niños sean reconocidos legalmente por parte de sus padres y como principios fundamentales la celeridad en los procesos, la participacion de los niños, el registro inmediato entre otros.

Ademas del reconocimiento voluntario de la paternidad desarrolla un mecanismo de obligatoriedad con la aplicación de pruebas genéticas para garantizar la paternidad o maternidad siempre orientado al Interes Superior del Niño.

En la misma direcciòn se está preparando para su presentación y aprobación por parte del Congreso de la República una "ley de ADN" que permita la creación de un banco genético que sirva para garantizar su identidad relacionada con la identidad de los padres.

Honduras ha aprobado la Ley de Alerta Temprana Amber para localizar y proteger a niños, niñas y adolescentes desaparecidos o secuestrados.

A raíz de la movilización humana masiva tanto internos (el número de familias desplazadas internamente por la violencia en el país desde 2014 es de 248000 de los cuales el 20 por ciento son niños) como externos, muchas familias se han desintegrado quedando los niños, en la mayoría de los casos, en el desamparo o en manos de traficantes de personas, coyotes que trasladan a los pequeños con documentación falsa hacia otros países, niños secuestrados por algún familiar, niños de padres con nacionalidades diferentes que se separan y los llevan de manera irregular a otro país, provocando un conflicto emocional y físico en ellos.

La Finalidad de la Ley de Alerta Temprana Amber es la activación de un mecanismo para la búsqueda, localización y el resguardo inmediato de niños y adolescentes menores de dieciocho años de edad, desaparecidos, raptados, sustraídos o secuestrados.

Como un buen ejemplo de la implementación del Sistema de garantías participan en el desarrollo y seguimiento de la aplicación de la Ley los diferentes actores tanto públicos como privados bajo la coordinación de la Dirección de la Niñez, Adolescencia y Familia que atiende todos los asuntos relacionados con el Sistema Nacional Alerta Amber, a través del Programa de Migración y Restitución de Niños y Niñas quien remite los casos de niñez desaparecidos, raptados, sustraídos o secuestrados, y que requieran de la activación de Alerta Temprana Amber.

De igual manera DINAF tiene la responsabilidad de entregar legalmente a las niñas y niños a sus familias consanguíneas, de acuerdo con las valoraciones multidisciplinarias que se realicen o determinar su ubicación en un espacio alterno de protección para realizar un proceso de investigación amplio.

También acompaña y asesora al Sistema Nacional de Emergencias (es la institución del Estado, responsable de la atención integral de las llamadas dirigidas al número de teléfono nueve uno uno (911) por ciudadanos residentes y visitantes en el territorio hondureño que requieran atención inmediata, coordinada y de calidad) en la recolección de información proporcionada por la población sobre las Alertas Tempranas Amber, a través de un enlace permanente de la DINAF con el 911. La DINAF realiza también los procesos de seguimientos a los casos de niñez recuperada.

En el pasado y todavía hoy, los niños en desprotección, en vulneración, en abandono han tenido y tienen como opción los centros de cuidado que manejan las ONG.

Respetando todo este compromiso y trabajo de la sociedad civil el nuevo enfoque que se pretende desarrollar va dirigido a la atención desde la propia familia siempre que se garantice para los niños el apoyo afectivo, el respeto. Para eso visitas, apoyo a través de los programas sociales del Estado y de las instituciones públicas obligadas a servir a la ciudadanía.

Cuando la propia familia falla o es inexistente buscamos el desarrollo de familias de protección, certificadas y declaradas idóneas. Se está creando un programa a nivel nacional, identificando fortalezas de las familias candidatas para que en cualquier rincón del país un niño tenga como primera opción una de ellas. Para esto se está involucrando a la sociedad a través de los colectivos comunales, religiosos, académicos etc... con capacitaciones y seguimientos.

Este proceso de atención por parte de una familia de protección temporal no debería de extenderse más allá de seis meses tiempo durante el cual se estaría valorando una opción de adopción o de encuentro con su familia extendida y en el peor de los casos un Centro de Cuidado de alguna organización previamente certificada.

Como he comentado anteriormente la tragedia de la migración ha sido y sigue siendo cada vez más horrible de manera especial para los niños propios de Honduras pero también para los de otros países ya que el país se ha convertido por su posición geográfica en un país de tránsito. En los últimos 5 años de manera especial se han sucedido crisis migratorias "infantiles "en las fronteras de Estados Unidos de America y también en las de los Estados Unidos Mexicanos. Estamos hablando de miles y miles de niños acompañados por una débil célula familiar (tal vez una mamá sola) o niños claramente solos con edades a partir de los 12 años.

3. PROTOCOLO DESARROLLADO POR EL EQUIPO TÉCNICO DE DINAF

A continuación se hace referencia al protocolo desarrollado por el equipo técnico de la DINAF en la atención a este drama de niñez migrante en un claro ejemplo de respuesta interinstitucional pero confirmando que la emergencia decretada en 2014 sigue vigente e incluso en mayor nivel (en este año 2019 y desde enero al mes de septiembre han sido deportados desde los países del Norte-EEUU y Mexico-20.813 niños y niñas de los cuales 3.599 estaban solos y 17.214 con algún familiar).

a) CREACIÓN DE LA FUERZA DE TAREA DE LA NIÑEZ MIGRANTE

El presidente de Honduras, Abg. Juan Orlando Hernández, creó una "Fuerza de Tarea" para atender la crisis humanitaria derivada de los niños hondureños que viajaron solos a Estados Unidos y se encuentran detenidos en albergues. La "Fuerza de Tarea" está integrada por las secretarías de Relaciones Exteriores y Cooperación Internacional, Salud y Derechos Humanos, Justicia, Gobernación y Descentralización; por la Comisión Permanente de Contingencias, la Dirección de la Niñez, Adolescencia y Familia, la Fiscalía Especial de la Niñez y otras instituciones que tienen un rol clave en la respuesta migratoria, bajo el liderazgo de la Primera Dama de la Nación han tomado las decisiones más importantes para reorientar tanto la política migratoria como la respuesta directa gubernamental.

b) DECLARATORIA DE EMERGENCIA

El Presidente Juan Orlando Hernández el 8 de julio del 2014 mediante Decreto Ejecutivo PCM 33-2014 declaró la situación de la niñez migrante no acompañada y de las unidades familiares como una emergencia humanitaria considerando el inevitable retorno de niños, niñas y las unidades familiares a Honduras en grandes cantidades tanto vía aérea procedentes de Estados Unidos y vía terrestre procedentes de México, hace necesario que el Estado de Honduras lo atienda desde la dimensión humanitaria que implicará medidas inmediatas de atención por parte de toda la institucionalidad pública y de la sociedad en general. Dicha atención garantizó los principios de humanidad, imparcialidad y neutralidad, en consonancia con los Principios Rectores para la Coordinación de la Asistencia en Emergencia Humanitaria emitidos por la Asamblea General de Naciones Unidas en 1991.

c) CREACIÓN DE LA SUB-SECRETARÍA DE ASUNTOS CONSULARES Y MIGRATORIOS

La Subsecretaría fue creada mediante Decreto Ejecutivo No. PCM-038-2015, de fecha 05 de agosto de 2015. Dentro de las funciones asignadas a su competencia tiene la labor de coordinar, promocionar, armonizar y sociabilizar las políticas establecidas en las leyes aplicables a la materia consular y migratoria y delegadas por el Secretario de Estado de Relaciones Exteriores y Cooperación Internacional.

d) MARCO JURÍDICO

Aprobación de la Ley de Protección de los hondureños migrantes y sus familiares, mediante Decreto 106-2013 del 15 de febrero del 2014.

e) FONDOS ESPECIALES

Con la aprobación de la Ley de Protección de los Hondureños Migrantes y sus Familiares se crea el Fondo de Solidaridad con el Hondureño Migrante, El fondo se financia con el producto del diferencial que ingrese al Banco Central de Honduras entre las operaciones de compra y venta de divisas extranjeras, por una cantidad anual no inferior a cinco millones de dólares de los Estados Unidos de América (US$. 5,000, 000.00).

f) REMODELACIÓN DE LOS CENTROS DE RECEPCIÓN

El Centro para la Atención de la Niñez y Familias Migrantes Belén, fue objeto de 3 etapas importantes de remodelación y permanece con fondos tanto nacionales como de la cooperación suficiente para realizar remodelaciones continuas de mejora. Cuenta con áreas climatizadas, albergue para 40 personas cómodamente, con una capacidad de atención para más de 200 personas diarias, con diseño exclusivo en función de su metodología de atención y funcionamiento. El Centro es catalogado como un referente regional y modelo para la protección de la niñez migrante.

Se cuenta con:

- Protocolo de Protección Inmediata, Repatriación, Recepción y Seguimiento de Niñas y Niños Migrantes; que fue elaborado a finales del año 2014 y recoge la normativa nacional, regional e internacional que rigen la protección de la niñez migrante y establece los parámetros para todas las acciones en materia de niñez migrante.

- Lineamientos para la identificación, protección y referencia de niñas y niños migrantes deportados con necesidades de protección relacionados al derechos a la vida, seguridad y libertad; fue elaborado con el ACNUR, para brindar la protección a la población con necesidades específicas de protección por ser víctimas de trata de personas, tráfico ilícito, amenazas, violencia física, sexual o emocional, víctimas de reclutamiento forzoso por maras o pandillas, testigos de delitos, víctimas de maltrato infantil entre otros.

- Reglamento del Centro de Atención para la Niñez y Familias Migrantes "Belén", en este documento se regular todos los derechos y deberes de los niños, niñas, personal del centro y procedimiento para las visitas oficiales al Centro, además el reglamento se divide en la Coordinación Técnica función ejercida por DINAF y la Coordinación Administrativa ejercida por la Secretaría de Relaciones Exteriores y Cooperación Internacional a través de la OIM.

- Elaboración de la estrategia de Reintegración de Niñez y Familias Migrantes Retornadas para la implementación de acciones de seguimiento con un enfoque de protección de derechos.

g) ORGANIZACIÓN DE HORARIOS PARA RETORNOS

Todos los niños retornados vía área llegan durante el día, y los retornos terrestres procuran llegar por la mañana para que puedan retornan el mismo día hasta sus comunidades. (Son trasladados desde México en autobuses atravesando el país de Guatemala)

h) SISTEMAS DE INFORMACIÓN

Se cuenta con un sistema de información que registra cada dato importante para brindar una respuesta ya sea socioeconómica, demográfica, familiar, educativa o cualquier otra información que ayude a responder mejor a las necesidades de los niños y de sus familias. Este sistema esta conectado al Registro Nacional de las Personas y al Sistema de Administración de Centros Educativos (SACE)para integrar de manera inmediata a los niños al sistema escolar

i) CREACIÓN DE LAS UNIDADES MUNICIPALES DE ATENCION A RETORNADOS (UMAR)

Se instalaron 16 unidades municipales, en igual cantidad de departamentos, 1 por departamento con el objetivo de desarrollar una etapa formal y cercana de seguimiento post recepción que permita a las migrantes acceder a los servicios primarios para la reinserción familiar, laboral comunitaria y social.

j) INSTALACIÓN DE LOS CONSEJOS MUNICIPALES DE PROTECCIÓN A LA NIÑEZ

Así mismo se han instalado 140 Mesas o Consejos Municipales de Protección a la Niñez que permiten articular las respuestas locales, incluyendo la respuesta de la sociedad civil, cooperación externa y actores claves de cada Municipio.

k) OFICIALES DE PROTECCIÓN A LA INFANCIA Y REINTEGRADORES REGIONALES DE NIÑEZ MIGRANTE

La DINAF ha ampliado la atención inmediata a la Niñez Migrante retornada con la asignación de 6 Oficiales de Protección a la Infancia (OPIS, 3 en el puesto fronterizo con Guatemala-Corinto, 2 en el albergue de acogida-Belen y 1 en otro punto fronterizo con Guatemala-Agua Caliente).

Asimismo, a partir de febrero del 2019, la DINAF ha implementado la propuesta de reintegración y seguimiento de la niñez migrante retornada, con la contratación de 8 Reintegradores Regionales (4 en Zona Norte, 1 en Zona Occidente, 1 en zona Atlántida y 2 en Zona Centro). Con la finalidad de realizar procesos de búsqueda e identificación de casos para realizar gestiones correspondientes al cumplimiento de sus Derechos, situaciones que puede dar como resultado la no reincidencia en la migración irregular.

3.1. Modelo de atención en base al protocolo de protección inmediata

a) PRINCIPIOS RECTORES

Interés Superior del Niño. Según la Convención sobre los Derechos del Niño, cuando se tomen decisiones que afecten a personas menores de 18 años de edad, se debe tomar en cuenta, de forma primordial, su interés superior. Esto implica que en cada situación específica se buscará el respeto a los derechos fundamentales de la niña y el niño, procurando un equilibrio entre derechos y garantías.

Confidencialidad. La información sobre las personas menores de 18 años, cuando afecte su dignidad o han sido víctimas de delito, por ejemplo la Trata de Personas, será manejada con la mayor reserva, a fin de resguardar primordialmente su seguridad, el proceso de recuperación y reinserción social, y evitar todo tipo de injerencias arbitrarias en su vida privada. En particular, se protegerá el derecho a la confidencialidad y a la privacidad frente a los medios de comunicación.

No re-victimización. Se asegurará que la persona menor de 18 años no vuelva a ser víctima una y otra vez, evitando que sea sometida a múltiples interrogatorios o declaraciones, malos tratos o exámenes que puedan afectar su integridad, autoestima y salud mental.

Abordaje Integral. Toda intervención institucional dirigida hacia niñas y niños víctimas de delito o en condiciones de vulnerabilidad, debe considerar a la persona en su integralidad.

Corresponsabilidad. Es responsabilidad, tanto del Estado como de la sociedad en su conjunto, proteger a las niñas y a los niños víctimas de delito y asegurar la restitución en el ejercicio de sus derechos.

Presunción de la minoría de edad. En caso de duda, se presumirá que la niña o el niño son menor de 18 años y se le brindará toda la protección prevista en este Protocolo, mientras se verifica su condición de minoría de edad.

No Devolución. Todos los Estados contratantes se obligan a la no expulsión o devolución, y por tanto a la protección inmediata, en los casos en que la repatriación al país de origen constituya un riesgo para la vida, libertad, integridad física y seguridad de niñas y niños, por causa de su raza, religión, nacionalidad, pertenencia a determinado grupo social, o de sus opiniones políticas.

b) ENFOQUES

Enfoque de derechos. Constituye un nuevo paradigma para comprender el bienestar humano y el desarrollo, y representa una ética para guiar la acción social. El principio fundamental de este enfoque es el reconocimiento de toda niña y niño como sujeto de derechos.

Enfoque de género. Reconoce y toma en cuenta, para brindar atención especializada, todos aquellos condicionamientos sociales que establecen formas diferenciadas de ser, de pensar y de hacer para hombres y mujeres, que históricamente han posibilitado y perpetuado relaciones de dominio y control.

Enfoque generacional. Significa que las políticas, prácticas y disposiciones institucionales deben ajustarse en todos sus alcances, para corresponderse con el momento de desarrollo en el ciclo vital de niños y niñas. Asimismo, implica la concepción de nuevas relaciones entre las personas adultas y las menores de 18 de edad, basadas en el reconocimiento y respeto de los derechos.

Enfoque contextual. Dispone que toda intervención institucional debe tomar en cuenta las condiciones históricas de una sociedad en particular y del contexto familiar, comunal, institucional, económico-político y sociocultural en que puedan estar inmersas las personas menores 18 años de edad destinatarias de dicha intervención.

c) PROCESO DE RECEPCIÓN

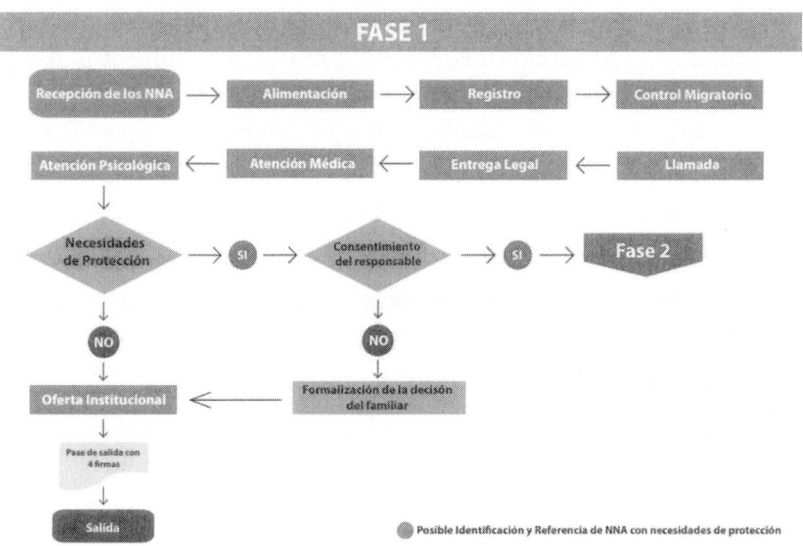

d) ETAPAS DE ATENCIÓN

Protección consular:

Ejercida por las autoridad de la Red Consular, principalmente la protección de la niñez es llevada a cabo por los Cónsules, auxiliares consulares y oficiales de protección de los Estados Unidos (Zona Sur y fronteriza) y México, en menor cantidad Guatemala, Belice, El Salvador y el resto del mundo.

Repatriación:

Este proceso para los hondureños es realizado en el caso de México por el Instituto Nacional de Migración de México. En los Estados Unidos de Norteamérica es llevado a cabo por El Servicio de Inmigración y Control de Aduanas de los Estados Unidos (ICE).

Recepción:

En el caso de niñez o familias todo proceso de recepción es procesado en el Centro de Atención para la Niñez y Familias Migrantes Belén, ubicado en San Pedro Sula, Cortes, de forma universal sin excepción.

Reinserción:

Es liderado por la Secretaría de Relaciones Exteriores a través de las 16 UMAR. Se otorgan beneficios de crédito solidario inmediato, capacitación y formación profesional para emprendimientos o empleabilidad, la reinserción considera 3 líneas de trabajo, superación de la pobreza, reunificación familiar y protección especial.

e) POBLACIÓN ATENDIDA

Niñez migrante retornada y sus familias

- Niñez no acompañada

  Son los niños o niñas menores de 18 años de edad que viajaban solos, acompañados de un amigo o adulto que no es un familiar directo.

- Núcleos familiares

  Son grupos de familias completos, aunque principalmente son conformados por la madre con sus hijos e hijas.

Niñez extranjera en situación irregular:

La DINAF realiza continuamente acciones conjunta con el Instituto Nacional de Migración (INM) para garantizar la protección de los niños y niñas extranjeros en situación irregular que sean identificados y que sean derivados a procesos migratorios o posibles repatriaciones a sus países de origen, con la participación de los diferentes consulados existentes.

Niñez hondureña en el extranjero:

Muchos son los casos de niños y niñas que se encuentran en el extranjero sobre todo en Guatemala, México y Estados Unidos a quienes las instancias judiciales de protección de niñez, solicitan el apoyo de la DINAF para proveer de estudios socioeconómicos y psicológicos de los recursos familiares identificados para luego ser considerados en sus probables procesos de repatriación. Asimismo, se pueden estar presentando opiniones jurídicas sobre casos concretos y que conllevan una complejidad por su situación familiar, o demás.

f) TIPOS DE RETORNO ASISTIDOS

Terrestre

Generalmente de México Tapachula o Acayucan hasta la ciudad de San Pedro Sula, en buses con 25 personas máximo, con una duración de 14 a 16 horas del traslado. Todas las semanas los días lunes, miércoles y viernes.

Eventualmente también con migrantes provenientes de otros países fronterizos con Honduras.

Aéreo

Son retornos programados en vuelos especiales o en vuelos comerciales tanto de EEUU como México.

Marítimo

Son retornos que se dan por mar excepcionalmente desde Belice hasta Puerto Cortés, Honduras.

g) CARACTERÍSTICAS DEL PROCESO

Gratuidad

Todo el Proceso en sus diferentes etapas es totalmente gratuito para la población.

Humanitaria

El enfoque humanitario y de protección permite que otorgo sin discriminación los mismos servicios de asistencia que se basan en las reglas internacionales para las emergencias humanitarias.

Celeridad

Todo el proceso de recepción es principalmente rápido con una duración de 2 horas aproximadamente, pero que además incluye fases de análisis para el otorgamiento de medidas de protección que pueden ampliarse por unos meses, así también la etapa de seguimiento o reinserción social debe

Documentos técnicos elaborados por la DINAF

1. Reformulación del Protocolo de Protección Inmediata, Repatriación, Recepción y Seguimiento de Niñas y Niños Migrantes.

2. Programa estratégico para la atención integral de la niñez y la adolescencia migrante y sus familias 2016-2020. Con un plan de Acción 2016-2017. (elaborados con el Apoyo de OIM)

3. Lineamientos para la Identificación, Atención y Referencia de Niñez Migrante con Necesidades de Protección. (elaborados con el Apoyo de ACNUR)

4. Reglamento del Centro Belén.

5. Metodología Lúdica de Atención a la niñez migrante albergada en el Centro Belén.

6. Metodología y guía de reintegración de niñez migrante.

Estos protocolos y metodologías han sido construidos por los equipos técnicos de la DINAF para responder con calidad y calidez a este terrible flagelo de la migración.

4. CONVENIOS RATIFICADOS POR HONDURAS EN MATERIA DE MENORES

Honduras recién se ha convertido en Estado Miembro de la Conferencia de La Haya de Derecho Internacional Privado, y ha sido aceptado por mayoría de votos de sus miembros. Hay cuatro convenios que Honduras ha ratificado:

1. Convenio Sobre los Aspectos Civiles de la Sustracción Internacional de Menores de 1980:

Cuya finalidad es garantizar la restitución inmediata de los niños trasladados o retenidos de manera ilícita en cualquier Estado contratante y velar por que los derechos de custodia y de visita vigentes en uno de los Estados contratantes se respeten en los demás Estados contratantes.

Dicho lo anterior, y debido al incremento del fenómeno migratorio y la falta de información por parte de la población hondureña–promesas de los coyotes– los casos de sustracción de Honduras hacia el exterior (Honduras como país requirente) han aumentado. Por esta razón, hemos trabajado en conjunto con la INTERPOL para la localización de estos niños en el exterior a través de su método de alertas amarillas(Ley Amber) las cuales nos han ayudado en su localización para que sean repatriados mientras están en ruta migratoria y son detenidos o sean tomados en cuenta en la investigación que realiza el ICE(El Servicio de Inmigración y Control de Aduanas de los Estados Unidos) en ese país durante el juicio migratorio que se lleva a cabo para brindar una figura de refugio o asilo tanto a las madres como a los niños, en el cual se debe hacer del conocimiento del juez que estos han sido sustraídos ilícitamente por la persona que la acompaña.

2. Convenio Sobre Cobro Internacional de Alimentos para los Niños y Otros Miembros de la Familia.

Este Convenio tiene por objeto garantizar la eficacia del cobro internacional de alimentos para niños y otros miembros de la familia, en particular:

a) estableciendo un sistema completo de cooperación entre las autoridades de los Estados contratantes;

b) permitiendo la presentación de solicitudes para la obtención de decisiones en materia de alimentos;

c) garantizando el reconocimiento y la ejecución de las decisiones en materia de alimentos; y

d) exigiendo medidas efectivas para la rápida ejecución de las decisiones en materia de alimentos.

3. Convenio Relativo a la competencia, la Ley Aplicable, El Reconocimiento, La Ejecución y la Cooperación en materia de Responsabilidad Parental y de medidas de protección de los niños.

El ámbito de aplicación de este convenio tiene por objeto determinar el estado cuyas autoridades son competentes para tomar las medidas de protección de la persona o de los bienes del niño, determinar la ley aplicable por estas autoridades en el ejercicio de sus competencias, determinar la ley aplicable a la responsabilidad parental , asegurar el reconocimiento y al ejecución de las medidas de protección en todos los Estados contratantes, establecer entre las autoridades de los estados contratantes la cooperación necesarias para conseguir los objetivos del convenio.

El convenio aplica para todos los niños desde su nacimiento hasta que alcancen la edad de 18 años

4. El Convenio de La Haya de 1993 relativo a la Protección del Niño y a la Cooperación en Materia de Adopción Internacional, es una norma internacional vinculante incorporada al marco de la normatividad nacional y tiene como objetivos:

Establecer garantías para que las adopciones internacionales tengan lugar en consideración al interés superior del niño y al respeto a los derechos fundamentales que le reconoce el Derecho internacional;

Instaurar un sistema de cooperación entre los Estados contratantes que asegure el respeto a dichas garantías y, en consecuencia, prevenga la sustracción, la venta o el tráfico de niños;

Asegurar el reconocimiento en los Estados contratantes de las adopciones realizadas de acuerdo al Convenio.

Con el Convenio se instaura un marco jurídico internacional para regular las adopciones internacionales y la protección de los niños y de las familias antes y durante el proceso de adopción y, prevé garantías destinadas a prevenir la sustracción, la venta y el tráfico de niños adoptables.

El estado de Honduras a traves del Congreso de la República ha aprobado la ley de adopciones que entro en vigor a partir de marzo 2019.

Con estas acciones Honduras se convierte así en el primer país latinoamericano en ser parte de las cuatro Convenciones de la Haya en materia de niñez.

5. CONCLUSIONES Y REFLEXIONES

Finalmente, sobre los aportes más significativos para hacer efectivo el cumplimiento de la Convencion, la DINAF está construyendo la Política Nacional de Derechos de la Niñez y Adolescencia en Honduras que es la agenda programática del Sistema Integral de Garantía de Derechos de la Niñez y Adolescencia de Honduras (SIGADENAH). Es concebida como el marco directriz que orientará las acciones del Estado a fin de que cumpla progresivamente con todos los compromisos asumidos, a nivel internacional y nacional en materia de derechos de los niños, niñas y adolescentes. Es una política de articulación porque prioriza la complementariedad y la cooperación entre las políticas y los planes y programas vigentes, promovidos por diferentes instituciones, los tres Poderes y los diferentes niveles territoriales del

Estado. La Política asume una temporalidad de largo plazo, hasta el 2030, aunque tiene cortes temporales de mediano plazo (2026) y de corto plazo (2022).

Toda la formulación se inscribe en el enfoque de derechos, con énfasis en la prevención y la promoción; y el enfoque de sistema. La Política adopta los principios del Sistema Integral de Garantía de Derechos de la Niñez y Adolescencia (SIGADENAH):

Interés Superior del Niño

* Inclusión y participación
* No discriminación
* Universalidad
* Perspectiva de género
* Corresponsabilidad
* Transparencia y Rendición de Cuentas
* Subsidiariedad

La Política se organiza en base a 4 Categorías de Derechos y una dimensión institucional

* Derechos vinculados a la Supervivencia
* Derechos vinculados al Desarrollo
* Derechos vinculados a la Protección
* Derechos vinculados a la Participación
* Fortalecimiento del SIGADENAH.

La Política Nacional de Derechos de la Niñez y Adolescencia se erigirá como el principal instrumento político del Estado hondureño para articular los diferentes esfuerzos a favor de los derechos de los niños, niñas y adolescentes y apoyará el diseño de una agenda directriz que expresará el conjunto de objetivos, metas y líneas de acción, favoreciendo la articulación entre diferentes instituciones.

Concluyo confirmando que todavía nos falta algún tiempo para ver a todos los niños de Honduras jugar lanzando cometas al aire, patinando en los parques, disfrutando de todos sus derechos todos los días. Prefiero pensar que el vaso esta medio lleno aunque con un color ciertamente turbio.

Creo firmemente que debemos apostar por la familia, ser capaces de descubrir el nuevo modelo de crianza y entender que ese es el camino a seguir.

Me parece justo satanizar a la pobreza pero de ninguna manera a los pobres. Uno de nuestros poetas, Roberto Sosa, afirmaba que "los pobres son muchos y por eso es imposible olvidarlos". La mayoría de los niños son hijos de estos muchos.

Cuando hablamos de la Convención y de la aplicación de sus contenidos no podemos olvidar que más de la mitad de la población infantil de Honduras vive en el desamparo que es producido entre otros factores por la pobreza extrema en que viven, pero también por la ausencia de una familia protectora sin capacidad para una buena crianza tal vez no por falta de deseo sino por falta de trabajo, de vivienda, de educación, de seguridad alimentaria, por el viaje emprendido hacia el norte del continente (y en los últimos tiempos hacia otro continente al otro lado del océano) abandonando a sus hijos, dejándolos en otras manos.

¿Cómo garantizar para estos miles de niños y de niñas la calidad en su atención y sobre todo la calidez? El camino que debemos recorrer es largo y complicado. Tiene que ver no solo con buenas intenciones sino también con cambios en las políticas económicas y sociales. En la búsqueda de modelos de intervención más humanizados que ayuden a mejorar las condiciones de vida de las grandes mayorías de la población, condición sine qua non para que los niños, todos ellos, puedan aspirar a vivir con dignidad. Hace unos años escribí en la lápida de un niño asesinado por agentes del orden (¡desorden más bien!) en un país centroamericano "solo quise ser niño y no me dejaron". Somos responsables todos nosotros, Estado, sociedad, familia de que nunca jamás haya posibilidad de seguir escribiendo sobre lápidas de ninguno de ellos. Porque si no la historia nos lo demandará y el vaso quedará definitivamente vacío.

Capítulo 2
Las reivindicaciones internacionales por los derechos de la infancia desde una perspectiva de género

Carlos Villagrasa Alcaide
Profesor Titular de Derecho Civil
Universitat de Barcelona
Presidente de la Asociación
para la Defensa de los Derechos de la Infancia
y la Adolescencia (ADDIA)
España
carlosvillagrasa@ub.edu

1. LA CONVENCIÓN SOBRE LOS DERECHOS DEL NIÑO TAMBIÉN ES DE LA NIÑA

Desde la premisa de encontrarnos en un mundo y una sociedad convulsos, ante una evolución revolucionaria, por los drásticos cambios sociales que se generan en la actualidad, la convención sobre los derechos del niño sigue siendo aún el texto normativo internacional más trascendental que nos presenta un tratamiento jurídico global de la infancia.

En su momento, hace ya tres décadas, su aprobación por la asamblea general de las Naciones Unidas significó una destacada inflexión en los derechos de la infancia y de la adolescencia, al introducir un marcado cambio de paradigma, puesto que pretendió acabar con la tendencia global de considerar a las personas menores de edad como seres únicamente merecedores de protección jurídica y tutela por parte de los adultos y de los poderes públicos, e instaurar su condición de sujetos de pleno derecho, como protagonistas que deben recibir las respuestas adecuadas a su situación de titulares de sus derechos y a sus necesidades específicas, sin detrimento, por supuesto, de la atención concreta que debe prestarse por la administración a aquellas que, por circunstancias irregulares de su entorno, se encuentren en una situación de riesgo o de desamparo y precisen de una respuesta jurídica protectora.

La construcción de un sistema de derechos de la niñez encontró su mayor exponente en la aprobación de la convención y en su ratificación prácticamente unánime por todos los países del planeta, con la única significativa excepción de los Estados Unidos de América, que a través de su incorporación a la correspondiente legislación interna, a menudo obviada por las autoridades administrativas y judiciales, también ha influido en una lenta, aunque inexorable, adecuación de las legislaciones nacionales a la normativa internacional.

No obstante, la técnica legislativa depurada contrasta con la deficiente aplicación de verdaderos programas y planes de infancia en los que pueda constatarse la eficacia real de tal normativa, así como con la escasa relevancia de las partidas presupuestarias destinadas a la promoción y difusión de los derechos de la niñez y la adolescencia, especialmente en contraste con la atención focalizada hacia los sistemas de protección dirigidos al sector de la población infantil y juvenil en situación de riesgo o de desamparo.

Frente al escaso desarrollo del derecho de la infancia y la adolescencia, como disciplina jurídica autónoma, en estricto respeto a la plena realización de la normativa que determina la consideración de la titularidad que supone para sus destinatarios, cobra cada vez más relevancia la identificación correspondiente de deberes u obligaciones, sin percibir precisamente que el ejercicio responsable de los derechos subjetivos implica necesariamente la asunción de responsabilidades, ante la constatación práctica de los límites que se determinan por la propia colisión de derechos que se genera en las relaciones interpersonales en un contexto de convivencia democrática.

El ejercicio efectivo de los propios derechos, en consonancia con la capacidad progresiva durante la infancia y la adolescencia, se encuentra directamente relacionado con la pretendida participación activa de niños, niñas y adolescentes, en todos aquellos ámbitos de su interés, que no son pocos, y que deriva de una cierta construcción sociopolítica basada en su derecho a ser oídos, amparado en la propia convención sobre los derechos del niño, y acogido en normas procesales de conformidad con su propia capacidad natural y de la consideración de su madurez de juicio durante su minoría de edad, en aras de su reconocida autonomía progresiva que culmina con su mayoría de edad.

Aunque la legislación se ha desarrollado tomando como referencia la convención sobre los derechos del niño, después de más de tres décadas de vigencia, se pone en cuestión la anomia, en ese contexto internacional de referencia general, no solo de fenómenos sociales y tecnológicos desconocidos en este texto, parcialmente caduco, sino además la constatada inexistencia de una perspectiva de género en su normativa, dado que no se tomó en consideración la necesidad de dar una respuesta global a situaciones que ya afectaban directamente a las niñas y las adolescentes, en su momento, y que se han recrudecido mundialmente, lo que determina un replanteamiento de la propia convención.

A través de la promoción y la investigación se acentúan los fenómenos que precisan de una mayor atención y de una respuesta global, al determinar una vulneración sistemática de los derechos de las niñas y las adolescentes, carente de medidas eficaces para avanzar definitivamente hacia el pleno reconocimiento de los derechos de la infancia y la adolescencia, en igualdad, como desafío de un verdadero sistema social y democrático de derecho.

2. LA POBREZA INFANTIL TIENE MÁS CARA DE NIÑA

La pobreza infantil es la primera causa de vulneración de los derechos de la niñez y la adolescencia, dado que representa la mayor premisa de exclusión social, manteniéndose la paradoja de una tendencia paulatina de aumento, incluso en los países más desarrollados, frente a una reducción constante del presupuesto público dirigido a políticas de infancia, como así se determina en los sucesivos informes emitidos por UNICEF sobre la infancia, en los que las niñas siempre ocupan el dramático primer puesto en los índices de pobreza extrema.

Además, las niñas ostentan más precariedad que los niños en cuanto a su atención por las relaciones de solidaridad familiar, que arrastran todavía comportamientos patriarcales incluso en los países de nuestro entorno cultural, mediante una situación marginal y a menudo invisible, sin obtener incidencia específica respecto de los recursos asistenciales.

La inversión pública en políticas de protección social de la infancia, en franca disminución, merece un replanteamiento desde un enfoque de derechos humanos y desde una perspectiva de género, dirigido a la necesidad de un plan de actuación eficiente en clave de igualdad.

En este contexto, las políticas públicas de infancia deberían dirigirse no sólo a reforzar la solidaridad familiar sino también a garantizar los derechos individuales de toda la infancia en igualdad y ante un contexto socioeconómico cambiante, asegurándoles una protección adecuada en las situaciones de necesidad, con especial atención a las niñas y a las adolescentes, con el objetivo último de reducir la pobreza infantil.

Mientras se mantiene la reivindicación de pactos de estado por la infancia, que pongan en la agenda política, con estabilidad, y con prioridad, la lucha contra la pobreza infantil, también se exige un replanteamiento de la cooperación internacional, que comienza a articularse con perspectiva de género, mediante la promoción de buenas prácticas en torno a la atención de los derechos de las niñas y las adolescentes, para garantizar su inclusión social en un contexto global y entre los diversos países que se interrelacionan económicamente.

Ya desde la primera infancia, e incluso desde el nacimiento, en numerosos países el valor social del bebé dista por su asignación genital de género, especialmente en aquellos que mantienen sistemas dotales en el derecho de familia, lo que provoca abortos selectivos o índices de infanticidios, exclusivamente de las neonatas, en ciertos países asiáticos, como China o India. La niñez no solo se separa por su género al nacer, incluso por el color con el que se le identifica, por los vestidos, por los juguetes o por los perfumes, sino que es una auténtica desgracia el hecho de nacer niña en familias pobres de esos países en los que se regulan las dotes matrimoniales, y en el que tener una niña se identifica gráficamente para sus progenitores con la máxima comparativa de plantar una semilla en un jardín ajeno, por el valor económico que representa, de futuro, y que ya determina su desmerecimiento social, en su consideración respecto de los niños.

En la atención primordial que actualmente se presta al fenómeno migratorio de los desplazamientos humanos provocados, no solo por conflictos bélicos o catástrofes naturales, sino también por el propio instinto de supervivencia frente a la pobreza extrema en los países de origen, la perspectiva de género también se encuentra presente.

Así, frente al protagonismo de los niños migrantes sin referentes familiares que se desplazan a Europa desde el norte de África, las niñas permanecen en sus países de origen, donde las más pobres son entregadas a familias menos pobres, con la voluntad de que sean mantenidas y tengan mejores expectativas, siendo víctimas de esclavitud doméstica, a cambio de alojamiento y alimentación, y en ocasiones de violencia física, e incluso sexual. El fenómeno de las "petite bonne" en países como Marruecos, se calcula que afecta a 80.000 niñas de entre 8 y 15 años de edad, de las que menos del 20% tienen algún contacto escolar esporádico, aunque es un fenómeno que afecta a 40.000.000 de niñas, a partir de los 6 años de edad, en el mundo, con especial incidencia en algunas culturas originarias, como los Kamaiya, de Nepal, o los restaveks, en Haití.

En consecuencia, la consolidación de los derechos de la infancia y la adolescencia pasa por una consideración específica de los obstáculos que impiden el cumplimiento real de la Convención sobre los Derechos del Niño, desde una perspectiva de género, e incluso de equidad en los informes sobre su aplicación que los estados deben presentar periódicamente ante el Comité de los Derechos del Niño, en los que se obvia, de manera general, la situación en que se encuentran específicamente las niñas, y se obvia su opinión sobre los asuntos que les competen.

Ya frente a la Declaración Universal de los Derechos del Hombre y del Ciudadano, de 26 de agosto de 1789, preludio de la Revolución Francesa, a la que Olympe de Gouges, seudónimo de Marie Gouze, contribuyó con la Declaración de los Derechos de la Mujer y de la Ciudadana, en el año 1791, los derechos de la mujer han tenido una relevancia considerable, hasta nuestros días, especialmente por la destacada incidencia del feminismo, sin que se haya alcanzado aún la igualdad entre hombres y mujeres, auspiciada especialmente por las iniciativas legislativas de nuestra era.

Asimismo, frente al día internacional de los derechos de la infancia y la adolescencia, instaurado el día 20 de noviembre, en conmemoración de la fecha en que fue aprobada la Convención, en el año 1989, mediante la resolución 66/170, de 19 de diciembre de 2011, la Organización de las Naciones Unidas, determinó que el día 11 de octubre se fijase como el día internacional de la niña, constatándose así la necesidad de articular medidas y de promover acciones de protección específicas para las niñas y las adolescentes, que resultan desconocidas de manera general en la normativa legal. Frente a la consolidación, al menos teórica, de los derechos de la mujer, las niñas siguen estando olvidadas como sujetos de derecho que precisan de una consideración especial, precisamente por sufrir situaciones de vulnerabilidad específica por el hecho de ser niñas.

Las niñas y las adolescentes se encuentran doblemente sometidas al androcentrismo y al adultocentrismo.

Aunque puede constatarse una paulatina sensibilidad y una mayor plasmación jurídica de los derechos de la infancia y la adolescencia, desde una perspectiva de género, es preciso promover una cultura de equidad sociopolítica, desde el debido respeto a los derechos humanos, y en cumplimiento de la consideración de sujetos de pleno derecho de niños, niñas y adolescentes, en clave de igualdad.

Asimismo, resulta esencial que se identifiquen las tasas de pobreza infantil, de niños y niñas, para incidir en el desafío real de su reducción y erradicación, como compromiso global para avanzar en el cumplimiento efectivo y general de los derechos de la infancia y la adolescencia.

3. LOS DERECHOS SEXUALES Y REPRODUCTIVOS DE LAS NIÑAS Y LAS ADOLESCENTES Y LA VULNERACIÓN DE SU LIBERTAD Y DE SU INTEGRIDAD

Si existe un ámbito normativo en el que se justifica claramente un tratamiento jurídico diferenciado entre hombres y mujeres por una razón biológica es en torno a los derechos sexuales y reproductivos, pero precisamente es el que presenta una alarmante desprotección de las niñas y las adolescentes, y en el que el sexismo ancla sus peores consecuencias frente a la contracepción y por efecto de la violencia sexual, en franca vulneración del principio de igualdad y del respeto a los derechos de la personalidad de las niñas y las adolescentes.

Uno de los fenómenos más alarmantes y que se encuentran actualmente en el foco de atención internacional de los derechos humanos es la erradicación de la mutilación genital, que afecta anualmente a tres millones de niñas, de entre cuatro y siete años de edad, en una treintena de países de África, Asia y Oriente Medio, calculándose que en la actualidad doscientos millones de mujeres han sufrido esa grave lesión a su integridad, y que la Convención sobre los Derechos del Niño no recoge. La extirpación del clítoris o la denominada circuncisión faraónica, porque también supone la escisión de los labios menores de la vagina, enraizada en prácticas ancestrales, genera, además, graves efectos secundarios, como infecciones, muchas de ellas mortales, quistes, esterilidad, y en los países en los que se prohíbe expresamente, un riesgo de victimización secundaria al culparse penalmente a sus progenitores de su participación en este rito inadmisible. Precisamente por la cuestionable eficacia del derecho penal, la respuesta más idónea se encaja en las medidas preventivas ante las situaciones de riesgo, promoviendo un cambio cultural y educativo en clave de derechos humanos de la infancia, garantizándose, mediante la intervención social en el entorno familiar, la seguridad y la protección de las niñas originarias de los países en los que siguen imperando estas prácticas y que precisan de una respuesta firme de los organismos internacionales.

Otro de los fenómenos que sigue centrando la atención internacional y que afecta especialmente a las niñas y las adolescentes es su dramático protagonismo como víctimas de las redes de trata y de tráfico de seres humanos con fines de explotación sexual, en las que una quinta parte de quienes sufren toda clase de abusos sexuales son menores de edad. Sin duda, la violencia sexual es una de las peores caras del machismo, destacándose que prácticamente la mitad de las violaciones se dirigen a mujeres menores de 16 años de edad, y casi el 90 por 100 de la explotación sexual detectada por esas redes se ejerce exclusivamente por hombres. La violencia de género no cesa solo por medidas penales ni normas legales, como se demuestra en el contador permanente de los femicidios o mujeres asesinadas a manos de sus parejas o exparejas sentimentales, sino que precisa sobre todo de una respuesta multidisciplinar y preventiva, a través de la educación asertiva y segura, sobre los derechos humanos en clave de igualdad, y en contra de la violencia física o sexual.

Solo una verdadera educación en valores de igualdad puede acabar con el círculo de la violencia de género.

También en el derecho de familia las implicaciones penales, además de las situaciones de la violencia de género, apuntan a la reacción internacional contra los matrimonios forzados, tampoco contemplados en la Convención sobre los Derechos del Niño, a pesar de afectar a 25.000 niñas diariamente en el mundo, en países en los que se conciertan bodas entre los progenitores de los contrayentes, y en los que se calcula la existencia de diez millones de mujeres casadas siendo menores de edad por la decisión de su progenitor, especialmente en países musulmanes.

La libertad no solo queda cuestionada en los matrimonios forzados, sino que también incide en las maternidades provocadas de manera irresponsable, imponiéndose por razones genéticas y por funciones sociales.

La incidencia del círculo del patriarcado en el contexto de la filiación también se ceba en la consideración de las maternidades y paternidades precoces, y en los embarazos no deseados, que afectan a muchas niñas desde la más temprana pubertad y por los que se enfrentan de manera prematura al cese repentino de su infancia, además de las terribles consecuencias que se generan sobre su salud, teniendo en cuenta que se producen más de 70.000 muertes anuales y es la primera causa de fallecimiento en mujeres de 15 a 19 años de edad, por los riesgos que comporta, así como en su educación continua, que queda parada o afectada, y en su propio progreso económico, ya que la gran mayoría de casos deriva en una situación familiar monoparental, por ausencia del progenitor masculino del bebé, lo que determina, paradójicamente que nos encontremos con una relación familiar nuclear monoparental conformada por dos personas menores de edad, con un alto riesgo de exclusión social.

La detección de los destacados desafíos que se generan en este contexto deben contar con una respuesta interdisciplinar conjunta (desde la antropología, la demografía, la sociología, la educación y el trabajo social, la pedagogía, la psicología, la medicina y el derecho, entre otras contribuciones), para poder desarrollar un trabajo colaborativo que permita superar los modelos hegemónicos patriarcales, sobre los derechos de la persona y la familia, y sustituirlos por contextos de libertad personal y de diversidad de modelos familiares, existentes aunque marginados en la realidad social, y en los que se garanticen los derechos de la infancia y la adolescencia, desde una concepción de su capacidad progresiva, acorde con su edad y su situación personal, solo restringida por su interés superior, rectamente aplicado en su beneficio.

La diversidad familiar determina un necesario cambio legislativo ante la necesidad de la adaptación legal a las realidades sociales actuales, en un momento de auténtica reforma provocada por una reconsideración de las situaciones de reconstitución familiar, de las familias homoparentales o de la filiación generada por las técnicas de reproducción humana asistida, en las que la perspectiva de infancia y de género cobran un protagonismo esencial, en la consideración del destino y de la eficacia de la normativa legal, con una clara consideración de la autonomía y del respeto a la voluntad privada de la infancia como titular de sus derechos.

En todo este proceso, además del principio general del interés superior de la infancia, el derecho de niños, niñas y adolescentes, a ser oídos, resulta incuestionable, a través de un nuevo planteamiento del principio de audiencia, no sólo en los supuestos de crisis familiar sino en su plena incorporación a la toma de decisiones y a los procesos judiciales y extrajudiciales de resolución de los conflictos familiares.

El auge de la adopción internacional en los países más avanzados, mediante una ratificación formal del Convenio de La Haya por la mayoría de Estados, frente al relativo fracaso de los sistemas de acogimiento familiar de la niñez en situación de desamparo, representa un fenómeno preocupante en términos globales desde una perspectiva de género, especialmente en consideración de determinados países en los que prevalecen las niñas que son ofrecidas a la adopción internacional, sin que existan iniciativas basadas en su interés superior y en la supresión de los factores de riesgo que determinan esa situación de raíz, sin detrimento de su integración social mediante adecuados programas de postadopción y recomposición familiar.

En suma, las relaciones sentimentales que se generan desde la pubertad y la diversidad familiar presentes en nuestros días, vienen teñidas de esquemas patriarcales arraigados socialmente, más allá de las normas legales, que significan graves problemas estructurales de las que son víctimas principales las niñas y las adolescentes.

4. LA SALUD TAMBIÉN ES COSA DE NIÑAS Y MERECE UNA ATENCIÓN ESPECIAL

En el ámbito sanitario se desconoce una perspectiva de género que, además de lo ya referido con anterioridad, dé cuenta de la necesaria atención específica que debe ofrecerse a las niñas y las adolescentes en el ámbito de su salud.

En cuanto al derecho a la salud pública, aún teniendo presente la destacable evolución científica en medicina, en general, y en pediatría, en particular, en las últimas décadas, se constata, a través de diversos indicadores, centrados específicamente en las niñas y las adolescentes, un panorama global más que insatisfactorio, produciéndose de manera alarmante una mayor mortandad infantil en cuanto a las niñas, incluso por enfermedades comunes o de fácil tratamiento farmacológico en los países más ricos.

Las niñas y las adolescentes, en términos de salud pública, se enfrentan a diversas dificultades en un mundo geográficamente dividido por la desigualdad económica. Además de los casos ya apuntados de mutilación genital, la pobreza hace estragos en la salud y en la propia vida de las niñas que enferman y fallecen por la falta de atención y de tratamientos médicos oportunos, ante la carencia de recursos sanitarios, en los países menos desarrolladas, siempre en mayor porcentaje que los niños, mientras que en los países más desarrollados las niñas y las adolescentes engrosan de manera creciente los índices de población en cuanto a las peores adicciones, como son la drogadicción y el alcoholismo, por su fácil acceso y escasa percepción sobre sus riesgos, a pesar de las campañas informativas y legislativas para frenar su consumo.

Por lo demás, mientras que la desnutrición es la mayor lacra y la causa principal de mortalidad en los países más desfavorecidos económicamente, para la primera infancia, en los países más desarrollados para las adolescentes se acentúa la malnutrición, por la incidencia de los parámetros estéticos dominantes, desde bases sexistas, engrosando los diagnósticos de trastornos alimenticios en aumento, favorecidos por las redes sociales, que contrastan desórdenes basados en el

aumento de los índices de obesidad infantil y juvenil, y proporcional-
mente también se incrementan los desajustes nutricionales, con factores psicológicos, que ponen en alto riesgo la salud, como son los casos
de dietas inadecuadas, y la incidencia de la anorexia o de la bulimia.

UNICEF alerta que en la primera infancia, en los primeros cinco
años de vida, las niñas tienen el triple de posibilidades de malnutrición frente a los niños.

Uno de los grandes retos actuales de los derechos de la infancia y
la adolescencia está en torno al derecho a la vida y a la salud, sin detrimento de poner especial atención a la salud mental y a la atención
precoz de los trastornos psicológicos y sensoriales desde la primera
infancia, poniendo de relieve la necesidad de acciones preventivas y de
programas asistenciales idóneos para la población infantil y juvenil.

También debe destacarse la atención cada vez mayor que se presta
a la infancia y la adolescencia en situación de discapacidad o que precisa de necesidades especiales, precisamente porque se constata que
además de las dificultades que persisten frente a su condición personal, sufren un destacado grado de discriminación por su situación, de
manera injustificada, en términos de igualdad y pluralidad, también
funcional o sensorial, debiendo replantearse su tratamiento, jurídico
y social, desde la diversidad de la capacidad en los seres humanos.

Sin duda, desde la infancia y la adolescencia urge garantizar el derecho a una atención prioritaria de la salud pública, acorde a su etapa de
crecimiento y desde una perspectiva de género, que incida en la previsión
y en la provisión de actuaciones idóneas y respaldadas en la aprobación
de presupuestos públicos específicos y adecuados con el enfoque de derechos de la infancia y la adolescencia, a partir de la determinación de sus
necesidades y de las carencias persistentes en cada entorno geográfico.

5. FRENTE A LA DISCRIMINACIÓN POR RAZÓN DE GÉNERO, DESDE LA INFANCIA, DEBE REFORZARSE LA EDUCACIÓN DE CALIDAD, INCLUSIVA Y EQUITATIVA

A pesar de la trascendencia cada vez mayor de los derechos fundamentales reconocidos nominalmente tanto por la Convención de los

Derechos del Niño como por las normas internacionales y las legislaciones nacionales a la infancia y la adolescencia, la discriminación por razón de género sigue suponiendo un verdadero obstáculo para su cumplimiento, identificándose diversos fenómenos que precisan de actuaciones inmediatas y eficientes.

Al definir las necesidades y los intereses de la infancia y la adolescencia, se identifican los ejes en los que confluyen situaciones de discriminación y de exclusión social por razón de sexo y de género desde la infancia, poniendo de relieve la situación desequilibrada y desigual que se evidencia ya entre niños y niñas, vulnerándose los derechos y las libertades de estas en una clara desigualdad.

De hecho, la discriminación etaria se ve multiplicada por otras causas, destacando la que se sigue asentando en el sexo y en el género, a lo que pueden además añadirse otras que inciden en la denominada discriminación múltiple que puede recaer sobre una misma persona, así, la que deriva de la pobreza, del origen étnico o de la diversidad funcional.

La discriminación es una expresión de la violencia, que genera inseguridad e impide el libre desarrollo de la personalidad, y supone uno de los más palpables obstáculos de la convivencia en una sociedad democrática, en la que debe promoverse el conocimiento de los derechos de la infancia y la adolescencia por sus protagonistas, junto con la formación en habilidades sociales y comunicativas que favorezcan su ejercicio responsable y la autorresponsabilidad frente a los derechos del resto, en condiciones de empatía y asertividad. En este contexto, la mediación cobra especial importancia en la asimilación de actitudes positivas frente a los conflictos que se generan en las relaciones interpersonales desde la infancia y la adolescencia.

De hecho, en el ámbito educativo se destaca la necesidad de articular medidas preventivas de situaciones de riesgo que inciden de manera especial en las niñas y las adolescentes, en cuanto a su desescolarización, el absentismo escolar o el abandono del proceso educativo, en un mundo en el que 130 millones de niñas no tienen acceso a los sistemas de enseñanzas, e incluso en la propia educación sexual y sobre los derechos reproductivos, las niñas representan dos tercios del analfabetismo infantil. Así, UNICEF alerta que en la adolescencia, entre los 15 y los 18 años de edad, se cifran en 96 millones las mujeres analfabetas, frente a los 57 millones de hombres, dedicándose las niñas a las tareas domésticas el óctuple de tiempo que los niños.

La propia perspectiva de género muestra los estragos del patriarcado en el abandono escolar de las niñas provenientes de diversas culturas que al llegar a la pubertad son destinadas por sus familias a las labores domésticas de la propia familia o de otras o a los referidos matrimonios forzados, así como la constatación de diferencias por razón de género en cuanto a la desigualdad de las salidas profesionales, tras los sucesivos períodos formativos, en atención al género.

Aún no se está educando en igualdad, dado que los planes educativos carecen de una sensibilidad a la perspectiva de género y que promueva la equidad de trato, adaptado a la pluralidad, en contra de la discriminación, la marginación y la vulnerabilidad, desterrando la violencia de género que proviene de los prejuicios adquiridos desde la infancia y las imágenes sexistas de las mujeres y de las niñas que se encuentran en la base del uso del poder machista.

Frente a la diversidad y la pluralidad sociales, la igualdad radica en el respeto real a las diferencias.

También en el ámbito de la justicia juvenil se constatan nuevas tendencias, en cuanto a los recursos legales dirigidos a las adolescentes en conflicto con la ley penal, con un paulatino predominio de acciones basadas en pautas educativas desde la denominada justicia restaurativa, que frente al tradicional sistema retributivo, se dirige al replanteamiento de las causas y de los sistemas de intervención profesional, mediante el desarrollo de buenas prácticas que incidan en los aspectos preventivos, de responsabilidad y de reinserción de la juventud que se encuentra inmersa en infracciones penales, acentuando también en este contexto una necesaria perspectiva de género, que se detecta en la determinación de los delitos en los que se implican hombres y mujeres desde su adolescencia. Asimismo, frente a la juventud extutelada es preciso articular programas de inserción basados en el análisis de género, precisamente para asegurar la adquisición de las competencias idóneas para su desarrollo personal y profesional.

La educación, en definitiva, además de ser un derecho fundamental, resulta determinante sobre el desarrollo integral de la persona y por esa razón se conecta directamente con el recto ejercicio de las libertades, por lo que se constata que, en la actualidad, la perspectiva de género sigue siendo una cuestión pendiente también en clave de educación, puesto que en numerosos países los sistemas educativos no tienen en cuenta esta cuestión y en muchos además son las propias familias las que no están suficientemente concienciadas.

6. CONCLUSIÓN: EL REPLANTEAMIENTO DE LOS DERECHOS DE LA INFANCIA Y LA ADOLESCENCIA DESDE LA PERSPECTIVA DE GÉNERO

Como se ha destacado a través de las reivindicaciones internacionales formuladas por los/as representantes de niños, niñas y adolescentes, a través de las declaraciones aprobadas en los diversos Congresos Mundiales por los Derechos de la Infancia y la Adolescencia celebrados hasta la fecha, desde el año 2003, resulta más que cuestionable la aplicación real de la Convención de los Derechos del Niño y se insta a los poderes públicos, a los movimientos sociales y a la ciudadanía a tomar en consideración esas amenazas sociales en el avance de sus derechos.

Las Declaraciones emitidas desde el primer Congreso Mundial, en Isla Margarita, Venezuela, en el año 2003, hasta el octavo Congreso Mundial, celebrado en Málaga, España, en el año 2018; pasando por las Declaraciones de Lima (2005), Barcelona (2007), San Juan de Puerto Rico (2010), San Juan de Argentina (2012), Puebla (2014) y Asunción (2016); han configurado una relevante muestra de comparación cronológica sobre la evolución de las principales dificultades en la efectividad de los derechos de la infancia para las niñas y las adolescentes.

Frente a la cada vez mayor sensibilización social frente a las situaciones de desprotección y de maltrato que se publican y se difunden por las redes sociales, contrasta la inadecuación y los desajustes de los sistemas y de los protocolos de detección, denuncia e intervención profesional frente a esas situaciones. Cabe destacar, incluso, la violencia institucional que deriva de la inadecuada prestación de los servicios públicos dirigidos a la protección a la infancia y la adolescencia, puesto que a menudo inciden en su victimización secundaria, por la deficiencia de los protocolos y de los sistemas de trabajo interprofesional.

Incluso en ámbitos planteados desde una perspectiva masculina, como la referida a los adolescentes migrantes no acompañados por ningún adulto, o el reclutamiento militar de jóvenes, que es objeto del protocolo facultativo de las Naciones Unidas de 25 de mayo de 2000, se olvida a las niñas, aún constatándose que las niñas representan una tercera parte de esta infancia militarizada, forzadas por sobrevivir, y que es la que sufre mayores agresiones sexuales.

La igualdad debe promoverse mediante el mantenimiento de espacios democráticos en los que niños, niñas y adolescentes tengan la posibilidad de organizarse, de participar activamente y de formar parte de la toma de decisiones en condiciones de igualdad.

A partir del esquema seguido en la Convención sobre los Derechos del Niño, actualizado desde una perspectiva de género y en consideración de la titularidad de los derechos que se reconoce a favor de la infancia y la adolescencia, es precisa su adaptación a las nuevas realidades y necesidades sociales, poniendo de relieve las situaciones que precisan de una respuesta de derechos humanos en cada contexto geográfico.

A partir de los datos, segregados por edad y por sexo, las leyes y las políticas deben articularse de manera eficaz, más allá del uso del lenguaje inclusivo, planteándose planes, programas y medidas que incidan en las necesidades particulares, y necesitadas de urgente atención, de las niñas y las adolescentes, sobre todo en ámbitos de salud, educación, justicia y economía. Las leyes son necesarias pero no suficientes, ya que se dirigen a los hechos, imponiendo consecuencias jurídicas, lo que debe complementarse con una atención a las causas para articular soluciones desde el origen del desequilibrio con una eficacia preventiva.

La primacía del principio del interés superior de la infancia, que trasciende de la propia ley, y se plantea de manera transversal en la propia reformulación de las iniciativas que se proyectan desde el ordenamiento jurídico, requiere una evaluación permanente de la normativa y de las políticas de infancia desde una perspectiva de género, que promueva una nueva perspectiva y un nuevo paradigma, desde la mirada infantil, y en este objetivo, no cabe duda que deben garantizarse todos los mecanismos para que la participación de los propios niños, niñas y adolescentes se garantice en condiciones de igualdad.

El camino hacia la verdadera igualdad de oportunidades, desde la infancia y la adolescencia, debe considerarse desde la atención positiva y reequilibradora que permita resolver la inequidad que persiste en los esquemas de organización social.

En conclusión, se trata de dar cumplimiento real y efectivo al Objetivo número 5 de la Agenda para el Desarrollo Sostenible de las Naciones Unidas: "lograr la igualdad entre los géneros y empoderar a todas las mujeres y las niñas", erradicando las causas que lo impiden y consolidando medidas preventivas para la consolidación propia de nuestra democracia.

7. BIBLIOGRAFÍA

ANNAN, Kofy (2001), Nosotros los Niños y las Niñas, Cumplir las Promesas de la Cumbre Mundial a Favor de la Infancia, Nueva York.

BELOFF, Mary (2011), La traducción latinoamericana de la Convención sobre Derechos del Niño, Buenos Aires.

BONET GARCÍA, Jordi (2003), "La protección internacional del menor", en VILLAGRASA ALCAIDE, Carlos, (coord.), Nuevas Tecnologías de la Información y Derechos Humanos, Barcelona, pp. 55-86.

CALVO GARCÍA, Manuel, y GUILLÓ JIMÉNEZ, Juan, (coords.) (2007), Globalización y Derechos de la Infancia y la Adolescencia, Madrid.

CAMPOY CERVERA, Ignacio, (ed.) (2007), Los Derechos de los Niños: Perspectivas Sociales, Políticas, Jurídicas y Filosóficas, Madrid.

CORDERO ARCE, Matías (2013), Hacia un discurso emancipador de los derechos de las niñas y los niños, San Sebastián.

DOCK, Jaap, y CANTWELL, Nigel (1992), The United Nations Convention on the Rights of the Chile: a Guide to the "Travaux Préparatoires", Dordrecht.

HART, Roger A. (1993), "La participación de los niños. De la participación simbólica a la participación auténtica", en Ensayos Innocenti, UNICEF, Florencia.

OCHAÍTA ALDERETE, Esperanza, y ESPINOSA BAYAL, María Ángeles, (eds.) (2004), Hacia una Teoría de las Necesidades Infantiles y Adolescentes: Necesidades y Derechos en el Marco de la Convención de las Naciones Unidas sobre los Derechos del Niño, Madrid.

PADIAL ALBÁS, Adoración María, y TOLDRÀ ROCA, Maria Dolors, (coords.) (2007), Estudios Jurídicos sobre la Protección de la Infancia y de la Adolescencia, Valencia.

PICONTÓ NOVALES, Teresa (1996), La Protección de la Infancia: Aspectos Sociales y Jurídicos, Zaragoza.

REYES CANO, PAULA (2018), Menores y violencia de género: Nuevos paradigmas, Granada.

RUIZ-GIMÉNEZ, Joaquín (2000), "La Convención de los derechos de la infancia y de la juventud cara al nuevo milenio: exigencias y problemas", en Derechos y Libertades: Revista del Instituto Bartolomé de las Casas, nº 8, pp. 485-494.

VANISTENDAEL, Stefan, y LECOMTE, Jacques (2002), La Felicidad es Posible: Despertar en Niños Maltratados la Confianza en Sí Mismos, Construir la Resiliencia, Barcelona.

VERHELLEN, Eugeen, (ed.) (1994), Monitoring Children's Rights, La Haya.

VILLAGRASA ALCAIDE, Carlos, (coord.) (1998), Explotación y Protección Jurídica de la Infancia, Barcelona.

VV.AA. (2018) Los derechos de las niñas son derechos humanos. Informe editado por Plan Internacional, en https://plan-international.es/los-derechos-de-las-ninas-son-derechos-humanos

Capítulo 3
El comité de los derechos del niño como mecanismo para la promoción y protección de los derechos de la infancia y la adolescencia: mención al caso hondureño

Isaac Ravetllat Ballesté
Prof. de Derecho Civil
Universidad de Talca
Chile
Director del Centro de Estudios sobre Derechos
de la Infancia y la Adolescencia de la Universidad de Talca
Subdirector de la Red de Universidades Unidas
por la Infancia de Chile
iravetllat@utalca.cl

1. INTRODUCCIÓN

El 20 de noviembre de 1989, la Asamblea General de las Naciones Unidas adoptó, por unanimidad, la Convención sobre los Derechos del Niño, quedando abierta a la firma de los Estados el 20 de enero de 1990 y entrando en vigor el 2 de septiembre del mismo año.

Este tratado internacional gestado a partir de las propuestas del Estado polaco[1], se estructura en tres grandes bloques: el Preámbulo,

---

[1] El gobierno de Polonia en 1978 presentó a la Comisión de Derechos Humanos de las Naciones Unidas un texto sobre una convención relativa a los derechos del niño con vistas a su adopción en 1979, Año Internacional del Niño. En esta fecha se creó en Ginebra, a petición de la Asamblea General y de la Comisión de Derechos Humanos, un grupo de trabajo de composición no limitada con el fin de elaborar un tratado internacional partiendo de la propuesta polaca. El borrador de Convención tardó prácticamente diez años en ser elaborado.

que esboza los principios básicos fundamentales; el articulado, que define las obligaciones de los Estados parte; y, por último, las disposiciones de ejecución, que establecen, además de las condiciones para su entrada en vigor, la forma de verificarse y promoverse el cumplimiento de la Convención[2].

Pues bien, es al análisis de este último aspecto, el mecanismo de control previsto por el propio texto internacional para verificar los progresos realizados en el cumplimiento de las obligaciones contraídas por los Estados signatarios, al que queremos referirnos en el presente capítulo. Efectivamente, la propia Convención sobre los Derechos del Niño crea, en su artículo 43, un órgano colegiado, el Comité de los Derechos del Niño[3], encargado de verificar la aplicación de los preceptos del mentado tratado internacional en los diferentes Estados partes. Este Comité integrado en la actualidad por dieciocho expertos independientes[4], procedentes de Estados y sistemas jurídicos diferen-

---

DETRICK, S., DOECK, J., Y CANTWELL, N.: *The United Nations Convention on the Right of the Child. A guide to the Traveaux Préparatoires*, Martinus Nijhoff Publishers, Dordrecht, 1992 ; y CILLERO BRUÑOL, M.: "La Convención Internacional sobre los Derechos del Niño: introducción a su origen, estructura y contenido normativo", en *Tratado del Menor. La protección jurídica a la infancia y la adolescencia*, MARTÍNEZ GARCÍA, C. (Coord.), Thomson Reuters, Cizur Menor, págs. 85-121.

[2]   RAVETLLAT BALLESTÉ, I.: "El Comité de los Derechos del Niño", en *El desarrollo de la Convención sobre los Derechos del Niño en España*, VILLAGRASA ALCAIDE, C. y RAVETLLAT BALLESTÉ, I. (Coords.), Bosch, Barcelona, 2006, págs. 47-62; RAVETLLAT BALLESTÉ, I.: "Marco jurídico internacional de los derechos humanos de las niñas, niños y adolescentes: génesis y caracteres de la Convención sobre los Derechos del Niño", en *Lecciones para la defensa de los derechos humanos de la infancia y la adolescencia*, SANABRIA MOUDELLE, C. y RAVETLLAT BALLESTÉ, I. (Coords.), Corte Suprema de Justicia del Paraguay, Asunción, 2018, págs. 17-47; y SÁNCHEZ HERNÁNDEZ, C.: *El sistema de protección a la infancia y la adolescencia*, Tirant Lo Blanch, Valencia, 2017, págs. 21-37.

[3]   Sus actuaciones se rigen por el contenido del Reglamento del Comité de los Derechos del Niño –CRC/C/4, de 14 de noviembre de 1991–, cuya última revisión es de 1 de abril de 2015 –CRC/C/4/Rev. 4, de 1 de abril de 2015–.

[4]   En su redacción originaria el texto de la Convención de 1989 fijaba que el Comité de los Derechos del Niño debía estar compuesto por 10 expertos de integridad moral y prestigio internacional reconocido en materia de derechos de la infancia nombrados por un período de 4 años reelegibles. No obstante lo apuntado, y desde el mes de febrero de 2003, por reforma del artículo 43 del texto de la Con-

tes, se reúne tres veces al año en períodos de sesiones de 4 semanas de duración cada una de ellas[5]. Así, aunque los miembros del Comité son elegidos por los Estados partes, ejercen sus funciones a título personal, es decir, no representan a los gobiernos de sus países, ni a ninguna otra organización a la que pertenezcan[6].

En el desempeño de sus tareas, el Comité no adopta un planteamiento de confrontación, sino que, por el contrario, procura involucrar a los Estados en un diálogo constructivo con miras a valorar de manera crítica cuál es la situación real que vive la infancia y la adolescencia en su ámbito territorial y alentar su cooperación en la aplicación de la Convención de 1989. De hecho, el objetivo esencial del proceso internacional de revisión que lleva a cabo el Comité a través del análisis de los informes, inicial y periódicos, que presentan los

---

vención se elevó el número de sus integrantes y se pasó de 10 a 18. Con ello se pretendió dar mayor agilidad a las tareas de examen de los informes presentados por los Estados Parte y evitar así los retrasos en la emisión de las observaciones y recomendaciones que el Comité realiza de los mismos. La propuesta inicial de reforma del mencionado artículo de la Convención fue realizada por Costa Rica el año 1995, y un año después la Asamblea General de las Naciones Unidas la aprobó, pero tuvo que esperarse hasta febrero de 2003 para que esta enmienda entrara en vigor –momento en que fue aceptada por una mayoría de dos tercios de los Estados partes–.

[5]   En un momento inicial, durante cada período de sesiones el Comité sobre los Derechos del Niño analizaba seis de los informes presentados por los Estados. Ello significaba que cada año se supervisaban 18 de esos informes. Posteriormente, en enero de 2000, el Comité de los Derechos del Niño decidió examinar anualmente los informes de 27 Estados partes, aumentando así su volumen de trabajo en un 50 %, para ocuparse del retraso en el examen de los mismos –CRC/C/100, de 14 de noviembre de 2000. Informe sobre el veinticincoavo período de sesiones del Comité de los Derechos del Niño–. Finalmente, desde enero de 2005, y por un período inicial de dos años, el Comité examinó los informes en dos cámaras paralelas, cada una formada por nueve de sus integrantes, teniendo debidamente en cuenta la distribución geográfica equitativa, por lo que el número de informes de los Estados partes examinados por el órgano ginebrino aumentó de 27 a 48 por año –CRC/C/133, de 12 de enero de 2004. Informe sobre el treinta y cuatro período de sesiones del Comité de los Derechos del Niño–.

[6]   Antes de asumir sus funciones, cada miembro del Comité debe realizar en sesión pública de este organismo de las Naciones Unidas la siguiente declaración solemne: "declaro solemnemente que, en el desempeño de mis funciones y en el ejercicio de mis facultades como miembro del Comité de los Derechos del Niño, actuaré en forma honorable, fiel, imparcial y concienzuda". Artículo 15 del Reglamento del Comité de los Derechos del Niño.

Estados, no consiste en reemplazar la capacidad nacional para asegurar y verificar el cumplimiento de los derechos de la niñez, sino en reforzar esa competencia. Esta manera de proceder contribuye también a fortalecer la participación general de todos los sectores implicados en el ámbito de la infancia y la adolescencia en la formulación de políticas, así como alentar el escrutinio público de las responsabilidades gubernamentales. En igual medida, coadyuva a la realización de los derechos de la infancia y la adolescencia al ofrecer a los poderes públicos nacionales, a las instituciones privadas, a los promotores independientes e incluso, en algunos casos, a los propios niños, niñas y adolescentes, la oportunidad de colaborar juntos en la mejora de las condiciones de vida de este colectivo de la población en situación de especial vulnerabilidad.

Además, no podemos olvidar que el Comité de los Derechos del Niño no es un órgano de supervisión convencional que deba considerarse de forma aislada, sino que por el contrario se encuentra inserto dentro del sistema de promoción y garantías de los derechos humanos de Naciones Unidas. Este modelo de intervención está compuesto por dos clases principales de instrumentos: aquéllos constituidos en virtud de la Carta de la ONU, incluyendo la Comisión de Derechos Humanos; y, los creados en atención a los tratados internacionales de protección de los derechos humanos, cuya tarea fundamental es la de actuar como mecanismos de control.

Ahondando en lo apuntado *ut supra*, mentar que actualmente son nueve los comités previstos en los convenios de protección de los derechos fundamentales encargados de supervisar su puesta en acción: Comité de Derechos Humanos (HRC), Comité de Derechos Económicos, Sociales y Culturales (CESCR), Comité para la Eliminación de la Discriminación Racial (CERD), Comité para la Eliminación de la Discriminación contra la Mujer (CEDAW), Comité contra la Tortura (CAT), Comité de los Derechos del Niño (CRC), Comité para la Protección de los Derechos de todos los Trabajadores Migratorios y de sus Familiares (CMW), Comité de los Derechos de las Personas con Discapacidad (CRPD), y Comité contra las Desapariciones Forzadas (CED).

Así las cosas, y trayendo a colación la universalidad, la indivisibilidad y la interdependencia existente entre los derechos humanos, desde un momento inicial ya se planteó la necesidad de garantizar que los órganos de supervisión a los que acabamos de hacer referencia trabajaran de forma cohonestada y complementaria entre sí, denotando de este modo el carácter integrador del marco de los tratados y convenios de derechos humanos. Fruto de esa preocupación, desde Naciones Unidas se idearon dos instrumentos cuyo objetivo primordial es el de asegurar el debate, el intercambio de información y la coordinación entre las actuaciones de los citados Comités: la reunión anual de sus presidentes y la denominada reunión inter-comités.

Pues bien, es precisamente en este contexto en el que debemos enmarcar la importancia de las tareas encomendadas al Comité de los Derechos del Niño, en particular la relativa al seguimiento, valoración y supervisión de los informes presentados por los Estados partes de la Convención sobre los Derechos del Niño y sus Protocolos Facultativos. Por ello, el presente capítulo principia con un análisis sosegado de la forma en cómo estos informes deben ser debidamente presentados por los Estados partes, la técnica utilizada por el Comité de los Derechos del Niño para su posterior evaluación, así como el proceso de sistematización y reordenación interna que de los mismos se ha ido forjando a lo largo del tiempo. Una vez efectuada esta declaración general de intenciones, nos parece oportuno profundizar en el debate suscitado en el seno de Naciones Unidas –del que el Comité de los Derechos del Niño no ha quedado al margen– acerca de las mejores opciones para modernizar, armonizar y optimizar los procesos de presentación de reportes exigidos por el sistema de tratados de derechos humanos. Tan solo con unos informes completos y de calidad puede garantizarse que los órganos principales de la ONU se hallen en situación de adoptar decisiones bien fundamentadas y con conocimiento de causa.

2. INFORMES ANTE EL COMITÉ DE LOS DERECHOS DEL NIÑO: PRESENTACIÓN, VALORACIÓN Y OBSERVACIONES FINALES

2.1. *Informes iniciales y periódicos: objetivo la homogeneización de contenidos*

De conformidad con el artículo 44 de la Convención sobre los Derechos del Niño, el mecanismo de garantía del cumplimiento del

articulado previsto por el mencionado texto internacional, reside
en el compromiso adquirido por los Estados partes de presentar
ante el Comité de los Derechos del Niño informes sobre las medidas adoptadas para dar efecto a los derechos reconocidos en la
Convención de 1989, así como de los progresos alcanzados por lo
que al goce de los derechos por parte de las personas menores de
edad se refiere.

Los Estados partes deben librar su primer informe –informes iniciales– en el plazo de dos años a partir de la fecha de entrada en
vigor en sus respectivos territorios del texto de la Convención, y
posteriormente, periódicamente cada cinco años –informes periódicos–. Además de esta presentación tasada de informes oficiales, el
Comité está habilitado para recabar la información adicional o la
documentación suplementaria que estime oportuna[7]. La periodicidad prevista, de dos años para el informe inicial y de cinco para los
informes sucesivos, nos parece ajustada respecto del primero, pero
es, en cambio, excesiva entre los siguientes. La continua modificación de las condiciones sociales de vida y la utilidad de disponer
de un documento actualizado que refleje el estado real en que se
encuentra la población infantil en un país en un momento determinado, hacen que el intervalo de cinco años entre documento y
documento se nos antoje desmesurado.

El propio Comité de los Derechos del Niño consciente de la necesidad de homogeneizar la estructura y el contenido de los distintos
informes presentados por los Estados partes emitió en el año 1991[8]
unas Orientaciones generales respecto de la forma y el contenido de
los reportes iniciales, y, posteriormente, en el año 1996[9], hizo lo propio con respecto a los periódicos. Tiempo después, concretamente en
el año 2015, el Comité modificó y modernizó estas instrucciones du-

---

[7]   También son los propios Estados los que pueden ofrecer información suple-
      mentaria si así lo consideran adecuado fuera del marco del proceso general de
      presentación de informes, cuando se producen emergencias nacionales o acon-
      tecimientos graves. Esta previsión la encontramos recogida en los artículos 69 a
      71 del Reglamento del Comité de los Derechos del Niño.

[8]   CRC/C/5, de 30 de octubre de 1991. Aprobado por el Comité de los Derechos
      del Niño en su 22ª reunión del primer período de sesiones.

[9]   CRC/C/58, de 20 de noviembre de 1996. Aprobado por el Comité de los Dere-
      chos del Niño en su 343ª reunión del treceavo período de sesiones.

rante su sesenta y cinco periodo de sesiones celebrado del 13 al 31 de enero de 2014[10].

Este conjunto de directrices se configuran como un mecanismo o instrumento básico de referencia que viene a facilitar a los Estados la tarea de estructurar y dar debido cumplimiento a las obligaciones que tienen asumidas en virtud del artículo 44 de la Convención. Con esta finalidad el Órgano ginebrino exige –desde el año 2010– que estos informes estén divididos en dos partes: un documento básico común – válido para cualquiera de los órganos de seguimiento y control previstos en los diferentes tratados internacionales de derechos humanos– y otro referido específicamente a la aplicación de la Convención sobre los Derechos del Niño y sus Protocolos Facultativos.

El documento básico común, de conformidad con las directrices armonizadas de las Naciones Unidas[11], debe integrar la primera parte de todo informe que se presente ante los diferentes Comités de control o evaluación creados en materia de derechos humanos –incluido, por supuesto, el Comité de los Derechos del Niño–. Este escrito deberá contener información de índole general sobre el Estado que presenta el correspondiente informe y sobre el marco ordinario de protección y promoción de los derechos humanos en su respectivo territorio, así como información sobre la no discriminación y la igualdad y sobre los recursos eficaces previstos en su legislación nacional contra las violaciones de los derechos humanos. Este documento no debe superar la extensión cifrada entre las sesenta y las ochenta páginas.

Los datos incorporados en el documento básico común no deben reproducirse nuevamente en la segunda parte del informe referido específicamente a la Convención sobre los Derechos del Niño y sus Protocolos Facultativos. El Estado parte deberá tratar de actualizar con

10   Comité de los Derechos del Niño: Orientaciones generales respecto a la forma y el contenido de los informes que han de presentar los Estados parte en virtud del artículo 44, párrafo 1 b), de la Convención sobre los Derechos del Niño –CRC/C/58/ Rev.3, de 3 de marzo de 2015–. Estas orientaciones sustituyen a las que anteriormente había aprobado el Comité en los años 2010 –CRC/C/58/Rev.2, de 1 de octubre de 2010– y 2005 –CRC/C/58/Rev.1, de 3 de junio de 2005–.
11   Las directrices armonizadas del Secretario General de las Naciones Unidas para la presentación de informes a los órganos internacionales de tratados de derechos humanos, incluida la elaboración de un documento básico común, se revisaron por última vez en 2009 –HRI/GEN/2/Rev.6, de 3 de junio de 2009–.

el material que estime oportuno la información inserta en el aludido documento básico, caso de que éste no hubiera sido presentado o si su contenido no estuviera puesto al día.

Por lo que al segundo de los documentos se refiere, el órgano ginebrino, para dar una lógica interna a su contenido, agrupó los artículos del Tratado internacional de 1989 de acuerdo al siguiente orden secuencial: medidas generales de aplicación; definición de niño/a; principios generales o rectores; derechos y libertades civiles; entorno familiar y otro tipo de tutela; discapacidad, salud básica y bienestar; educación, esparcimiento y actividades culturales; y, por último, medidas especiales de protección.

En primer término, al referirse a medidas generales de aplicación, el Comité hace mención a las disposiciones ordinarias adoptadas para dar efectividad a los derechos que forman la base de la aplicación de la Convención sobre los Derechos del Niño en los diversos países[12]. Estas decisiones posibilitan la valoración de la forma en que la Convención se ha utilizado como marco común de actuación y la medida en qué se ha percibido la filosofía dimanante del mentado Tratado como una herramienta válida facilitadora del cambio y el progreso, tanto por parte de las instituciones gubernamentales como de la sociedad entendida como un todo. Estas medidas generales aseguran la importancia de los niños, niñas y adolescentes, subrayan la responsabilidad de los Estados en las acciones destinadas a promover su interés superior y demuestran la función de la promoción para asegurar y respetar los derechos fundamentales de la infancia y la adolescencia[13].

En segundo lugar, en la sección intitulada "Definición del niño/a", los Estados deben proporcionar toda la información pertinente relacionada con las posibles diferencias existentes entre la legislación

---

[12]   El Comité de los Derechos del Niño elaboró una Observación General para describir con mayor detalle la obligación de los Estados partes de adoptar lo que se ha calificado como "medidas generales de aplicación", motivados por el hecho de que los diversos elementos que integran este concepto son bastante complejos. –CRC/GC/2003/5, de 27 de noviembre de 2003. Observación General n°. 5, adoptada en el treinta y cuatro período de sesiones del Comité de los Derechos del Niño–.

[13]   VERHELLEN, E.: *Convention on the rights of the child*, Garant Publishers, Gant, 1997, págs. 80-81.

nacional y el texto de la Convención en lo relativo a la consideración de qué es un niño/a. Asimismo, también debe detallarse la edad mínima establecida legalmente dentro del país para poder desarrollar por sí determinadas actividades y asumir ciertas responsabilidades –incorporación al mercado laboral; finalización de la escolaridad obligatoria; celebración de matrimonio; prestación del consentimiento sexual; alistamiento voluntario en las fuerzas armadas; celebración de contratos; aceptación de atribuciones gratuitas ínter vivos o mortis causa; realización de disposiciones de última voluntad; legitimación activa para participar en procedimientos judiciales o extrajudiciales; aptitud para ejercer derechos de la personalidad; y adquisición de responsabilidad penal, entre otras[14].

En el tercero de los apartados, vinculado con los principios generales o rectores de la Convención sobre los Derechos del Niño, los Estados deben tomar en consideración que todos los derechos reconocidos en la Convención deben interpretarse teniendo en cuenta cuatro valores fundamentales o principios rectores. Estos cuatro pilares básicos sirven para orientar la forma en que se cumplen y se respetan cada uno de los derechos y sirven de punto de referencia permanente para la aplicación y verificación de los derechos de los niños/as. El primero de ellos, es el principio básico de igualdad, recogido en el artículo segundo de la Convención, y formulado desde el prisma de la "no discriminación"[15]. Un segundo principio de carácter más abstracto, contenido en el artículo tercero, establece que para tomar las decisiones que afecten al niño/a es necesario tener en cuenta su interés superior[16]. El tercero de los principios lo encontramos desarrollado en

---

14   GAITÁN MUÑOZ, L.: *Sociología de la infancia*, Síntesis, Madrid, 2006, pág. 28; MONTEJO, J.M.: "Infancia-adolescencia, Estado y Derecho. Una visión constitucional", en *Sociedad e Infancias*, n°. 1, 2017, págs. 61-80; y GAITÁN MUÑOZ, L.: *De menores a protagonistas. Los derechos de los niños en el trabajo social*, Impulso a la Acción Social, Barcelona, 2014, págs. 147-187.

15   LUX, A.: "Non-discrimination, complains mechanisms and equality bodies", en *Children and non-discrimination. Interdisciplinary textbook*, KUTSAR, D. y WARMING, H. (Eds.), University Press of Estonia, Tallin, 2014, págs. 60-76.

16   ALSTON, P.: The best interest of the child: towards a synthesis of children's rights and cultural values. En *Simposio Internacional la Convención de los Derechos del Niño hacia el siglo XXI, celebrado en Salamanca del 1 al 4 de mayo de 1996 con motivo del Cincuentenario de la creación del UNICEF*. Salamanca: Universidad de Salamanca, 1996, pág. 257.

el artículo sexto de la Convención y aborda la cuestión del derecho a la vida, la supervivencia y el desarrollo. Finalmente, el artículo 12 de la Convención de 1989 reconoce la participación infantil –el respeto a la opinión del niño/a– como la cuarta y última de las directrices a las que hacíamos referencia[17].

El cuarto punto, "Derechos y libertades civiles", exige que los Estados indiquen las medidas tomadas o previstas para garantizar que en sus legislaciones se reconozcan expresamente y se cumplan en la práctica los derechos y libertades civiles enunciados en la Convención, en particular el derecho a un nombre y una nacionalidad; el derecho a preservar la identidad, incluida la identidad y expresión de género; el derecho a la libertad de expresión, de pensamiento y de asociación; a la protección de la vida privada; a la información en general y al cumplimiento de los derechos de la infancia; así como a la protección contra la tortura y otros tratos o penas crueles, inhumanos o degradantes[18].

El quinto de los apartados, referido al "Entorno familiar y otro tipo de tutela", insta a los Estados a que aporten toda la información de

---

[17]   CUSSIÁNOVICH, A. Y MÁRQUEZ, A.M.: *Hacia una participación protagónica de los niños, niñas y adolescentes*, Save the Children Suecia, Lima, 2002 págs. 17-18; HART, R.: *La participación de los niños: de la participación simbólica a la participación auténtica*, Unicef. Ensayos Innocenti, Bogotá, 1992, págs. 3-45; CASTRO ZUBIZARRETA, A., EZQUERRA MUÑOZ, P. Y ARGOS GONZÁLEZ, J.: "Procesos de escucha y participación de los niños en el marco de la educación infantil: una revisión de la investigación", en *Educación XX1*, vol. 2, nº. 19, 2016, págs. 105-126; y MOLINA FERNÁNDEZ, E.: "Desmontando mitos sobre la participación desde la infancia ¡sí se puede!", en *Ciudades con vida: infancia, participación y movilidad*, VILLENA HIGUERAS, J.L. y MOLINA FERNÁNDEZ, E. (Coords.), Graó, Barcelona, 2015, págs. 57-68.

[18]   GAITÁN MUÑOZ, L.: "Protagonismo infantil con perspectiva de género", en *Miradas no adultocéntricas sobre la infancia y la adolescencia*, GALLEGO, A y ESPINOSA, M. (Eds.), Comares, Granada, 2016, págs. 147-160; BARTOLOMÉ TUTOR, A.: "El derecho a la identidad", en *Tratado del Menor. La protección jurídica a la infancia y la adolescencia*, MARTÍNEZ GARCÍA, C. (Coord.), Thomson Reuters, Cizur Menor, págs. 726-742; RAVETLLAT BALLESTÉ, I.: "El derecho a la identidad (de género) de la infancia y la adolescencia: del paradigma de la patología a la autodeterminación", *Actualidad Civil*, nº. 9, 2017, págs. 42-62; y MALDONADO MOLINA, J.: "Transexualidad infantil y Derecho", en *Miradas no adultocéntricas sobre la infancia y la adolescencia. Transexualidad, orígenes en la adopción, ciudadanía y justicia juvenil*, GALLEGO, A. Y ESPINOSA, M (eds.), Comares, Granada, 2016, págs. 29- 46.

que dispongan, incluidas las principales normas vigentes de carácter legislativo, jurídico, administrativo o de otra índole que aborden cuestiones como la responsabilidad, los derechos y las obligaciones de los progenitores; la participación de los niños/as en el proceso de toma de decisiones en el marco de la familia; el derecho a la integridad física y personal; la separación de las personas menores de edad de uno de sus progenitores; la adopción de medidas de protección que signifiquen la separación temporal o permanente del niño/a o adolescente de su medio familiar; los supuestos en que el niño/a ha sido internado en un centro de atención, protección o tratamiento; los casos de traslados y retenciones ilícitos –sustracción internacional de menores–; y todo lo relativo a la adopción –tanto nacional como internacional–[19].

El sexto grupo de derechos que resultan de la sistematización de los artículos de la Convención efectuada por el Comité ginebrino, "Discapacidad, salud básica y bienestar", hace hincapié sobre la necesidad de reforzar la salud de los niños/as y adolescentes mediante medidas preventivas de atención que garanticen su desarrollo físico, espiritual, moral y social, pleno y armónico[20].

Este conjunto de preceptos reconoce también el valor fundamental de la familia y la necesidad de que el Estado les ofrezca asistencia de toda índole; los derechos de los niños/as con discapacidades mentales y físicas; el derecho a la atención de la salud de las madres –tanto prenatal como postnatal–; y el derecho de todo niño/a al "nivel más alto posible de salud"; a recibir tratamiento y rehabilitación; a la seguridad social; y a un nivel adecuado de vida. Este elenco de derechos incide de igual manera sobre los problemas del medio ambiente y

---

[19]   NOGUEIRA ALCALÁ, H.: "La protección convencional de los derechos de los niños y los estándares de la Corte Interamericana de Derechos Humanos sobre medidas especiales de protección por parte de los Estados partes respecto de los niños, como fundamento para asegurar constitucionalmente los derechos de los niños y los adolescentes", en *Revista Ius et Praxis*, n°. 2, 2017, págs. 415-462; y SALES i JARDÍ, M.: La vida familiar en la jurisprudencia del Tribunal Europeo de Derechos Humanos: una interpretación constructiva, Bosch, Barcelona, 2015, págs. 19-60.

[20]   CAMPOY CERVERA, I.: "Los niños y las niñas con discapacidad ante la modificación legislativa del sistema de protección a la infancia y a la adolescencia", en *Tratado del Menor. La protección jurídica a la infancia y la adolescencia*, MARTÍNEZ GARCÍA, C. (Coord.), Thomson Reuters, Cizur Menor, págs. 743-764.

exhorta a la eliminación de prácticas tradicionales que sean perjudiciales para la salud de la persona menor de edad.

El séptimo apartado, referente a la "Educación, esparcimiento y actividades culturales", se centra en la necesidad de que los Estados describan las medidas que han adoptado para garantizar la aplicación del derecho a la educación, incluidas la formación y orientación profesionales.

Por último, a tenor de la sección intitulada "Medidas especiales de protección", el Comité de los Derechos del Niño exige a los Estados que incluyan todas aquellas disposiciones y actuaciones tendentes a proteger a la infancia frente a circunstancias de emergencia o excepción; niños/as refugiados, niños/as afectados por un conflicto armado –incluidas su recuperación física y psicológica y su reintegración social–; situaciones de conflicto con la justicia –administración de justicia de menores, niños/as privados de libertad, reintegración social del niño/a–; cualquier tipo de explotación económica, incluido el trabajo infantil, la participación en la producción y tráfico de estupefacientes, la explotación y abusos sexuales, la venta, la trata y el secuestro, así como cualquier otro tipo de vulneración que sea perjudicial para el desarrollo armónico de su personalidad. Estas disposiciones abarcan también la especial atención que debe dispensarse por parte de los Estados al bienestar de los/as niños/as pertenecientes a minorías o a pueblos originarios –derecho a tener su propia vida cultural, a profesar y practicar su propia religión y a emplear su propio idioma–.

En relación todavía con estas orientaciones generales, el Comité de los Derechos del Niño preocupado en particular por la excesiva longitud de algunos de los informes periódicos presentados, ha manifestado que estos documentos deben ser concisos y analíticos, a ser posible que no excedan las ciento veinte páginas, centrados en cuestiones esenciales de la aplicación de la Convención[21].

2.2. Proceso de presentación y valoración de los informes

El Comité de los Derechos del Niño se reunió por primera vez el año 1991, poco después de que los Estados partes eligieran a sus diez

---

21   Informe sobre el 30° periodo de sesiones del Comité de los Derechos del Niño –CRC/C/118, de 30 de mayo de 2002–.

miembros iniciales. Desde un primer instante, este decenvirato de expertos comenzó a elaborar unos métodos de trabajo adecuados para contribuir en forma eficiente y constructiva a lograr que los procedimientos de presentación y toma en consideración de los informes librados hasta ese momento fueran cada vez más transparentes, eficaces y accesibles. Fruto de esos esfuerzos el Comité adoptó en el año 1994 una resolución[22] tendente a lograr esas finalidades, estableciendo de manera clara y concisa las diferentes etapas por las que transcurre un informe desde el preciso instante en que es presentado para su análisis por el Comité de Ginebra. Estas fases se han ido perfeccionando a lo largo del tiempo pero, en gran medida, siguen girando en torno al mismo criterio original y pueden subsumirse en cuatro apartados.

En primer término, la *presentación del informe*. Efectivamente, inicialmente los Estados envían al Comité el borrador final de sus informes oficiales –acompañado de las copias de los principales textos legislativos y de otra índole, así como información estadística detallada y los indicadores pertinentes para el proceso de verificación–. Esta entrega se efectúa en la Oficina del Alto Comisionado de las Naciones Unidas para los Derechos Humanos en Ginebra, que cumple las funciones de secretaría del Comité y ofrece servicios de orientación en la medida en que se lo permiten sus limitados recursos. En los casos en que los Estados no sigan las directrices marcadas por el Comité relativas a la preparación, redacción y estructura de los informes o proporcionen insuficiente información, el organismo de control procede a la devolución del informe y solicita la entrega de un documento más adecuado o exhaustivo.

Acto seguido, y una vez admitido el informe, principia la labor del conocido como *grupo de trabajo previo al período de sesiones*. En este segundo momento, se realiza una reunión privada de un grupo de trabajo configurado por integrantes del Comité de los Derechos del Niño. Esta congregación de expertos queda constituida con anterioridad al periodo de sesiones en que deba producirse la efectiva valoración del mencionado documento. El apuntado grupo de trabajo

---

22   Panorama general del procedimiento de elaboración de informes que deben presentarse ante el Comité de los Derechos del Niño –CRC/C/33, de 24 de octubre de 1994–.

normalmente se reúne inmediatamente después de finalizado un período de sesiones del Comité para preparar el subsiguiente. Es además en este foro, donde los organismos encargados de trabajar en pro de los derechos de la infancia –organizaciones internacionales y ONGs que actúen en el Estado en cuestión– pueden hacer oír su voz y subrayar la esfera de sus principales preocupaciones.

El objetivo esencial perseguido en estas dos primeras fases de valoración de los informes, tanto iniciales como periódicos, no es otro que el determinar con la debida antelación los aspectos más relevantes que con posterioridad serán examinados junto con los representantes de los Estados. Se trata, en definitiva, de poner en conocimiento de los Estados partes, de manera anticipada, las cuestiones más relevantes a tratar durante las sesiones plenarias. Es por ello, que el grupo de trabajo elabora una *Lista de cuestiones* que se envía al gobierno respectivo por vía diplomática. La Convención sobre los Derechos del Niño es amplia, compleja y de vasto alcance; así, si los representantes de los gobiernos tienen la posibilidad de preparar con tiempo suficiente sus respuestas a los interrogantes y dudas que desde el Comité se le hayan planteado, las posteriores deliberaciones pueden resultar más constructivas y enriquecedoras.

Una vez elaborado el listado de cuestiones por parte del grupo de trabajo, se inicia la tercera de las fases, etapa ésta en la que el Estado debe *dar respuesta por escrito al mentado cuestionario*, antes de iniciarse el periodo plenario de sesiones abierto al público, en el que el Comité estudiará en profundidad todos los aspectos del informe oficial.

Finalmente, el informe del Estado se valora en el curso del *período plenario de sesiones del Comité* fijado a tales efectos. Ostentan legitimación activa para hacer uso de la palabra los representantes del Estado y los miembros del Comité –suele emplearse aproximadamente un día y medio para debatir cada informe–. Están asimismo representados órganos y organismos interesados de las Naciones Unidas y pueden asistir, también, miembros de organizaciones no gubernamentales, así como periodistas especializados en la materia.

Tras una breve presentación del informe, se solicita a la delegación del Estado que facilite información sobre los temas a los que se ha hecho referencia en la lista de cuestiones. Se inicia así el diálogo. Si lo estiman oportuno y relevante, los miembros del Comité pueden formular nuevas preguntas o hacer observaciones sobre las respuestas escritas u orales, y seguidamente la delegación tendrá derecho a responder.

Cuando la discusión toca a su fin, los miembros del Comité resumen sus observaciones sobre el informe y sobre las deliberaciones y también pueden avanzar algunas sugerencias y recomendaciones. Por último, se invita a la delegación del Estado a presentar una declaración final. Con posterioridad, y en el curso ya de una sesión privada, el Comité acordará las observaciones finales, que deben plasmarse por escrito y que comprenden las sugerencias y recomendaciones. Si se estima que la información proporcionada es insuficiente o que es necesario aclarar más algunas cuestiones o incluso si se acuerda que las deliberaciones sobre el informe prosigan en un período de sesiones ulterior, las observaciones tendrán carácter meramente preliminar y así se informará de ello al Estado Parte.

Como puede apreciarse, una vez que la situación objetiva ha sido, en gran medida, aclarada previamente por escrito –esa es precisamente la función atribuida a la lista de cuestiones y de su respuesta por parte del Estado–, las deliberaciones deberían poder orientarse hacia el análisis de los "progresos realizados" y de las "circunstancias y dificultades con que se ha tropezado" en la aplicación de la Convención el Estado objeto de valoración. Puesto que todo el proceso tiene un propósito constructivo, se debe destinar el tiempo suficiente para examinar las "prioridades de aplicación" y los "objetivos para el futuro". Por este motivo el Comité insta al Estado Parte a que esté representado por delegados que tengan responsabilidades concretas y específicas en la adopción de decisiones estratégicas relacionadas con los derechos de la niñez. Parece evidente que cuando las delegaciones están presididas por un funcionario con responsabilidades en el Gobierno, aumenta la probabilidad de que las discusiones sean más fructíferas y tengan mayores repercusiones en la formulación de políticas y en las actividades de puesta en práctica.

2.3. Observaciones finales del Comité de los Derechos del Niño

Presentados, debatidos y analizados los informes, el Comité procede a elaborar y emitir una serie de sugerencias y recomendaciones u obser-

vaciones generales que, por supuesto, y como su propio nombre indica
no tienen carácter imperativo ni vinculante, sino que simplemente analizan y valoran aspectos específicos de la actuación de ese Estado en el
cumplimiento y observancia de las disposiciones de la Convención. Se
examina la forma en que los gobiernos –y no los individuos– establecen
y cumplen las normas que velan por la satisfacción y la protección de
los derechos de la infancia enumerados en la Convención.

Estas conclusiones finales, por regla general, se estructuran bajo
cuatro apartados claramente diferenciados: (1) una introducción: en
ella el Comité presenta el informe del Estado parte objeto de estudio,
así como detalla de manera minuciosa los pasos seguidos en el proceso
de revisión; (2) aspectos positivos: este epígrafe agrupa todas aquellas
actuaciones, medidas y políticas implementadas por parte del país analizado que el Comité valora como dignas de ser aplaudidas, celebradas
y ensalzadas; (3) factores y dificultades que impiden la aplicación de la
Convención: bajo esta rúbrica el Comité presenta de manera genérica
los principales problemas estructurales que obstaculizan e impiden la
adecuada puesta en práctica y el disfrute pleno de los derechos enunciados en la Convención –crisis económica, política y social que afecta
al país, niveles de pobreza crecientes, entre otros –; y, por último, (4)
principales temas de preocupación y recomendaciones: es en este punto en el que el Comité ginebrino manifiesta de manera clara, concisa y
precisa todas sus inquietudes y recelos ante determinadas situaciones,
actitudes, legislaciones, políticas y formas de actuar seguidas en un
determinado Estado y que suponen una vulneración de los derechos de
la infancia reconocidos en la Convención de 1989.

Ahora bien, reiterando la filosofía que guía e inspira las actuaciones del Comité, este organismo de expertos no se limita tan sólo
a denunciar o a criticar las prácticas contrarias a los derechos de la
niñez, sino que, por el contrario, ofrece a los Estados un conjunto de
recomendaciones para que éstos puedan reconducir la situación.

Finaliza este documento con una cláusula de difusión, en virtud de
la cual el Comité exhorta a los Estados a que difundan ampliamente
los informes – ya sean iniciales o periódicos –, las respuestas presentadas por escrito por el Estado parte y las observaciones finales del propio Comité al respecto. Todo ello a fin de promover el conocimiento
y la sensibilización acerca del texto de la Convención y su desarrollo,

así como la supervisión de su aplicación en el seno del Gobierno, el Parlamento y la sociedad en general, incluidas por supuesto las organizaciones no gubernamentales.

En sus observaciones, el Comité puede pedir al Estado Parte que le proporcione información complementaria, tal como se dispone en el párrafo 4 del artículo 44 de la Convención, con objeto de poder evaluar mejor la situación existente en ese país. Se fijará una fecha límite para la entrega de esa información por escrito.

El Comité para la elaboración de estas observaciones y recomendaciones no tiene en cuenta únicamente los informes "oficiales" presentados por los Estados partes, sino que también tiene en consideración los denominados informes "alternativos" presentados por organizaciones no gubernamentales que estén trabajando sobre la materia en su ámbito territorial y por organismos u oficinas especializadas de las Naciones Unidas.

Las observaciones finales se hacen públicas el último día del período de sesiones del Comité al aprobarse el informe del período de sesiones del cual forman parte. Una vez aprobadas, se ponen a disposición de los Estados Partes interesados y se publican también como documentos oficiales del Comité. De conformidad con lo dispuesto en el párrafo 5 del artículo 44 de la Convención, los informes del Comité se someten cada dos años a la consideración de la Asamblea General de las Naciones Unidas por conducto del Consejo Económico y Social –ECOSOC–.

Una vez emitidas y conocidas las observaciones finales con respecto a un Estado parte, éstas no deben ser consideradas como un documento estático, sino que, por el contrario, es preciso realizar por parte del Comité un seguimiento de las mismas. Así, se da por sentado que en el reporte periódico siguiente –recordemos cinco años después– el Estado deberá ocuparse en forma detallada de todos los problemas puestos de manifiesto por el Comité en sus observaciones finales precedentes.

3. EVOLUCIÓN EN EL CONTENIDO Y LA FORMA DE ELABORACIÓN DE LOS INFORMES

En su resolución 57/300, de 20 de diciembre de 2002, aprobada en su quincuagésimo séptimo periodo de sesiones, la Asamblea

General de las Naciones Unidas, habiendo examinado el informe del Secretario General titulado "Fortalecimiento de las Naciones Unidas: un programa para profundizar el cambio", alentaba a los Estados partes en los convenios de derechos humanos y a los órganos de los respectivos tratados, entre ellos por tanto el Comité de los Derechos del Niño, a que revisaran los procedimientos de presentación de los reportes exigidos por tales cuerpos internacionales a fin de elaborar un método más coordinado y simplificado de actuación.

En su estudio, el Secretario General destacaba, en primer lugar, la importancia de seguir desplegando esfuerzos para modernizar el sistema de tratados de derechos humanos. A continuación, el propio Secretario General incidía en el hecho de que la repercusión e importancia de la labor de las Naciones Unidas dependen en gran medida de la calidad de sus informes. Estos documentos, no lo olvidemos, proporcionan los datos y el análisis que los órganos principales de la ONU precisan para adoptar decisiones con conocimiento de causa, así como documentan sus debates y actuaciones en relación con una vasta gama de materias. El valor de los informes depende, por ende, de la profundidad de las investigaciones en que se basen, la claridad con que se comunique su contenido y los plazos en que se preparen y distribuyan. Actualmente, el número de informes es abrumador, existe una tendencia a la duplicación y su impacto es fragmentario. A ello cabría añadir la frecuencia con que los Estados partes presentan sus informes con demoras o incluso llegan a no presentarlos, sin mencionar las dificultades que supone para los países –en especial para los más pequeños– la presentación de informes a tantos comités de supervisión distintos.

Ante la realidad descrita en su dictamen, el Secretario General lanzó un conjunto de propuestas tendentes a reconducir la situación: a) los comités deberían idear un criterio más coordinado para llevar a cabo sus actividades; b) sería del todo preciso proceder a una reducción en la cantidad, la longitud y la frecuencia de los informes y; c) resultaría de vital importancia que se estandarizaran las diversas obligaciones de presentación de informes, de tal manera que cada Estado tuviera la posibilidad de elaborar un único informe nacional en que se resumiera el cumplimento de todos los convenios internacionales de derechos humanos de los que fuera miembro.

Finalmente, el Secretario General encargó al Alto Comisionado de las Naciones Unidas que iniciara una rueda de consultas con los órganos de supervisión y desarrollo de los distintos tratados acerca de los nuevos procedimientos de presentación de informes. Así, en cumplimiento de dicha encomienda, la Oficina del Alto Comisionado de las Naciones Unidas para los Derechos Humanos (ACNUDH) el 1 de noviembre de 2002 remitió una carta a los presidentes de los por entonces seis órganos de supervisión de los tratados de derechos humanos, informándoles de las recomendaciones del Secretario General e instándoles a que expresaran su opinión al respecto antes de finales de mayo de 2003[23].

Tras los debates mantenidos en sus respectivos comités, los presidentes de cada uno de estos órganos presentaron sus respuestas por escrito[24]. El presidente del Comité contra la tortura lo hizo en misiva de 2 de mayo de 2003, en ella, pese admitir la necesidad de intensificar la armonización y coordinación entre los distintos órganos de control de las Naciones Unidas, transmitía el parecer unánime del organismo que presidía apuntando que la opción de presentar un único informe sería sumamente difícil de llevar a la práctica de una manera satisfactoria. Sin embargo, el Comité se mostró favorable a ampliar el contenido del documento básico[25] para incluir en él cuestiones co-

---

[23]   Nota de la Oficina del Alto Comisionado de las Naciones Unidas para los Derechos Humanos –E/CN.4/2003/126, de 26 de febrero de 2003–.

[24]   Un resumen de los distintos posicionamientos de los representantes de los Comités del sistema de protección de derechos humanos de las Naciones Unidas lo encontramos en el Instrumento Internacional de Derechos Humanos de la Secretaría de Naciones Unidas, relativo a los métodos de trabajo relacionados con el proceso de presentación de informes de los Estados –HRI/ICM/2002/3/Add.1, de 10 de junio de 2003–.

[25]   Desde el año 1991 los Estados que son partes en uno o varios tratados internacionales de derechos humanos vienen presentando al Secretario General un "documento básico" –core document en la versión inglesa– en el que se consigna la información fundamental, en gran parte invariable, acerca de la situación en el Estado parte interesado –extensión territorial, población, aspectos socio-económicos, lenguas oficiales, estructura política, marco jurídico general de protección de los derechos humanos–. Este documento básico tiene como objeto facilitar el cumplimiento de las obligaciones de los Estados partes en materia de presentación de informes reduciendo la repetición y la duplicación de los datos presentados a varios Comités. Dicho informe está pensado para constituir explícitamente una parte inicial común a todos los informes de los Estados partes.

munes a todos los órganos, siempre y cuando este documento fuera presentado por todos los Estados partes con respecto a dos o más instrumentos y actualizado de manera más regular que el actual.

Por su parte, el máximo dirigente del Comité de Derechos Económicos, Sociales y Culturales expuso al Alto Comisionado, el 23 de mayo de 2003, la posición y las recomendaciones de este organismo. En su opinión, la propuesta del Secretario General sometida a debate –presentar un solo informe consolidado sobre todos los tratados de derechos humanos– no era la forma más apropiada de abordar los problemas que se plantean desde el punto de vista del sistema de tratados y de los Estados Partes en los diversos instrumentos de derechos humanos. Uno de los principales motivos de este posicionamiento del Comité era que la presentación de un solo informe podía tener como consecuencia la absorción o marginación de cuestiones específicas a cada tratado, y que no se ofrecería el nivel de detalle que se encuentra en los estudios que se presentan en la actualidad. Sin embargo, el Comité de Derechos Económicos, Sociales y Culturales estimó que si las Naciones Unidas contemplaban la posibilidad de avanzar hacia un solo grupo de expertos que supervisara el cumplimiento por parte de los Estados de todos los instrumentos de derechos humanos, y que se reuniera de manera permanente, la idea del informe único merecía estudiarse a largo plazo.

El tercero en pronunciarse fue el Presidente del Comité de los Derechos del Niño –lo hizo el 6 de junio de 2003–. El Comité de los Derechos del Niño expresó serias dudas sobre si la preparación de un solo informe contribuiría a mejorar el sistema o a aumentar el respeto de los plazos en la materia por los Estados Partes. Además, a su juicio, existía un grave riesgo de que un solo informe condujera a marginar las cuestiones específicas provistas en la Convención sobre los Derechos del Niño y de que se perdiera el proceso dinámico de presentación de informes, en el que participan organizaciones no gubernamentales nacionales y órganos de las Naciones Unidas. A juicio del Comité de los Derechos del Niño, habría formas más factibles y eficaces de mejorar el sistema vigente, por ejemplo debería examinarse la posibilidad de adoptar un sistema más coherente y sistemático de adopción de observaciones finales, recurriendo, en su caso, a las referencias cruzadas. El Comité propuso también que se estudiase seriamente la posibilidad de implantar un programa informático que facilitase la creación de una base de datos de cara al acopio de información sobre la aplicación de las disposiciones básicas de los tratados de derechos humanos, así como sobre las disposiciones específicas de cada convenio.

Una vez manifestada la postura de los distintos comités, y tras las amplias consultas realizadas por el Alto Comisionado de las Naciones Unidas para los Derechos Humanos –ACNUDH–, entre ellas una reunión de intercambio de ideas sobre la reforma del sistema de órganos creados en virtud de tratados de derechos humanos celebrada en Malburn[26] –Liechtenstein–, revelaron que los propósitos del Secretario General gozaban de amplio apoyo en la comunidad internacional. Ahora bien, en lugar de optarse por un único informe en el que se "resumiera" el cumplimiento de las obligaciones de un Estado, con arreglo a los tratados, se manifestó un consenso favorable a la ampliación del *documento básico* para incluir en él datos sobre cuestiones sustantivas de derechos humanos comunes a todos los instrumentos internacionales o a varios de ellos, así como cualquier otra información de interés general para todos los órganos de vigilancia de los tratados.

Ese mismo razonamiento se deriva de la segunda reunión entre los comités –*inter committee meeting*– que se celebró en Ginebra del 18 al 20 de junio de 2003[27]. En este encuentro se reconoció que el sistema de presentación de informes seguido hasta esos momentos era positivo y satisfactorio, pues contribuía a la creación de mecanismos en el plano nacional para promover la efectiva realización de los derechos huma-

---

[26]   Del 4 al 7 de mayo de 2003 se celebró en Malburn –Liechtenstein – un encuentro internacional de expertos a cerca del tema de la reforma de los órganos creados en virtud de los tratados. Las jornadas de trabajo fueron organizadas conjuntamente por la Oficina del Alto Comisionado de las Naciones Unidas para los Derechos Humanos y el Gobierno de Liechtenstein. Asistieron a la misma miembros de las entidades organizadoras, representantes de los Estados y de Entidades de las Naciones Unidas, la Unión Interparlamentaria, organizaciones no gubernamentales y una institución nacional. Para tener acceso al informe completo de la reunión vid. la Resolución de la Asamblea General A/58/123, de 8 de junio de 2003, adoptada en su 58º período de sesiones.

[27]   Instrumento Internacional de Derechos Humanos HRI/ICM/2003/3, de 10 de junio de 2002. Actas de la segunda reunión entre los comités que son órganos creados en virtud de tratados de derechos humanos. Ginebra, del 18 al 20 de junio de 2003.

nos. Asimismo, se rechazó la propuesta del Secretario General tendente a permitir la presentación por parte de los Estados de un único informe comprensivo de toda la información relativa a los tratados de derechos humanos de los que se es parte. En su opinión, esa manera de proceder sería extremadamente compleja y no vendría necesariamente a solventar los problemas e inquietudes que trataban de resolverse. En su defecto, se planteó la posibilidad de un *documento básico ampliado* que pudiera actualizarse periódicamente y presentarse junto con los *informes sobre cuestiones específicas contempladas en los tratados*[28]. En esta línea se pidió a la Secretaría que preparase un proyecto de directrices para elaborar un documento básico ampliado y unos criterios armonizados sobre presentación de informes en relación con todos los órganos de monitorización creados a tenor de las disposiciones internacionales.

La Secretaría cumplió con el encargo que le había sido encomendado, y presentó un informe en el que se detallan un conjunto de directrices provisionales para la preparación de un documento básico ampliado y de informes sobre tratados específicos, así como unas directrices armonizadas sobre la preparación de informes con arreglo a los convenios internacionales de derechos humanos[29].

De acuerdo con la propuesta de la Secretaría, el *documento básico ampliado* y el *informe específico* de un tratado deberían complementarse entre sí y, de este modo, tomados en forma conjunta, vendrían a satisfacer las obligaciones de un Estado parte en materia de presentación de un informe sobre el correspondiente tratado. Para subrayar la vinculación entre ambos documentos, se propuso que el primero fuera designado con el apelativo de "*documento básico común*", mientras que el segundo se identificara como el "*documento específico*" de cada tratado en particular. Para optimizar las ventajas y reducir al máximo los inconvenientes que supone el documento básico común, debería alentarse a los Estados

---

[28]   Anexo I del Informe de la segunda reunión de los comités que son órganos creados en virtud de tratados de derechos humanos, de la Resolución de la Asamblea General A/58/350, de 5 de septiembre de 2003, aprobada en su 58° período de sesiones.

[29]   Para consultar el texto completo del proyecto de directrices comunes para la presentación de informes a los órganos creados en virtud de tratados internacionales de derechos humanos vid. el Anexo del Instrumento Internacional de Derechos Humanos HRI/MC/2004/3, de 9 de junio de 2004.

a que actualizaran el mencionado texto con cierta regularidad – como mínimo una vez por cada ciclo de presentación de informes[30] – y a que cumplieran puntualmente con su obligación de presentar sus informes a todos los comités pertinentes. A su vez, los órganos de vigilancia creados por los tratados deberían esforzarse por analizar los informes y emitir sus observaciones y recomendaciones en el plazo más breve posible. Ello evitaría que los países tuviesen que preparar un nuevo documento básico común actualizado para cada comité.

A continuación presentamos, en forma de cuadro, la propuesta de la Secretaría de estructurar los informes en dos documentos integrados: uno básico común y otro específico por cada tratado[31]:

DOCUMENTO BÁSICO COMÚN DE TRATADO			
I. Hechos y cifras de carácter general acerca del Estado			
Antecedentes fácticos generales	Características demográficas, económicas, sociales y culturales	Estructura general, constitucional, política y jurídica	Datos estadísticos e indicadores de derechos humanos (anexo)
II. Marco normativo general de protección y promoción de los derechos humanos			
Aceptación de las normas internacionales sobre derechos humanos	Marco jurídico general de la protección de los derechos humanos	Marco general de la promoción de los derechos humanos	Papel del proceso de preparación de informes en la promoción de los derechos humanos a nivel nacional
Otra información conexa en materia de derechos humanos			

---

[30]   En cada tratado se indica una periodicidad con arreglo a la cual los informes de los Estados partes deben presentarse al órgano correspondiente. Esa temporalización en los informes iniciales va desde uno hasta dos años y en el caso de los informes periódicos desde dos hasta cinco años. La obligación asumida por los países de preparar informes respetando esos plazos temporales crea lo que se conoce como "un ciclo de preparación de informes". Cada Estado puede verse abocado a cumplimentar simultáneamente hasta siete de esos ciclos.

[31]   Instrumento Internacional de Derechos Humanos HRI/MC/2004/3, de 9 de junio de 2004, para. 35.

III. Disposiciones sustantivas comunes			
No discriminación e igualdad	Recursos eficaces	Garantías procesales	Participación
DOCUMENTO ESPECÍFICO DE TRATADO			
Derechos civiles y políticos	Derechos económicos, sociales y culturales	Eliminación de la discriminación contra la mujer	Eliminación de la discriminación racial
Comité contra la Tortura	Derechos del niño/a	Trabajadores migratorios	Derechos de las personas con discapacidad
Comité contra las Desapariciones Forzadas			

El siguiente paso fue someter el documento elaborado por la Secretaría al examen de cada comité y a la consideración de la tercera reunión inter-comité, que tuvo lugar en Ginebra del 21 al 22 de junio de 2004. En este evento el proyecto de directrices fue recibido como base válida para futuras discusiones. El Secretariado, no obstante, fue inquirido para proseguir con su labor durante el año siguiente, incorporando al documento original[32] los comentarios y sugerencias que fueran surgiendo a lo largo de las discusiones entabladas en el seno de cada comité, así como los recibidos por parte de los Estados, Agencias especializadas de las Naciones Unidas y de las organizaciones no gubernamentales, con el objetivo final de elaborar unas *orientaciones revisadas* que habrían de ser consideradas en la cuarta reunión inter-comité.

De nuevo, la Secretaría cumplió con su cometido y elaboró una versión revisada del proyecto de directrices armonizadas[33] en que se incorporaron muchos de los cambios sugeridos por los comités, así

---

[32]   Proyecto de directrices comunes para la presentación de informes a los órganos creados en virtud de tratados internacionales de derechos humanos. Anexo del Instrumento Internacional de Derechos Humanos HRI/MC/2004/3, de 9 de junio de 2004.

[33]   Para consultar el texto completo de las directrices armonizadas sobre la preparación de informes con arreglo a los tratados internacionales de derechos humanos, incluidas orientaciones relativas a la preparación de un documento básico

como por los Estados partes, organismos, fondos y programas de las Naciones Unidas y organizaciones no gubernamentales.

Acto seguido, en la cuarta reunión inter-comité, celebrada en Ginebra del 20 al 22 de junio de 2005, se propuso la creación de un grupo de trabajo, integrado por 7 miembros, uno designado por cada Comité, para que se encargada de concluir el Proyecto de creación de unas Orientaciones generales respecto de la forma y contenido de los informes presentados por los Estados ante los órganos creados en virtud de tratados de derechos humanos, para posteriormente someterlo a la consideración y, en su caso, a la eventual adopción por cada uno de los Comités.

Finalmente, en la quinta reunión inter-comité, celebrada del 19 al 21 de junio de 2006 se presentó por el Grupo de trabajo técnico de los comités la propuesta definitiva de directrices armonizadas sobre la preparación de informes con arreglo a los tratados internacionales de derechos humanos, incluidas orientaciones relativas a la preparación de un documento básico común y de informes sobre tratados específicos[34]. Esta fue, definitivamente, la versión aprobada y vigente en la actualidad.

Paralelamente a ello, en 2009 Navi Pillay, la entonces Alta Comisionada para los Derechos Humanos, inició un proceso de reflexión con los Estados, con los expertos de los órganos de tratados y con otros actores interesados sobre la forma de fortalecer el sistema de órganos de los tratados de derechos humanos. Estas consultas inclusivas y participativas culminaron en la publicación de un informe que fue presentado a la Asamblea General en 2012. En este documento la Alta Comisionada propuso medidas innovadoras para reforzar y mejorar el trabajo efectuado por los órganos de control de los tratados[35].

En abril de 2014, tras dos años de intensas negociaciones entre los Estados partes, la Asamblea General aprobó la Resolución 68/268, sobre el fortalecimiento del sistema de los órganos de tratados, to-

---

ampliado y de informes orientados a tratados específicos vid. el Instrumento Internacional de Derechos Humanos HRI/MC/2005/3, de 1 de junio de 2005.

[34]   La versión completa de esta propuesta la encontramos en HRI/MC/2006/3, de 10 de mayo de 2006.

[35]   Resolución de la Asamblea General de las Naciones Unidas, reforma de las Naciones Unidas: medidas y propuestas –A/RES/66/860, de 26 de junio de 2012–.

mando como modelo las propuestas efectuadas previamente por el Informe Pillay[36]. Entre ellas, por citar las más relevantes: aumentar los tiempos de reunión de 75 a 96 semanas anuales, permitiendo así a los respectivos comités elevar el número de países y de denuncias individuales examinados cada año; aprobar un programa de asistencia técnica para ayudar a los Estados que mayores dificultades presentan en el cumplimiento de sus obligaciones internacionales en virtud de los tratados; reafirmar la independencia e imparcialidad de los órganos de los tratados y de sus integrantes; racionalizar la traducción y la impresión de documentos para los órganos de control de los tratados; y exhortar a los presidentes de los diferentes comités a que armonicen sus procedimientos de intervención[37].

Para concluir este apartado, mentar que la eficacia de la totalidad de las medidas adoptadas se revisará en 2020 con el fin de asegurar su sostenibilidad y, en caso necesario, decidir sobre nuevas estrategias a seguir para fortalecer y mejorar el funcionamiento del sistema de control de los organismos de los tratados de derechos humanos, entre ellos, por supuesto, el Comité de los Derechos del Niño.

4. HONDURAS ANTE EL COMITÉ DE LOS DERECHOS DEL NIÑO

La Convención sobre los Derechos del Niño fue ratificada por Honduras el 10 de agosto de 1990, así como dos de sus tres Protocolos Facultativos: el relativo a la participación de niños en conflictos armados –ratificado el 14 de agosto de 2002– y el referente a la venta de niños, la prostitución infantil y la utilización de niños en la pornografía –ratificado el 8 de mayo de 2002–. En cambio, el relativo a un procedimiento de comunicaciones, de 19 de diciembre de 2011 –y que entró en vigor el 14 de abril de 2014–, y que habilita al Comité de los

---

[36]   Resolución de la Asamblea General de las Naciones Unidas, relativa a reforzar y mejorar el funcionamiento eficaz del sistema de órganos creados en virtud de los tratados de derechos humanos –A/RES/68/268, de 21 de abril de 2014–.

[37]   La Asamblea General pidió al Secretario General de las Naciones Unidas presentar cada dos años un informe sobre los avances en la aplicación de la Resolución 68/268, de 14 de abril de 2014.

Derechos del Niño para recibir y examinar denuncias de particulares, inter-Estados, e incluso iniciar procedimientos de investigación de oficio, no ha sido ratificado por el Estado hondureño[38].

Analizando ahora el grado de cumplimiento en la presentación de los diferentes informes que el Estado hondureño debe entregar ante el Comité ginebrino, cabe poner de relieve que Honduras, al igual que acaece con otros muchos países, ha ido acumulando retrasos en el desempeño de este cometido[39]. Es por ello, que como medida excepcional, y a fin de ayudar al Estado a ponerse al día en esta tarea, el Comité de los Derechos del Niño autorizó la posibilidad de acumular y presentar los informes periódicos cuarto y quinto en un único documento. Éste debió presentarse el 3 de octubre de 2012, y no se hizo efectivo hasta el 9 de septiembre de 2013 –CRC/C/HND/4-5, de 4 de septiembre de 2014–. Posteriormente, el Comité examinó los mentados informes en mayo de 2015 y aprobó sus Observaciones finales, el 5 de junio de 2015 –CRC/C/HND/CO/4-5, de 3 de julio de 2015–. Convirtiéndose ésta, en la última valoración recibida por Honduras por parte del Comité de los Derechos del Niño.

Por último señalar, que se espera que Honduras presente su sexto y séptimo informes combinados para el 8 de septiembre de 2020.

Además de los informes vinculados directamente con la Convención sobre los Derechos del Niño, Honduras también debía cumplir con el compromiso de rendir los informes iniciales relativos a los dos protocolos facultativos a la Convención –a los dos años de su ratificación–. De esta forma, Honduras debía presentar su informe inicial al Protocolo relativo a la venta de niños, la prostitución infantil y la

---

[38]   Las cifras son claramente llamativas, así mientras que el Protocolo Facultativo relativo a la participación de niños en conflictos armados ha sido ratificado por 168 Estados, y el referente a la venta, prostitución y pornografía infantil por 175, el que otorga competencias al Comité de los Derechos del Niño para poder recibir y examinar comunicaciones tan solo ha recibido 44 ratificaciones.

[39]   A marzo de 2017, un 20% de los informes periódicos que debían ser sometidos al Comité de los Derechos del Niño por los Estados parte dando cuenta de su nivel de cumplimiento y desarrollo del contenido de la Convención sobre los Derechos del Niño, son debidos. El porcentaje crece si nos referimos a los dos protocolos facultativos: el relativo a la participación de niños en conflictos armados, alcanza el 28% de morosidad; mientras que el referente a la venta, prostitución y pornografía infantil, se encarama a un 37%.

utilización de niños en la pornografía el 8 de junio de 2004, pero no hizo efectiva su entrega hasta el 15 de noviembre de 2012, con ocho años de mora; y con respecto al protocolo relativo a la participación de niños en conflictos armados, su presentación estaba fijada para el 14 de septiembre de 2004, y se realizó el 15 de noviembre de 2012, de nuevo con más de ocho años de retraso[40].

5. BIBLIOGRAFÍA

ALSTON, P.: The best interest of the child: towards a synthesis of children's rights and cultural values. En *Simposio Internacional la Convención de los Derechos del Niño hacia el siglo XXI, celebrado en Salamanca del 1 al 4 de mayo de 1996 con motivo del Cincuentenario de la creación del UNICEF.* Salamanca: Universidad de Salamanca, 1996.

BARTOLOMÉ TUTOR, A.: "El derecho a la identidad", en *Tratado del Menor. La protección jurídica a la infancia y la adolescencia*, MARTÍNEZ GARCÍA, C. (Coord.), Thomson Reuters, Cizur Menor, págs. 726-742.

CAMPOY CERVERA, I.: "Los niños y las niñas con discapacidad ante la modificación legislativa del sistema de protección a la infancia y a la adolescencia", en *Tratado del Menor. La protección jurídica a la infancia y la adolescencia*, MARTÍNEZ GARCÍA, C. (Coord.), Thomson Reuters, Cizur Menor, págs. 743-764.

CASTRO ZUBIZARRETA, A., EZQUERRA MUÑOZ, P. Y ARGOS GONZÁLEZ, J.: "Procesos de escucha y participación de los niños en el marco de la educación infantil: una revisión de la investigación", en *Educación XX1*, vol. 2, n°. 19, 2016, págs. 105-126.

CILLERO BRUÑOL, M.: "La Convención Internacional sobre los Derechos del Niño: introducción a su origen, estructura y contenido normativo", en *Tratado del Menor. La protección jurídica a la infancia y la adolescen-*

---

[40] Ni que decir tiene, que las observaciones finales adoptadas por el Comité sobre los informes iniciales presentados por el Estado hondureño en virtud tanto del Protocolo Facultativo relativo a la participación de niños en los conflictos armados –CRC/C/OPAC/HND/CO/1, de 13 de julio de 2015– como el relativo a la venta de niños, la prostitución infantil y la utilización de niños en la pornografía – CRC/C/OPSC/HND/CO/1, de 2 de julio de 2015– deben leerse conjuntamente con las emitidas por el Comité sobre los informes periódicos cuarto y quinto combinados, aprobados el 5 de junio de 2015.

cia, MARTÍNEZ GARCÍA, C. (Coord.), Thomson Reuters, Cizur Menor, págs. 85-121.

CUSSIÁNOVICH, A. Y MÁRQUEZ, A.M.: *Hacia una participación protagónica de los niños, niñas y adolescentes*, Save the Children Suecia, Lima, 2002.

DETRICK, S., DOECK, J., Y CANTWELL, N.: *The United Nations Convention on the Right of the Child. A guide to the Traveaux Préparatoires*, Martinus Nijhoff Publishers, Dordrecht, 1992.

GAITÁN MUÑOZ, L.: "Protagonismo infantil con perspectiva de género", en *Miradas no adultocéntricas sobre la infancia y la adolescencia*, GALLEGO, A y ESPINOSA, M. (Eds.), Comares, Granada, 2016, págs. 147-160.

GAITÁN MUÑOZ, L.: *De menores a protagonistas. Los derechos de los niños en el trabajo social*, Impulso a la Acción Social, Barcelona, 2014.

GAITÁN MUÑOZ, L.: *Sociología de la infancia*, Síntesis, Madrid, 2006.

HART, R.: *La participación de los niños: de la participación simbólica a la participación auténtica*, Unicef. Ensayos Innocenti, Bogotá, 1992.

LUX, A.: "Non-discrimination, complains mechanisms and equality bodies", en *Children and non-discrimination. Interdisciplinary textbook*, KUTSAR, D. y WARMING, H. (Eds.), University Press of Estonia, Tallin, 2014, págs. 60-76.

MALDONADO MOLINA, J.: "Transexualidad infantil y Derecho", en *Miradas no adultocéntricas sobre la infancia y la adolescencia. Transexualidad, orígenes en la adopción, ciudadanía y justicia juvenil*, GALLEGO, A. Y ESPINOSA, M (eds.), Comares, Granada, 2016, págs. 29-46.

MOLINA FERNÁNDEZ, E.: "Desmontando mitos sobre la participación desde la infancia ¡sí se puede!", en *Ciudades con vida: infancia, participación y movilidad*, VILLENA HIGUERAS, J.L. y MOLINA FERNÁNDEZ, E. (Coords.), Graó, Barcelona, 2015, págs. 57-68.

MONTEJO, J.M.: "Infancia-adolescencia, Estado y Derecho. Una visión constitucional", en *Sociedad e Infancias*, n°. 1, 2017, págs. 61-80.

NOGUEIRA ALCALÁ, H.: "La protección convencional de los derechos de los niños y los estándares de la Corte Interamericana de Derechos Humanos sobre medidas especiales de protección por parte de los Estados partes respecto de los niños, como fundamento para asegurar constitucionalmente los derechos de los niños y los adolescentes", en *Revista Ius et Praxis*, n°. 2, 2017, págs. 415-462.

RAVETLLAT BALLESTÉ, I.: "Marco jurídico internacional de los derechos humanos de las niñas, niños y adolescentes: génesis y caracteres de la

Convención sobre los Derechos del Niño", en *Lecciones para la defensa de los derechos humanos de la infancia y la adolescencia*, SANABRIA MOUDELLE, C. y RAVETLLAT BALLESTÉ, I. (Coords.), Corte Suprema de Justicia del Paraguay, Asunción, 2018, págs. 17-47.

RAVETLLAT BALLESTÉ, I.: "El derecho a la identidad (de género) de la infancia y la adolescencia: del paradigma de la patología a la autodeterminación", *Actualidad Civil*, n°. 9, 2017, págs. 42-62.

RAVETLLAT BALLESTÉ, I.: "El Comité de los Derechos del Niño", en *El desarrollo de la Convención sobre los Derechos del Niño en España*, VILLAGRASA ALCAIDE, C. y RAVETLLAT BALLESTÉ, I. (Coords.), Bosch, Barcelona, 2006, págs. 47-62.

SALES i JARDÍ, M.: La vida familiar en la jurisprudencia del Tribunal Europeo de Derechos Humanos: una interpretación constructiva, Bosch, Barcelona, 2015.

SÁNCHEZ HERNÁNDEZ, C.: *El sistema de protección a la infancia y la adolescencia*, Tirant Lo Blanch, Valencia, 2017.

VERHELLEN, E.: *Convention on the rights of the child*, Garant Publishers, Gant, 1997.

6. INFORMES Y DOCUMENTOS DE INTERÉS

Compilación de directrices elaboradas por el Secretario General de Naciones Unidas relativas a la forma y el contenido de los informes que deben presentar los Estados partes en los tratados internacionales de derechos humanos –HRI/GEN/2/Rev.6, de 3 de junio de 2009–.

Informes periódicos cuarto y quinto presentados por Honduras al Comité de los Derechos del Niño con arreglo al artículo 44 de la Convención sobre Derechos del Niño – CRC/C/HND/4-5, de 4 de septiembre de 2014–.

Informe sobre el 30° periodo de sesiones del Comité de los Derechos del Niño –CRC/C/118, de 30 de mayo de 2002–.

Instrumento Internacional de Derechos Humanos de la Secretaría General de las Naciones Unidas, Orientaciones relativas a la preparación de un documento básico ampliado y de informes orientados a tratados específicos y directrices armonizadas sobre la preparación de informes con arreglo a los tratados internacionales de derechos humanos, –HRI/MC/2006/3, de 10 de mayo de 2006–.

Instrumento Internacional de Derechos Humanos de la Secretaría General de las Naciones Unidas, Directrices armonizadas sobre la preparación de informes con arreglo a los tratados internacionales de derechos humanos, incluidas orientaciones relativas a la preparación de un documento básico ampliado y de informes orientados a tratados específicos –HRI/MC/2005/3, de 1 de junio de 2005–.

Instrumento Internacional de Derechos Humanos de la Secretaría General de las Naciones Unidas, Orientaciones relativas a la preparación de un documento básico ampliado y de informes orientados a tratados específicos y directrices armonizadas sobre la preparación de informes con arreglo a los tratados internacionales de derechos humanos –HRI/MC/2004/3, de 9 de junio de 2004–.

Instrumento Internacional de Derechos Humanos de la Secretaría General de las Naciones Unidas, relativo a los métodos de trabajo relacionados con el proceso de presentación de informes de los Estados –HRI/ICM/2002/3/Add.1, de 10 de junio de 2003–.

Nota de la Oficina del Alto Comisionado de las Naciones Unidas para los Derechos Humanos –E/CN.4/2003/126, de 26 de febrero de 2003–.

Observación General n°. 5 (2003), de 27 de noviembre, del Comité de Derechos del Niño, "sobre medidas generales de aplicación de la Convención sobre Derechos del Niño", - CRC/GC/2003/5, de 27 de noviembre –

Observaciones finales del Comité de los Derechos del Niño sobre el informe presentado por Honduras en virtud del artículo 8, párrafo 1, del Protocolo Facultativo de la Convención sobre los Derechos del Niño relativo a la participación de niños en los conflictos armados –CRC/C/OPAC/HND/CO/1, de 13 de julio de 2015–.

Observaciones finales del Comité de los Derechos del Niño sobre los informes cuarto y quinto combinados de Honduras –CRC/C/HND/CO/4-5, de 3 de julio de 2015–.

Observaciones finales del Comité de los Derechos del Niño sobre el informe presentado por Honduras en virtud del artículo 12, párrafo 1, del Protocolo Facultativo de la Convención sobre los Derechos del Niño sobre los derechos del niño relativo a la venta de niños, la prostitución infantil y la utilización de niños en la pornografía –CRC/C/OPSC/HND/CO/1, de 2 de julio de 2015–.

Orientaciones generales respecto a la forma y el contenido de los informes que han de presentar los Estados parte al Comité de los Derechos del Niño en virtud del artículo 44, párrafo 1 b), de la Convención sobre los Derechos del Niño, –CRC/C/58/ Rev.3, de 3 de marzo de 2015–.

Orientaciones generales del Comité de los Derechos del Niño, respecto de la forma y el contenido de los reportes periódicos –CRC/C/58, de 20 de noviembre de 1996–.

Orientaciones generales del Comité de los Derechos del Niño, respecto de la forma y el contenido de los reportes iniciales –CRC/C/5, de 30 de octubre de 1991–.

Panorama general del procedimiento de elaboración de informes que deben presentarse ante el Comité de los Derechos del Niño –CRC/C/33, de 24 de octubre de 1994 –.

Reglamento del Comité de los Derechos del Niño –CRC/C/4, de 14 de noviembre de 1991– y su última revisión es de 1 de abril de 2015 –CRC/C/4/Rev. 4, de 1 de abril de 2015–.

Resolución de la Asamblea General de las Naciones Unidas, relativa a reforzar y mejorar el funcionamiento eficaz del sistema de órganos creados en virtud de los tratados de derechos humanos –A/RES/68/268, de 21 de abril de 2014–.

Resolución de la Asamblea General de las Naciones Unidas, reforma de las Naciones Unidas: medidas y propuestas –A/RES/66/860, de 26 de junio de 2012–.

Resolución de la Asamblea General de las Naciones Unidas –A/58/123, de 8 de junio de 2003–.

Resolución de la Asamblea General de las Naciones Unidas –A/58/350, de 5 de septiembre de 2003–.

Capítulo 4
La intervención social con menores en situaciones de riesgo: enfoques y estrategias

María de las Olas Palma García
Profesora Titular de Trabajo Social y Servicios Sociales
Universidad de Málaga
España
mpalma@uma.es

1. SOBRE LAS SITUACIONES DE RIESGO Y LOS MENORES

Los niños, niñas y adolescentes viven situaciones de riesgo que no les corresponden. Los situamos en ellas tras haber fracasado en los compromisos y estrategias que debieran prevenirlas, generándose de esta forma contextos de gran complejidad social en los que los menores se ven inmersos. A partir de esta afirmación, las claves y enfoques desde los que se realicen los análisis que interpretan esta realidad serán determinantes para el abordaje de sus consecuencias y el diseño de las intervenciones necesarias.

1.1. Claves para su explicación

Hablar de riesgo en la infancia y adolescencia, en términos conceptuales, nos sitúa en el previo de todas aquellas situaciones consideradas improcedentes y perjudiciales para su adecuado desarrollo. El riesgo se produce ante la desprotección, el abandono o el maltrato de menores, todos ellos hechos normativamente reconocidos y definidos que pueden ser anticipados a partir de situaciones previas que muestran sus indicios. Se definen como situaciones en las que existen carencias o dificultades en la atención y protección hacia los menores pero que no requieren aún su separación del medio familiar (e.j. Gracia y Musitu, 1993; Gomez-Granell, Garcia-Mila, Ripol-Millet y Panchon, 2002). De esta forma el riesgo alerta, se puede prevenir y ha de ser abordado en el ámbito natural del desarrollo de los niños y niñas: sus familias y entornos comunitarios.

Se trata de una realidad de compleja definición, por referirse a un proceso que se va produciendo sin que existan límites fijados. Un proceso que llega a una situación extrema, resultado de circunstancias desencadenantes que no se han prevenido ni detectado a tiempo, ni con la suficiente garantía. Y que permanecen en el ámbito de abordaje próximo al menor, desde donde se ha de reconducir su realidad familiar y comunitaria. Sin embargo, en Honduras y en numerosos países existen situaciones en las que permanecen miles de niños, niñas y adolescentes que, aun definiéndose como situaciones de riesgo no reconocidas como desprotección formal, son escenarios de alta complejidad para la intervención social por su mantenimiento en el tiempo, por su cronicidad, por los deterioros personales, familiares y sociales a los que se ha llegado o por las conductas de riesgo que los niños ya han incorporado (consumo de sustancias, delitos, etc.). Ante estas situaciones, la primera clave desde la que pensar la intervención social es la de recordar que las mismas no deberían estar pasando (no aceptarlas como inevitables) y mantener en su diseño e implementación las siguientes consideraciones:

– La prevención ha de ser prioritaria. Solo desde ella se pueden evitar situaciones en las que en el presente se encuentra la infancia.

– Las situaciones de riesgo extremo a las que se llega son el resultado de múltiples fracasos de sistemas con función protectora y de atención hacia la infancia (familia, dispositivos públicos, educación, servicios sociales, etc.). De ello se deriva la responsabilidad de evaluar fracasos y reconducir políticas sociales.

Estas consideraciones son fundamentales ante la realidad de los menores en situaciones de riesgo, ya que van a condicionar la explicación que hagamos de la misma y los retos y responsabilidades que se deban asumir para acometer los cambios necesarios y prevenir situaciones futuras.

En paralelo, la segunda clave a tener en cuenta en la explicación de esta realidad es el lugar desde el que se ponga el foco para su análisis. Con frecuencia se focaliza en los propios menores, bien como responsables únicos de su situación –cuando se les criminaliza o estigmatiza– o como víctimas de la misma, sin esperar grandes cambios dada su indefensión total (Valverde Mosquera, 2008). En cualquiera de ambos casos, la mirada se centra en el menor como eje sobre el que giran las situaciones de riesgo, haciéndolos responsables de ellas: por presentar características personales que lo hacen vulnerables –su edad, personalidad o comportamiento–; o por su responsabilidad de tener las capacidades necesarias para evitar el riesgo, para adaptarse y salir con éxito de él. Sin duda, en la explicación de esta realidad es imprescindible incorporar la figura del menor, aunque esto siempre ha de hacerse considerándolo un sujeto de derecho y no un beneficiario pasivo. Esta forma de explicar la realidad de la infancia en situaciones de riesgo deriva en intervenciones sociales centradas exclusivamente en el menor, en que éste cambie, en que adquiera las habilidades necesarias para ello o en sacarlo del contexto de riesgo. Sin embargo, también se puede explicar esta realidad poniendo el foco en la capacidad protectora de los agentes e instituciones que han de garantizar su adecuado desarrollo, en su cobertura real y efectiva para todos los niños y niñas, o en la ausencia de ella.

1.2. Enfoques para su análisis

Las explicaciones que se van construyendo en torno a los menores en riesgo y exclusión social influyen directa e indirectamente en el tipo de respuesta que la sociedad les ofrece. Va a ser, por tanto, fundamental para el diseño y desarrollo de políticas públicas de protección y atención a la infancia el enfoque desde el que nos situemos ante el menor en riesgo.

Partimos de que no hay formas neutras de mirar la realidad, no hay enfoques neutros. Toda explicación tiene una ideología que la sustenta, una proposición de lo que se aspira alcanzar y fruto de ello, una modalidad de intervención (Carballeda, 2005). En los últimos años, cada vez más las ciencias sociales se acercan al estudio de la infancia y adolescencia en riesgo desde enfoques positivos, centrados en las personas y en sus fortalezas. Entre estos enfoques, adquieren especial aplicabilidad en la intervención social con menores en situaciones de riesgo el enfoque de derechos y el enfoque de resiliencia. Desde ambos, se está consolidando un cambio de paradigma en el estudio de esta realidad, transitando del interés por el déficit e indefensión de los menores hacia la centralidad de sus potencialidades y capacidades. El respeto a los derechos de la infancia y la promoción de la resiliencia son como dos espirales entrelazadas (Vanistendael, 2009) que se "refuerzan, se interpelan, se corrigen y se apoyan mutuamente" (p. 27).

En esta espiral, el enfoque de derechos aporta dos aspectos claves para la intervención social con la infancia y adolescencia en riesgo:

- Por un lado, al centrar el análisis en las causas que vulneran sus derechos, así como en los efectos y consecuencias que la acumulación de derechos vulnerados produce en determinadas poblaciones infantiles.

- Y por otro, en el reconocimiento de los niños, niñas y adolescentes como sujetos activos, partícipes, con derechos, y no solo como beneficiarios pasivos de la intervención social.

Esta mirada obliga a entender la realidad de los menores en riesgo desde la responsabilidad que han de asumir los garantes principales de sus derechos. De esta forma, la intervención social con niños, niñas y adolescentes en situaciones de riesgo se convierte en un escenario privilegiado para la demostración de la eficacia, valía y calidad social de un país.

A su vez, tener en cuenta a los niños y niñas como sujetos de derechos implica reconocerlos como agentes activos y parte constitutiva del tejido social y cultural. Deben dejar de ser vistos como víctimas indefensas para identificarlos como sujetos capaces de proponer soluciones y tomar decisiones ante las situaciones de vulneración en que viven (Valverde Mosquera, 2008).

Otro enfoque inspirador para la intervención social con menores en riesgo es el ofrecido por el paradigma de la resiliencia (Gilgun, 1996), centrado en conocer y promocionar la capacidad de las personas para "hacer frente a las adversidades de la vida, aprender de ellas, superarlas e inclusive, ser transformado por ellas" (Grotberg, 2006, p. 18).

Cada vez más, las ciencias sociales empiezan a preocuparse e interesarse por comprender los mecanismos que las personas ponen en marcha para superar las dificultades y aprender de ello. Se trata de aprender de lo que sí funciona, como estrategia de responsabilidad en los gestores e interventores sociales de las políticas públicas, especialmente de aquellas dirigidas a la protección a la infancia. No hemos de olvidar que en la realidad cotidiana, y a veces invisible, existen numerosas experiencias de respuestas resilientes de las que aprender. También en Honduras donde, ante las complejidades a las que se enfrenta la infancia, se han construido dinámicas y redes de apoyo y promoción comunitaria de especial relevancia en la protección a sus menores.

No obstante, aun cuando el enfoque de la resiliencia pone el foco en el desarrollo de las potencialidades internas de las personas, de las niñas, niños y familias que conviven en constantes experiencias de riesgo, también lo hace en la capacidad que de ellos y de todos se espera para la transformación de las causas que provocan dichas condiciones. Solo desde este equilibrio, que ha de alcanzar una perspectiva socio-política crítica, resulta posible conjugar el reconocimiento de los riesgos y desequilibrios sociales a los que los menores se enfrentan con la capacidad de superación que poseen (López y Rosa, 2014). No se trata de considerar a los menores como sujetos extraordinarios, invulnerables al riesgo o las adversidades, sino como agentes de cambio para el escenario de complejidad y dificultad en el que se encuentran. Desde este enfoque, la intervención social se sitúa fuera de paradigmas asistenciales para acercarse al justo equilibrio entre adaptación y transformación. El modo de concebir lo social, y en este caso las situaciones de riesgo en las que se encuentran los menores, conlleva una forma concreta de explicarlas, comprenderlas y reconocer a los sujetos afectados, lo que se convierte en determinante para los compromisos de actuación y respuestas profesionales frente a dichos sujetos (Oliva, 2007; Zamanillo, 2012).

2. SOBRE LOS COMPROMISOS Y RESPUESTAS PÚBLICAS PARA LA PROTECCIÓN A LA INFANCIA

La primacía del interés del menor en todas y cada una de las decisiones y actuaciones públicas ha quedado jurídicamente consagrada en el ordenamiento internacional (Comité de los Derechos del Niño,

2013)[1]. Sin embargo, aún hoy día sigue siendo un concepto complejo, flexible y adaptable, que requiere ser ajustado a la situación concreta de cada niño y del contexto en el que se encuentra (Núñez, 2016). De acuerdo con ello, los compromisos y respuestas públicas que se diseñan e implementan hacia la infancia en riesgo han de responder al contexto y su abordaje comunitario y de forma urgente a la complejidad de las situaciones normalizadas, en las que la tendencia a la naturalización de la desprotección infantil nos ha de mantener alertas.

2.1. La intervención social en el contexto comunitario

La proximidad de la intervención ha de ser un principio metodológico a prevalecer en el diseño y desarrollo de actuaciones dirigidas a la infancia en riesgo. Todo lo que pueda ser llevado a cabo desde el entorno habitual y próximo de los menores ha de iniciarse en dicho espacio, ya que el ámbito comunitario es el espacio preferente para la prevención y promoción (Villalba, 2004). En él se encuentran o se pueden generar los recursos propios internos que la comunidad tiene, que son los que conectan, los que empatizan con las experiencias y vidas de las niñas y niños manteniéndose en el tiempo junto a sus realidades naturales (no son recursos puntuales o externos que vienen y desaparecen). Trabajar con sus familias, con sus amigos, con los dispositivos que se encuentran en su entorno, revierte en normalización y garantías de desarrollo.

Pero además es en el ámbito comunitario donde han de diseñarse, pensarse y dar forma a las respuestas reales y viables que la infancia de cada contexto necesita, asegurando la participación y protagonismo de los propios implicados en la protección de sus niños y niñas. Con frecuencia, las políticas de atención a la infancia y sus programas se diseñan sin la implicación de los actores reales, lo que dificulta el sentido de pertenencia, de compromiso y corresponsabilidad con dichas actuaciones.

---

[1]   Comité de los Derechos del Niño, «Observación general nº 14 (2013) sobre el derecho del niño a que su interés superior sea una consideración primordial (art. 3, párr. 1)», <www2.ohchr.org/English/bodies/crc/docs/GC/CRC.C.GC.14_ sp.pdf>, 29 de mayo de 2013, pp. 3, 4, 5, 7, 9 y 10 (6-VII-2016).

La intervención social con menores en situaciones de riesgo ha de sumar esfuerzos y recursos a través del trabajo en red, conectando con los procesos que se llevan a cabo desde distintas instancias públicas o de la iniciativa social. La responsabilidad con la eficacia de dicha intervención exige evitar solapamientos, duplicidades o vacíos frutos de la descoordinación. Este compromiso únicamente se alcanza si se entiende el trabajo en red desde la fase previa de diseño a la puesta en marcha y no sólo en el momento de la ejecución. Sin embargo, con frecuencia se producen un gran número de oportunidades perdidas: por trabajar sin coordinación, sin tener en cuenta lo que ya se hace, sin aprender de lo que sí funciona y sin implicar a los recursos propios que tiene cada comunidad.

Por el contrario, un adecuado abordaje comunitario de la protección a la infancia genera un nuevo capital social que va a tener un efecto positivo y complementario sobre las políticas públicas. En Honduras, existen valiosas experiencias de intervención comunitaria, de empoderamiento social a través de procesos de liderazgo y participación, de las que sin duda se pueden extraer enseñanzas de gran fortaleza para el bienestar de la infancia.

2.2. Las anomalías en la intervención social con menores en riesgo

Siguiendo con este eje, el que nos lleva a analizar los compromisos y respuestas públicas de protección a la infancia a partir del principio del interés superior del menor, nos encontramos con que la mayoría de los países han ido desarrollando un sistema de protección garantista en coherencia con la normativa internacional (Convención de Derechos del Niño, 1989)[2] y normativas propias, en este caso hondureñas de protección social a la niñez y adolescencia (Decreto No. 73-96)[3]. Se constata que el problema no es tanto de garantía formal, de

---

[2] Ratificado por el Estado de Honduras el 31 de mayo de mil novecientos noventa, mediante Decreto No.75-90.

[3] Código de la Niñez y la Adolescencia. Decreto No. 73-96 Reformado por Reformado mediante Decreto 35-2013, del 27 de febrero de 2013. El objetivo general del presente Código es la protección integral de los niños en los términos que consagra la Constitución de la República y la Convención sobre los Derechos

derechos formulados, sino de recursos y capacidades institucionales para alcanzar la tutela efectiva de dichos derechos. En general, se dispone de un marco regulado que garantiza la protección de los niños, niñas y adolescentes en condiciones deseables, que en su práctica e implementación no se materializa, debido a la falta de medios objetivos y suficientes para asegurar una cobertura efectiva hacia todos los menores. De esta forma, encontramos en las situaciones de riesgo que viven los niños un indicador claro de fracaso de las políticas sociales diseñadas para evitarlas, pudiéndose medir a partir de ello la valía y calidad social de un país.

Este escenario nos obliga a reflexionar de nuevo en torno a las oportunidades perdidas en la intervención social con niños, niñas y adolescentes. Actuaciones previstas no realizadas o no llevadas a término en las condiciones planificadas, que con frecuencia no transcienden y, por tanto, no se evalúan. Pueden ser, aun así, actuaciones cargadas de información y experiencias de las que necesariamente se ha de aprender, al objeto de establecer mecanismos correctores que cualifiquen futuras actuaciones y garanticen los compromisos adquiridos con la infancia en riesgo.

En paralelo, además de analizar las causas que están en la base de estas anomalías jurídicas y sociales detectadas en la protección de los menores, desde los operadores de la intervención social se ha de estar especialmente alerta frente al riesgo creciente de naturalizar dichas anomalías en la práctica profesional, incorporándolas como cuota o margen de error asumido en la atención a la infancia. La máxima expresión de este proceso de naturalización de lo excepcional en la protección a la niñez se muestra en la realidad de los niños y niñas en situación de calle. Son desde la infancia víctimas de la pobreza estructural que viven sus familias (Salvia, 2015) como consecuencia de la acumulación de desventajas (Saraví, 2004) frente a otros contextos con oportunidades diferentes, lo que condiciona claramente las posibilidades de revertir su situación. Viven experiencias de alto riesgo, al amparo de la ayuda que entre ellos mismos se prestan, de la que reciben por la mendicidad, la caridad o de los resultados de prácticas

---

del Niño, así como la modernización e integración del ordenamiento jurídico de la República en esta materia.

inadecuadas que la vida en la calle les ofrece –consumo sustancias, robos, abusos sexuales, extorsión, etc.– (Pojomivsky, 2008). Son víctimas de prácticas abusivas e ilegales por parte de adultos que se benefician de su vulnerabilidad y todo ello con frecuencia es constatado y conocido por las instituciones y agentes públicos. Sin embargo, una vez normalizada la situación de estos menores en las sociedades en las que se producen, su presencia parece invisible, aunque se les vean, mostrándolos en todo caso como realidad homogénea, única, cuando detrás de cada niño y niña existen circunstancias diferentes y trayectorias bien definidas.

Ante estas anomalías y en el contexto actual de urgencia y complejidad instaladas en numerosas situaciones de vulnerabilidad extrema en la que viven niñas y niños en Honduras, se corre el riesgo de naturalizar dichas situaciones y entenderlas como fenómenos inevitables ante los que solo son posibles respuestas de ajuste y contención. Estas situaciones hacen, más que nunca, necesario recuperar análisis y propuestas de transformación que superen esta tendencia y aborden la desprotección infantil como un retroceso de derechos con responsabilidad colectiva que, además, es evitable.

3. SOBRE LOS PROFESIONALES DE LA INTERVENCIÓN SOCIAL

En el desarrollo de políticas públicas de protección a la niñez pocas veces se produce el logro total de los objetivos previstos. Esta falta de resultados se produce normalmente por deficiencias en el diseño y planificación de las políticas y programas, por insuficiencia de los recursos destinados o por la propia variabilidad de las condiciones sociales que rodean a la intervención. Ante ello, los profesionales se incorporan en la implementación de estas políticas como elementos correctores del sistema, recursos fundamentales capaces del ajuste y adaptación a los contextos y necesidades reales de las personas. Actúan como "epidermis de contacto entre administración y sociedad" (Subirats, 1992, p. 129) acompañando de forma particular cada proceso de cambio que se persigue en la realidad social. Sin embargo, este acompañamiento particularizado solo es posible desde la autonomía relativa que debe existir en la actuación profesional (Montaño, 2005).

En concreto, en la intervención social con niños, niñas y adolescentes en riesgo, los profesionales han de tener capacidad de movilidad y autonomía en la toma de decisiones respecto de las acciones diseñadas, del enfoque de las mismas o de las estrategias para su implementación. De forma genérica, esto no siempre ocurre lo que produce numerosas situaciones de malestar laboral entre los interventores sociales.

Hasta el momento, la investigación sobre colectivos profesionales de la intervención social se ha centrado preferentemente en el estudio de variables relacionadas con la insatisfacción laboral. Existen numerosos trabajos que analizan la presencia del estrés, acoso, desgaste laboral entre trabajadores sociales, psicólogos, educadores, etc. y su relación con otras variables presentes en el contexto laboral (Hombrados-Mendieta y Cosano, 2013). No obstante, en los últimos años comienza a ser cada vez más frecuente el estudio sobre otros posibles factores que contribuyen a que dichos profesionales vivan experiencias laborales satisfactorias, mostrándose el enfoque de la resiliencia y su desarrollo en los propios profesionales un escenario privilegiado para la intervención social. La resiliencia favorece el rendimiento de los profesionales a pesar de las adversidades y contradicciones que experimentan en su vida laboral, por lo que se propone su promoción como estrategia idónea para alcanzar entre ellos mayor productividad y eficacia (Palma-García y Hombrados-Mendieta, 2014).

4. CONSIDERACIONES FINALES

En general, la protección a la niñez y la adolescencia es una preocupación compartida e incorporada en las políticas públicas de nuestras sociedades. Se esperan compromisos y respuestas que eviten el malestar de los menores, disponiéndose para tal fin acuerdos y estructuras con vocación garantista. Sin embargo, también de forma general, las disfunciones producidas entre el diseño y los resultados de dichas políticas nos alertan sobre la urgente necesidad de reflexionar en torno a las claves que pueden explicar esta realidad. En la reflexión sugerida en este capítulo, se señalan como claves fundamentales para revisar la intervención social con menores en situaciones de riesgo: los enfoques desde los que acercarse a dicha realidad, con especial valor en el enfoque de derechos y de resiliencia; las estrategias con las que abordarla, asegurando la prioridad de la prevención y de la intervención comunitaria; y los compromisos que se han de asumir para evitar el riesgo a la normalización de las anomalías del sistema. Como recurso clave en el desarrollo de las políticas sociales de protección a la infancia, se destaca el lugar central que los profesionales ocupan en los proyectos de cambio y acompañamiento que se han de llevar a cabo para alcanzar el bienestar social de los menores y sus familias.

5. REFERENCIAS BIBLIOGRÁFICAS

CARBALLEDA J. Alfredo. *La intervención en lo social. Exclusión e integración en los nuevos escenarios sociales*, Serie Tramas Sociales, Paidós, Buenos Aires, 2005.

GILGUN, J. F. "Human development and adversity in ecological perspective, parte 1: A conceptual framework". *Famillies in Society*, 77, 395-402, 1996.

GÓMEZ-GRANELL, C.; GARCÍA-MILA, M.; RIPOL-MILLET, A. y PANCHÓN, C. *Informe 2002. La infància i les famílies als inicis dels segle XXI*. Institut d'infància i món urbà. Observatori de la infància i la família. Barcelona, 2002.

GRACIA, E. y MUSITO, G. *El maltrato infantil. Un análisis ecológico de los factores de riesgo*. Centro de Publicaciones del Ministerio de Asuntos Sociales, Madrid, 1993.

GROTBERG, E. *La resiliencia en el mundo de hoy. Cómo superar adversidades*. Gedisa, Barcelona, 2006.

HOMBRADOS-MENDIETA, I. y COSANO, F. "Burnout, workplace support, job satisfaction and life satisfaction among social workers in Spain: A structural equation model". *International Social Work*, 56(2), 228-246, 2013.

LÓPEZ, P., y ROSA, G. "El desarrollo de competencias para la promoción de la resiliencia: Buenas prácticas y procesos formativos en educación social" *Edetania*, 45, 145–163, 2014.

MONTAÑO, C. "Hacia la construcción del proyecto ético político profesional crítico". *Búsquedas del Trabajo Social Latinoamericano: urgencias, propuestas y posibilidades*. Ana Ruiz (Coord.) Espacio, Buenos Aires, 2005.

NÚÑEZ ZORRILA, C. "El interés superior del menor en las últimas reformas llevadas a cabo por el legislador estatal en el sistema de protección a la infancia y a la adolescencia". *Persona y derecho* (73), 117-160, 2016.

OLIVA, A. *Trabajo Social y Lucha de Clases: Análisis Histórico de Las Modalidades de Intervención en Argentina*. Imago Mundi, Buenos Aires, 2007.

PALMA-GARCÍA, M. y HOMBRADOS-MENDIETA, I. "The development of resilience in social work students and professionals". *Journal of Social Work, 14*(4), 380-397, 2014.

POJOMOVSKY, J. *Cruzar la calle. Vínculos con las instituciones y relaciones de género entre niños, niñas y adolescentes en situación de calle*. Espacio, Buenos Aires, 2008.

SALVIA, A. *Estimación de la pobreza multidimensional desde la perspectiva matricial bienestar/derechos 2010-2014*. Observatorio de la Deuda Social, Argentina, 2015.

SARAVÍ, Gonzalo A. "Pobres y pobrezas de ayer y de hoy: Hacia un enfoque centrado en la acumulación de desventajas." *Cuestiones de sociología*, 2, 2004.

SUBIRATS, J. *Análisis de políticas públicas y eficacia de la administración*. Instituto Nacional de Administración Pública, Madrid, 1989.

VALVERDE MOSQUERA, F. "Intervención social con la niñez: operacionalizando el enfoque de derecho. *Revista Mad*, 3, 95–119, 2008.

VANISTENDAEL, S. *Derechos del niño y la resiliencia. Dos enfoques fecundos que se enriquecen mutuamente*. Cuadernos del BICE. Oficina Internacional Católica de la Infancia, Paris, 2009.

VILLALBA QUESADA, C. "La perspectiva ecológica en el Trabajo Social con infancia, adolescencia y familia". *Portularia*, 4, 287-298, 2004.

ZAMANILLO, T. "Las relaciones de poder en las profesiones de ayuda. Una cuestión ética de primer orden". *Revista Internacional de Trabajo Social y Bienestar*, 1, 157-170, 2012

Capítulo 5

Nacer indefenso: la construcción emocional, psicológica y social del ser humano

María José Amestoy Jurado
Psicóloga Especialista en Psicología Clínica
Psícologa Perito Forense y Mediadora
PSICOLEY
España
psicoley@psicoley.com

Después de mi paso por la I Maestría Universitaria en Protección a la Infancia y Justicia Juvenil con la intervención: "Desarrollo afectivo y social en la infancia y trastornos infantiles y juveniles", constaté que, aunque el temario era muy amplio y a mí me apasiona la psicopatología, lo que más interesó a los maestrantes fue precisamente la parte relacionada con el desarrollo afectivo y social de los niños y adolescentes y, si acaso, los trastornos que de las posibles alteraciones en el armónico desarrollo de los infantes se derivaban. Es por ello que voy a centrar este capítulo, sobre todo, en esos aspectos esenciales para el ser humano, relacionándolos con posibles trastornos, pero sin detenerme a profundizar en ellos ya que, para el experto en Psicología Clínica, sin duda, será más completa cualquier consulta a un libro de psicopatología infantil y juvenil, y, para un profano en esa disciplina, puede hacerle perder la perspectiva de lo importante: de cómo nos haya ido tempranamente en la vida, en cuanto a los afectos y a las relaciones sociales, dependerá en gran parte nuestro futuro.

Haremos un recorrido comenzando por lo que para el ser humano supone su indefensión desde el momento de nacer y que va a condicionar su estrecha relación con otros seres humanos de los que dependerá su supervivencia. Estudiaremos los lazos emocionales que se establecen con otras personas y los efectos que estos producen en nuestro desarrollo físico y psíquico. El hito que supondrá la adquisición del lenguaje como vehículo de humanización y diferenciación de los otros, dándonos acceso al mundo simbólico. El desarrollo de las relaciones con otros seres humanos, que ya no serán exclusivamente de dependencia, con el surgimiento del amor, la amistad, la cooperación,... Sentimientos positivos que tienen su contrapartida en los celos, la ira, el rencor, entre otros, y que son tan humanos como los primeros. Acompañaremos a nuestro infante en su descubrimiento del mundo a través de los juegos, la curiosidad, la imitación de patrones de conducta, el estudio y la reflexión propias. Conoceremos el efecto que produce en el ser humano la ley y la cultura, en definitiva, acceder a un lugar que nos preexiste e indagaremos en las heridas que el abandono y la falta de amor causan en un niño. Trataré, en definitiva, de explicarles los factores que influyen en el desarrollo de los niños y qué determina el paso de una fase a otra de su evolución hasta la adolescencia.

Palabras clave: desarrollo afectivo, desarrollo social, niños, adolescentes, psicopatología infantil, psicopatología juvenil, trastornos del desarrollo, adolescencia, infancia.

1. INTRODUCCIÓN

La indefensión es la más primigenia de nuestras emociones porque está relacionada con una realidad que determina nuestra supervivencia: somos seres dependientes desde que nacemos. Es por ello que la he escogido como hilo conductor de este capítulo, donde pretendo abordar la construcción emocional, psicológica y social del ser humano.

Desde el momento de nuestra concepción vamos a ocupar un lugar que nos preexiste, el que se abre en el imaginario de nuestros padres: "mi hijo o hija será muy inteligente, será médico, ayudará a salvar vidas, ganará el premio Nobel, será investigador....". Podemos cambiar la profesión por cualquier otra y la imaginación se aplicará a las características físicas y de personalidad o de carácter: "se parecerá a su madre/padre y tendrá sus ojos, tendrá el carácter del abuelo, será tan habilidoso como su tía...". De manera que ya hay unas expectativas muy concretas para nosotros, incluso antes de que lleguemos a este mundo. Luego, la realidad vendrá a imponerse sobre todas estas ensoñaciones, pero también será moldeada por ellas, ya que influirán en cómo somos recibidos y cómo somos tratados por aquellas personas de las cuales depende nuestra supervivencia: nuestros padres. Y aquí empieza a funcionar la indefensión de la que hablaba al principio, generada por la gran prematurización con la viene al mundo el ser humano, ya que para todo dependeremos de la atención de otros seres humanos, desde alimentarnos hasta aprender a hablar, desde nuestra higiene hasta la conservación de nuestra salud. De ese otro se obtendrán los cuidados básicos y los estímulos emocionales para construirse como persona. De manera que la evolución del ser humano es un proceso dinámico resultado de la interacción, sobre todo social, del niño con el medio que le rodea. Es este un contexto diverso en el que, en esta primera etapa de la vida, van a tener un papel predominante la familia y, posteriormente, la escuela, y en la que el juego es una actividad fundamental para el desarrollo.

2. 1ª INFANCIA: DE 0 A 3 AÑOS

Desde el mismo momento de nuestro nacimiento mostramos un gran interés y curiosidad por aquellos seres de nuestra especie que nos rodean, y establecemos vínculos afectivos con las personas que interactúan con nosotros. Estos vínculos son fundamentales para nuestra supervivencia y el modo en que estos se establezcan y de cómo sean vividos por el niño dependerán sus relaciones futuras. Por ello es muy importante el papel de la familia como primer vertebrador de este esquema relacional, que es el que va a funcionar el resto de nuestra vida. ¿Quiere esto decir que si una persona no ha tenido una familia no va a poder relacionarse adecuadamente? ¿O que si sus relaciones familiares han sido nefastas esto va a afectar a su desarrollo futuro? Estas preguntas y otras de este tenor han movido a los psicólogos a investigar estos aspectos. El resultado de las investigaciones revela que, a pesar de las dificultades y dependiendo de cuales hayan sido y cómo nos han afectado, el ser humano puede relacionarse adecuadamente, recuperarse incluso de circunstancias muy dolorosas, pero siempre va a ser un proceso mucho más difícil y va a necesitar más ayuda que si las relaciones han sido armoniosas y han permitido el adecuado desarrollo evolutivo del niño. También existen circunstancias que van a influir en este desarrollo, dificultándolo e incluso interrumpiéndolo, y de cuyas consecuencias va ser difícil recuperarse. Es por ello que es tan importante el papel de una familia amorosa y atenta a las necesidades del infante. Así, una parte substancial del desarrollo del ser humano va a depender del contacto, cargado de significación afectiva, que recibe de sus padres.

En este escenario juegan un papel fundamental los afectos y los sentimientos que se generan. Todos los seres humanos tenemos sentimientos y estos pueden ser de diversa índole, algunos positivos (amor, compasión, amistad…) y otros no tanto (odio, rencor, ira…). Conforman un sistema dinámico que va variando y enriqueciéndose a lo largo de nuestra vida y de las relaciones que vamos teniendo. No podemos hacer nada por impedir su surgimiento, no podemos evitar tener determinados sentimientos, positivos o negativos, aunque sí podemos controlar la manifestación de los mismos. La evolución de nuestras relaciones y los sentimientos que ellas nos generan va ir haciéndonos crecer como personas y, a su vez, permitiendo que nos abramos a nuevas relaciones y experiencias, ya no solo con las personas de las que depende nuestra supervivencia (padres, cuidadores…), sino también con todo tipo de personas, y nos posibilita abrirnos al resto del mundo. La calidad y la cantidad de relaciones que podremos tener en adelante va a venir determinada por los vínculos emocionales primigenios que hayamos establecido.

Otro aspecto fundamental y determinante en el desarrollo humano es el lenguaje: junto con los cuidados, los niños van recibiendo un sinfín de palabras que les van humanizando, desde el hecho de ser nombrado como un ser diferenciado de los demás a través de un nombre propio, hasta el reconocimiento de signos y sonidos que se relacionan con diversas cosas humanas: "hijo, mi niño, te voy a comer, precioso…". Las palabras también nombran sentimientos: "te quiero, eres lo mejor que me ha pasado…". Incluso vienen a significar el llanto y el malestar del niño o sus gestos: "llora porque tiene hambre; está cansado; mira, se ríe…". Y esto no se hace solamente en los primeros estadíos de nuestra vida, sino que también sucede a lo largo de ella y se mantiene cuando somos adultos. La palabra, el lenguaje, nos hace entrar en el mundo de lo simbólico, ya no necesitamos tener un objeto delante para poder hablar de él; también nos abre la puerta de la imaginación. El lenguaje nos permite interpretar el mundo, los sentimientos, las emociones, viajar a lugares lejanos que nunca hemos pisado, nos facilita cooperar con otros, nos permite pensar. En definitiva, nos hace humanos. Y es muy distinto de los códigos de comunicación que puedan tener otros animales, porque, si bien ellos pueden comunicarse cierta información, avisarse de riesgos o peligros mediante estos códigos, no poseen la vertiente simbólica de la comunicación que posee el lenguaje humano. Y tienen tal importancia los efectos humanizadores que ejerce el lenguaje en los seres humanos que sólo tenemos que recordar casos de niños perdidos en la selva y que han crecido de manera salvaje, que, si nunca han conocido el lenguaje, luego no logran adquirirlo y con él todas las capacidades de orden simbólico que lleva aparejadas. Es impensable que, en un entorno normalizado, se dé una deprivación total del lenguaje, pero de ser así tendría consecuencias devastadoras para el desarrollo psicológico de los niños, no se accedería al mismo ni, por tanto, se podría desarrollar el pensamiento según lo conocemos; no existirían ni el juego ni la imaginación. Como queda puesto en evidencia, la ausencia del lenguaje tiene efectos desastrosos para el desarrollo del ser humano como tal.

Especialmente importantes, en los afanes comunicativos de los infantes, son los signos mediantes los cuales tratan de acercarse al otro, como puede ser la sonrisa. Es tal su importancia que ha sido llamado el primer organizador. Es el primer signo comunicativo de los seres humanos y el primer signo que reconocemos también. La literatura clásica lo sitúa en torno a los tres meses de edad, pero la realidad es que aparece bastante antes; podemos encontrar sonrisas con intención comunicativa en bebés de escasamente un mes de edad. También exteriorizan sus sentimientos de temor y angustia mediante el miedo y su manifestación en forma de llanto, llanto que va a ser interpretado por los adultos que le rodean y cuidan. Posteriormente llega el momento del reconocimiento propio como un individuo diferente de los demás, en la llamada "etapa del espejo": el niño se mira en el espejo y al principio no se reconoce, cree que es otro el que le mira desde allí, pero, poco a poco, toma conciencia de que es él mismo y de la completud de su imagen que hasta entonces aparece fragmentada en su psiquismo. Esta etapa es especialmente importante para la constitución de la identidad y, en el caso de personas que sufren malformaciones o faltas de miembros, se dan interpretaciones imaginarias que les permiten también construirse una imagen con la que identificarse. Me viene a la mente el caso de una persona que sufre la falta de gran parte de ambos brazos y una pierna y que, según narra en uno de sus libros, de niña llegó a la conclusión de que era una sirena, lo que le permitió seguir creciendo como persona sin sentirse mermada en su integridad de manera que le impidiera la consecución de sus proyectos vitales[1].

En esta época cobra especial relevancia el juego simbólico que ya venía produciéndose de manera rudimentaria desde estadíos anteriores y que evoluciona en complejidad según avanza nuestro desarrollo. El juego simbólico nos permite controlar la angustia, la ansiedad, la ira, el dolor... Nos permite aprender cómo funciona el mundo y entrenarnos para incorporarnos a él: jugamos a los médicos, a las casitas, a las cocinitas, al autobús, a papás y mamás, etc... Incluso, mediante el juego, podemos elaborar sentimientos tan complejos como los celos cuando el nacimiento de un hermano nos hace temer la pérdida de la relación privilegiada que disfrutamos con nuestros padres.

En cuanto a los trastornos que pueden afectar a los primeros estadíos del desarrollo de esta etapa de la vida suelen estar asociados a dificultades en la alimentación, el sueño y el llanto. A partir del primer año los problemas que aparecen tienen más que ver con la actividad motora, el lenguaje, el control de esfínteres y las rabietas.

3. 2ª INFANCIA: ETAPA DE LA SOCIALIZACIÓN, DE 3 A 6 AÑOS

La siguiente etapa del desarrollo humano sería la etapa que abarca desde los tres a los seis años: es la que llamamos la etapa de la socialización: El niño, a pesar de desconocer los conceptos del bien y del mal en un sentido religioso o filosófico, tiene muy pronto la noción de que actúa bien y mal, lo que aprende de las reacciones de los adultos a sus conductas y, sobre todo, de la organización de su mente de acuerdo a las leyes del lenguaje, lo que le permitirá entender lo que está o no prohibido y lo que es o no posible (por ejemplo, sabe si ha hecho daño, si ha roto algo, si ha desobedecido, o, sin que nadie se lo diga, accederá al "no matarás" o sabrá que no puede volar como lo hace Superman). En esta etapa, sobre todo, se imita el comportamiento de las figuras de apego fundamentales, generalmente los padres o personas que desempeñen

---

[1]   H. León Molina y F. J. Bergado Pereda. *Lary. El tesón de una sirena*. Plataforma Editorial, Barcelona, 2012.

la función de tales. Los niños quieren afeitarse como papá, juegan a ir al trabajo o a atender a los hijos, y exploran el mundo a la manera de las personas que son relevantes para ellos. Las conductas aprobadas o censuradas por las figuras adultas relevantes van a moldear la forma de comportarse de los pequeños. En este momento de la vida, la influencia de estas figuras relevantes es enorme. Por eso, es el momento de sembrar con el ejemplo los buenos hábitos: la lectura, la limpieza, el orden, la urbanidad, el respeto... Hemos de tener en cuenta que todas las conductas se imitan y asimilan. Así, si un niño está viviendo en su hogar situaciones de violencia y maltrato, es más probable que vaya a reproducir ese comportamiento, ya que no sólo es el modelo de comportamiento que ha aprendido, sino que va a considerarlo normal, incluso adecuado, porque es el único que observa en las figuras de apego. La socialización, es decir, la relaciones con otras personas más allá de las figuras parentales, va a permitir recibir otros ejemplos de comportamiento, el niño va a poder darse cuenta de que el esquema de relaciones que conocía hasta ese momento no es el único, y esta comparación y enriquecimiento de modelos y esquemas de relación va a permitir que la persona no se quede anclada en un tipo de relación o comportamiento, sino que va a poder elegir cómo quiere ser y cómo quiere comportarse. No obstante, las primeras impresiones en el psiquismo de un niño en este sentido van a tener un gran peso, y su transformación va a requerir un esfuerzo adicional y una toma de decisión más consciente que si el modelo de relaciones familiares vivido fuera más adecuado. Todo esto aparece muy bien reflejado en la película "El bola" que narra la vida de un niño "que vive en una atmósfera violenta y sórdida. Su situación familiar, que oculta avergonzado, le incapacita para relacionarse y comunicarse con otros chicos. La llegada de un nuevo compañero al colegio le brinda la oportunidad de descubrir la amistad y una realidad familiar completamente distinta"[2].

Junto al conocimiento de nuevos modelos de comportamiento empiezan a cobrar importancia las relaciones entre iguales. El juego con otros niños va tener un carácter inaugural en el psiquismo humano. Le va a permitir desarrollarse a todos los niveles, en esta época de la vida es especialmente importante el desarrollo motor con los juegos

---

[2]   J.A. Felez,.(Productor), F. Lázaro, (Productor),Tesela P. C. (Productor), A. Mañas, (Director). (2000). *El bola* [Película]. España: Tesela Producciones Cinematográficas.

de actividad. En la etapa preescolar esto es especialmente visible: los niños necesitan moverse. Estos juegos van a desarrollar su coordinación y equilibrio, la armonía de movimientos, el automatismos de acciones, la fuerza muscular, etc. Cuando jueguen con otros niños también estimularán su capacidad de cooperación para la consecución de un objetivo, aprenderán a acatar normas y a respetar a otros niños. Un ejemplo de todo ello puede ser el juego estrella de los recreos infantiles: el futbol. Pero el juego también estimula que el niño realice acciones por el puro placer de realizarlas y por la motivación de vencer por sí mismo la dificultad que pudieran entrañar. Jugando el niño aprende a distinguir la realidad de la fantasía, aprenden a pasar de lo concreto a lo abstracto, a establecer relaciones causa-efecto, adquiriendo la capacidad de aplicar la lógica a sus razonamientos. También desarrolla su capacidad de análisis, de síntesis, de cuantificación, de manera que va preparando el terreno a los aprendizajes escolares. Es especialmente importante fomentar el juego en los niños y cuidar que los juegos se adecuen a su edad cronológica y estadío evolutivo, ya que propuestas demasiado dificultosas para su estado de desarrollo podrían desencadenar sentimientos de frustración e incapacidad. Es reseñable que todos los niños juegan, sin importar su estatus social, su nivel de inteligencia, su capacidad o discapacidad, y siempre el juego les aporta innumerables beneficios en su desarrollo como personas.

Los trastornos más prevalentes en esta etapa vital tienen que ver con las nuevas circunstancias vitales que el niño ha de afrontar. Así aparecen los trastornos generalizados del desarrollo y la ansiedad de separación.

4. 2ª INFANCIA: NOS ABRIMOS AL MUNDO: SOCIALIZACIÓN, CONOCIMIENTO Y CONCIENCIA MORAL. DE 6 A 12 AÑOS

Llegamos a una etapa fundamental para el ser humano, en la que comienza la escolarización. La asistencia a la escuela, junto con el juego, va a marcar el desarrollo del ser humano durante gran parte de su evolución. Tengamos en cuenta que el estudio y el aprendizaje serán actividades que nos acompañarán hasta bien entrada la vida adulta. De cómo sea nuestra experiencia en el ámbito del aprendizaje y el estudio dependerán muchas elecciones que realizaremos y que afectarán a nuestro futuro. Si se ha experimentado placer y la etapa escolar ha sido satisfactoria, seguramente sentiremos la necesidad de completar nuestra formación para dedicarnos a una profesión en concreto. Si nuestra experiencia ha estado cargada de afectos negativos, es muy probable que deseemos abandonar ese ámbito en cuanto sea posible y no continuemos nuestra formación académica, por más que podamos reunir aptitudes para ello.

Esta es la época de los grandes descubrimientos y la curiosidad es el motor de casi todas las actividades de los niños de estas edades. Casi todas sus capacidades están enfocadas a descubrir cómo funciona el mundo, a investigar y explorar. Se producen aquí los aprendizajes sobre los que va a cimentarse nuestro acceso al conocimiento. Los niños encuentran gran placer en resolver problemas, siempre adecuados a su estadío evolutivo y grado de formación, adivinar acertijos, descifrar enigmas... Disfrutan del dominio que van consiguiendo sobre el mundo que les rodea y aprenden, aprenden y aprenden todo lo que se les ofrece activamente y, también, todo lo que observan a su alrededor, siendo la escuela el entorno privilegiado por excelencia por ser la fuente de la adquisición de los conocimientos y por ser el entorno que propicia el surgimiento de nuevas relaciones, sentimientos y vivencias. El maestro se convierte en una figura fundamental para los niños, aportando, además de conocimientos, nuevas experiencias afectivas. Los padres ya no son las únicas figuras de apego y el poso beneficioso que puede dejar en nuestras vidas un buen maestro es una de las experiencias más enriquecedoras que podemos vivir los seres humanos.

Paralelamente, además de la aparición de otras figuras adultas en la vida de los niños, adquiere nuevos matices la relación de amistad con sus iguales, una relación que va a estar tejida de afinidad, confianza y complicidad. Se potencia exponencialmente la capacidad de cooperar con otros para la consecución de un objetivo, faceta que es muy aprovechable en la escuela y que nos prepara para, en el futuro, ser capaces de colaborar, hacer converger esfuerzos y favorecer la participación de otras personas en una actividad que pueda depararnos un bien común. Además, ya somos capaces de modular nuestras expresiones emocionales: en el contacto con los otros aprendemos a autocontrolarnos. Nuestros afectos se vuelven más ricos y variados y experimentamos muchos más sentimientos y estados emocionales. También aprendemos a reconocer los sentimientos de los demás y a actuar en consecuencia. Vamos dejando de imitar a otros y empezamos a comportarnos de una manera que reconocemos y reconocen los demás como propia; surge lo que llamamos nuestro carácter y se completa con nuestra forma de ser y comportarnos. También van surgiendo las cualidades humanas más enriquecedoras: la empatía, la compasión, la capacidad de perdón y la conciencia de formar un todo con otros semejantes; en definitiva, la noción de formar parte de la humanidad y, a su vez, ser un individuo único y distinto. Nos encontramos ya en el final de la segunda infancia, etapa que también recibe el nombre de preadolescencia porque en ella van apareciendo paulatinamente las características y cualidades que formarán parte de la adolescencia.

En el cuadro aparecen los porcentajes estimados de presencia de distintos trastornos en la infancia:

PREVALENCIA EN LA INFANCIA

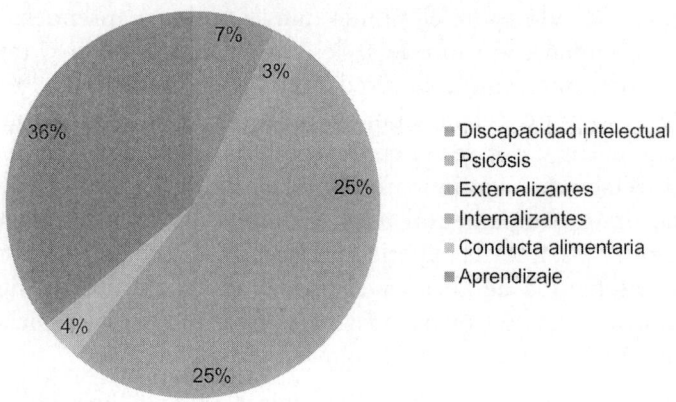

Ahora aparecen por tanto los trastornos específicos del aprendizaje y el trastorno por déficit de atención con o sin hiperactividad. Incluso comienzan a surgir problemas relacionados con el estado de ánimo como puede ser la depresión y también las primeras manifestaciones de la ansiedad.

Los trastornos externalizantes se han caracterizado como manifestaciones comportamentales directamente observables que envuelven conflictos entre el individuo y el ambiente social, comprendiendo una constelación de comportamientos como la agresividad, comportamiento antisocial, dificultades en las relaciones sociales, desobediencia, déficit de atención, baja tolerancia a la frustración y pobre control de los impulsos, entre otros. Podemos observar en el cuadro que el porcentaje de estos trastornos es una cuarta parte de los trastornos que se presentan en esta época de la vida. En lo referente a la etiología, podemos decir que para la aparición de este tipo de trastornos es muy determinante la interacción entre los padres y el niño, las características particulares del individuo infantil en cuanto a personalidad y temperamento, así como las características de los padres y los factores socioculturales en los que se desenvuelven.

Los trastornos de tipo internalizante se relacionan con procesos de somatización, manifestaciones de inseguridad y dependencia, marcada timidez, miedos, fobias, tristeza, preocupación, inestabilidad del estado de ánimo, obsesiones, etc. La presentación de este tipo de trastornos en esta etapa vital es todavía mayor que en los trastornos externalizantes, de hecho, son los más frecuentes en la infancia, sin embargo, los trastornos de tipo externalizante son los que suelen ser objeto de atención clínica de forma más habitual, dado que resultan más visibles tanto en el contexto familiar como escolar. La etiología suele estar relacionada con déficits en la relación social que influyen en el estado de ánimo del niño y viceversa. También aparece una relación negativa entre los síntomas depresivos y la autoestima, de forma que a medida que aumentan los síntomas depresivos disminuye el nivel de autoestima. La baja autoestima también aparece frecuentemente unida, de forma directa, a los trastornos de ansiedad, sobre todo cuando se vuelve más severa. Con el resto de problemas internalizantes (ansiedad, retraimiento social y problemas somáticos) también se pueden experimentar dificultades en las relaciones sociales cuando aparece el miedo a enfrentarse a situaciones específicas de relación con sus iguales o con adultos. A nivel educativo, los efectos de los trastornos internalizantes en niños y en adolescentes ejercen un efecto negativo y significativo sobre el rendimiento académico, pudiendo llegar a bloquear la capacidad del niño de implicarse activamente en los procesos de aprendizaje, incluso aunque los trastornos se sufran a un nivel subclínico.

Las grandes transformaciones que propicia esta etapa también tienen su reflejo en los problemas psicológicos que pueden presentarse: en la preadolescencia y primeros años de la adolescencia: son frecuentes las dificultades con los pares y los conflictos con las figuras parentales. En otro grado de gravedad y en menor porcentaje también aparece depresión, alteraciones de la identidad sexual, conductas suicidas, alteraciones de la conducta alimentaria y fobias sociales. El número de casos de estos trastornos en la segunda infancia no es muy numeroso, pero sus consecuencias en el psiquismo del niño son dramáticas por lo que es necesario prestar atención inmediata a cualquier indicio que apunte la sospecha de cualquier padecimiento del niño en este sentido.

5. ADOLESCENCIA: LA CONSTRUCCIÓN DE LA PERSONA

La adolescencia es quizá la época más compleja de nuestra vida. Es una etapa de grandes cambios y transformaciones personales que van a convertirnos en las personas que seremos el resto de nuestras vidas.

En este momento se empiezan a cuestionar todas nuestras relaciones, especialmente con nuestros padres. Ha dejado de ser las figuras principales de nuestra vida, pierden su protagonismo, y la relación con ellos se llena de controversias y contradicciones. Son frecuentes los enfrentamientos por motivos irrelevantes y surge con fuerza en el adolescente la sensación de incomprensión por parte de los padres. Para estos también es una etapa difícil, han de tolerar haber perdido su preeminencia con respecto a sus vástagos y deben aprender a respetar y apreciar a la nueva persona en que parece haberse convertido su hijo.

En el adolescente aparecen multitud de dudas acerca de todo lo que se creía asentado hasta ahora. Dudas que abarcan desde sus afectos, aficiones y gustos, hasta su sexualidad. El grupo de amigos se convierte en lo más importante y la lealtad, el secretismo y la comunión con los ideales del grupo son fundamentales. Es tal la necesidad de pertenencia que pueden darse comportamientos comprometidos con tal de conseguir la aceptación por parte del grupo. Es por ello que los adolescentes son especialmente vulnerables a la fascinación que pueden ejercer determinados grupos. Es muy importante por eso prestar atención a los grupos que los adolescentes frecuentan, pues no son extraños los fenómenos de captación para formar parte de grupos delictivos o la radicalización de determinadas creencias, pudiendo llegar a participar, en casos extremos, en grupos terroristas. Así mismo, entre los comportamientos grupales es muy frecuente el consumo de drogas y hay que prestar atención al absentismo y cambios en el rendimiento escolar, así como a cambios bruscos en los comportamientos habituales, como la pérdida de interés en sus actividades preferidas, o a la actitud apática o excesivamente activada que no concuerde con su comportamiento previo. Los cambios de grupos de amigos y el abandono de relaciones estrechas habituales pueden ser indicativo de conductas de riesgo y también pueden darse comportamientos como mentir o robar y la participación en actividades secretas.

Junto a todo esto, los sentimientos están a flor de piel y son muy frecuentes los cambios de humor, el ánimo disfórico y la sensación de incomprensión por parte del entorno y de extrañeza con respecto a sí mismos. Los sentimientos se vuelven intensos y profundos y se descubre el amor de pareja como elemento catalizador de todas las emociones. Paralelamente, aparece el descubrimiento de la sexualidad y, a pesar de la gran cantidad de información acerca de sexualidad y contracepción a la que tienen acceso los adolescentes actualmente, pueden darse casos de embarazos no deseados. Por temor o vergüenza podrían incurrir en prácticas relacionadas con la interrupción de embarazos no deseados, la ingestión de sustancias con el mismo fin y conductas de riesgo. También las dudas sobre la orientación sexual son muy importantes en esta etapa, aparecen las primeras tendencias homosexuales reconocidas y pueden darse las primeras experiencias y relaciones homosexuales.

La intensidad de los sentimientos puede generar reacciones desmesuradas ante cualquier quebranto emocional, como pudiera ser una ruptura sentimental, las conductas pueden ser extremas y, ante circunstancias adversas, existe el riesgo de intentos autolíticos. Los celos mal entendidos como medida de la intensidad del amor pueden generar con la pareja conductas de control: vigilancia de las horas de conexión a Whatsapp y otras aplicaciones de mensajería instantánea, cuestionar personas con las que se habla y tiempo que se les dedica, curiosear en las redes sociales de la pareja, preguntar qué hace en cada momento, no presentar a la pareja a otras personas para mantener la relación con ella en exclusividad, exigir el intercambio de imágenes de contenido sexual como un seguro de mantenimiento de la relación, etc.; o bien conductas de pérdida de control con comportamientos violentos que pueden llegar a las agresiones de diverso grado de gravedad.

La adolescencia es la época de la vida en la que se van a conformar nuestros ideales, con arreglo a ellos viviremos nuestra vida adulta. A pesar de lo que se cree, los jóvenes suelen estar muy interesados en la política. La fuerte importancia de los ideales hace que la participación en manifestaciones y organizaciones sociales sea más grande en la adolescencia tardía y juventud que en cualquier otra etapa de nuestra vida. También tiene mucha relevancia el interés por la religión y la espiritualidad: es muy frecuente la participación en grupos de voluntariado y el nivel de compromiso con las premisas y la filosofía del grupo es muy elevado. Los seres humanos nunca seremos más altruistas que en nuestra juventud, momento en el que somos capaces de grandes sacrificios en aras de un ideal o del bien común.

En la adolescencia media y tardía los trastornos más prevalentes son la depresión, aparecen los primeros brotes esquizofrénicos, los trastornos de la conducta alimentaria con especial presencia de bulimia, y el abuso de sustancias. También es la etapa más complicada psicológicamente hablando y es necesario abordar los posibles conflictos o problemas que se presenten sin descartar la necesidad de ayuda profesional.

No obstante, las trasformaciones psíquicas que se producen en la adolescencia en ocasiones hacen difícil, incluso al clínico, distinguir entre un adolescente normal, con manifestaciones algo más extremosas en sus comportamientos, y un adolescente que presenta verdaderos problemas patológicos, siendo muy recomendable, ante situaciones en las que os padres o profesores consideran que se ha perdido el control, consultar con un profesional de la psicología para su manejo.

PREVALENCIA EN LA ADOLESCENCIA

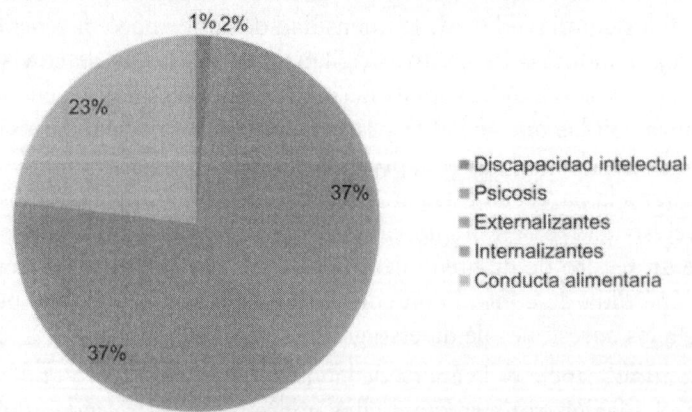

En el cuadro pueden verse los porcentajes estimativos de la presencia de los distintos trastornos en la adolescencia. Como se puede observar se ha producido una modificación con respecto al cuadro en el que hacía referencia a la infancia. En la etapa de la adolescencia pierden prevalencia los trastornos relacionados con el aprendizaje, los trastornos psicóticos se mantienen en cifras muy similares, aumenta la presencia de trastornos externalizantes e internalizantes y se incrementan de manera notable los trastornos relacionados con la conducta alimentaria.

En el cuadro siguiente puede verse gráficamente el resumen de presentación y comorbilidad en algunos de los trastornos más prevalentes en la infancia y la adolescencia.

La discapacidad intelectual. En los países desarrollados, el retraso mental medio afecta entre un 2% y un 6%, mientras que del 3 al 4 por 1.000 de la población presenta retraso mental severo o profundo. Las cifras se duplican en niveles sociales bajos, por una deficiente prevención tanto primaria como secundaria.

Respecto de otros problemas: los *trastornos del comportamiento alimentario* aparece en el 1%, más en mujeres y aumentan con la edad. Los *problemas de la eliminación* (enuresis y encopresis) alcanzan el 14%, con mayor representación en varones y, por el contrario, tienden a disminuir con la edad.

La *psicosis*. Tiene una baja incidencia en la niñez (1 por 10.000), pero se incrementa dramáticamente en la adolescencia tardía (17-18 años), llegando al 17 por 10.000. Los varones duplican el número de las mujeres.

Los *trastornos interiorizados*. La *depresión* presenta una prevalencia que oscila entre el 5% y el 7%, siendo más frecuente en mujeres a partir de la pubertad y aumentando con la edad. La *ansiedad* alcanza un 27% y también presenta una mayor incidencia en mujeres a partir de la pubertad.

Los *problemas exteriorizados*. Su incidencia fluctúa, según las fuentes, entre el 27% y el 35%; siendo mayor en varones que en mujeres y disminuyendo con la edad.

Es importante tener en cuenta que muchos de los trastornos que aparecen, en ésta y otras etapas de la vida, pueden tener una alta comorbilidad con otros trastornos, ya que sufrir un trastorno no exime de poder presentar otro u otros trastornos. Sin embargo, no todos tienen la misma frecuencia de presentación comórbida y existen trastornos que aparecen juntos con mucha más frecuencia que otros. Además, la presentación de determinados trastornos y la evolución de los mismos también está influida por el sexo del sujeto, su edad y por su entorno social.

La comorbilidad alcanza cifras entre un 20% y un 60% entre los distintos trastornos, siendo los porcentajes más altos aquellos que ponen de manifiesto la relación entre ansiedad y depresión. Es curioso que las cifras de porcentajes de presentación de trastornos son muy similares en los distintos países, pero las prevalencias de los trastornos son muy variables entre distintas sociedades. Esto nos indica que, aunque haya elementos comunes que producen patrones semejantes, también hay elementos divergentes, fundamentalmente sociales, y que marcan una gran diferencia para las personas que los sufren.

6. BIBLIOGRAFÍA

CIE-10. Décima revisión de la clasificación internacional de las enfermedades. Trastornos mentales y del comportamiento. Descripciones clínicas y pautas para el diagnóstico, Organización Mundial de la Salud (1992). Madrid. Méditor.

CABALLO, V. E. y SIMÓN, M. A. (Dirs.)(2013), *Manual de psicología clínica infantil y del adolescente: trastornos generales* Madrid: Pirámide.

CABALLO, V. E. y Simón, M. A. (Coords.)(2007), *Manual de psicología clínica infantil y del adolescente: trastornos específicos* Madrid: Pirámide.

Manual diagnóstico y estadístico de los trastornos mentales (5ª ed.). Asociación Americana de psiquiatría. (2013).Arlington, VA: American Psychiatric Publishing.

Capítulo 6
Modalidades alternativas de cuidado de los niños, niñas y adolescentes

Dra. Blanca Sillero Crovetto
Profesora Titular Derecho Civil
Universidad de Málaga
España
(bsillero@uma.es)

1. INTRODUCCIÓN

La familia es el núcleo fundamental de la sociedad y el medio natural para el crecimiento, el bienestar y la protección de los niños[1]. Todos los esfuerzos deben estar encaminados a lograr que el niño permanezca o vuelva a estar bajo la guarda de sus padres o, cuando proceda, de otros familiares cercanos.

Los niños, niñas y jóvenes deben vivir en un entorno en el que se sientan apoyados, protegidos y cuidados y que promueva todo su potencial, la ausencia o falta total o parcial del cuidado parental provoca que los niños, niñas y adolescentes se encuentren en una situación especial de riesgo.

Cuando la propia familia del niño, no puede ni siquiera, con un apoyo apropiado, proveer al cuidado del niño o cuando lo abandona o renuncia a su guarda, el Estado es responsable de proteger los derechos del niño y de procurarle un acogimiento alternativo adecuado, con las entidades públicas locales competentes o las organizaciones debidamente habilitadas de la sociedad civil. Corresponde al Estado por medio de sus autoridades competentes, velar por la supervisión de

---

[1] En este trabajo se utilizan indistintamente los términos "niños", "niñas" y "adolescentes" frecuentes en el ordenamiento internacional y "menor" mas común en el ordenamiento jurídico español.

la seguridad, el bienestar y el desarrollo de todo niño en acogimiento alternativo y la revisión periódica de la idoneidad de la modalidad de acogimiento adoptada.

Todas las decisiones, iniciativas y soluciones se deben adoptar con el fin de garantizar la seguridad y protección del niño y deben estar fundamentadas en:

- El *interés superior del niño*, que constituye el criterio para determinar las medidas que hayan de adoptarse en relación a los niños privados del cuidado parental o en peligro de encontrarse en esa situación.

- *Respeto pleno a los derechos del niño.*

- Respeto pleno al Derecho del niño a *ser oído* y a que sus opiniones se tengan debidamente en cuenta.

- Derecho a toda la *información* necesaria.

Para evitar que los niños sean separados de sus padres, los Estados deben velar por la adopción de medidas apropiadas y adecuadas a las particularidades culturales a fin de:

a) Apoyar el cuidado prestado en entornos familiares cuya capacidad resulte limitada por factores como, algún tipo de discapacidad, drogodependencia, alcoholismo, la discriminación contra familias indígenas, conflictos armados, ocupación..

b) Atender al cuidado y protección apropiados de los niños vulnerables, como los niños víctimas de abusos y explotación, los niños abandonados, los niños que viven en la calle, los niños no acompañados, los niños afectados de enfermedades graves.

Al estudio de las modalidades alternativas de cuidado de los niños, niñas y adolescentes dedicamos el presente capítulo

2. DIRECTRICES SOBRE LAS MODALIDADES ALTERNATIVAS DE CUIDADO DE LOS NIÑOS

La Resolución de la Asamblea General de Naciones Unidas de 24 de febrero de 2010, por la que se aprueban las Directrices sobre las modalidades alternativas de cuidado de los niños (A/RES/64/142) tiene por objeto promover la aplicación de la Convención de los Derechos del Niño y de las disposiciones pertinentes de otros instrumentos internacionales relativas a la protección y al bienestar de los niños privados del cuidado parental o en peligro de encontrarse en esa situación. Es por ello que las Directrices son concebidas para su difusión entre todos los sectores que se ocupan directa o indirectamente de cuestiones relacionadas con el acogimiento alternativo y tienen por finalidad en particular:

a) Apoyar los esfuerzos encaminados a lograr que el niño permanezca bajo la guarda de su propia familia o que se integre en ella, o en su defecto, encontrar una solución apropiada y permanente, incluida la adopción.

b) Velar mientras se buscan esas soluciones permanentes, se adopten y determinen, las modalidades más idóneas de acogimiento alternativo.

c) Ayudar y alentar a los Gobiernos a asumir más plenamente sus responsabilidades y obligaciones a este respecto.

d) Orientar las políticas, decisiones y actividades de todas las entidades que se ocupan de la protección social y el bienestar del niño, tanto en el sector público como en el privado, incluida la sociedad civil.

Se aplican las Directrices al uso y las condiciones apropiadas del *acogimiento alternativo formal* de todas las *personas menores de 18 años*, a menos que conforme a la ley aplicable el niño alcance la mayoría de edad anteriormente.

También a los entornos de *acogimiento informal*, por la importante función desempeñada por la familia extensa y la comunidad y las obligaciones que incumben a los Estados respecto de todos los niños privados del cuidado parental o de sus cuidadores legales o consuetudinarios.

Los Estados deben prevenir la necesidad de acogimiento alternativo y para ello, según las Directrices aplicar políticas de:

– Promoción del cuidado parental.

– Prevención de la separación de la familia.

– Promoción de la reintegración en la familia.

2.1. *Promoción del cuidado parental*

Los Estados deben aplicar políticas de apoyo a la familia para facilitar el cumplimiento de los deberes que le incumben en relación con el niño y promover el derecho del niño a mantener una relación con el padre y la madre. Estas políticas deben afrontar las causas fundamentales del abandono de los niños, la renuncia a su guarda y la separación de un niño de su familia. Garantizar, entre otras cosas, el ejercicio del derecho a la inscripción de los nacimientos en el Registro Civil, el acceso a una vivienda adecuada, a la atención primaria de la salud, a la educación y asistencia social.

Se deben elaborar y aplicar políticas coherentes y mutuamente complementarias orientadas a la familia con objeto de promover y reforzar la capacidad de los padres para cumplir sus deberes de cuidado de sus hijos.

Los Estados deben aplicar medidas eficaces para prevenir el abandono de los niños, la renuncia a la guarda y la separación del niño de su familia. Para ello se deben adoptar las siguientes medidas de protección social:

a) Servicios de mejora del medio familiar.

b) Servicios de apoyo social.

c) Políticas juveniles dirigidas a facultar a los jóvenes para hacer frente a los desafíos de la vida cotidiana, en especial el decidir abandonar el hogar familiar y a preparar a los futuros padres a adoptar decisiones con respecto a su salud sexual y reproductiva.

2.2. *Prevención de la separación de la familia*

Toda decisión relativa a la remoción o a la reintegración del niño en la familia debe basarse en una evaluación de la capacidad real y potencial de la familia para cuidar del niño en los casos en que la autoridad o la agencia competente tenga motivos fundados para pensar que el bienestar del niño se encuentra en peligro. Decisiones que han de ser adoptadas por profesionales cualificados y capacitados en nombre de la autoridad competente o con la autorización de ésta y siempre teniendo presente la necesidad de planificar el futuro del niño. Además, se debe velar para que ello se realice en condiciones de confidencialidad y seguridad para el niño.

Cuando uno de los progenitores o el tutor legal de un niño acuda a un centro o una agencia pública o privada con el deseo de renunciar permanentemente a la guarda de un niño, el Estado debe velar para que la familia reciba el asesoramiento y apoyo social necesario para alentarla a conservar la guarda del niño y hacerla posible. Si fracasara el intento, un profesional debería realizar una evaluación para determinar si hay otros miembros de la familia que deseen asumir con carácter permanente la guarda y custodia del niño y si esta solución redunda en favor del interés superior de este.

El niño debe ser admitido en acogimiento alternativo solo cuando se hayan agotado estas opciones y existan razones aceptables y justificadas para entregarlo en acogimiento

Se debe proporcionar formación específica a los maestros y otras personas que trabajan con niños para ayudarles a detectar las situaciones de abuso, descuido, explotación o riesgo de abandono y a señalar tales situaciones a los órganos competentes.

Toda decisión sobre la remoción de la guarda de un niño contra la voluntad de los padres debe ser adoptada por la autoridad competente, de conformidad con las leyes y procedimientos aplicables y estar sujeta a revisión judicial, garantizándose a los padres el derecho de recurso y el acceso a asistencia letrada adecuada.

2.3. Promoción de la reintegración en la familia

Para preparar al niño y a la familia para su posible regreso a esta y para apoyar dicha reinserción, la situación del niño debe ser evaluada por un equipo debidamente designado que tenga acceso a asesoramiento multidisciplinario, consultando a los distintos actores involucrados; el niño, la familia y el acogedor alternativo, a fin de decidir si la reintegración del niño en la familia es posible y redunda a favor del interés superior de este, qué medidas supondría y bajo la supervisión de quien.

Los objetivos de la reintegración y las tareas principales de la familia y el acogedor alternativo deberían hacerse constar por escrito y ser acordadas por todos los interesados.

Decidida la reintegración del niño en su familia debe concebirse como un proceso gradual y supervisado, acompañado de medidas de seguimiento y apoyo que tengan en cuenta la edad del niño, sus necesidades y desarrollo evolutivo y la causa de la separación.

2.4. *Modalidades de acogimiento alternativo*

Todas las decisiones relativas al acogimiento alternativo del niño deben tener en cuenta la conveniencia, en principio, de mantenerlo lo más cerca posible de su lugar de residencia, a fin de facilitar el contacto con su familia. La separación del niño de su propia familia debe considerarse como medida de último recurso y, en lo posible, ser temporal y por el menor tiempo posible.

La pobreza económica y material o las condiciones imputables directa y exclusivamente a esa pobreza, no debería constituir nunca la única justificación para separar a un niño del cuidado de sus padres. La pobreza debe ser considerada como un indicio de la necesidad de proporcionar a la familia el apoyo apropiado.

Se debe atender a la salvaguardia de los derechos de acceso a la educación, servicios de salud, libertad religiosa o de creencia, el uso de su idioma y la protección de los derechos patrimoniales.

Los hermanos no deberían ser separados para confiarlos a distintos entornos de acogimiento, a menos que exista un riesgo evidente de abuso u otra justificación que responda al interés superior del menor.

Se conciben como modalidades de acogimiento alternativo:

a) Acogimiento informal. Solución privada adoptada en un entorno familiar, el cuidado del niño es asumido con carácter permanente o indefinido por parientes o allegados o por otras personas a título particular, por iniciativa del niño, de cualquiera de sus padres o de otra persona sin que esa solución haya sido ordenada por un órgano judicial o administrativo o por una entidad debidamente acreditada[2].

b) Acogimiento formal. Acogimiento ordenado por una autoridad judicial o un órgano administrativo competente, en un entorno familiar o residencial, incluidos los centros de acogida privados.

---

[2]   En casi todos los países, la mayoría de los niños carentes del cuidado parental son acogidos informalmente por parientes u otras personas, los Estados deben establecer los medios apropiados, para velar por su bienestar y protección mientras se hallen bajo tales formas de acogimiento informal.

Según el entorno en que se ejerza el acogimiento puede ser:

a) Acogimiento por familiares: en el ámbito de la familia extensa del niño o con amigos íntimos de la familia conocidos del niño, de carácter formal o informal[3];

b) Acogimientos en hogares de guarda: la autoridad competente confía el niño al entorno doméstico de una familia distinta de su propia familia, que ha sido seleccionada, declarada idónea y supervisada para ejercer el acogimiento.

c) Acogimiento residencial: se ejerce en cualquier entorno colectivo no familiar[4].

d) Soluciones de acogimiento independiente y tutelado de niños

Según los responsables del acogimiento alternativo:

a) Se entiende por "agencia" la entidad o servicio público o privado, que organiza el acogimiento alternativo de los niños.

b) Se entiende por "centro de acogida" el establecimiento público o privado que ejerce el acogimiento residencial de niños.

Aunque se reconoce que los centros de acogimiento residencial y el acogimiento en familia son modalidades complementarias para atender las necesidades de los niños, donde siga habiendo grandes centros o instituciones de acogimiento residencial es necesario elaborar alternativas en el contexto de una desinstitucionalización, con fines y objetivos precisos, que permitan su progresiva eliminación.

2.5. *Determinación de la modalidad de acogimiento más adecuada*

La toma de decisiones sobre un acogimiento alternativo que responda al interés superior del niño debe formar parte de un procedimiento judicial, administrativo o de otro tipo adecuado y reconocido,

---

[3]   El acogimiento alternativo de los niños de corta edad, especialmente los menores de 3 años debería ejercerse en un ámbito familiar. Pueden admitirse excepciones, para evitar la separación de hermanos y en casos de urgencia.

[4]   El recurso al acogimiento residencial debe limitarse a los casos en que ese entorno fuera específicamente apropiado, necesario y constructivo para el niño y redundase a favor de su interés superior.

con garantías jurídicas, incluida, cuando corresponda la asistencia letrada del niño en cualquier proceso judicial.

Debe suponer la plena consulta del niño en todas las fases del proceso de forma adecuada a su desarrollo evolutivo, y de sus padres o tutores y debe basarse en una evaluación, planificación y revisión rigurosa, por medio de estructuras y mecanismos establecidos y realizarse caso por caso, por profesionales debidamente cualificados. Se debe proporcionar a todos los interesados la información necesaria para basar su opinión.

La planificación del acogimiento y de la permanencia ha de llevarse a cabo lo antes posible, antes de que el niño sea recibido en acogimiento, y basarse principalmente en la naturaleza y calidad de los vínculos del niño con la familia, la capacidad de la familia para salvaguardar el bienestar y desarrollo armonioso del niño, la necesidad o el deseo del niño de sentirse parte de una familia, la conveniencia de que el niño no salga del ámbito de su comunidad, sus antecedentes culturales, lingüísticos y religiosos y sus relaciones con sus hermanos a fin de evitar separarlos.

El niño y sus padres o tutores legales deberían ser plenamente informados de las opciones de acogimiento alternativo disponible, de las consecuencias de cada opción y de sus derechos y obligaciones a este respecto.

Velar por que todo niño cuyo acogimiento alternativo haya sido resuelto por un tribunal judicial o cuasi judicial o por un órgano administrativo u otro competente, así como sus padres u otras personas que ejerzan funciones parentales, tengan la posibilidad de ejercitar ante un tribunal de justicia su oposición a la resolución de acogimiento adoptada, informados de sus derechos y reciban asistencia para ello.

Garantizar el derecho de todo niño en acogimiento temporal a la revisión periódica y minuciosa –preferiblemente cada tres meses por lo menos– de la idoneidad del cuidado y tratamiento que se le da.

2.6. *Condiciones generales aplicables a todas las modalidades de acogimiento alternativo formal*

El traslado de un niño a un entorno de acogimiento alternativo debe efectuarse con la máxima sensibilidad y de manera adaptada al niño en particular. En atención al interés superior del niño, se debe fomentar el contacto con su familia y con otras personas cercanas.

Los acogedores deben velar por que los niños que tienen a su cargo:

– Reciban una alimentación sana, atención médica, enseñanza escolar.

– Satisfagan las necesidades de su vida religiosa y espiritual.

– Proteger contra los abusos, prestando especial atención a la edad de los niños y el grado de madurez y vulnerabilidad de cada niño.

– Ofrecer protección contra el secuestro, el tráfico, la venta y cualquier otra forma de explotación.

– Adoptar medidas que eviten que los niños sean estigmatizados durante el periodo de acogida o después.

– No autorizar el uso de la fuerza ni medidas de coerción de cualquier tipo.

– Los niños acogidos deberían tener acceso a una persona de confianza en cuya absoluta reserva pudiera confiar.

– Poder notificar quejas o inquietudes respecto del trato que se les dispensa a los niños.

– Promover el sentido de la propia identidad, un diario de vida, que contenga la información relativa a cada etapa de la vida del niño.

2.7. Acogimiento residencial

Los centros de acogimiento residencial deben ser pequeños y estar organizados en función de los derechos y las necesidades del niño, en un entorno lo más semejante posible al de una familia o un grupo reducido.

Su objetivo, en general, es dar temporalmente acogida al niño y contribuir a su reintegración familiar, o si ello no fuera posible, lograr su acogimiento estable en un entorno familiar alternativo, incluso mediante la adopción.

Se deben establecer procedimientos rigurosos de selección para que el ingreso en estos centros solo se efectúe en los casos apropiados.

En la legislación debe establecerse que todas las agencias y centros de acogida deben estar inscritos en el registro y habilitados para desempeñar sus actividades por los servicios de asistencia social u otra autoridad competente, y que el incumplimiento de estas disposiciones legales sea sancionado por la ley.

Todas las agencias y centros de acogida deberían formular por escrito sus criterios teóricos y prácticos de actuación, objetivos, métodos, vigilancia, supervisión y evaluación de cuidadores.

El entorno de acogimiento residencial debe contar con cuidadores suficientes para que el niño reciba atención personalizada, además todos los servicios de acogimiento alternativo han de tener una política clara de respeto a la confidencialidad de la información sobre cada niño, que todos los cuidadores deben conocer y respetar.

Se debe velar por que, antes de la contratación de los cuidadores y otro personal en contacto directo con los niños fueran objeto de una evaluación completa y apropiada de su idoneidad para trabajar con niños. Es necesario que todo el personal empleado por agencias y los centros de acogida tengan una capacitación sobre cómo hacer frente a los comportamientos problemáticos, incluidas técnicas de solución de conflictos

2.8. *Asistencia para la reinserción social*

Las agencias y centros de acogida deben aplicar unas políticas claras y ejecutar los procedimientos acordados relativos a la conclusión programada o no de su trabajo con los niños, con objeto de velar por su reinserción social. Durante todo el tiempo de acogida, dichas agencias y centros deben fijarse como objetivo la preparación del niño para asumir su independencia e integrarse plenamente en la comunidad. En particular su preparación para la vida cotidiana y el trato social.

El proceso de transición del acogimiento a la reinserción social debe tener en cuenta el género, la edad, el grado de madurez y las circunstancias particulares del niño y comprender orientación y apoyo para evitar la explotación.

La reinserción social debe prepararse en el entorno de acogida y mucho antes de que el niño lo abandone. Se deben ofrecer oportunidades de educación y formación profesional continua, como parte para la preparación para la vida cotidiana de los jóvenes que se apresten a abandonar su entorno de acogida.

Proporcionar a los jóvenes cuyo acogimiento llegue a su fin y durante su reinserción social acceso a los servicios sociales, jurídicos y de salud y una asistencia financiera adecuada.

3. PROTECCIÓN DE LA NIÑEZ EN HONDURAS

Con fecha 31 de mayo de 1990, mediante Decreto no. 75-90, el Estado de Honduras ratificó la Convención sobre los Derechos del Niño. La Constitución de la República establece que es deber del Estado proteger a la infancia y que la niñez gozará de la protección prevista en los acuerdos internacionales que velan por sus derechos. La sociedad hondureña está urgida de plantear respuestas acordes a esa realidad y que permitan a la niñez el goce de sus derechos y la comprensión de sus responsabilidades. En atribución del Soberano Congreso Nacional de la República se aprueba por Decreto 73-96 el Código de la Niñez y la Adolescencia, publicado en el Diario Oficial La Gaceta, no. 28,053, el día 5 de septiembre de 1996.

Dispone el artículo 1[5] que:

"Para todos los efectos de este Código, se entenderá por niño o niña a todas las personas hasta los dieciocho (18) años de edad.

Las disposiciones contenidas en este Código son de orden público y los derechos que se establecen a favor de los niños y niñas son irrenunciables, intransigibles y de aplicación obligatoria en todo acto, decisión o medida administrativa, judicial o de cualquier naturaleza que se adopte respecto de las personas hasta los dieciocho (18) años de edad, las que para todos los efectos legales se considerarán como niños y niñas.

En caso de duda sobre la edad de un niño o niña, se presumirá mientras se establece su edad legal efectiva que es menor de dieciocho (18) años".

---

[5] Reformado mediante Decreto 35-2013, de 27 de febrero de 2013.

El objetivo general del Código de la Niñez es la protección integral de los niños en los términos que consagra la Constitución de la República y la Convención sobre los Derechos del Niño, así como la modernización e integración del ordenamiento jurídico de la República en esta materia.

Se entiende por protección integral, el conjunto de medidas encaminadas a proteger a los niños individualmente considerados y los derechos resultantes de las relaciones que mantengan entre sí y con los adultos. Con tal fin, consagra el Código los derechos y libertades fundamentales de los niños; establece y regula el régimen de prevención y protección que el Estado les garantiza para asegurar su desarrollo integral, crea los organismos y procedimientos necesarios para ofrecerles la protección que necesitan; facilita y garantiza su acceso a la justicia y define los principios que deberán orientar las políticas nacionales relacionadas con los mismos[6].

De este modo, las fuentes del Derecho aplicable a los niños en Honduras son:

1. La Constitución de la República.
2. La Convención sobre los Derechos del Niño y los demás Tratados o convenios de los que Honduras forma parte y que contengan disposiciones relacionadas con aquéllos.
3. El Código de la Niñez, y
4. El Código de Familia[7] y las leyes generales y especiales vinculadas con los niños.

Según el tenor del artículo 5, las disposiciones del Código de la Niñez se interpretarán y aplicarán siempre de manera que aseguren una eficaz protección a los derechos de los niños, niñas y su superior interés. En todas las medidas que tomen las instituciones públicas o privadas, los tribunales, las autoridades administrativas o los órganos legislativos, la consideración primordial que se atenderá será la del interés superior del niño. Debiéndose respetar:

---

[6]   Artículo 2.
[7]   Texto aprobado por Decreto 76-84, publicado en el Diario Oficial La Gaceta no. 24,394 de fecha 16 de agosto de 1984 y que determina las relaciones jurídicas entre personas unidas por vínculos de parentesco y las instituciones relacionadas con la familia.

- Su condición de sujeto de derecho.
- El derecho de los niños y niñas a ser oídos y que su opinión sea tenida en cuenta.
- El respeto al pleno desarrollo personal de sus derechos en su medio familiar, social y cultural.
- Su edad, grado de madurez, capacidad de discernimiento y demás condiciones personales.
- El equilibrio entre los derechos y garantías de los niños y niñas y las exigencias del bien común, y,
- Su centro de vida. Entendiendo por centro de vida el lugar donde los niños y niñas han transcurrido en condiciones legítimas la mayor parte de su existencia.
- Cuando exista conflicto entre los derechos e intereses de los niños y niñas frente a otros derechos e intereses igualmente legítimos, prevalecerán los primeros.

3.1. *Código de la Niñez. Disposiciones Generales*

La protección de la niñez es responsabilidad de la sociedad en su conjunto, pero su falta de cuidado directo corresponde a los padres o a sus representantes legales y, a falta de ellos, al Estado[8].

Todos los asuntos relacionados con la niñez son confidenciales, por lo que el contenido de los respectivos expedientes sólo podrá ser conocido por las partes y los empleados o funcionarios directamente involucrados en su tramitación. Por tanto, los medios de comunicación han de abstenerse de realizar publicaciones de cualquier clase sobre la participación que haya tenido un niño en actos ilícitos, bien sea como sujeto activo o pasivo, bajo amenaza de sanción[9].

---

[8] Contenido del artículo 83 del Código de la Niñez. En su artículo 84 se contempla que todos los días y horas son hábiles para atender los casos relacionados con la niñez. Incurriendo en responsabilidad civil, penal y administrativa las autoridades que sin causa justificada desatiendan los asuntos que se sometan a su conocimiento.

[9] Sanción prevista en el artículo 32 del Código de la Niñez.

Todos los procedimientos administrativos y judiciales relacionados con la niñez tendrán una función formativa e informativa. Se trata de hacer posible que el niño se mantenga informado, atendidas su edad y madurez, sobre el significado de cada fase del procedimiento y el sentido de las resoluciones, a fin de poder desenvolverse con responsabilidad propia de su edad.

Mientras se agoten los procedimientos a que esté sujeto un niño las autoridades procurarán que permanezca con sus padres o representantes legales, salvo que esto sea inconveniente para aquél. En este caso se pondrá al niño bajo la guarda y cuidado de otra persona de recogida honorabilidad escogida, preferentemente, de entre sus parientes por consanguinidad más próximos.

No se permite ningún perdón, expreso o tácito, de parte del agraviado o de sus padres o representantes legales, para los transgresores de los derechos de un niño. Y las medidas de protección de los niños se aplicarán teniendo en cuenta sus necesidades y la conveniencia de fortalecer sus vínculos familiares y comunitarios.

Los jueces y demás autoridades que conozcan de asuntos relacionados con los niños adoptarán siempre que su edad y situación lo permitan, las medidas siguientes:

a) Hacer que se inscriban en el Registro civil.

b) Matricularlos en el sistema educativo nacional, vigilar su aprovechamiento escolar e interesarse porque participen y cooperen con asociaciones de alumnos y organizaciones de padres de familia.

c) Velar porque reciban el tratamiento que necesiten.

d) Vigilar a quienes los tienen bajo su cuidado para que actúen correctamente con ellos y les ayuden a enmendar su conducta, en su caso; y

e) Asegurarse que sus agresores no se mantengan en contacto con ellos.

3.2. *De la protección especial de la niñez*

Un niño (a) es particularmente vulnerable, según el art. 139, al incumplimiento y a la violación de sus derechos, cuando se encuentra o se ve afectado (a) por situaciones como:

a) Que se encuentre en situación de abandono.

b) Carezca de atención suficiente para la satisfacción de sus necesidades básicas.

c) Su patrimonio se encuentre amenazado por quienes lo administran.

d) Carezca de representante legal.

e) Sea objeto de maltratos o de corrupción.

f) Se encuentre en una situación especial que atente contra sus derechos o su integridad; y,

g) Sea adicto (a) a sustancias que produzcan dependencia o se encuentren expuestos a caer en la adicción[10].

3.2.1. De la niñez en situación de abandono

Un niño o niña se encuentra en situación de abandono cuando:

a) Fuere abandonado en lugares públicos.

b) Falten en forma absoluta las personas que conforme la ley, tienen el cuidado personal de su crianza y educación; y

c) No sea reclamado por sus padres o representantes legales, al ser dado de alta, en establecimientos hospitalarios o de asistencia social.

Los niños y niñas declarados en situación de abandono o vulnerados sus derechos, serán protegidos con las medidas siguientes:

a) Prevención o amonestación a los padres, madres o representantes legales.

b) Atribución de su custodia o cuidado personal al pariente con consanguinidad más próximo que se encuentre en condiciones de ejercerlos o en su defecto por afinidad (medida excepcional).

c) Ingreso en familia sustituta o solidaria (medida excepcional).

---

10   Cuando los derechos de los niños y niñas son vulnerados, quedan sujetos a las medidas de protección previstas en los artículos 141 a 169, en su mayoría reformados mediante Decreto 35-2013, de 27 de febrero de 2013. Publicado en el Diario Oficial La Gaceta No. 33,222 de fecha 6 de septiembre de 2013.

d) Como última alternativa, su ingreso en un centro de protección (medida excepcional); y

e) Cualquier otra medida cuya finalidad sea la de asegurar el cuidado personal del niño o niña, atender sus necesidades básicas o poner fin a los peligros que amenacen su salud, su dignidad o formación moral (medida excepcional).

Las medidas excepcionales y provisionales deben tomarse teniendo en cuenta el interés superior del niño o niña.

Si los padres o representantes legales cuentan con medios necesarios se les podrá fijar una cuota mensual para que contribuyan a su sostenimiento mientras se encuentre el niño o niña bajo una medida de protección.

Quienes ejerzan la patria potestad o los representantes legales podrán solicitar la terminación de los efectos de la declaración de abandono, cuando se demuestre que se han superado las circunstancias que les dieron lugar y que razonables motivos para esperar que no volverán a producirse.

No será de aplicación cuando el niño o niña haya sido dado en adopción o cuando quien ejerza la patria potestad sea reincidente.

Será el Juzgado de Letras de la Niñez quien accederá a lo pedido si, después de efectuadas las investigaciones pertinentes considera probado lo argumentado por los peticionarios.

3.2.2. De la niñez que carece de la atención suficiente para satisfacer sus necesidades básicas

Se entenderá que un niño o niña carece de la atención suficiente para la satisfacción de sus necesidades básicas, cuando carece de medios para atender a su subsistencia o cuando las personas encargadas de su cuidado, se niegan a suministrárselo o lo hagan de manera insuficiente.

El Estado le prestará el concurso necesario para imponer a los responsables de la obligación alimentaria el cumplimiento de la misma.

Las medidas de protección al niño que se encuentre en esta situación serán adoptadas a solicitud de sus padres o representante legal, o de oficio.

Estas medidas procurarán apoyar a los solicitantes, y no separar al niño de su medio familiar.

a) Asesorar a padres o representante legal para que pueda obtener alimentos de las personas llamadas por este Código y el Código de Familia; o

b) Vincularlo a los programas que en beneficio de los niños se desarrollen en organismos públicos o privados.

3.2.3. De la niñez amenazada en su patrimonio y de la niñez que carece de representante legal

Siempre que quien tenga la administración de los bienes de un niño en su condición de padre, madre o tutor ponga en peligro intereses económicos, se promoverán ante el juzgado competente el proceso necesario para privarlo de la administración de sus bienes o para remover al guardador, en su caso, y los encaminados a obtener la reparación del perjuicio que hubiera causado.

Mientras dura el proceso se podrá solicitar al juez competente, la suspensión provisional de las facultades de disposición y de administración de los bienes del niño y el nombramiento de un administrador de los mismos.

Podrá el juez decretar de oficio la suspensión.

Corresponde a los parientes del niño que carezcan de representante legal, a las instituciones y al Ministerio Público ejercitar las acciones necesarias para que el juzgado competente lo someta a tutela.

Mientras se discierne el cargo, la administración actuará como representante legal.

3.2.4. Protección de la niñez contra el maltrato

Se considera maltrato toda acción u omisión que violente los derechos y el bienestar de los niños o niñas, afectando su salud física, mental o emocional. Puede ser el maltrato por: a) omisión. b) supresión y c) transgresión.

El *maltrato por omisión* es aquel que se da por el incumplimiento de los deberes de los padres, o representantes legales o cualquier otra persona que esté cargo del niño o niña, éste puede ser físico[11], intelectual[12] o emocional[13].

El *maltrato por supresión* implica todo aquel trato, disimulado o no, como medidas disciplinarias o correctivas, que tiendan a negar al niño o niña el goce de sus derechos. Comprende toda supresión o discriminación que conlleve perjuicio al niño o niña, incluida la exclusión del hogar y la negación del goce y ejercicio de sus libertades; el derecho a la asistencia familiar, a la atención médica y a los medicamentos que requiera, el acceso a un ambiente infantil y a actividades y áreas recreativas o a recibir visitas de otros niños o niñas respecto de los cuales no hay justa causa para considerarlas perjudiciales.

El *maltrato por transgresión* tendrá lugar cada vez que se produzcan acciones o conductas hostiles, rechazantes o destructiva hacia el niño o niña, tales como hacerlo objeto de malos tratos físicos, proporcionarles drogas o medicamentos que nos sean necesarios para su salud o que la perjudiquen, someterle a procedimientos médicos o quirúrgicos innecesarios que pongan en riesgo su salud física, mental o emocional; hacerlo víctima de agresiones emocionales o de palabra, incluyendo la ofensa y la humillación; la incomunicación rechazante; y el castigo por medio de labores pesadas.

Cuando la Dirección de la Niñez, Adolescencia y Familia tenga conocimiento de maltratos por transgresión, presentará inmediatamente la correspondiente denuncia al Ministerio Público, para que se proceda conforma a Derecho.

El Estado, por medio de la Dirección de la Niñez, Adolescencia y Familia formulará y pondrá en práctica programas de detección, registro y seguimiento de los niños y niñas que hayan sido maltratados, así como de quienes hayan sido agresores y demás víctimas.

---

[11]   El maltrato físico por omisión, comprende aquellos casos en que el niño o niña es dejado solo o sola, en imposibilidad de acceder con mínimo grado de seguridad a lecho, vestimenta, alimentación o cuidados físicos y médicos necesarios u otros análogos.

[12]   El maltrato intelectual por omisión comprende aquellos casos en que no se le presta la atención debida al niño o niña, en los procesos educativos, formativos y recreativos.

[13]   El maltrato emocional por omisión, comprende aquellos casos en que deja de proveer al niño o niña, el afecto y cariño que necesita para su sano desarrollo.

3.3. De los derechos familiares

A los padres, según el artículo 57, "corresponde dirigir las personas de sus hijos menores no emancipados, protegerlos, representarlos administrar sus bienes. Los niños no podrán ser separados de su familia natural sino sólo en las circunstancias especiales que determine la ley y con la exclusiva finalidad de protegerlos".

El Estado fomentará la estabilidad familiar y el bienestar de sus miembros y les prestará servicios especiales de asistencia a las familias más pobres para que puedan cumplir las obligaciones resultantes del Código de la Niñez, del código de Familia y de las demás leyes relacionadas con ésta (artículo 58).

El padre y la madre y los representantes legales de un niño procurarán resolver en forma directa las diferencias que se susciten en relación con sus condiciones, mantenimiento guarda y educación –artículo 59–.

4. LA GUARDA Y ACOGIMIENTO DE NIÑOS, NIÑAS Y ADOLESCENTES EN EL ORDENAMIENTO JURÍDICO ESPAÑOL

En los últimos años, la protección del menor ha merecido especial atención del legislador español. La Ley 21/1987, de 11 de noviembre, relativa a la adopción, introdujo la figura del acogimiento de menores, generalizando la situación de otorgar competencia sobre el particular a la Entidad Pública que, en cada Comunidad Autónoma, ostente la competencia sobre la protección de menores.

Con posterioridad, la materia ha sido profundamente reformada por la Ley Orgánica 1/1996, de 15 de enero, de Protección Jurídica del Menor, cuya redacción básica en la materia, si bien con las modificaciones posteriormente introducidas por la Ley 41/2003, de protección patrimonial de las personas con discapacidad, y sobre todo, por la Ley 26/2015, de 28 de julio, de modificación del sistema de protección a la infancia y a la adolescencia, que profundiza en el objetivo de atender al interés superior de los menores y en garantizarles una protección uniforme en todo el Estado[14].

---

[14]   Vid. SÁNCHEZ HERNÁNDEZ, C., *El sistema de protección a la infancia y la adolescencia*, Ed. Tirant lo Blanch, Valencia, 2017; POUS DE LA FLOR, Mª

4.1. La situación de desamparo

Según establece el vigente artículo 172.1. CC, "*Se considera como situación de desamparo la que se produce de hecho a causa del incumplimiento, o del imposible o inadecuado ejercicio de los deberes de protección establecidos por las leyes para la guarda de los menores, o cuando éstos queden privados de la necesaria asistencia moral o material*".

En parecidos términos se afirma en el artículo 239 bis: "*Se considera como situación de desamparo a estos efectos, la que se produce de hecho cuando la persona con capacidad modificada judicialmente quede privada de la necesaria asistencia a causa del incumplimiento o del imposible o inadecuado ejercicio de los deberes que incumben a la persona designada para ejercer la tutela, de conformidad a las leyes o por carecer de tutor*".

La declaración de desamparo, previa a la adopción de cualquier medida de protección de los menores conducente al acogimiento familiar o residencial de los mismos, es una de las cuestiones más problemáticas que plantea esta materia, Según LASARTE "supone la declaración de incapacidad de los padres para cuidar a sus hijos, incapacidad que en algunas ocasiones ha sido muy discutida"[15].

P. y TEJEDOR MUÑOZ, L., *Protección Jurídica del menor* (Coords.), Ed. Tirant lo Blanch, 2017; CABEDO MALLOL, V. y RAVETLLAT BALLESTÉ, I., *Comentarios sobre las Leyes de Reforma del sistema de protección a la infancia y adolescencia* (Coords.), Ed. Tirant lo Blanch, Valencia, 2016; RUIZ-RICO RUIZ-MORÓN, J., "Últimas reformas de las instituciones privadas de protección de menores y la filiación por la Ley 26/2015 de modificación del sistema de protección a la infancia y a la adolescencia", *Revista Aranzadi Doctrinal Civil-Mercantil*, núm 3/2016, LÓPEZ AZCONA, A., "Luces y sombras del nuevo marco jurídico en materia de acogimiento y adopción de menores: a propósito de la Ley Orgánica 8/2015 y la Ley 26/2015, de modificación del sistema de protección a la infancia y adolescencia", *Boletín del Ministerio de Justicia*, nº 2185, enero, 2016; MORENO-TORRES SÁNCHEZ, J., "Modificación del sistema de protección a la infancia y a la adolescencia. Guía para profesionales y agentes sociales", *Save the Children*, Málaga, 2015; VILLAGRASA ALCAIDE, C., "Derechos de la infancia y la adolescencia: hacia un sistema legal", *Anales de la Cátedra Francisco Suárez*, nº 49, 2015.

15 *Derecho de Familia. Principios de Derecho civil*, VI, Ed. Marcial Pons, Madrid, 2018, pág. 398. Vid. ORDÁS ALONSO, M., "El nuevo sistema de protección de menores en situación de riesgo o desamparo como consecuencia de la entrada en

El desamparo es "un concepto jurídico indeterminado, que debe ser objeto de concreción por la Entidad Pública cuando motive la resolución administrativa que los declare, así como por los Tribunales cuando proceda a decidir acerca de la corrección o no de una intervención administrativa protectora mediante el proceso de evaluación y ponderación del interés del menor"[16]. El artículo 18.2 LO 1/1996 pretende ahora concretar las diferentes situaciones de hecho que pueden conducir a que se pueda apreciar la existencia de un desamparo del menor, señalando que *"se entenderá que existe situación de desamparo cuando se dé alguna o algunas de las siguientes circunstancias con la suficiente gravedad que, valoradas y ponderadas conforme a los principios de necesidad y proporcionalidad supongan una amenaza para la integridad física o mental del menor:*

a) El abandono del menor, bien porque falten las personas a las que por ley corresponde el ejercicio de la guarda, o bien porque éstas no quieran o no puedan ejercerla.

b) El transcurso del plazo de guarda voluntaria, dos años, salvo los casos excepcionales en los que la guarda voluntaria pueda ser prorrogada más allá del plazo de dos años.

c) El riesgo para la vida, salud e integridad física del menor. En particular cuando se produzcan malos tratos físicos graves, abusos sexuales o negligencia grave en el cumplimiento de las obligaciones alimentarias y de salud por parte de las personas de la unidad familiar o de terceros con consentimiento de aquellas; también cuando el menor sea identificado como víctima de trata de seres humanos y haya un conflicto de intereses con los progenitores, tutores y guardadores; o cuando exista un consumo reiterado de sustancias con potencial adictivo o la ejecución de otro tipo de conductas adictivas de manera reiterada por parte del menor con el conocimiento, consentimiento o la tolerancia de los progenitores, tutores o guardadores [.].

a) El riesgo para la salud mental del menor, su integridad moral y el desarrollo de su personalidad debido al maltrato psicológico

---

vigor de la Ley 26/2015, de 28 de julio", *Revista Aranzadi Civil-Mercantil*, núm. 9/2016

[16] DÍEZ GARCÍA, H., "Comentario al artículo 172.1 Código civil", en *Las modificaciones del Código civil del año 2015* (Dir. R. BERCOVITZ RODRIGUEZ-CANO) Ed. Tirant Lo Blanch, 2016, Valencia, pág. 517.

*continuado o a la falta de atención grave y crónica de su necesi-
dades afectivas o educativas por parte de progenitores, tutores o
guardadores. [...].*

b) *El incumplimiento o el imposible o inadecuado ejercicio de
los deberes de guarda, como consecuencia del grave deterioro del
entorno o de las condiciones de vida familiares, cuando den lugar
a circunstancias o comportamientos que perjudiquen el desarrollo
del menor o su salud mental.*

c) *La inducción a la mendicidad, delincuencia o prostitución,
o cualquier otra explotación del menor de similar naturaleza o
gravedad.*

d) *La ausencia de escolarización o falta de asistencia reiterada
y no justificada adecuadamente al centro educativo y la permisi-
vidad continuada o la inducción al absentismo escolar durante las
etapas de escolarización obligatoria.*

e) *Cualquier otra situación gravemente perjudicial para el menor que traiga causa del incumplimiento o del imposible o inadecuado ejercicio de la patria potestad, la tutela o la guarda, cuyas
consecuencias no puedan ser evitadas mientras permanezca en su
entorno de convivencia".*

La situación fáctica que supone el desamparo, puede dar lugar a
dos figuras distintas:

1. La guarda del menor.
2. La denominada tutela automática.

4.1.1. La guarda del menor

Tras la promulgación de la Ley 26/2015, al igual que ocurría antes
de su entrada en vigor, en la regulación de la LO 1/1996, la guarda del
menor puede encontrar su origen tanto en la solicitud de los propios
guardadores legales, padres o tutores, cuanto por decisión judicial o
administrativa conforme a lo dispuesto en el artículo 172 bis CC. Se
trata de la guarda atribuida legalmente a favor de la Entidad Pública,
pero, para que surja y quede formalmente constituida, exige, o bien
una resolución administrativa que necesariamente ha de derivar de un
expediente iniciado a instancia de los progenitores o de los tutores y

que habrá de motivarse en el interés del menor; o bien, de una decisión judicial.

Respecto del primero de los supuestos planteados, dispone el artículo 172 bis CC, que:

"1. Cuando los progenitores o tutores, por circunstancias graves y transitorias debidamente acreditadas, no puedan cuidar al menor, podrán solicitar de la Entidad Pública que ésta asuma su guarda durante el tiempo necesario, que no podrá sobrepasar dos años como plazo máximo de cuidado temporal del menor; salvo que el interés superior del menor aconseje, excepcionalmente la prórroga de las medidas. Transcurrido el plazo o la prórroga, en su caso, el menor deberá regresar con sus progenitores o tutores, o si no se dan las circunstancias adecuadas para ello, ser declarado en situación legal de desamparo.

La entrega voluntaria de la guarda se hará por escrito dejando constancia de que los progenitores o tutores han sido informados de las responsabilidades que siguen manteniendo respecto del menor, así como de la forma en que dicha potestad va a ejercerse por la Entidad Pública garantizándose, en particular, a los menores con discapacidad la continuidad de los apoyos especializados que vinieran recibiendo o la adopción de otros más adecuados a sus necesidades.

La resolución administrativa sobre la asunción de la guarda por la Entidad Pública, así como sobre cualquier variación posterior de su forma de ejercicio, será fundamentada y comunicada a los progenitores o tutores y al Ministerio Fiscal".

Se requiere por tanto para asumir la Entidad Pública la guarda del menor:

– La petición de los padres.

– La apreciación de la existencia de causas de entidad, que impiden la guarda a los obligados legalmente a procurarla.

– La causa que justifique la delegación de la guarda en favor de la Entidad Pública ha de tener naturaleza transitoria, por lo que solo debiera durar el tiempo necesario para remover los obstáculos graves que impiden el cuidado del menor a sus guardadores legales. Este carácter coyuntural de la guarda es fijado por el legislador en un plazo máximo para su duración.

– El interés del menor, que la Entidad deberá evaluar conforme al artículo 2 LO 1/1996.

Por su parte el apartado 2 de este artículo 172 bis CC reconoce igualmente la posible iniciativa judicial:

"*2. Asimismo, la Entidad Pública asumirá la guarda cuando así lo acuerde el Juez en los casos en que legalmente proceda, adoptando las medida de protección correspondiente*".

La dificultad de este precepto radica en la determinación de cuáles sean estos supuestos en los que la ley admite que el Juez puede acordar que la guarda de un menor sea asumida por un ente público. Cabría reconducir estos supuestos a los prevenidos en el artículo 103 CC, que admite que la guarda de un menor sea confiada a persona o institución idónea, y en los artículos 158 y 216 CC, en cuanto que tales preceptos autorizan al Juez a adoptar las medidas apropiadas y oportunas a fin de apartar al menor de un peligro o de evitarle perjuicios en su entorno familiar o frente a terceras personas; con lo que bien podría reputar idóneo para él que su guarda fuera asumida por una Entidad Pública.

4.1.2. La tutela automática

La situación de desamparo, permite a una Entidad Pública hacerse cargo por ministerio de la ley, de la tutela de un menor incurso en esa circunstancia, en este sentido dispone el artículo 172 CC, lo siguiente:

"*1. Cuando la Entidad Pública a la que, en el respectivo territorio, esté encomendada la protección de los menores constate que un menor se encuentra en situación de desamparo, tiene por ministerio de la ley la tutela del mismo y deberá adoptar las medidas de protección necesarias para su guarda, poniéndolo en conocimiento del Ministerio Fiscal y, en su caso, del Juez que acordó la tutela ordinario. La resolución administrativa que declare la situación de desamparo y las medidas adoptadas se notificará en legal forma a los progenitores, tutores o guardadores y al menor afectado si tuviere suficiente madurez y, en todo caso, si fuere mayor de doce años, de forma inmediata sin que sobrepase el plazo máximo de cuarenta y ocho horas. La información será clara, comprensible y en formato accesible, e incluirá las causas que dieron lugar a la intervención de la Administración y los efectos de la decisión adoptada, y, en el caso del menor, adaptada a su grado de madurez, siempre que sea posible, y especialmente en el caso del menor, esta información se facilitará de forma presencial.*

[...] *La asunción de la tutela atribuida a la Entidad Pública lleva consigo la suspensión de la patria potestad o de la tutela ordinaria"* vista la desatención de que es objeto el menor y la situación de desamparo en que se encuentra, *"a causa del incumplimiento o del imposible o inadecuado ejercicio de los deberes de protección establecidos por las leyes para la guarda de los menores, cuando éstos queden privados de la necesaria asistencia moral o material"*.

La Entidad Pública que asume la tutela de un menor desamparado, se hace cargo de su guarda y cuidado, abarcando esta tutela no solo el cuidado personal del desamparado, sino que comprende y absorbe también las facultades representativas y de administración que antes competían a los padres o al tutor que *ex lege* son asumidas por la Entidad Pública como tutor. En beneficio del menor, el párrafo 3º del apartado 1, reputa "válidos los actos patrimoniales realizados por padres o tutores en representación del menor si éstos son beneficiosos para él".

Aunque la tutela es automática por efecto de la declaración de desamparo, la apreciación de esta circunstancia fáctica exige que la correspondiente declaración que la desencadena se contenga en una resolución motivada en el interés del menor, y ello exige el seguimiento de un expediente administrativo instruido por la Entidad Pública en el que se respeten las garantías procedimentales de todos los interesados, y para ello puede afirmarse que la previsión de las 48 horas que marca el apartado 1 de este artículo 172 resulta insuficiente.

Sin olvidar que a veces el interés del menor exige una intervención urgente y no cabe esperar a que concluya dicho expediente. El apartado 4 del artículo 172 CC autoriza la atención inmediata al menor, por lo que la Entidad Pública podrá asumir una *guarda provisional* mientras realiza las comprobaciones y practica las diligencias oportunas. Se trata de una medida cautelar, y en esa línea, la mayor parte de las leyes autonómicas han venido contemplando un procedimiento de urgencia. Esta circunstancia autoriza a la Entidad Pública para declarar de modo inmediato, sin esperar la instrucción del procedimiento oportuno, el desamparo del menor, a asumir la tutela y a adoptar las medidas oportunas de protección con carácter cautelar.

La resolución administrativa de desamparo debe ser notificada por la Entidad Pública a los progenitores, tutores o guardadores del menor y a éste si tuviere suficiente madurez y/o fuere mayor de 12 años. Igualmente, a tenor del artículo 174 también ha de comunicarse al Ministerio Fiscal y al Juez que hubiere constituido la tutela ordinaria que se verá suspendida por efecto de esta decisión. a partir de la notificación, debe reputarse que comienza el plazo para impugnar esta resolución, sin embargo no se contempla en el artículo 172 CC las posibles vías por las que los interesados puedan oponerse a la decisión de la entidad Pública, lo que sí parecía previsto en el apartado 6 de este mismo precepto con anterioridad a la Ley 26/2016, precepto que aclaraba que estas resoluciones eran "recurribles ante la jurisdicción civil en el plazo y condiciones determinados en la LEC, sin necesidad de reclamación administrativa previa".

El silencio del artículo 172 no conduce a pensar que haya desaparecido de nuestro ordenamiento la posibilidad de impugnar judicialmente una resolución administrativa de desamparo. Por lo que sigue resultando posible distinguir entre una acción de oposición formulada contra la misma resolución administrativa de declaración de desamparo, y una acción de revocación de la resolución administrativa fundada en un cambio de circunstancias a la que alude ahora el apartado 3 del artículo 172.

La oposición a cualquier resolución en materia de protección de menores, incluida la resolución administrativa que formalice el acogimiento familiar o residencial, se ha de sustanciar a través del procedimiento previsto en el artículo 780 LEC, precepto en el que se han modificado los apartados 1 y 2 por la Ley 26/2015, que además ha introducido un nuevo apartado 5. Se contempla en esta norma un procedimiento específico que se tramita por los cauces del juicio verbal, para ventilar la oposición a las resoluciones administrativas por las que se declare el desamparo de un menor o frente a cualesquiera otras por las que se adopten medidas jurídicas de protección. Además de aclarar con la nueva redacción de precepto quiénes están legitimados para formular la oposición.

Admite el apartado 2 del artículo 172 CC, que:

" *Durante el plazo de dos años desde la notificación de la resolución administrativa por la que se declare la situación de desamparo, los progenitores que continúen ostentando la patria potestad pero la tengan suspendida conforme a lo previsto en el apartado 1, o los tutores que, conforme al mismo apartado, tengan suspendida la tutela, podrán solicitar a la Entidad Pública que cese la suspensión y quede revocada la declaración de situación de desamparo del menor, si por cambio de las circunstancias que la motivaron, entienden que se encuentran en condiciones de asumir nuevamente la patria potestad o la tutela*".

En el apartado 3 de este precepto se contempla que:

"*La Entidad Pública, de oficio o a instancia del Ministerio Fiscal o de persona o entidad interesada, podrá revocar la declaración de situación de desamparo y decidir el retorno del menor con su familia, siempre que se entienda que es lo más adecuado para su interés. Dicha decisión se notificará al Ministerio Fiscal*".

Esta revocación de oficio ya aparecía recogida antes de la Ley 26/2015, en el apartado 8 de este mismo artículo, pero a diferencia de la anterior redacción, no se establece si esa revocación puede ser acordada o no en cualquier tiempo. La razón de ser la podemos encontrar en la voluntad legislativa de reputar inviable la reinserción familiar más allá de los dos años a que se refiere el apartado anterior, y a los que también se aluden en los artículos 172 bis CC y 19 bis LO 1/1996. Si bien, en atención al interés del menor, habrá que estimar que esta medida de protección no está sujeta a un plazo temporal, ya que en otro caso, se podría ver coartada una actuación de pudiera reputarse positiva para su interés.

Es por todo ello que, en relación con el desarrollo de procedimientos de oposición a la declaración de desamparo, de acogimiento y de adopción, hay que tener en cuenta las manifestaciones del Tribunal Constitucional, en el sentido de que, "se encuentran en juego derechos e intereses legítimos de extraordinaria importancia, tanto los del menor, como los de sus padres biológicos y los de las restantes personas implicadas en la situación, que son intereses de la mayor importancia en el orden personal y familiar, que obligan a rodear de las mayores garantías los actos judiciales que les atañen" (SSTC 298/1993, de 18 de octubre; 114/1997, de 16 de junio; 75/2005, de 4 de abril y 58/2008, de 28 de abril).

4.2. El acogimiento de menores

El artículo 2.15 de la Ley 26/2015 ha introducido en el Código Civil el artículo 172 ter, con la finalidad de establecer las líneas generales del acogimiento[17].

Comienza el precepto configurando el acogimiento como realización o materialización de la guarda: "La guarda se realizará mediante el acogimiento familiar...", declaración esta con la que el legislador no se aparta de la concepción del acogimiento antes de la reforma. Define, en la doctrina el acogimiento, DÍEZ GARCÍA, como "una forma de ejercicio de la guarda. Pero, ahora, quizá con una ambigüedad que no sea del todo meditada, no se aclara en el precepto cuál sea esa guarda, ni quien pueda ser el titular de esa guarda. No obstante, la lectura detenida del nuevo precepto permite apreciar que el acogimiento del artículo 172 ter es una forma de materialización de la guarda de la que es titular la Entidad Pública. Lo que significa que, en cualquiera de los supuestos en los que la Entidad Pública pudiera ostentar la guarda, su forma de ejercicio es el acogimiento. Guarda que, según el artículo 172 bis, puede derivar de su entrega voluntaria a la Entidad Pública por los progenitores o tutores del menor o del acuerdo judicial en los casos en que legalmente proceda. O puede tener su origen en la tutela *ex lege* del artículo 172, pues como tutora del menor, el ente público tendrá su guarda"[18].

4.2.1. Acogimiento familiar vs. Acogimiento residencial

De acuerdo con el artículo 172 ter CC el ejercicio de la guarda admite dos modalidades: familiar y residencial. Y, de las dos, el legislador concede prioridad al familiar, otorgando al residencial un

---

[17] Vid. BERCOVITZ RODRIGUEZ-CANO, R., "La guarda y el acogimiento de menores", *Revista Aranzadi Civil-Mercantil*, núm. 2/ 2015, pp. 115-118.

[18] "Comentario artículo 172 ter del Código civil", en *Las modificaciones del Código civil del año 2015*", *op. cit.*, pág. 572.

carácter subsidiario en los siguientes términos, "no siendo posible el acogimiento familiar o conveniente al interés del menor". Prioridad que se pone de manifiesto en textos internacionales y que no constituye una novedad absoluta en nuestro ordenamiento, por cuanto ya venía siendo reconocida en el articulado de la LO 1/1996, así como en la legislación autonómica de protección de menores.

La preferencia del acogimiento familiar resulta evidente en el texto de la LO 1/1996 tras la reforma operada tanto por la Ley 26/2015, cuanto de la LO 8/2015. Se reafirma en textos como, el artículo 11.2, en el que al delimitar los principios rectores de la actuación de los poderes públicos en relación con los menores, impone en la letra b) "el mantenimiento en su familia de origen, salvo que no sea conveniente para su interés, en cuyo caso se garantizará la adopción de medidas de protección familiares y estables *priorizando*, en estos supuestos, *el acogimiento familiar frente al institucional*". En el art. 21.3 y "con el fin de favorecer que la vida del menor se desarrolle en un entorno familiar, *prevalecerá la medida de acogimiento familiar sobre la de acogimiento residencial para cualquier menor, especialmente para menores de seis años. No se acordará el acogimiento residencial para menores de tres años salvo en supuestos de imposibilidad, debidamente acreditada*, de adoptar en ese momento la medida de acogimiento familiar o cuando esta medida no convenga al interés superior del menor. Esta limitación para acordar el acogimiento residencial se aplicará también a los menores de seis años en el plazo más breve posible. En todo caso, y con carácter general, el acogimiento residencial de estos menores no tendrá un duración superior a tres meses".

Parece evidente que la opción de protección que resulta más beneficiosa para el desarrollo integral del menor cuando haya de ser separado de su núcleo familiar de origen, es el acogimiento familiar. Se trata además de la postura que se observa en los instrumentos internacionales de protección del menor, manteniendo una progresiva eliminación del acogimiento residencial, así como la opinión predominante de los expertos, en este sentido en el Preámbulo de la Ley 26/2015, se afirma que existe un amplio consenso entre los psicólogos y pedagogos del beneficio que, el acogimiento familiar, reporta en el desarrollo de la personalidad del menor.

Sin embargo esta prioridad del acogimiento familiar, se enfrenta en España a la realidad de un modelo que se ha caracterizado, por

162 Blanca Sillero Crovetto

un uso intensivo del acogimiento residencial. El propio Ministro de Sanidad reconocía en el Congreso durante el debate del Proyecto de la Ley 26/2015, que de los 35.000 menores bajo tutela o guarda de una Entidad Pública, 13.500 estaban a la espera de una familia en el año 2013. El problema real, por tanto, quizá no sea regulatorio, sino que proviene de la falta y escasez de familias acogedoras. Por ello, y para paliar este déficit, la Disposición Adicional séptima de la ley 26/2015 impone a las Administraciones Públicas, en el ámbito de sus respectivas competencias, la elaboración y aprobación de planes específicos de protección para los menores de seis años en los que se recojan medidas concretas de fomento del acogimiento familiar de los mismos.

4.2.2. El acogimiento residencial

En el caso de que un menor sea ingresado en un centro asistencial, *"la guarda se ejercerá por el Director o responsable del Centro donde esté acogido el menor"* como señala el artículo 172 ter en su apartado 1 el principal problema que deriva de este precepto, es partir de la concepción de que quien ejerce esa guarda es el Director o el responsable del establecimiento, pero éste normalmente no es sino un órgano de estas instituciones o entidades, es decir, un mero agente del que éstas se sirven para el ejercicio de sus actividades, pero inserto en su esquema organizativo. De tal modo que en el concreto desarrollo de su cometido, no solo está sujeto a las indicaciones de la propia institución privada, sino también quedará subordinado a la vigilancia, inspección e instrucción de la Entidad Pública[19]. De este modo, si se ocasionan daños al menor por un incumplimiento o un ejercicio inadecuado de los deberes de guarda, podría exigirse responsabilidad directamente a la institución privada[20], pero también, y de forma igualmente directa, a la Entidad Pública (art. 21.4 LO 1/1996) o, incluso, al Ministerio Fiscal (art. 21.5 LO 1/1996).

La Ley 8/2015 ha añadido un nuevo capítulo IV al título II de la LO 1/1996 a fin de regular el *ingreso de menores en centros de*

---

[19] BALLESTEROS DE LOS RIOS, M.B., *El desamparo y la tutela automática de las entidades públicas*, Ed. Tecnos, Madrid, 1997, pág. 235.

[20] DÍAZ ALABART, S., "La responsabilidad por los actos ilícitos dañosos de los sometidos a patria potestad o tutela", *Anuario de Derecho Civil*, 1987, pág. 830.

protección específicos para niños o adolescentes con problemas de conducta. Con esta regulación específica se pretende atender a las denuncias formuladas desde distintas instancias, así como al hecho de que algunas leyes autonómicas arbitraron, como medio de protección de menores, para ejercer la guarda, acogimientos residenciales especiales, se llegaba a regular el ingreso de menores en centros con restricción o supresión de salidas, se preveían medidas de contención o de inmovilización, medidas de aislamiento, así como medidas de corrección, y en algunos casos tratamientos farmacológicos. Medidas todas ellas cuya adopción se regía por procedimientos diversos y que, dependían en la mayoría de los casos de la Dirección de los Centros y de sus normas de régimen interno. Resultaba evidente que dichas normas podían reputarse inconstitucionales además de escapar de la competencia de las Comunidades Autónomas[21].

La LO 8/2015 ha estado atenta a la necesidad de tutelar adecuadamente los derechos fundamentales de los menores y establece en su artículo 26 que:

> *"1. La Entidad Pública que ostente la tutela o guarda de un menor, y el Ministerio fiscal, estarán legitimadas para solicitar la autorización judicial para el ingreso del menor en los centros de protección específicos de menores con problemas de conducta. Esta solicitud de ingreso estará motivada y fundamentada en informes psicosociales emitidos previamente por personal especializado en protección de menores.*
>
> *2.No podrán ser ingresados en estos centros los menores que presenten enfermedades o trastornos mentales que requieran un tratamiento específico por parte de los servicios competentes en materia de salud mental o de atención a las personas con discapacidad".*

---

[21]   Vid CALVO GUERRA, R., "Intervención del Ministerio fiscal en los centros de acogida para menores con graves problemas de conducta", *Diario La Ley*, N° 9293, 2018; DÍEZ GARCÍA, H., "La protección de menores en conflicto social, con conductas disruptivas, inadaptadas o antisociales. (Análisis de la atención a la peligrosidad social en las leyes autonómicas de protección de menores desde el prisma constitucional)", *Derecho Privado y Constitución*, n° 24, enero-diciembre, 2010, pág. 197-289.

> *En ese ingreso o internamientos pueden adoptarse medidas de seguridad, estableciendo el apartado 3 del artículo 27 que: "Corresponde al Director del Centro o persona en la que este haya delegado la adopción de decisiones sobre las medidas de seguridad, que, deberán ser motivadas y habrán de notificarse con carácter inmediato a la Entidad Pública y al Ministerio Fiscal y podrán ser recurridas por el menor, el Ministerio Fiscal y la Entidad Pública ante el órgano judicial que esté conociendo del ingreso, el cual resolverá tras recabar el informe del centro y previa audiencia del menor y del Ministerio Fiscal".*

Estas medidas se regulan con detalle en la LO 8/2015, y pueden consistir en *medidas de contención*, contempladas en el artículo 28 o de *aislamiento*, reguladas en el artículo 29. Permitiendo el artículo 30 los *registros personales y materiales del menor*.

Por otra parte "las visitas de familiares u otras personas allegadas sólo podrán ser restringidas o suspendidas en interés del menor, según advierte el artículo 34.1, por el Director del centro, de manera motivada, cuando su tratamiento educativo lo aconseje y conforme a los términos recogidos en la autorización judicial de ingreso. No pudiendo ser restringido el derecho de visitas por la aplicación del medidas disciplinarias". Igualmente las restricciones a la libertad ambulatoria del menor deben ser autorizadas por el Director del centro mediante decisión motivada en una necesidad educativa conforme a los términos recogidos en la autorización judicial de ingreso" (artículo 34.2) así como las comunicaciones del menor (artículo 35).

Si se puede valorar positivamente la iniciativa legislativa materializada en la LO 8/2015, sin embargo coincidimos con DÍEZ GARCÍA, "se echa en falta la misma definición o delimitación de la circunstancia o de las circunstancias habilitantes que posibilitan o aconsejan el internamiento en un centro en régimen de acogimiento residencial que implica una afectación en sus derechos fundamentales. Definición que únicamente compete al legislador estatal. La simple mención en el artículo 25.1.II LO 1/1996, a menores que "presentan conductas disruptivas o di-sociales recurrentes, transgresoras de las normas sociales y los derechos a terceros" resulta manifiestamente insuficiente, por su imprecisión, no ofrece la más mínima garantía de una objetiva evaluación del menor, que va a ser privado de libertad en un régimen que implica afectación de sus derechos fundamentales"[22]. Los criterios para autorizar una intervención pública de esta índole deberán definirse estrictamente y limitarse a situaciones excepcionales.

Por último, no cabe desconocer la realidad de los titulares de la potestad de guarda que se vean absolutamente impotentes para controlar las conductas de los menores. En ese caso, podrán solicitar el auxilio de los servicios públicos, y la Entidad Pública puede atender ese riesgo mediante las medidas preventivas que estime adecuadas. Cabe también la posibilidad de que soliciten que aquella asuma la guarda del menor –artículo 172 bis– previniendo un eventual desamparo. Cabe también la posibilidad de solicitar el auxilio del Ministerio Fiscal o la autoridad judicial –artículo 25 LO 1/1996– y será el Juez quien podrá adoptar cualquier medida de protección que estime idónea; incluso podrá decretar que la guarda sea asumida por la Entidad Pública, o puede confiar su cuidado a un tercero o a una institución idónea (artículo 103 CC).

4.2.3. La delegación temporal del menor acogido

La Entidad Pública que tiene la tutela o la guarda de un menor acogido, ya sea en régimen de acogimiento familiar o residencial, puede acordar delegar temporalmente en familias o en instituciones dedicadas a dar acogida a los menores por breves periodos de tiempo, así se recoge en el apartado 3 del artículo 172 ter CC: estancias, salidas de fines de semana o vacaciones

Esta previsión legislativa que responde a la experiencia ya desarrollada en algunas Comunidades Autónomas, así en el Decreto 190/2008, de la Comunidad Foral de Navarra se refiere al "acogimiento temporal por vacaciones".

Nos encontramos ante una simple delegación temporal de la guarda, por lo que será la Entidad Pública, al delegarla, en resolución administrativa motivada, la que determine el contenido de este acogimiento temporal, o como se indica en el artículo 172 ter CC "contendrá los términos de la misma".

---

[22] "Comentario artículo 172 ter Código Civil", en *Las modificaciones del Código civil..., op. cit.*, pág. 591.

Sólo se seleccionarán a personas e instituciones adecuadas a las necesidades del menor, y deberán estas medidas ser acordadas una vez haya sido oído el menor si tuviere suficiente madurez y, en todo caso, si fuera mayor de doce años. Dichas medidas serán comunicadas a los progenitores o tutores siempre que no hayan sido privados del ejercicio de la patria potestad o removido del ejercicio de la tutela, así como a los acogedores.

4.3. El acogimiento familiar como forma de ejercicio de la guarda de menores

De la redacción del artículo 173 CC y de los artículos 20 y 20 bis LO 1/1996, se puede deducir que con el acogimiento familiar se pretende ofrecer al menor una familia sustituta a la suya propia. Dispone el artículo 20 LO 1/1996, que "podrá tener lugar en la propia familia extensa del menor o en familia ajena", y en el artículo 20 bis.2 se recogen los deberes de los acogedores familiares, entre los que se citan:

"a) Velar por el bienestar y el interés superior del menor, tenerlo en su compañía, alimentarlo, educarlo y procurarle una formación integral en un entorno afectivo. [...]

c) Asegurar la plena participación del menor en la vida de familia.

e) Respetar y facilitar las relaciones con la familia de origen del menor, en la medida de las posibilidades de los acogedores familiares, en el marco del régimen de visitas establecido a favor de aquella y la reintegración familiar, en su caso".

Concluyendo este artículo 20 bis.2:

"l) Los acogedores familiares tendrán las mismas obligaciones respecto del menor acogido que aquellos que la ley establece para los titulares de la patria potestad".

4.3.1. La formalización del acogimiento familiar

Se señala en el Preámbulo de la Ley 26/2015 respecto de la nueva regulación de la formalización del acogimiento que: "Se simplifica la constitución del acogimiento familiar, equiparándolo al residencial, incluso aunque no exista previa conformidad de los progenitores o de los tutores". La Ley 26/2015 viene así a potenciar la desjudicialización en la constitución del acogimiento, sea éste familiar o residencial, y admite su formalización en vía administrativa, aun cuando no exista el consentimiento de los progenitores del menor, o en su caso, del tutor.

En efecto, del artículo 172 ter se infiere que el acogimiento familiar o residencial se formaliza mediante una resolución administrativa, lógicamente motivada en el interés del menor, que ha de notificarse a los progenitores o tutores que no estuvieran privados de la patria potestad o tutela, así como al Ministerio Fiscal. También deberá notificarse tomando como referencia el artículo 172 al Juez que hubiera constituido la tutela ordinaria y a cualquier interesado que hubiera comparecido en el expediente. Y por supuesto, al menor y a los acogedores.

En definitiva, el acogimiento se constituye mediante una resolución de la Entidad Pública obtenida a través del correspondiente procedimiento en el que habrán de intervenir, prestando su consentimiento, los sujetos que legalmente se requieren.

Se exige en la formalización del acogimiento el consentimiento del menor maduro y/o mayor de doce años, necesidad que se acomoda a las previsiones de los artículos 2 y 9 LO 1/1996, que consagran el derecho del menor a ser escuchado y a que su opinión sea tenida en cuenta en la adopción de las decisiones que afecten en su esfera familiar y personal. Por tanto el artículo 173.2 considera que el menor maduro y/o mayor de 12 años es capaz para emitir un consentimiento que afecta directamente a su persona.

También se requiere el consentimiento de los sujetos que luego van a acoger al menor. De ahí que a los acogedores se les atribuya su condición de parte o de interesados en el procedimiento de formalización del acogimiento. Si bien es la Entidad Pública la que determina quiénes han de ser los acogedores para un concreto menor, como aclara el artículo 172 ter. Debiendo determinar la Entidad Pública, en el proceso de selección quién haya de ser el más adecuado acogedor para un determinado menor[23].

---

[23]   De acuerdo con los criterios y elementos generales que suministran los apartados 2 y 3 del artículo 2 LO 1/1996 y conforme a los parámetros de evaluación

Por último nos preguntamos, ¿no hubiera sido preferible, para la mejor salvaguarda de las garantías de todos los interesados, un modelo exclusivamente judicial para la formalización del acogimiento familiar?

4.4. Los tipos de acogimiento familiar

Fue la LO 1/1996, de 15 de enero, de Protección Jurídica del Menor, el texto que incorporó el art. 173 bis en el Código Civil consagrando legislativamente la fragmentación de la hasta entonces unívoca institución en una diversidad de figuras, o en una pluralidad de subespecies de acogimiento familiar: simple, permanente y preadoptivo. Si bien, con anterioridad a esta reforma, ya la doctrina había advertido la necesidad de acometer una diferenciación, siguiendo el modelo de otras legislaciones de nuestro entorno, en particular entre lo que debía ser un acogimiento preadoptivo y un acogimiento como medida esencialmente temporal dirigida a la protección de menores[24].

La Ley 21/1987, de 11 de noviembre, por la que se modificaron determinados artículos del Código Civil y de la Ley de Enjuiciamiento Civil en materia de adopción, y que regula por primera vez esta institución en el texto codificado, optó por una configuración unitaria del acogimiento familiar, aunque luego, en la práctica, este fuera susceptible de cumplir una pluralidad de objetivos. Se subrayó por la doctrina su función inmediata de protección del menor, pero al mismo tiempo, afirmaba su posible utilización como trampolín de una futura adopción[25], de esta manera cabía admitir la existencia de un acogimiento

---

de su idoneidad que contempla el artículo 20.2 de la LO. Dando con ello cumplimiento a lo establecido en las directrices sobre cuidado alternativo de los niños.

[24]   DÍEZ GARCÍA, H., "Comentario artículo 173 bis del Código civil, ", en *Las modificaciones del Código Civil..., op. cit.*, pág. 628. VARGAS CABRERA, B., El desamparo..., op. cit., pág. 669. ARCE y FLÓREZ-VALDÉS, J., "El acogimiento familiar y la adopción en la Ley de 11 de noviembre de 1987", *Revista General de Legislación y Jurisprudencia*, 1987, pp. 747 y ss.

[25]   FELIU REY, M.I., "Breve estudio de las nuevas figuras introducidas por la Ley 1/1987, de 11 de noviembre", *Actualidad Civil*, n° 3, 1989, pág. 807.

al que se le otorga la consideración de preadoptivo y un acogimiento cuya finalidad no era la adopción.

El legislador, ahora, a través de la ley 26/2015, en la línea iniciada con la LO 1/1996, mantiene la fragmentación de esta institución jurídica en una diversidad de figuras de acogimiento a los que ha otorgado una nueva denominación, a fin, de ajustar mejor la nomenclatura a su real objetivo y finalidad para la que cada una de ellas está reservada y adecuar este instrumento jurídico de protección a los fines a los que está destinado el modelo de amparo jurídico del menor. Así conforme al nuevo artículo 173 bis, el acogimiento familiar admite el cumplimiento de una pluralidad de objetivos: como paso previo a la adopción; como medida de protección cuando ésta no sea posible y sea al tiempo inviable la reinserción familiar; como medida cautelar; y también como instrumento que procure la reinserción del menor en la propia familia. Y en todos los casos, ha de permitir al menor integrarse en un ambiente familiar eludiendo los inconvenientes de los centros asistenciales, y convirtiéndose, de esta forma en una alternativa al internamiento en instituciones de protección social.

"1. El acogimiento familiar podrá tener lugar en la propia familia extensa del menor o en familia ajena, pudiendo en este último caso ser especializado.

2. El acogimiento familiar podrá adoptar las siguientes modalidades atendiendo a su duración y objetivos:

a) Acogimiento familiar de urgencia, principalmente para menores de seis años, que tendrá una duración no superior a seis meses, en tanto se decide la medida de protección familiar que corresponda.

b) Acogimiento familiar temporal, que tendrá carácter transitorio, bien porque de la situación del menor se prevea la reintegración de éste en su propia familia, o bien en tanto se adopte una medida de protección que revista un carácter más estable como el acogimiento familiar permanente o la adopción. Este acogimiento tendrá una duración máxima de dos años, salvo que el interés superior del menor aconseje la prórroga de la medida por la previsible e inmediata reintegración familiar, o la adopción de otra medida de protección definitiva.

c) Acogimiento familiar permanente, que se constituirá bien al finalizar el plazo de dos años de acogimiento temporal por no ser posible la reintegración familiar, o bien directamente en casos de menores con necesidades especiales o cuando las circunstancias del menor y su familia así lo aconsejen. La Entidad Pública podrá solicitar del Juez que atribuya a los acogedores permanentes aquellas facultades de la tutela que faciliten el desempeño de sus responsabilidades, atendiendo, en todo caso, al interés superior del menor".

4.4.1. El acogimiento familiar de urgencia

El artículo 21.3 LO 1/1996 establece que: "Con el fin de favorecer que la vida del menor se desarrolle en un entorno familiar, prevalecerá la medida de acogimiento familiar sobre la de acogimiento residencial para cualquier menor, especialmente para menores de seis años, No se acordará el acogimiento residencial para menores de tres años salvo en supuestos de imposibilidad, debidamente acreditada, de adoptar en ese momento la medido de acogimiento familiar o cuando esta medida no convenga al interés superior del menor. Esta limitación para acordar el acogimiento residencial se aplicará también a los menores de seis años en el plazo más breve posible. En todo caso, y con carácter general, el acogimiento residencial de estos menores no tendrá una duración superior a tres meses". En la Disposición Adicional séptima, Ley 26/2015, se obliga a "Las Administraciones Públicas, en el ámbito de sus respectivas competencias, a aprobar planes específicos de protección para los menores de seis años en los que se recojan medidas concretas de fomento del acogimiento familiar de los mismos".

Se trata de un acogimiento esencialmente temporal, para menores de seis años, como indica el art. 173 bis, no podrá tener una duración superior a seis meses, en el que se ampara al menor durante el tiempo en que se evalúa su situación y se decide cual es la medida de protección que corresponda. La evaluación por tanto no podrá exceder de ese plazo, y que de acuerdo con lo establecido en el art. 12.5 LO 1/1996, "cualquier medida de protección no permanente que se adopte respecto a menores de tres años se revisará cada tres meses, y respecto de mayores de esa edad se revisará cada seis meses".

Se trata por tanto de una acogimiento para menores de seis años que tendrá una duración no superior a seis meses, en tanto se decide la medida de protección familiar que corresponda.

4.4.2. El acogimiento familiar temporal

La nota característica de que esta forma de acogimiento familiar es su naturaleza esencialmente temporal. Si bien es cierto y evidente, que todo acogimiento, por si, es esencialmente temporal, esta nota como indica DÍEZ GARCÍA, es consustancial al familiar temporal, ya que, de acuerdo con la dicción del art. 173 bis, sólo va a prolongarse hasta el momento en que se adopte otra medida más estable, aunque luego ésta sea igualmente temporal[26].

No nos encontramos ante una nueva figura de acogimiento, de hecho se puede afirmar la absoluta equiparación con el denominado acogimiento familiar simple, al que sustituye, así el legislador en la disposición adicional sexta de la Ley 26/2015, afirma que, "a los efectos de las normas y leyes existentes con anterioridad a la presente ley y las legislaciones correspondientes de las Comunidades Autónomas con Código Civil propio o con leyes civiles que los regulen, *se equipara la situación de acogimiento familiar temporal con acogimiento familiar simple, ..*".

Los supuestos que exige el precepto para la adopción de esta actuación protectora, han de referirse, por una parte, a aquellos casos en lo que la propia situación del menor y de su familia haga previsible su reinserción familiar y, por otra, a aquéllos en los que las circunstancias del caso concreto aconsejen una intervención protectora mientras se adoptan otras formas de protección más estables; formas que, ahora tras la reformas, pueden ser la adopción o el acogimiento permanente.

Partiendo de que son dos los supuestos que contempla el art. 173 bis en los que se puede formalizar este instrumento de protección, también se puede afirmar que son dos las funciones que este tipo de acogimiento está llamado a cumplir. Por una parte, este tipo de acogimiento puede ser utilizado con carácter cautelar o provisional mientras se decide sobre la procedencia de constituir otra medida de

---

[26]   "Comentario al artículo 173 bis, *op. cit.*, pág. 635.

protección, lo que permitiría identificarlo con el acogimiento familiar urgente previsto en el párrafo 1°, con la diferencia de que éste solo ampara provisionalmente a menores de seis años durante un periodo máximo de seis meses y el temporal a cualesquiera menores por un periodo máximo de dos años. Según DIEZ GARCÍA, podría acontecer que un menor que pudiera haber pasado por un acogimiento familiar urgente, luego sea afecto a un acogimiento temporal, en tanto se decide cuál es la solución estable más idónea para él[27]. De otra parte, el objetivo prioritario de todo acogimiento, ha de ser la reagrupación familiar, el retorno del niño a su núcleo original de procedencia.

Fija el legislador en dos años el plazo en que se reputa posible la reagrupación familiar. Precisamente ese plazo de dos años, es el fijado, como duración máxima, salvo prórroga motivada en justa causa, para esta modalidad de acogimiento familiar. En esta línea, el art. 12. 6 LO 1/1996, dispone que: "La entidad Pública remitirá al Ministerio Fiscal informe justificativo de la situación de un determinado menor cuando éste se haya encontrado en acogimiento residencial o acogimiento familiar temporal durante un periodo superior a dos años, debiendo justificar la Entidad Pública las causas por las no se ha adoptado una medida protectora de carácter más estable en ese intervalo".

La posible reinserción del menor en su familia marca el contenido mismo de esta modalidad de acogimiento, en este sentido hay que tener en cuenta el contenido del artículos 19 bis, al ser esencial que la Entidad Pública elabore en el plan individualizado de protección, el programa de reintegración familiar; será esencial que "se respeten y faciliten las relaciones con la familia de origen del menor (art. 20 bis.2.e) y por ello resultará preferente el acogimiento en la familia extensa del menor, artículo 20.2 LO 1/1996, y es que si lo que se trata es de amparar transitoriamente al menor en tanto se remueven las dificultades de la familia de origen, nada mejor para su bienestar que ser atendido durante este ese tiempo por su propia familia.

Si bien puede ocurrir que la familia biológica del menor donde se debiera reinsertar, paulatinamente se desinterese de la suerte del menor o, que, no realice el esfuerzo adecuado para vencer los obstáculos que impedían un adecuado desarrollo de las funciones de atención. En tales hipótesis,

---

[27]   *Idem*, pág. 636.

sigue siendo necesario que el menor continúe bajo el amparo de la Entidad Pública, pero si la posibilidad de reagrupación familiar no es viable, el mantenimiento de la situación de acogimiento temporal deviene totalmente inapropiado, resultará obligado optar por otra medida jurídica de protección. Habrá de ser la propia Entidad o el Ministerio Fiscal quien acuerde o promueva el cese de este acogimiento e inicie los trámites adecuados en orden a la adopción de otros instrumentos jurídicos viables cuando la situación del menor en relación a su familia de origen es irreversible.

4.4.3. El acogimiento familiar permanente

Si bien advertíamos que todo acogimiento familiar es esencialmente temporal, el permanente, como indica su denominación, aspira a convertirse en una medida de protección estable para el menor. Esa estabilidad exige que la reinserción familiar resulte inviable, puesto que en otro caso, resultaría procedente el acogimiento temporal, por tanto y como regla, transcurridos los dos años previstos para la reagrupación familiar sin que se alcance este objetivo, la medida a adoptar, a salvo de una posible adopción o de la constitución de una tutela ordinaria, será este acogimiento permanente.

También resulta adecuada esta modalidad de acogimiento familiar para menores con necesidades especiales o cuando las circunstancias del menor y su familia así lo aconsejen. Y es que las propias condiciones del menor hacen inviable su adopción, pero el menor sigue necesitando amparo de forma estable o requiere de una atención especializada, resultando más adecuada que su protección se instrumentalice mediante un acogimiento familiar profesionalizado o especializado. Sin descartar la existencia de miembros de su familia que, si bien quieren ejercer su guarda, no desean adoptarle para no eliminar los vínculos con sus padres biológicos o no pueden hacerlo (art. 175 CC).

Equipara el legislador este tipo de acogimiento a la tutela, de ahí que el artículo 173 bis CC en su apartado 2.c), permita a "la Entidad Pública solicitar del Juez que atribuya a los acogedores permanentes aquellas facultades de la tutela que faciliten el desempeño de sus responsabilidades, atendiendo, en todo caso, al interés superior del menor". Si bien no les convierte en tutores, para ello sería preciso que se constituyera la tutela.

Si resultan atribuidas a los acogedores por el Juez funciones tutelares, no se dice nada sobre el efecto que ello genera sobre la tutela *ex lege*, con lo que podría darse el caso de que la Entidad Pública tuviera una tutela formal sobre el menor, pero vacía de contenido. La tutela de la Entidad Pública quedaría reducida al ejercicio de un deber de velar por el adecuado desempeño de tales funciones tutelares.

La cualidad de permanente no exime a la Entidad Pública de proceder a la revisión de cuál sea la situación del menor acogido. El artículo 12.5 LO 1/1996, le obliga a realizar una primera revisión a los seis meses del primer año y luego cada doce meses.

4.4.4. Cese del acogimiento familiar

El acogimiento familiar del menor cesará según el artículo 173.4:

– Por resolución judicial.

– Por una decisión de la Entidad Pública. Este expediente encaminado al cese de esta medida puede ser iniciado de oficio por la Entidad Pública, a propuesta del Ministerio Fiscal, de los progenitores o tutores, del propio menor cuando tenga madurez suficiente o de los propios acogedores. Se entiende que, habrá que estimar que, quienes intervinieron en el expediente de formalización del acogimiento, podrán instar también su cese.

– Por la muerte o declaración de fallecimiento del acogedor o acogedores.

– Por la mayoría de edad del menor, causa ésta que puede ser frecuente en los supuestos de acogimiento en familia extensa, habida cuenta de que los abuelos no pueden adoptar al menor.

Hay que poner de manifiesto respecto de este elenco de causas que se podrían haber incluido la propia emancipación del menor, que sería causa bastante para provocar el cese, como también la muerte o declaración de fallecimiento del propio menor.

5. BIBLIOGRAFÍA

ARCE y FLÓREZ VALDÉS, J., "El acogimiento familiar y la adopción en la Ley de 11 de noviembre de 1987", *Revista General de Legislación y Jurisprudencia*, 1987.

BALLESTEROS DE LOS RIOS, M.B., *El desamparo y la tutela automática de las entidades públicas*, Ed. Tecnos, Madrid, 1997.

BERCOVITZ RODRIGUEZ-CANO, R., "La guarda y el acogimiento de menores", *Revista Aranzadi Civil-Mercantil*, núm. 2/ 2015.

CABEDO MALLOL, V. y RAVETLLAT BALLESTÉ, I., *Comentarios sobre las Leyes de Reforma del sistema de protección a la infancia y adolescencia* (Coords.), Ed. Tirant lo Blanch, Valencia, 2016.

CALVO GUERRA, R., "Intervención del Ministerio fiscal en los centros de acogida para menores con graves problemas de conducta", *Diario La Ley*, N° 9293, 2018.

DÍAZ ALABART, S., "La responsabilidad por los actos ilícitos dañosos de los sometidos a patria potestad o tutela", *Anuario de Derecho Civil*, 1987.

DÍEZ GARCÍA, H., "La protección de menores en conflicto social, con conductas disruptivas, inadaptadas o antisociales. (Análisis de la atención a la peligrosidad social en las leyes autonómicas de protección de menores desde el prisma constitucional)", *Derecho Privado y Constitución*, n° 24, enero-diciembre, 2010.

DÍEZ GARCÍA, H., "Comentario al artículo 172.1 Código civil", en *Las modificaciones del Código civil del año 2015* (Dir. R. BERCOVITZ RODRIGUEZ-CANO) Ed. Tirant Lo Blanch, 2016, Valencia.

FELIÚ REY, M.I., "Breve estudio de las nuevas figuras introducidas por la Ley 1/1987, de 11 de noviembre", *Actualidad Civil*, n° 3, 1989.

LASARTE ÁLVAREZ, C., *Derecho de Familia. Principios de Derecho civil*, VI, Ed. Marcial Pons, Madrid, 2018.

LÓPEZ AZCONA, A., "Luces y sombras del nuevo marco jurídico en materia de acogimiento y adopción de menores: a propósito de la Ley Orgánica 8/2015 y la Ley 26/2015, de modificación del sistema de protección a la infancia y adolescencia", *Boletín del Ministerio de Justicia*, n° 2185, enero, 2016.

MORENO-TORRES SÁNCHEZ, J., "Modificación del sistema de protección a la infancia y a la adolescencia. Guía para profesionales y agentes sociales", *Save the Children*, Málaga, 2015.

ORDÁS ALONSO, M., "El nuevo sistema de protección de menores en situación de riesgo o desamparo como consecuencia de la entrada en vigor de la Ley 26/2015, de 28 de julio", *Revista Aranzadi Civil-Mercantil*, núm. 9/2016.

POUS DE LA FLOR, Mª P. y TEJEDOR MUÑOZ, L., *Protección Jurídica del menor* (Coords.), Ed. Tirant lo Blanch, Valencia, 2017.

RUIZ-RICO RUIZ-MORÓN, J., "Últimas reformas de las instituciones privadas de protección de menores y la filiación por la Ley 26/2015 de modificación del sistema de protección a la infancia y a la adolescencia", *Revista Aranzadi Doctrinal Civil-Mercantil*, núm 3/2016.

SÁNCHEZ HERNÁNDEZ, C., *El sistema de protección a la infancia y la adolescencia*, Ed. Tirant lo Blanch, Valencia, 2017.

VARGAS CABRERA, B., "El desamparo de menores y sus consecuencias jurídicas. Interpretación sistemática de la Ley 21/87", *Anuario de Derecho Civil*, 1991, abril-junio.

VILLAGRASA ALCAIDE, C., "Derechos de la infancia y la adolescencia: hacia un sistema legal", *Anales de la Cátedra Francisco Suárez*, n° 49, 2015

Capítulo 7
Intervención con menores en régimen de adopción nacional e internacional

Mª Ángeles Fernández Gómez
Profesora del Departamento de Psicología
evolutiva y de la educación.
Facultad de Psicología. Universidad de Málaga
España
mangelesfg@uma.es

1. INTRODUCCIÓN

La adopción no es solamente una medida de protección a un menor cuya posibilidad de retorno a su familia de origen se ha descartado por completo, sino que, sobre todo, es una oportunidad de proporcionarle unos vínculos estables y permanentes en una nueva familia. Le provee al niño/a de una nueva realidad familiar, donde establecer nuevos vínculos afectivos a través de los cuáles podrá sanar las heridas emocionales que trae tras el fracaso con su familia biológica y vivir en un entorno afectivo/familiar protector y amoroso.

El encuentro entre el menor que necesita una familia y una/s persona/s que desean tener un hijo es mucho más complejo de lo que aparentemente parece, confluyendo una serie de factores que lo hacen susceptible de una intervención multifactorial y multidimensional. Por enumerar solamente alguno de ellos, nos encontramos con:

- Características propias del menor: edad, sexo, salud, temperamento, historia previa vivida, procesos traumáticos sufridos, tipo de abandono o malos tratos, capacidad de vinculación afectiva, posibles trastornos que pueda padecer, institucionalización, etc.
- Características de la familia adoptiva: edad, formación, historia afectiva y de pareja, capacidad emocional, motivación para la

adopción, flexibilidad personal, resolución de eventos vitales difíciles, etc.

Cuando la administración encargada de la protección del menor se ve en la necesidad de retirar a un niño/a de la tutela de sus padres biológicos significa que se ha demostrado fehacientemente que la situación de negligencia, abandono o malos tratos supone un riesgo para la integridad física y emocional del niño. En muchas ocasiones el niño lleva meses o años viviendo en un entorno familiar que no permite la satisfacción de sus necesidades y, por tanto, un desarrollo normal y satisfactorio. Como señala la psicología del desarrollo para que un niño tenga un buen desarrollo (a nivel físico, emocional, mental, social, etc.) necesita crecer en un ambiente protector, amoroso y de buenos tratos (Barudy, J. y Dantangnan, M, 2010). Cuando el entorno familiar es desfavorecedor, carente e incluso violento, el infante crece adaptándose a esta situación de la mejor manera que puede, lo que suele conllevar una serie de secuelas más o menos disfuncionales que se pueden perpetuar por el resto de su vida.

A la hora de abordar la intervención en el ámbito de la adopción, tanto nacional como internacional, es necesario no olvidar la historia que el menor trae inscrita en su estructura corporal, emocional y psíquica. Para ello es muy importante conocer con profundidad cuál es el entorno que proporciona las condiciones óptimas de desarrollo, así como las distintas cursos que puede tomar la evolución infantil cuando crece en un sistema familiar disfuncional. Por ello, en este texto se va a hacer especial hincapié en explicitar qué necesita el ser humano en sus primeros años para poder crecer y desarrollarse de una manera más íntegra y completa, qué sucede en el niño cuando estas circunstancias no se dan, cómo son los menores que llegan al Sistema de Protección, qué tipo de familias adoptivas necesitan estos niños, así como la intervención necesaria por parte de los profesionales en las distintas etapas del proceso de adopción, tanto con el menor como con la familia adoptiva.

2. EL AMOR, EL MOTOR EN LA CONSTRUCCIÓN DE LA PERSONA

El ser humano, cuando nace, es la criatura más indefensa de todas las especies animales, siendo incapaz de sobrevivir por sí mismo. En el proceso de hominización, es decir, en el camino filogenético de pasar de animal a homínido hasta llegar al homo sapiens sapiens, se produjeron varios fenómenos muy importantes. Por un lado, el tamaño cerebral iba en progresivo aumento y, por el otro, a medida que la postura del hombre-mono se iba haciendo más erguida, hasta llegar a la completa bipedestación, el tamaño de las caderas se iba estrechando, lo que provocaba en las hembras una reducción del diámetro del canal del parto. Con lo que hubo un momento en que el desarrollo hacia el homo sapiens quedó comprometido, pues ¿cómo las hembras iban a parir a hijos cuyo tamaño cerebral estaba aumentando a la vez que el canal del parto se estrechaba? La naturaleza se encontró con un importante dilema difícil de resolver, lo que se ha llamado en Paleoantropología el *dilema obstétrico* (Goicoechea, 2009). Evidentemente encontró una salida a semejante encrucijada evolutiva, la prueba es la existencia del ser humano como tal. La increíble vía de solución que emergió fue la siguiente: provocar partos prematuros. Es decir, el cachorro humano nace antes de completar su desarrollo cerebral, sólo de esta manera el diámetro de su cabeza podría permitir su paso por el estrecho canal pélvico de su madre. Los antropólogos han visto que, para nacer el bebé humano con un desarrollo similar a otros cachorros mamíferos, el embarazo debería durar alrededor de 18 meses, lo que le permitiría salir al mundo externo con cierta capacidad para empezar a moverse y desplazarse, como lo hacen otros animales al nacer. Por tanto, el bebé humano nace de forma prematura, es decir, tiene nueve meses de desarrollo intrauterino y un periodo posterior de desarrollo extrauterino. Esa etapa de exterogestación, es decir gestación fuera del útero materno, se constituye en un proceso de interacción donde la biología y la cultura se articulan dentro de un lazo amoroso llamado vinculación; a partir de la cual la primera vinculación afectiva, el apego, es el contexto donde el amor se hace biología y la cultura se inscribe en el cuerpo del neonato.

Citamos a Eugenia Ramírez Goicoechea, profesora de Antropología Social de la Universidad Nacional de Educación a Distancia de España (UNED):

> *Todos estamos de acuerdo en que las transformaciones que dan lugar a la aparición de los homínidos deben situarse en el contexto de las transformaciones geológicas y climáticas del globo durante el Plioceno, así como en la evolución de la fauna y flora derivadas*

de estos cambios que todo manual de evolución humana recoge. Sin las transformaciones anatómicas y corporales derivadas del bipedismo, la manipulabilidad, la transformación creativa del entorno y la producción externalizada de objetos y relaciones junto con cambios genéticos (mutaciones/expresiones génicas) en la capacidad sináptica y la organización cerebral, el progresivo adelanto del parto para dar salida a un neonato cerebralmente inmaduro cuyo neocórtex se estructurará principalmente fuera del útero en un entorno social, la aparición y alargamiento de la infancia y luego de la adolescencia en el caso de humanos modernos, etc., sin todo esto, no estaríamos hablando aquí de culturas homínidas (Goicoechea, 2009).

Los niños nacen con un elenco de reflejos, de instintos, de inclinaciones y de capacidades (sensorioperceptuales, emocionales y comunicativas) que le predisponen hacia el contacto humano, a la vez que el adulto también posee (si no ha sido dañado a lo largo de su desarrollo personal) un instinto de atención, cuidado y protección hacia los infantes. Esto hace que ambos, bebé y adulto, se vean inmersos en una danza relacional asimétrica que permite que emerja la creación del vínculo de apego (Bowlby, 1983, 1985, 1989). En ese encuentro humano se pone en juego lo que Maturana llama "la biología del amor", es decir, lo social, lo cultural se inscribe en el propio bebé a través del vínculo primario, no solamente en su desarrollo afectivo y social, sino principalmente en su estructura cerebral y biológica, permitiendo que ontológicamente se despliegue y florezca en sí mismo la biología de lo humano.

El apego es la primera vinculación afectiva que establece un bebé con su principal cuidador (madre, padre o cualquier persona que ocupe ese lugar). Bowlby, el gran investigador y padre de la teoría del apego, lo definía como: *"Es el lazo afectivo duradero entre dos personas que les lleva a mantener la proximidad y la interacción, y en el que el individuo vinculado halla en la otra persona una base de seguridad a partir de la cual explora el mundo físico y social y, a la vez, un lugar de refugio donde reconfortarse en las situaciones de ansiedad, tristeza o temor".* Antes que él hubo otros autores que fueron sus precedentes y prepararon el terreno para la teoría del Apego, entre los cuáles podemos citar:

– Konrad Lorenz (1935), médico y padre de la etología, quién estudió el fenómeno de la impronta con los gansos.

- René Spitz (1946), psicoanalista que estudió el desarrollo infantil, especialmente a niños que fueron separados de sus madres y que sufrieron carencias afectivas. Estudió "el síndrome de hospitalismo", descrito en niños hospitalizados o abandonados con deprivación afectiva y posteriormente institucionalizados, donde a pesar de recibir todos los cuidados básicos presentaban alteraciones y desfases en el desarrollo cognitivo, motor y socioemocional. Muchos de ellos desarrollaban la *depresión anaclítica*, el *marasmo*, hasta llegar a la muerte.

- Harlow y Zimmerman (1959), etólogos que experimentaron con monos Rhesus. Separaban a los monos bebés de sus madres y los criaban en jaulas, junto a dos "mamás" artificiales hechas de alambre, en la que una de las "mamás" tenía incorporado un biberón mediante el cual el monito podía alimentarse, y la otra "mamá" estaba cubierta con una tela de felpa, que proporcionaba un contacto suave. En dicho experimento se vio que el bebé mono pasaba más del 90 % del tiempo abrazado a la "mamá" de felpa, mientras que sólo acudía a la otra "mamá" cuando necesitaba comer.

Con estos experimentos se desmintió la hipótesis que circulaba entre los expertos en esa época (mediados del siglo XX), de que el bebé se vincula a su madre porque le proveía alimento, demostrándose que el afecto, el amor, el contacto físico era una necesidad tan primaria como el comer y el beber.

El apego presenta una serie de características principales:

- Es una vinculación asimétrica. A diferencia de otras vinculaciones que se desarrollan a lo largo de la vida que se basa en la simetría (relación de pareja, de amigos, etc.)

- El esfuerzo del bebé por mantenerse cerca de su principal figura de apego

- Proporciona una base segura donde el infante es capaz de explorar el entorno.

- Es el refugio en los momentos de tristeza, temor, enfermedad o malestar.

- Se produce la ansiedad ante la separación y sentimientos de desolación y abandono ante la pérdida de su figura de apego.

El apego es un sistema que engloba una serie de componentes que son imprescindibles a tener en cuenta tanto en la evaluación del tipo de vinculación como en la intervención profesional. Son:

- Las conductas de apego. Son todas aquellas conductas que están al servicio del logro o del mantenimiento de la proximidad y del contacto con las figuras de apego, como el llanto, sonrisas, vocalizaciones, gestos, seguimiento visual y auditivo,...
- Emociones y sentimientos. El apego genera un fuerte componente emocional del orden del amor, la seguridad, la angustia, el dolor y la rabia. Los más destacables son la seguridad proporcionada por la proximidad de la figura de apego y la angustia o ansiedad originada por su ausencia o pérdida.
- Representación mental de la relación (conocido también como modelo operativo interno, M.O.I., o modelo interno de trabajo, M.I.T.). Son las expectativas y creencias sobre la accesibilidad y disponibilidad de la figura de apego y sobre la capacidad del mismo para promover la protección y el afecto.

En el desarrollo evolutivo del bebé la construcción y anclaje interno del apego se produce a lo largo de los dos primeros años de vida, a través de las experiencias que el/la niño/a tiene durante ese tiempo con las personas que lo cuidan. Aspectos como la disponibilidad y la sensibilidad de sus cuidadores, la sincronía rítmica de esos cuidados, la permanencia y la coherencia del entorno, entre otros, son necesarios para la construcción de un apego seguro y sano. Durante el primer año el bebé, en función de los cuidados recibidos, formará un tipo de apego que consolidará en su segundo y tercer año de vida, principalmente debido a la capacidad de representación del mundo que va desarrollando. De esta forma, creará una representación mental que incluye un concepto de sí mismo ("soy digno de ser querido", "soy válido/a", "soy alguien importante para mamá o papá"), un concepto sobre las figuras de apego ("son seguras", "me puedo fiar", "¿qué puedo esperar de ellos?", "¿están disponibles cuando los necesito?", "¿me quieren?") y una visión del mundo físico y social ("el mundo es un lugar agradable", "el mundo es hostil", "no me puedo fiar de nadie"). Este modelo de representación de sí mismo, de las figuras de afecto y del mundo que el niño desarrolla en función de sus vínculos primarios queda interiorizado y pasa a ser la base de la construcción de su personalidad y de su forma de interaccionar e ir al mundo. Es un modelo que tiende a perpetuarse si no sucede posteriormente ninguna experiencia importante que lo cambie y que gran parte de él queda anclado en el inconsciente de la persona, manifestándose en los ámbitos afectivos y relacionales de adulto.

Mary Ainsworth, psicóloga que trabajó junto a Bowlby y que hizo importantes aportaciones a la Teoría del Apego, diseñó la "Situación extraña", un experimento que permitió estudiar el apego entre los bebés y sus madres. A partir de sus investigaciones estableció que había diferentes tipos de apegos:

– El apego seguro. Es el apego más sano y funcional. El tipo de interacción madre-hijo es recíproca, mutuamente reforzante y no intrusiva. Se observa sensibilidad y accesibilidad de la figura de apego. Y el vínculo se convierte en una base segura que permite al niño explorar, crecer y desarrollarse con confianza. Este tipo de apego genera adultos seguros, confiados en sí mismos y en los demás.

– El apego inseguro ansioso-ambivalente. Se desarrolla cuando la interacción madre-hijo es incoherente ya que la madre tiene dificultad para interpretar las señales de los niños. En los pequeños no se generan sentimientos de protección, manifestando grandes dosis de ansiedad en la relación y sintiéndose abandonados de manera impredecible. Se caracterizan por la preocupación excesiva por su madre y la conducta ambivalente hacia ella, donde hay deseo de proximidad y contacto, unido a la presencia de enfado y resentimiento por sentirse abandonados. Son niños que desarrollan un carácter hiperreactivo emocionalmente, convirtiéndose en adultos ansiosos, preocupados y posesivos en las relaciones.

– Apego inseguro evitativo. Se produce cuando la figura de apego desarrolla un estilo interactivo caracterizado por irresponsividad, la impaciencia, el rechazo, incluso la invasión. El niño ha interiorizado que está solo y se vuelve independiente de su figura de apego, no buscándola cuando necesita protección ni cuidado. Pierde interés por su figura de apego y aumenta la conducta exploratoria. Estos niños se convierten en adultos de dos tipos, o bien fríos emocionalmente y con una clara tendencia al desarrollo intelectual comprometiendo su mundo emocional; o bien personas miedosas, catastrofistas con un grado importante de parálisis interna a la hora de tomar decisiones y de ser activos en sus vidas.

- En estudios posteriores, llevados a cabo por Mary Main, se incluyó otra tipología del apego, el apego desorganizado/desorientado. Este tipo de apego se produce principalmente en niños que han sufrido importantes negligencias, malos tratos, abandono, abusos, o por tener cuidadores que padecen trastornos importantes. Se produce una asociación entre el apego y el miedo, es decir, aquella persona que debería proporcionarle seguridad y protección al menor es la misma que le agrede y hacia la que desarrolla miedo y pánico. Esto provoca una desorganización interna en el pequeño, sumiéndose en la desorientación y en la confusión. Este tipo de apego está a la base del desarrollo de gran parte de la psicopatología adulta: trastornos de personalidad (especialmente el trastorno límite de personalidad), psicosis, trastornos disociativos, depresiones recurrentes, etc.

Conocer en profundidad la teoría el apego y las diferentes manifestaciones del mismo es fundamental para el profesional que atiende a los menores que han vivido situaciones de abandono o deprivación afeciva. Saber, con la mayor profundidad posible, cuáles han sido las vivencias que ese niño/a ha tenido en sus primeros años de vida nos dará un marco para entender su comportamiento actual, su mundo emocional y las representaciones internas que ha internalizado.

3. MENORES EN SITUACIÓN DE DESPROTECCIÓN

Hasta ahora hemos descrito la importancia de que un bebé, cuando nace, tenga un ambiente afectivo y familiar de disponibilidad, atención, sensibilidad, amor y cuidado. Sólo así se completará en gran medida el desarrollo de su cerebro produciéndose una organización de las redes neuronales que permitirá que las estructuras más complejas se vayan desarrollando de una manera sana y funcional a lo largo del resto de su infancia y adolescencia. Como afirma Jorge Barudy, psiquiatra chileno experto en traumaterapia, las relaciones interpersonales de buenos tratos garantizan la configuración, el desarrollo y la integración del tronco cerebral (cerebro reptiliano o instintivo), el sistema límbico (cerebro emocional), los lóbulos pre-frontales y la corteza cerebral (cerebro racional). Es decir, posibilitan una integración vertical de la estructura cerebral, a la vez que se produce una integración horizontal de los dos hemisferios cerebrales. Esta integración, organización y coordinación cerebral en un cerebro triúnico tiene su correlato en la articulación de los tres yoes: el yo somático (tronco encefálico), el yo emocional (sistema límbico) y el yo representacional (neocórtex).

Entonces, ¿qué ocurre en el cerebro y en la estructura psíquica de un niño que no vive en un entorno bientratante? El daño sufrido por ese niño va a ser directamente proporcional a la precocidad de las experiencias de malos tratos, a la intensidad de las mismas, así como a la duración. Si estas vivencias traumáticas suceden en los dos/tres primeros años de vida, se dan en el seno de la familia y son reiteradas, podemos afirmar que el menor ha padecido un trauma temprano complejo, que le producirá, en cierta medida, una desorganización cerebral y emocional, que le preparará para la supervivencia y la defensa. Hay descrito dos tipos de respuestas adaptativas al trauma, o dos soluciones posibles ante las vivencias traumáticas, que son:

1. Respuesta disociativa. Que cursa con ausencia relativa de sensaciones, entumecimientos de las emociones, disminución de la capacidad de realizar procesos cognitivos y la reducción de los movimientos físicos.

2. Respuesta hipervigilante (huida o ataque). Manifestándose en el aumento de las sensaciones, reactividad emocional, estar atento a todo lo que pasa a su alrededor y siempre listo para reaccionar cuando la amenaza llega, imágenes intrusivas y desorganización del procesamiento cognitivo.

Las áreas del desarrollo infantil más afectadas por situaciones de malos tratos son:

– Desarrollo sensoriomotor. Afectando la coordinación y motricidad fina y gruesa, el desarrollo del lenguaje, la capacidad y la integración emocional, etc.

– Desarrollo social/afectivo. Presentando los/as niños/as déficit en la autorregulación emocional, problemas al leer las claves de comunicación, límites emocionales y físicos rígidos o difusos, falta de confianza o dependencia exagerada de los demás, vulnerables a la victimización o conductas abusivas, ausencia de empatía, ansiedad y miedos crónicos, etc.

- Desarrollo cognitivo. Distorsiones cognitivas, dificultades en el aprendizaje, disminución de las funciones ejecutivas, etc.
- Desarrollo moral. Incapacidad para diferenciar lo correcto de lo incorrecto, dificultades con la autoridad, incapacidad para ser conscientes del daño que provocan, problemas al asumir la responsabilidad social, dificultad para establecer contacto con el ser humano, etc.
- Desarrollo sexual. Conductas sexuales precoces, cogniciones distorsionadas de la sexualidad, inhibición sexual, desorganización en el esquema y el espacio corporal, etc.

Con todo lo expuesto hasta ahora queda claramente desglosado cuáles son las condiciones idóneas para el buen y óptimo desarrollo de un niño y las consecuencias más o menos graves a corto, medio y largo plazo si esas condiciones no se dan, como es el caso de muchos niños que llegan al Sistema de Protección. Para el profesional que interviene en cualquier momento de la vida de estos niños es fundamental que conozca lo anteriormente señalado para así poder tomar decisiones y plantear las intervenciones más adecuadas para el menor. Sólo desde este lugar se puede desplegar institucionalmente "el interés superior del menor".

4. FAMILIAS ADOPTIVAS. PREPARACIÓN, FORMACIÓN E INTERVENCIÓN

Un entorno familiar estable, amoroso, flexible y bientratante es el único que proporciona el marco adecuado para que un niño pueda crecer y desarrollarse de una manera segura y saludable, pudiendo construir una personalidad que le posibilitará ir al mundo interpersonal, intrapersonal y social, desplegando todo el potencial con el que nació.

Cuando un niño/a no ha tenido la suerte de crecer en una familia que le proporcione todos los cuidados necesarios y ha tenido que intervenir la administración y la justicia para protegerlo es imprescindible que se le provea de todo aquello de lo que careció, especialmente de un contexto familiar, no solamente porque es un derecho y necesidad vital sino porque se constituye en la posibilidad de sanar y reparar las heridas y el daño físico, emocional y cognitivo que el menor trae. Por tanto, es necesario fomentar las medidas de protección familiar como el acogimiento familiar o la adopción. Pero aquí no sólo se trata de buscar una familia para un menor cuya tutela ha sido retirada de sus padres biológicos, sino que hay que seleccionar, formar, apoyar, intervenir con la familia, para que sea capaz de proporcionar todo el amor y sostén que un niño que viene dañado necesita.

En lo que respecta a las familias de adopción hay que trabajar con ellos una serie de aspectos previos a la llegada del menor a su hogar. Los pasos en el proceso de adopción los podemos dividir en los siguientes:

1. **Información.** Consiste en darle una primera información acerca de en qué consiste el proceso de adopción (pasos, plazos, trámites, etc.) y cómo son los perfiles de los menores de adopción tanto nacional como internacional.

2. **Formación.** El objetivo principal de la formación es el de proporcionar a los solicitantes de los recursos que les permitirán hacer frente a sus responsabilidades como padres adoptivos. Es muy importante formar a las familias ya que muchas de ellas desconocen las características de los menores en adopción, así como de las dificultades que entrañan en sí mismos por la historia de abandono y de sufrimiento que traen tras de sí. Aspectos como las expectativas que tienen, el preparar la llegada del niño, cómo facilitar su adaptación, cómo vincularse a él, la tarea de educar, conocer y aceptar al menor, cómo realizar la revelación de sus orígenes, entre otros, deben ser tratados en las sesiones de formación. Se recomienda realizarlas en grupo, con un número determinados de solicitantes, ya que esto hace que el proceso sea más rico.

3. **Valoración.** Consiste en una serie de entrevistas a través de las cuáles varios profesionales (normalmente psicólogo y trabajador social) van a intentar conocer de manera profunda y detallada a los solicitantes, para así determinar su idoneidad para la adopción de un menor con un perfil determinado. Producto de

la valoración se emitirá un informe extenso y exhaustivo. Aspectos que se tratan en la valoración son: historia de los solicitantes, relaciones vinculares importantes, capacidad de resolver situaciones de crisis, capacidad afectiva, patrones educativos, domicilio y recursos sociolaborales, relación de pareja, apoyos familiares y sociales, salud física y mental, tipo de apego desarrollado, motivación para la adopción, etc.

4. **Seguimiento, apoyo e intervención.** Es una fase muy importante, a realizar desde el momento en que la familia establece los primeros contactos con el niño hasta que el menor está plenamente adaptado y vinculado a sus nuevos padres. Es fundamental este periodo de acompañamiento por los profesionales, donde la capacidad del técnico para vincularse a la familia y convertirse en un lugar seguro (como dice Bowlby) desde el cual poder acompañar, asesorar, apoyar y realizar intervenciones en situaciones de crisis, permitirá que la adopción sea un éxito.

Creo que merece un especial análisis uno de los aspectos cruciales a estudiar en las familias adoptivas: el tipo de apego que como persona han construido a lo largo de su historia vincular y la capacidad de vinculación que poseen. No podemos olvidar que la principal herida que tienen los menores del sistema de protección es emocional, ya que es el daño más profundo y perdurable. Por tanto, sólo desde lo emocional y vincular podemos empezar a sanar el daño vivido por estos niños. Los integrantes de una familia (monoparental, heteroparental, homoparental) han de poseen un apego seguro (o un apego ansioso/ambivalente o evitativo cercano al seguro) desde el cual proporcionar al menor unas vivencias familiares bientratantes y reparadoras, desde donde no sólo se tienen que vincular al niño y proveer ese amor, cuidado y sensibilidad, sino que han de ir desmontando progresivamente el patrón de representaciones, de emociones y de conductas que posee el niño desde el tipo de apego que él ha construido en los primeros años de vida.

Las autoras del libro "*Vinculaciones afectivas. Apego, amistad y amor*" (Lafuente y Cantero, 2010) desarrollan de manera muy exhaustiva el tipo de apego que nos podemos encontrar en los adultos, derivados del apego infantil.

- Apego seguro. Son adultos con un modelo positivo de sí mismo y de los demás. Perciben a los otros como intencionados y confiables. Tienen facilidad para intimar y disfrutan de las relaciones interpersonales. Poseen una estructura cognitiva flexible y adaptable a los cambios externos. Mantienen una buena autoestima, sociabilidad, empatía, aceptación y adecuado control de las emociones.

- Apego huidizo (derivado de un apego evitativo infantil). Tiene dos variantes: el adulto distante y devaluador y el adulto temeroso. Hay una negación y represión de las emociones, con una negación de la necesidad de apego y vinculación afectiva. Predisposición a la autosuficiencia e individualismo. Dificultad con los sentimientos de vulnerabilidad. Son suspicaces, excépticos y retraídos. Con falta de confianza en los demás e incómodos a la hora de establecer relaciones más íntimas o al pedir ayuda. Mantienen una estructura cognitiva rígida. El distante/devaluador posee un modelo positivo de sí mismo (falso yo) y un modelo negativo de los demás. En cambio, el temeroso tiene un modelo negativo tanto de sí mismo como de los demás. Tienen muy interiorizado la falta de disponibilidad de sus figuras de apego, por eso niegan o evitan la necesidad de apoyo o atención. Compensan su congelamiento emocional orientándose hacia los logros académicos, deportes, profesión, riqueza, etc.

- Apego ambivalente o preocupado. Poseen un modelo negativo de sí mismos (baja autoestima) y un modelo más positivos de las demás personas. Están más orientados hacia las personas que hacia los logros académicos o profesionales. Con constantes dudas hacia sí mismos, sintiéndose poco inteligentes e inseguros. Muy sensibles al rechazo, a la crítica y al abandono. Desconfían de la disponibilidad de sus figuras de apego, a la vez que tienen una enorme necesidad de cercanía, lo que los hacen ser complacientes y posesivos. Miedo a que no los quieran y mucho temor al abandono. Conflictos con las relaciones de intimidad, ya que tienen miedo a ser abandonados y a la vez que sienten necesidad y dependencia del otro, dirigiendo hacia él la rabia y el enfado.

- Apego desorganizado. Son adultos que han vivido episodios traumáticos y severos en su infancia. Poseen estados mentales fragmentados y escindidos. Pueden presentar alteración del pensamiento y de los estados de conciencia. Suele haber presencia de trastornos psicopatológicos y de conductas de inhibición o violencia importantes.

Existen varias maneras de evaluar el apego adulto en las familias solicitantes de adopción. Una de las más conocidas es *"la entrevista de apego para adultos"* desarrollada por George, Kaplan y Main en 1985. Consiste en una serie de preguntas que se realizan a través de un diálogo centrado en su historia vincular personal y en qué piensan sobre la misma. Se solicitan recuerdos y evaluaciones generales de las experiencias vividas, así como episodios biográficos específicos.

No todo el mundo tiene acceso a la herramienta antes mencionada. En el propio proceso de valoración, si se realiza por personas expertas en el apego y con el nivel de profundidad adecuado, se pueden extraer muchos indicadores del tipo de apego de los solicitantes. ¿Cómo se manifiesta el tipo de apego en el discurso de una persona en el curso de una entrevista?

– Apego seguro. La persona recuerda el pasado con relativa facilidad y lo puede narrar con un discurso coherente y reflexivo. Incluso puede contar experiencias difíciles, con conexión emocional y siendo capaz de hablar de ellos con un pensamiento organizado, habiendo integrado dichas experiencias en el curso de su vida.

– Apego evitativo. Dan poca importancia a su historia personal e incluso hay muchas lagunas en su recuerdo. Son personas que no recuerdan nada o casi nada de su infancia temprana y media. Pueden dar detalles de situaciones difíciles sin entrar en contacto con las emociones ni valorar la importancia de las mismas. Minimizan la importancia de las relaciones y de las emociones. Pueden tener idealizada o, en cambio, despreciar y devaluar a sus figuras de apego. Falta de correspondencia entre la memoria semántica y la memoria episódica. Discurso teñido de trivialidades o banalidades, con ausencia de una narrativa emocional.

– Apego preocupado. Es un discurso confuso, incoherente, con respuestas tangenciales e irrelevantes. Poseen recuerdos fragmentados, algo caóticos y con una llamativa intensidad emocional al evocarlos. A menudo están excesivamente preocupados por relaciones del pasado no resueltas o por eventos no integrados. Suelen estar aún involucrados en su familia de origen y en historias del pasado.

– Apego irresuelto/desorganizado. Presentan representaciones y estados mentales fragmentados y escindidos, que se manifiestan en un discurso incoherente y desconectado. Al hablar de episodios traumáticos puede haber cambios intensos en la emocionalidad y en el significado del discurso, así como momentos de disociación.

5. INTERVENCIÓN CON MENORES EN ADOPCIÓN

En el proceso de adopción de un menor hay varios momentos donde es fundamental la adecuada intervención de los profesionales que intervienen.

1. Antes de la adopción. Es necesario conocer en profundidad: al menor y su historia vivida, tipos de vínculos creados, rupturas y pérdidas de vínculos, experiencias traumáticas, estilo de apego, institucionalización previa. Antes de que el menor pueda estar disponible para iniciar una nueva vida familiar hay que trabajar su preparación para la misma. Aquí es fundamental el papel del psicólogo, el cual debe trabajar con el menor las pérdidas que éste ha tenido, la separación de su familia biológica y la elaboración de la misma, el manejo del conflictos de lealtades, explicarle al menor y hacerle entender su propia historia y el significado de su situación, devolverle la sensación de control de su vida haciéndole partícipe de las decisiones que se van a tomar.

Si el/a niño/a ha vivido situaciones traumáticas previas es fundamental iniciar tratamiento psicoterapéutico, el cual ha de continuar durante todo el proceso de adopción.

2. Primeros contactos con la familia adoptiva. Antes de marcharse definitivamente con su nueva familia hay que diseñar un periodo de contactos pautado y progresivo. Los objetivos de estos contactos son dos principalmente: ir rompiendo paulatinamen-

te los vínculos que el menor tiene en este momento (bien en la institución o bien en la familia acogedora), a la vez que se va construyendo y fortaleciendo nuevos vínculos afectivos con la familia adoptiva. Bowlby ha descrito de manera contundente las reacciones de un niño ante la ruptura de los vínculos importantes, y su efecto sobre la capacidad de construir nuevos vínculos. Por tanto, hay que cuidar de una manera exquisita la ruptura y creación de estos vínculos. Estos contactos han de estar diseñados teniendo en cuenta la edad del menor, el tipo de apego y sus características de personalidad.

3. Inicio de la convivencia y adaptación familiar. El acompañamiento, asesoramiento y apoyo de los profesionales del sistema de protección es importante. La intervención ha de ir dirigida a:

   a. Proporcionar a la familia, previamente, toda la información necesaria para entender el comportamiento y las manifestaciones emocionales del menor.

   b. Fomentar la sensibilidad y la adecuada interpretación de las conductas, las emociones y el modelo de representaciones interno del menor.

   c. Proporcionar una base segura institucional a la familia, como sostén de situaciones de crisis desencadenadas en la convivencia diaria con el menor.

Jorge Barudy y Maryorie Dantagnan han diseñado un método de intervención terapéutica que está obteniendo muy buenos resultados, denominado "traumaterapia infantil sistémica". Es un modelo de trabajo terapéutico especialmente diseñado para menores que han sufrido traumas precoces complejos y que tienen una mente y una personalidad construida alrededor de la supervivencia del proceso traumático. La metodología de trabajo se basa en la construcción de un apego terapéutico con el niño, la empatía y el desarrollo de la mentalización por parte del terapeuta. La mentalización es al capacidad de ponernos en la mente del otro y comprender y sentir su mundo interno. Esta capacidad es necesaria que sea desarrollada por el traumaterapeuta, así como es algo a trabajar y fomentar en las familias adoptivas de estos niños.

El proceso de intervención en traumaterapia, tras la adecuada evaluación de los daños sufridos por el menos así como de sus capacidades resilientes, tiene tres fases:

A. Sintonización y autorregulación. El trabajo consiste en establecer los ritmos básicos orgánicos y cerebrales del niño, rutinas cotidianas, regulación emocional, contacto y expresión de las emociones.

B. Empoderamiento. Se trabaja las funciones ejecutivas del niño, la identidad, la autoestima. Aquí se aborda el modelo interno de trabajo (o M.O.I.): cómo se ve a sí mismo, cómo ve al otro y las estrategias que utiliza en su representación

C. Reintegración resiliente. Se lleva al menor a la integración de su historia traumática, haciendo especial hincapié en rescatar todos los recursos resilientes que él posee. Se potencia que el niño desarrolle la capacidad mentalizadora.

6. CONCLUSIONES

Como se ha visto a lo largo del capítulo, trabajar e intervenir con un menor en un proceso de adopción implica abordar toda la historia vital de ese niño, que, aunque queramos ignorarla, está irremediablemente inscrita en toda su estructura física y psíquica y más tarde o más temprano va a emerger en el establecimiento de nuevos vínculos con su familia adoptiva. El compromiso e implicación de todos los integrantes del Sistema de Protección, desde que se detecta la situación de riesgo de un niño en su familia biológica, hasta que se retira de la misma y se entrega a otra familia, es fundamental.

Es importante apelar a una intervención multifactorial y multidisciplinar, donde se articule una red de recursos resilientes en torno al menor. Y a través de la cual la familia adoptiva que acoge a ese niño reciba el asesoramiento y apoyo necesario. La intervención terapéutica basada en el apego, en sanar las emociones y en abordar los traumas es fundamental.

7. BIBLIOGRAFÍA

ARAGÓN, M. (coord.). (2010). *Intervención con familias adoptivas*. Madrid. Editorial Síntesis.

BARUDY-DANTANGNAN. (2010). *Los desafíos invisibles de ser madre o padre. Manual de evaluación de las competencias y la resiliencia parental.* Barcelona. Gedisa Editorial.

BARUDY, J. y DANTANGNAN, M. (2014). *Los buenos tratos en la infancia. Parentalidad, apego y resiliencia.* Barcelona. Gedisa editorial

BARUDY, J. *El dolor invisible de la infancia.*

BOWLBY, J. (1985). *El apego. El apego y la pérdida 1.* Barcelona. Paidós Ibérica.

BOWLBY, J. (1983). *La separación. El apego y la pérdida 2.* Barcelona. Paidós Ibérica.

BOWLBY, J. (1983). *La pérdida. El apego y la pérdida 3.* Barcelona. Paidós Ibérica.

BOWLBY, J. (1989). *Una base segura: aplicaciones clínicas de la teoría del apego.* Barcelona. Paidós ibérica.

BOWLBY, J. (1986). *Vínculos afectivos: formación, desarrollo y pérdida.* Madrid. Ediciones Morata.

BENTOVIM, A. (2000). *Sistemas organizados por traumas. El abuso físico y sexual en las familias.* Barcelona. Paidós.

CANTERO, M.J. y LAFUENTE, M.J. (2010). *Vinculaciones afectivas: apego, amistad y amor.* Madrid Pirámide.

CORNEJO, L. (2012). *El espacio común. Nuevas aportaciones a la Terapia Gestáltica aplicada a niños y adolescentes.* Bilbao. Desclée De Brouwer.

CYRULNIK, B. (2008). *Bajo el signo del vínculo.* Barcelona. Gedisa Editorial.

CYRULNIK, B. (2006). *El amor que nos cura.* Barcelona. Gedisa Editorial.

CYRULNIK, B. (2002*). Los patitos feos; la resiliencia, Una infancia feliz no determina la vida.* Barcelona. Gedisa Editorial.

CYRULNIK, B. (2012). *El murmullo de los fantasmas.* Barcelona. Gedisa Editorial.

DELAGE, M. (2015). *La resiliencia familiar.* Barcelona. Gedisa Editorial.

FEENEY, J y NOLLER, P. (2001). *Apego adulto.* Bilbao. Desclée.

GIMÉNEZ-ALVIRA, J. A. (2010). *Indómito y entrañable. El hijo que vino de fuera.* Barcelona. Gedisa Editorial.

GONZALO MARRODÁN, J.L. (2015). *Vincúlate. Relaciones reparadoras del vínculo en los niños adoptados y acogidos.* Bilbao. Desclée De Brouwer.

GONZALO MARRODÁN, J.L (2013). *Construyendo puentes. La técnica de la caja de arena (sandtray).* Bilbao. Desclée De Brouwer.

GONZALO MARRODÁN, J.L y BENITO, R. (2017). *La armonía relacional. Aplicaciones de la caja de arena a la traumaterapia.* Bilbao. Desclée De Brouwer.

LOIZAGA LATORRE, F. (coord.). (2010).*Adopción hoy. Nuevos desafíos, nuevas estrategias.* Bilbao. Ediciones Mensajero.

MANCIAUX, M. *La resiliencia: resistir y rehacerse.*

PERRY, B. Y SZALAVITZ, M. (2016). *El chico a quien criaron como perro.* Madrid. Capitan Swing Libros, S.L.

RAMÍREZ COICOECHEA, E. (2009). *Evolución, cultura y complejidad. La humanidad que se hace a sí misma.* Madrid. Editorial universitaria Ramón Areces.

ROMAN, M. (2010). *El apego en niños y niñas adoptados. Modelos internos, conductas y trastornos del apego.* Tesis doctoral. Sevilla. Universidad de Sevilla. Departamento de Evolutiva y de la Educación.

RYGAARD, N.P. (2008). *El niño abandonado.* Barcelona. Gedisa Editorial.

WALLIN, D. (2012). *El apego en psicoterapia.* Bilbao. Desclée De Brouwer.

Capítulo 8
Niñas, niños y adolescentes viviendo como testigos protegidos

Sulma Miladi Pérez García
Licenciada en Trabajo Social
Dirección de Niñez, Adolescencia y Familia
Honduras
sumipega23@hotmail.es

1. INTRODUCCIÓN

En el apartado de antecedentes se hará referencia a Programas de Testigos Protegidos en cuanto a los orígenes y el desarrollo en otros países como ser Estados Unidos y Colombia considerados como los precursores en el continente americano, además se tomaron en cuenta países como El Salvador y Costa Rica ya que a nivel centroamericano son los que cuentan con un Programa de Testigos Protegidos funcionando de manera óptima.

Para abordar el estudio planteado, se ha dividido en capítulos y secciones que describen el proceso por el cual debe pasar un testigo o víctima de delito para convertirse en testigo protegido, en el Primer capítulo se dará a conocer de forma más amplia el funcionamiento del Programa de Testigos Protegidos en Honduras, también en este capítulo nos permitirá comprender con mayor claridad el rol que desempeñan las diferentes áreas de intervención del equipo interdisciplinario con cada uno de los testigos.

En el segundo capítulo se describirá el relato de las vivencias de un caso que se tomo en cuenta para mostrar en este estudio científico, mismo que nos permitirá comprender los diferentes cambios en la vida cotidiana que sufren la niñas, niños y adolescentes al momento de convertirse en testigos o víctimas de delitos.

Además se describirán las conclusiones que se pudieron identificar durante todo el proceso de construcción del estudio científico, así mismo las recomendaciones a las cuales se llegó una vez recolectada la información, cabe mencionar que todo fue desarrollado mediante la utilización de una metodología descriptiva previamente establecida.

El estudio científico sobre la temática de niñas, niños y adolescentes viviendo como Testigos Protegidos se tomó en cuenta en vista que en el país es una problemática abandonada por las autoridades gubernamentales, por lo que se pretende mediante este llegar a ocupar la atención de las entidades correspondientes para que el tema sea una prioridad en los planes de gobierno y de esta manera los testigos o víctimas de delitos puedan contar con el apoyo y la protección que se requiere debido a la peligrosidad del servicio que prestan a la sociedad hondureña.

2. OBJETIVOS

Objetivo General

Mostrar las experiencias vividas por las Niñas, Niños y Adolescentes en todos los ámbitos sociales desde el momento en que ingresan al proceso para formar parte del Programa de Testigos Protegidos, tomando como muestra los casos registrados en el Programa durante el periodo 2017 - 2018.

Objetivos Específicos

1.- Conocer todo lo relacionado con los procesos que realiza el Programa de Testigos Protegidos para atender a los niños, niñas y adolescentes testigos o víctimas de delitos, mediante la aplicación de entrevistas al equipo interdisciplinario.

2.- Identificar las diferentes causas que llevan a una niña, niño y adolescentes a ingresar al Programa de Testigos Protegidos, a través de relatos y revisión de expedientes.

3.- Investigar bibliografía a nivel nacional e internacional con el fin de conocer más sobre los procedimientos que se están realizando para brindar protección a este sector de la población.

3. METODOLOGÍA

El presente estudio sobre las vivencias de las Niñas, Niños y Adolescentes como Testigos Protegidos se realizara mediante el proceso metodológico que se basara en la utilización de técnicas de investigación seleccionadas, conforme a la información que se requiere para obtener un estudio científico claro y conciso sobre este sector de la población.

Las técnicas que se utilizaran será el Estudio de Caso que se aplicara a las Niñas, Niños y Adolescentes que han observado o son víctimas de delito lo que los convierte en Testigos Protegidos, con el fin de conocer su desarrollo en el área escolar, recreativa, familiar y demás vivencias desde que ingresan al proceso como Testigos Protegidos; entrevista colectiva mediante un Grupo Focal con el equipo interdisciplinario que labora para el Programa de Testigos Protegidos quienes brindaran la respectiva información sobre el funcionamiento del mismo según el área en el que se desempeñan; Entrevistas estructuradas a diferentes actores que se vayan identificando durante el estudio y que puedan brindar datos importante, así mismo conocer la forma en la que se está trabajando en la temática; y la revisión de diferentes documentos que contengan información sobre este sector de la población, a nivel internacional para obtener información más amplia y a nivel nacional para conocer la situación actual sobre la temática.

Este proceso de recolección de información nos permitirá realizar un análisis para seleccionar los datos más pertinentes en cuanto a los procedimientos que se están desarrollando en el Programa de Testigos Protegidos, las instituciones con las que se coordinan, bibliografías y vivencias de la población objeto de estudio, con la finalidad de lograr la construcción de un estudio científico en el cual se establezca de forma clara los procesos que se están desarrollando para brindar protección a las niñas, niños y adolescentes testigos o víctimas de delitos en nuestro país durante el periodo 2017 - 2018.

4. ANTECEDENTES

"La Convención de las Naciones Unidas contra la Delincuencia Organizada Transnacional y sus protocolos insta a los estados partes adoptar las medidas apropiadas para impedir las intimidaciones,

cohesión, corrupción o lesiones corporales de los Testigos y a impulsar la cooperación internacional al respecto". A pesar que existen estos convenios y protocolos no se aplican debidamente y continúan siendo insatisfactorias, especialmente por lo que se refiere al cambio de identidad y la reubicación de los testigos que corren peligro.

Orígenes de Programas de Testigos Protegidos según algunos países de Norteamérica, Sudamérica y Centroamérica.

1. Estados Unidos de América

La protección de testigos empezó a adquirir importancia por primera vez en los Estados Unidos de América en el año de 1970, como procedimiento legalmente autorizado que se había de utilizar junto con un programa para el desmantelamiento de las organizaciones delictivas de tipo mafioso. Esas primeras experiencias convencieron al Departamento de Justicia de los Estados Unidos de que había que instituir un programa para la protección de los testigos.

2. Colombia

El programa de protección de testigos de Colombia tiene su origen en la Constitución de 1991, en la que se enumeraban entre las funciones principales de la Fiscalía General de la Nación la obligación de velar por la protección de las víctimas, testigos e intervinientes en el proceso penal. En la Ley 418 de 1997 se establecieron tres programas de protección de testigos distintos, a los que se puede acceder previa solicitud dirigida a la Fiscalía General de la Nación. El primer programa proporciona a los testigos información y recomendaciones para su propia seguridad; el segundo ofrece un seguimiento limitado de las situaciones de los testigos; el tercero implica un cambio de identidad y abarca a testigos, víctimas, intervinientes en el proceso y funcionarios de la Fiscalía.

3. El Salvador

La Ley establece que el ente rector del programa de protección de Víctimas y Testigos es la Comisión Coordinadora del sector de Justicia, que a su vez de la administración del Programa de Protección de Víctimas y Testigos a la Unidad Técnica Ejecutiva de sector de Justicia, quien tiene la atribución de recibir las solicitudes de protección, identificar e implementar las medidas de protección y atención a los testigos, así como de encomendar, si fuera procedente, la ejecución material de las medidas de protección a la División de protección de víctimas y testigos de la Policía Nacional Civil.

De acuerdo a la Ley la Unidad Técnica estará apoyada por Equipos Técnicos Evaluadores, los cuales estarán integrados por un abogado, un psicólogo, un trabajador social y un representante de la Policía Nacional Civil del nivel ejecutivo. A estos les corresponde emitir dictámenes en los que recomiendan las medidas de protección y atención que consideren técnicamente convenientes para los testigos.

A partir de la entrada en vigencia de la Ley de Protección en septiembre de 2006, el Programa inicia sus operaciones con dos equipos técnicos evaluadores, ubicados en la zona central, atendiendo las solicitudes de protección a nivel nacional, pero dado el nivel de solicitudes y la creciente demanda del servicio se han venido desarrollando y fortaleciendo dicho Programa. En la actualidad se cuenta con seis equipos técnicos evaluadores, los cuales están distribuidos en diferentes partes del país.

4. Costa Rica

El desarrollo normativo en materia de protección de testigos en Costa Rica, es una cuestión sumamente reciente, que se materializa con la ley No. 8720 del 4 de marzo de 2009; en otras palabras, Costa Rica tuvo que esperar hasta el siglo XX, para darle relevancia a la temática del crimen organizado, y por ende crear un mecanismo que por un lado, garantizara la tutela de los bienes jurídicos de aquellos sujetos que mediante los sentidos, tuviesen la capacidad de brindar información relevante sobre la comisión de un delito; y que además, fungiera como una vía para velar por la eficiencia del sistema de justicia costarricense.

I.- Capítulo 1: Procedimiento de ingreso de las y los niños al Programa del Testigos Protegidos en Honduras, aspectos relevantes y sus diferentes áreas de intervención.

1.1. Requisitos para ingresar al Programa

Según la Ley de Protección a Testigos en el Proceso Penal, en la sección II procedimiento de protección en su artículo 13.- Etapas del Procedimiento donde comprende las siguientes etapas:

1. Ingreso al Programa: El ingreso al Programa requerirá de una solicitud de admisión dirigida al Director del mismo, por parte del Fiscal de conocimiento.

2. Evaluación de la solicitud: Presentada la solicitud el Director del Programa, con el apoyo de su equipo interdisciplinario, verificara los nexos entre la participación procesal, amenaza y situación

de riesgo y procederá a valorar la elegibilidad del candidato y su adaptabilidad al Programa.

3. Admisibilidad al Programa de Protección: Verificado los nexos entre la participación procesal, amenaza y situación de riesgo, la autoridad competente tomara en cuenta los siguientes aspectos para la admisión de un testigo al Programa de protección.

a) El candidato deberá reunir los siguientes requisitos de admisibilidad contenidos en el reglamento que rige el programa de protección; y

b) El candidato deberá estar conforme con las condiciones del programa y formalizar su voluntad con la suscripción de acuerdo de incorporación respectivo.

4. Decisión sobre el ingreso al Programa

Realizada la evaluación pertinente, el Director del Programa deberá pronunciarse en forma oportuna y fundamentada respecto de la admisibilidad del candidato del Programa.

Cuando se deniegue el ingreso de un testigo al programa, se podrá reevaluar la solicitud de incorporación por disposición expresa del Fiscal General, siempre que se trate de condiciones no tomadas en cuenta o hechos nuevos o sobrevivientes. Esta decisión no podrá ser objeto de recurso administrativo alguno.

1.2. Aspectos relevantes del Programa de Testigos Protegidos

En Honduras se crea la Ley de Protección a Testigos en el Proceso Penal, el cual tiene como finalidad "brindar protección a Testigos en Proceso Penal, el que estará bajo la dirección y coordinación del Ministerio Público"

El Programa inicio en junio del año 2007 con la creación de la Ley de Protección a Testigos en el Proceso Penal mediante el decreto 63-2007, para ese año solo se contaba con el director, posteriormente se fue ingresando al personal administrativo y jurídico, fue hasta en el año 2015 que se incorporó al equipo interdisciplinario (Trabajador Social, Psicólogo, Medico) para que el programa funcione según lo establecido en la Ley; cabe mencionar que parte del equipo ha viajado a otros países más avanzados en la temática para obtener nuevos conocimientos que puedan ser implementados en Honduras.

Las niñas y los niños testigos que ingresan al programa es porque están dispuestos a brindar información relevante que facilite la resolución de un delito, es de suma importancia mencionar que la mayoría de los casos que se presentan es porque han presenciado o han sido víctimas de un delito, por lo que la vida de ellos y sus familiares está en eminente riesgo, debido a que los delitos más comunes que se presentan son por asesinatos, intentos de asesinatos, trata de personas y abusos sexuales.

Cabe resaltar que la mayoría de los testigos o víctimas de delito que ingresan al programa viven en extrema pobreza y provienen de diferentes departamentos del país entre los cuales están; Comayagua, Gracias a Dios, La Esperanza, San Pedro Sula, Santa Rosa de Copan y en su mayoría de Tegucigalpa. Durante el año 2018 se han atendido a cinco (5) casos que oscilan entre las edades de doce (12) a diecisiete (17) años.

1.3. Área Legal

El papel que desempeñan Oficiales Jurídicos pertenecientes al Programa de Testigos Protegidos es de vital importancia, ya que son los primeros en tener contacto con las niñas y niños al momento de realizar los trámites para ingresar al Programa, son los responsables de informar sobre los pasos que se deben seguir en cuanto al proceso legal.

La protección de testigos, está establecido para las personas que brindan información en un proceso judicial y entre las medidas de seguridad que les otorga el programa están; alejamiento de la zona de riesgo cuando el testigo corre peligro en su casa de habitación y zonas aledañas a estas, cambio de identidad, cuando están ubicados en un albergue, normalmente en ese periodo son separados de sus actividades cotidianas, manteniéndolos en el anonimato hasta el momento en que es seguro reintegrarlo a sus familias y actividades diarias. Cuando el testigo se presenta a la audiencia utiliza el distorsionador de voz y el chacal (vestimenta en el cual no se puede identificar el testigo). Otra medida de protección es proporcionar el pasaje para que pueda viajar al extranjero cuando uno de las y los niños tiene un familiar en el exterior; en el caso que el testigo tengo un familiar al interior del país se localiza y se hace el traslado para que haya una mejor protección y así se mantenga alejado del entorno donde anteriormente vivía.

A los testigos que son retirados de zonas de peligro y trasladados al interior o exterior del país, pero que después de un tiempo regresan al mismo lugar donde ocurrió el delito, se toma la decisión de no continuar brindándole la ayuda ya que el programa considera que se invierten recursos valiosos que no están siendo aprovechados y el testigo está desobedeciendo las medidas de protección establecidas.

1.4. Área Social

Una de las partes importantes durante el proceso que brinda el programa a los testigos es el área social, ya que mediante esta es donde se conocen a fondo los aspectos socioeconómicos del testigo y su entorno, por lo que la y el Trabajador Social desempeña un papel fundamental en la toma de decisiones respecto a las medidas de seguridad que se deben implementar una vez que se incorpora la niña o el niño al programa.

El seguimiento que brinda el Trabajador Social es durante tres meses según lo establecido en las directrices del programa, pero existen casos específicos en los cuales este tiempo pude ser extendido a través de una nueva evaluación que revele la necesidad de seguir brindando protección, este seguimiento se realiza para verificar la situación actual de la víctima o testigo de delito mediante visitas domiciliarias una vez al mes cuando reside en Tegucigalpa, las cuales se pueden incrementar en caso de ser necesario, cuando se encuentra ubicado en el interior del país además de las visitas se realizan llamadas telefónicas que permitan mantener un contacto constante en vista de que hasta el momento no existen regionales que faciliten este proceso.

Otro aspecto importante en la atención que brinda el Trabajador social es la identificación de si la niña o el niño es testigo o víctima-testigo lo que permite determinar las acciones que se deben ejecutar con cada uno de los afectados por el delito, las acciones más comunes que se implementan son; ayuda económica cuando el testigo carece de los mismos (víveres, pago de alquiler, agua, luz, etc.) además de identificar los lugares idóneos donde el testigo pueda estar fuera de peligro cuando amerita una reubicación de domicilio.

1.5. Área Psicológica

La tarea que realizan los profesionales de la psicología en cuanto a la temática de testigos protegidos es brindar diferentes tipos de terapias ya sea al testigo o a los familiares, en la mayoría de los casos a ambos, estas se realizan en horarios de oficina y en horarios extra laborales dependiendo de la emergencia del caso; además de que se hacen en la institución, domicilios y refugios, cabe mencionar que las evaluaciones del testigo no siempre se hacen en el Programa de Testigos Protegidos, ya que son remitidos por otras dependencias con las que se coordina quienes normalmente son los primeros en brindarles atencion.

Para la realización de las evaluaciones o terapias no se cuentan con un tiempo estipulado, debido a que en el programa brinda atención a niñas, niños y adultos a nivel nacional, por lo que se ven en la necesidad de priorizar los casos más urgentes para brindar las terapias más adecuadas, los profesionales de la Psicología utilizan como instrumento principal la terapia sistémica ya que principalmente se trabaja con el testigo y todos los ámbitos de su vida cotidiana, además de incluir pertinentemente a sus familiares más cercanos con el fin de disminuir los trastornos adquiridos durante el evento traumático, normalmente quien asiste a las sesiones psicológicas son las madres de las y los niños debido a que en muchas ocasiones el padre es el victimario o la madre no tiene pareja.

1.6. Área Médica

La intervención que realiza el profesional de medicina consiste en evaluar los estados de salud con los que el testigo se presenta al momento de ingresar al programa, lo que permite brindar un seguimiento adecuado mediante revisiones cada tres meses cuando la persona no presenta enfermedades, estas revisiones se realizan más seguidas en los casos que la víctima presente constantes problemas de salud, el médico es el encargado de asistir oportunamente según la patología de la enfermedad, de la misma forma es el responsable de remitir en caso de ser necesario a un centro asistencial al testigo, además de brindarle acompañamiento con el fin de facilitar la atención requerida.

II.- Capítulo II: Caso emblemático y relato de una niña Testigo Protegido.

En este capítulo se mencionara un caso emblemático del cual se resaltara las vivencias de una niña que se encuentran en un Centro de Protección como testigo y víctima de delito, información recolectada mediante la revisión del expediente y aplicación de entrevistas al testigo.

2.2 Caso N° 1

La información contenida en este relato fue proporcionada por una adolescente que desde los 13 años de edad fue víctima de abuso sexual por parte de su cuñado, debido a su corta edad y las amenazas que recibía del agresor no pudo hacer nada para defenderse de la persona que abusaba constantemente de ella, además de que la invadía el temor a ser señalada por la sociedad, por lo que la adolescente no le comento a nadie lo que le estaba sucediendo.

Después de lo acontecido su actitud cambio y empezó a comportarse de forma rebelde con su madre, se escapaba de la casa y por varios días no regresaba a la misma; posteriormente se fue a convivir con su tía materna quien la obligo a trabajar en la venta de lociones en el parque central de San Pedro Sula.

Durante ese tiempo de trabajo conoció a un amigo, al que tiempo después lo asesinaron, perdida que le afecto mucho emocionalmente, solicito permiso a su madre para ir al velorio, quien le negó el permiso, por lo que se molestó y tomo la decisión de escaparse con unas amigas, comento que en ese lugar conoció a una pareja que según sus amigas se dedicaban al tráfico de niños, manifestó que desde ese momento empezaron a tener comunicación a tal grado que empezó a convivir más con ellos, expreso que el desconocido le ofrecía cervezas pero no la tocaba, cuando se encontraba bajo los efectos del alcohol la vendía a los hombres que llegaban al lugar, con los cuales tenía que sostener relaciones sexuales.

Relato que por cada relación sexual que tenía, la persona encargada de prostituirla recibía un pago de 1000 y 1,500 lempiras, por lo cual le molestaba porque no recibía la totalidad del dinero ya que la persona que la prostituía se quedaba con la mayor parte del dinero, el poco dinero que recibía se lo enviaba a su madre a quien engañaba diciéndole que era la ganancia de la venta de lociones, pero como era mucho el sacrificio y poca la pago decidió abandonar el lugar.

A sus 15 años conoció a otra amiga que se dedicaba también a la prostitución, relato que al inicio era con consentimiento de mantener relaciones sexuales, pero con el tiempo fue bajo amenazas y lo único que le proporcionaban era una habitación, alimentación y en ocasiones vestuario y objetos de higiene personal; debido a los malos tratos que recibía decidió regresar a su casa, a pocas horas recibió una llamada telefónica de la amiga, quien le dijo que debía regresar porque si no lo hacia la asesinaría a ella y a su madre, porque formaba parte de una mara; bajo amenazas regreso y ese mismo día fue presentada a varios elementos de la policía militar, quienes le dieron a ingerir bebidas alcohólicas y marihuana, durante la reunión le comento a uno de los agentes policiales lo que le estaba sucediendo y le pidió ayuda para escaparse, pero esta persona reaccionó agresiva la maltrato y la amenazo diciéndole que le iba a decir a la persona que la había llevado a ese lugar, no volvió a decir nada por temor a ser asesinada y continuo atendiendo más agentes de la policía quienes algunos de ellos la agredían físicamente.

Relato que meses después en el lugar donde estaba fue testigo del cruel asesinato de una joven, por lo que pensó que también le pasaría lo mismo y aduce que hasta la fecha no se explica porque sigue con vida. Después del asesinato, salió de compras con la persona que la mantenía amenazada, durante las compras la dejo a cargo de dos de sus hijos y se fue con su pareja, comento que solo les dejo veinte lempiras para que les comprara algo a los niños, cuando regreso le pidió el dinero y ella le dijo que había comprado dulces, lo que provoco enojo en la mujer y saco cuchillo, ella salió corriendo y fue en ese momento que se dirigió a una Posta Policial a solicitar ayuda, le brindaron la protección inmediata y en ese momento informo todo lo que le sucedía.

Posteriormente la Dirección de Niñez Adolescencia y Familia le brido protección para salvaguardar la integridad física y emocional.

Relato que diariamente la psicóloga le proporciona una hora de terapia, así mismo dijo que trata de ayudar a otras niñas y niños que llegaba al Centro Protección, brindándoles consejos.

Por las noches las pesadillas son contantes, sueña que "la encuentran y la asesinan las personas que la tenían en cautiverio" esas pesadillas le suceden a diario, comento que la Psicóloga le dijo que todo lo que soñara lo escribiera en un cuaderno, manifestó que se le ha dificultado superar el consumo de marihuana ya que normalmente esta con ansiedad y la técnica que le ha ayudado a superar esta problemática es bebiendo agua.

Durante el día trata de involucrarse en todas las actividades que realizan en el Centro de Protección, para mantenerse ocupada y tratar de olvidar un poco todo lo que le ha sucedido en su vida ya que tiene varios meses de estar en el Centro y eso le ha provocado ansiedad; comento que se siente especial por todas las atenciones que le han brindado y le ha ayudado a cambiar muchos aspectos de su vida, con las terapias ha mejorado su personalidad, ahora es más segura para tomar decisiones, pero al mismo tiempo se convirtió en una persona desconfiada.

Dijo tener mucho temor que le hagan daño a su familia ya que la persona que la tenía en cautiverio siempre está preguntando por ella y eso le provoca miedo porque tiene muchas influencias; así mismo manifestó que sus familiares están de acuerdo que este bajo protección porque su vida corre peligro; menciono estar agradecida con la DINAF y el Centro donde está ubicada, porque le han brindado el apoyo necesario.

Aseguro que no extraña a sus amigas ya que para ella no existen, las únicas personas que están siempre presentes en los momentos más difíciles son sus familiares y son las únicas personas que extraña.

El mensaje que les envió a todas las niñas fue: " obedezcan a sus padres ya que ellos son el espejo para cada una de nosotras, no sean desobedientes, sigan los consejos que les brindan, aunque estén molestos traten de controlarse porque nuestros padres siempre tienen la razón y son los únicos que siempre están en las buenas y las malas, sepan elegir a sus amigos, no confíen en los desconocidos porque son personas malas, sean amigos de sus padres solo confíen en ellos, si van a tener novio conozcan bien a esa persona y pidan permiso a sus padres, ya que si lo hacen a escondidas les puede suceder lo que a mí me paso y también si conocen nuevas amistades que sus padres también las conozcan y que conozcan con quienes andamos".

Así mismo dijo; "si se sienten solos busquen a Dios, a las personas de confianza y les aconsejo que tengan un cuaderno donde puedan escribir todo y eso les ayudara a que se desahoguen"

5. CONCLUSIONES

El Programa de Testigos Protegidos no cuenta con los espacios idóneos para brindar una mejor atención a cada niña, niño y adolescente, ya que no existen lugares privados para realizar entrevistas psicológicas, sociales y jurídicas, además no cuentan con áreas lúdicas ni recreativas que permitan a los testigos y víctimas de delito sentirse en un ambiente de confianza.

Debido a la poca cantidad de recursos económicos que recibe el programa, no existen refugios especializados para este tipo de población por lo que se ven en la necesidad de acudir permanentemente en busca de ayuda de instituciones como la Dirección de Niñez Adolescencia y Familia quien es el ente rector de la niñez, además de otras instituciones que trabajan la materia de niñez para poder albergarlos y brindarles la protección requerida.

A nivel nacional se carece del personal para la atención a las niñas, niños y adolescentes testigos y víctimas de delito ya que el programa hasta el momento no posee oficinas regionales que faciliten la atención inmediata cuando se presentan casos en el interior del país, por lo que el personal de la oficina principal ubicada en la capital de la república tiene que hacer espacios en su planificación laboral para poder acudir a la atención de estos casos.

Después de analizar cada uno de los casos investigados mediante la entrevista se pudo llegar a la conclusión que cada niña, niño y adolescente testigo y víctima de delito en Honduras no cuenta con la protección que el Estado debería de proporcionarle por lo que estos se encuentran en eminente riesgo, así mismo cada uno de sus familiares cercanos.

Cabe resaltar que dos de los tres casos expuestos en el actual Estudio Científico, fueron tomados de los expedientes de la Dirección de Niñez Adolescencia y Familia, quien ha sido la encargada de brindar protección a los testigos y víctimas de delito mientras son reintegrados a sus familiares y sociedad ya sea en el interior o exterior del país, en vista que el Programa de Testigos Protegidos debido a la confidencialidad del mismo no accedió a brindar más información sobre los diferentes casos que han atendido.

6. RECOMENDACIONES

Para finalizar el presente estudio científico se idearon las siguientes recomendaciones gracias a la información obtenida durante la recolección de información para la realización del mismo.

El Estado deberá poner más atención de forma urgente en este sector de la población ya que la vida de cada una de las niñas, niños y adolescentes está en eminente peligro, porque son personas que de una u otra forma están colaborando con la justicia, por lo que el Estado está obligado a brindarles protección a ellas, ellos y sus familiares para que puedan retomar sus vidas e integrase a la sociedad de forma segura ya sea en el interior del país o en el exterior.

Se debe fortalecer el Programa de Testigos, con recurso humano suficiente y especializado brindándoles capacitación de forma permanente que permita mejorar la calidad de atención que se le está brindando a las niñas, niños y adolescentes testigos y víctimas de delito. Así mismo se sugiere que el Programa de Testigos sea dotado de los espacios idóneos para realizar todo el proceso de atención de forma adecuada según lo establece la Ley.

Se deberán crear estrategias para que mejoren los enlaces y lograr más apoyo ya que en muchas ocasiones no cuentan con los lugares específicos para brindar refugios a los testigos y víctimas de delito lo que provoca dificultad al momento de ubicarlos. También se recomienda que realicen convenios con instituciones nacionales y extranjeras que están involucradas en la temática, para que se puedan construir refugios en diferentes partes del país con todas las condiciones idóneas que se requieren para atender específicamente a las niñas, niños y sus familiares que están en riesgo.

En vista que el programa de Testigos Protegidos carece de los recursos necesarios, la Dirección de Niñez Adolescencia y Familia (DINAF) como ente rector de la niñez deberá continuar apoyando en aquellos casos donde las niñas, niños y adolescentes no cuenten con un familiar que les brinde un lugar seguro donde puedan refugiarse durante el proceso del juicio que el testigo y víctima de delito está enfrentando.

7. BIBLIOGRAFÍA

FRED MONTANINO, "Unintended victims of organized crime witness protection", Criminal Justice Policy Review, vol. 2, No. 4 (1987), Tirant lo Blanch, Valencia, 2019

http://www.ute.gob.sv/index.php/tema/proteccion-de-victimas-y-testigos. html. Tirant lo Blanch, Valencia 2019, pág. 392 a 408

http://iij.ucr.ac.cr/wp-content/uploads/bsk-pdf-manager/2017/06/Medidas-Extraordinarias-de-Protecci%C3%B3n-de-Testigos-en-el-Proceso-Penal-Costarricense.pdf. Tirant lo Blanch, Valencia 2019.

Manual de Buenas Prácticas para la Protección de los Testigos en las Actuaciones Penales que Guarden Relación con la Delincuencia Organizada. Tirant lo Blanch, Valencia, 2019, pag.10

El Departamento de Justicia de los Estados Unidos asegura que se logra una tasa de condenas del 89% cuando testifica un testigo protegido ("U.S. Marshals Service talks WitSec to the world", America's Star: FYi, vol. 1, No. 1 (agosto de 2006); se puede consultar en la dirección siguiente: http://www.usdoj.gov/marshals/witsec/americas_star.pdf). Tirant lo Blanch, Valencia, 2019.

Ley de Protección a Testigos en el Proceso Penal. Tirant lo Blanch, Valencia, 2019.

Capítulo 9
Diseño de un programa de adiestramiento para familias de protección temporal en la DINAF

Ana Pamela Montes Obando
Psicóloga
Dirección de Niñez, Adolescencia y Familia (DINAF)
Honduras
amontesobando@gmail.com

1. INTRODUCCIÓN

En esta investigación se consideran los antecedentes y documentos realizados en Honduras, con respecto a los protocolos de servicios en los diferentes programas de cuidado alternativo temporal y familias solidarias, para brindar una oportunidad a la niñez que se encuentra vulnerada en sus derechos de estar en un hogar. Donde se reconoce que a través de la anterior institución que se encargaba de brindar la protección de la niñez, se inició un proceso de colaborar con diferentes organizaciones no gubernamentales para ofrecer a los niños y niñas un hogar temporal y permanente en diferentes modalidades. Padrinos en la Fe, familias solidarias y en la actualidad se conoce como familias de protección temporal; es indispensable analizar si estos programas han ayudado a fomentar y a desarrollar una estimulación emocional y personal en los niños que se encuentran en abandono total por sus familiares biológicos.

En la historia que desde el periodo presidencial del señor Ramón Villeda Morales en los años de 1957 a 1963 que se creó la Junta Nacional de Bienestar Social; quien dio inicio a una institución estatal que por vez primera se enfocara en la atención de la niñez y la familia(«La niñez hondureña y sus instituciones - Diario La Tribuna»,

s. f.) y conforme a la ratificación por parte del Estado de Honduras referente a la Convención a los Derechos del Niño en el año 1990; el presidente Carlos Roberto Flores Facussé funda y da creación en 1998 al Instituto Hondureño de la Niñez y la Familia con el objetivo fundamental de la protección integral de la niñez y la plena integración de la familia en el marco de lo dispuesto por la Constitución de la República, el Código de la Niñez y de la Adolescencia, el Código de la Familia, la Convención sobre los Derechos del Niño y demás convenciones que el Estado de Honduras ha suscrito o suscriba sobre la materia. («Decreto N° 199/1997 Ley del Instituto Hondureño de la Niñez y la Familia (IHNFA) | SIPI», s. f.)

Dicha institución fue cerrada en el año 2014 por motivos que se encontró un descalabro financiero y graves anomalías en tratos a la niñez son dos de los hallazgos que detectó la junta interventora del IHNFA; asimismo, a través del Poder Ejecutivo y el consejo de Ministros se anunció la creación de una nueva estructura técnica y administrativa que funcionará como la Dirección de Niñez, Adolescencia y Familia (DINAF) adscrita a la Secretaria de Inclusión Social; donde este nuevo órgano será descentralizado con independencia técnica, administrativa y financiera debiendo crear la formulación de programas locales de atención integral a menores con fondos propios o alianzas con ONG o Iglesias.(«Cierran el Ihnfa por ser incapaz de velar por la niñez», s. f.)

Donde consiste esta investigación en que el estado de Honduras a través de la Dinaf, promueva, desarrolle y evalúe los programas de servicio temporal para la niñez desprotegida que le permita brindar una familia adoptiva.

2. CONTENIDO

En la actualidad la Dirección de Niñez, Adolescencia y Familia (DINAF) enfrenta un dilema para responder a las nuevas demandas externas en promover que no haya un aumento de la niñez en los centros de protección, esto por la falta de contar con un sistema de protección que permita alcanzar las necesidades generales y básicas de la niñez y jóvenes en condiciones de vulneración de sus derechos en Honduras. Asimismo, este programa de adiestramiento para familias solidarias permitirá reconocer las debilidades que se encuentran afectadas no solamente en su bienestar, sino en algunos elementos de su desarrollo socioeconómico y psicológico en general.

3. OBJETIVOS DE LA INVESTIGACIÓN

La Niñez en vulneración de sus derechos cuenta con la oportunidad de crecer en un hogar y no en un centro de protección, observándose una gran heterogeneidad en las condiciones de los cuidados y atención que exige, según el nivel educativo, el género y las características del hogar, entre otras cosas que identifican una serie de tensiones entre la subjetividad de los niños(as) y la realidad de sus historias familiares.

Objetivos Específicos

- Evaluar los beneficios que se han encontrado a través de los programas actuales en la DINAF, en el cuidado de la niñez desprotegida.

- Determinar qué factores de riesgo afectarán el adiestramiento para formar a las familias de cuidado temporal.

- Determinar las medidas para promover los programas de adiestramiento a las familias de protección temporal que buscan brindar un hogar a la niñez desprotegida.

Los aspectos más importantes que se relacionan directamente con el tema de investigación categorizando la información en tres niveles referentes al macro-entorno, micro-entorno y análisis interno, observando en ellos la intervención que han contribuido en la integración de las situaciones de condición de vulneración que han aportado al porcentaje de la población joven en las políticas de integración bienestar social y psicológico, siendo parte también de hacer una comparación de las políticas implementadas en el mundo y el área de América Latina para integrar y mejorar la situación de vulneración que han abordado los gobiernos en las estructuras de incorporar programas alternos al cuidado de la niñez y adolescencia, siendo así un vistazo de las diferentes propuestas o proyectos que se han incorporado en el país para el desarrollo de la formulación de programas locales de atención integral a la niñez hondureña.

Que es pertinente reconocer y evaluar los procesos que en la actualidad se encuentra Honduras en el cuidado alternativo no parental especialmente con las modalidades de: madres solidarias y familia de cuidado temporal, que ha permitido incursionar o tomar en cuenta ciertos programas alternos para brindarles la protección y bienestar a nuestros niños, niñas y adolescentes cuyos derechos han sido vulnerados.

Considerando el estudio que se realizó el año 2017 con la creación del protocolo de protección de familias de protección temporal, es indispensable considerar una interrogante que sale en la preparación de esta investigación ¿Será que los medios que se utilizan para brindar una alternativa en la protección a la niñez vulnerada está favoreciendo su crecimiento? Esto nos lleva a recordar un punto clave que arroja la Convención de los derechos de la Niñez, donde nos comparten que la familia es fundamental para la sociedad y el medio natural para el desarrollo y el bienestar de nuestra niñez, en consideración a este llamado de atención a reconocer qué está haciendo el Estado, la sociedad y organizaciones en común para brindar una protección a la niñez. Asimismo, es indispensable reconocer lo que está impulsando la Dirección de Niñez, Adolescencia y Familia (DINAF), con respecto a los protocolos de Familia de Protección Temporal, para brindar a la niñez vulnerable que sufre de los diferentes tipos de maltrato una medida que permita a nuestra niñez restablecer el derecho de vivir en una familia; ya sea en su núcleo familiar, como en una familia adoptiva.

Los diferentes programas alternativos que ha creado Honduras para colaborar con el cuidado y la protección de la niñez que ha sufrido algún tipo de vulneración, ya sea los cinco que se mencionan en el Código de la Niñez y Adolescencia en nuestro país, ya sea porque fueron implementados en la historia de la protección de la niñez en otros Estados a nivel de los continentes europeo, americano y en Honduras. Considerando el protocolo se identifica los procedimientos para la medida de protección, que también son clave en las acciones de apoyo, acompañamiento y asesoramiento tanto a las familias acogedoras de protección temporal para que puedan cumplir con la responsabilidad de la guarda de las/os NNA; como a las familias naturales (de origen o bilógica) del NNA con la meta de poder reintegrarlos a las mismas lo antes posible cuando las condiciones lo posibiliten. (Daniel Martin Santos, 2017)

Con respecto a reconocer las diferentes medidas de protección que los países en la Unión europea han implementado consiste en reconocer las capacidades de atención de los NNA que se acogen. Por eso se identifica: situación de peligro o abandono sin discapacidad o con discapacidad, víctimas de la violencia por conflicto armado; con respecto a estas diferentes opciones se identifica las siguientes medidas de protección, que brinda el Estado de España, donde le permite garantizar a los niños, niñas y adolescentes, la restitución y cumplimiento de sus derechos, proporcionándoles protección integral en condiciones favorables, mediante un ambiente familiar sustituto, que facilite su proceso de desarrollo personal, familiar y social y permita superar la situación de vulnerabilidad en que se encuentran. (Braverman/Elvira Forero Hernández, 2007)

El impacto de la internación sobre el desarrollo cognitivo y emocional de los niños es inmenso; la evidencia empírica demuestra que lo es aún más en el caso de los niños menores de tres años, niños con discapacidades, o con necesidad de atención psiquiátrica, así como de los niños migrantes o en condiciones de pobreza extrema. Frente a este panorama urge la necesidad de contar con políticas públicas que puedan prevenir y remediar esta situación, considerando las vulnerabilidades de cada uno de estos grupos y los derechos a la convivencia familiar, así como el principio fundamental del interés superior del niño.

Se considera un ejemplo claro de una medida que brinda el Estado de España para brindarle a la niñez desprotegida el programa de acogimiento de familias, que en esta medida se presentan tres modalidades que sirven para acoger a la niñez, que consiste: Simples, permanentes y pre adoptivas; Cada modalidad tiene su cometido en el proceso de protección de la niñez que acogen personas independientes o familias extendidas, que consisten o se diferencia por los dos tipos de acogimiento: administrativo y judicial; donde se toma en cuenta si el niño, niña o adolescente tiene una vinculación con las familias que los acojan, en primer punto se toma como prioridad brindarle y otorgarle a una familia de acogida la guardia, cuidado y obligación de brindarle su compañía, atenderlo, alimentarlo y procurarle una educación integral. Los niños llegan al cuidado del Departamento de Servicios para la Familia y de Protección porque han sufrido maltrato o descuido. Por esta razón, la familia que cuida temporalmente o adopta a niños por medio del departamento debe entender o estar dispuesta a aprender la dinámica del descuido, maltrato o abuso sexual. (Services, s. f.) asimismo, se reconoce a través de esta instancia cuales son los requerimientos que ocupa una familia para ser parte de su organización. Una interrogante que es tocada en nuestro entorno de país en Honduras, es posible que las familias de cuidado temporal y adoptivas; pueden ser parte ambas en el proceso. Por eso la instancia DSFP de Texas puede considerar a las familias temporales y adoptivas, donde cada familia está de acuerdo con lo del departamento en las necesidades de los niños son lo más importantes. (Services, s. f.)

En relación al desarrollo e implementación del programa que se encuentra en la DINAF nominado FAMILIA DE PROTECCIÓN TEMPORAL, se maneja a través de la Jefatura de Consolidación Familiar que se encarga de la incorporación de los NNA que ya se realizó el proceso de la declaratoria de abandono. No obstante, esta medida se debería impulsar desde que se inicia una denuncia donde se compruebe que el NNA está siendo vulnerado en sus derechos en cuanto a su bienestar social, psicológico y físico. Por este punto es necesario implementar la socialización de este medio a través de las instancias que trabajan en concordancia para conseguir el bien superior de nuestra niñez hondureña vulnerada. En la actualidad se reconoce cómo se encuentra la distribución de las medidas de protección, que en este momento se utilizan como medio de acogida de los NNA en situación de vulneración de sus derechos.

Tabla 1. Distribución de las Medidas de Protección Utilizadas en DINAF

Medidas de Protección	Cantidad	NNA
Madres Solidarias	40	
Familias Protección Temporal (Solidarias o Sustitutas)	98	160
Residenciales de cuidado alternativos	125	6,560

En consideración a lo que la psicología identifica como concepto sistémico en que esta nueva cosmovisión en el campo de las ciencias se fundamenta en los siguientes postulados en donde se presenta La Teoría General de los Sistemas, (1936) que es desarrollada por el biólogo austríaco Karl Ludwig von Bertalanffy. (1901 – 1972) su teoría general buscó "principios y leyes aplicables a sistemas generalizados", sin importar su particular género o la naturaleza de sus elementos. Con respecto a la terapia familiar sistémica que consiste en que es un enfoque que trabaja con las familias y los que están en una relación estrecha para fomentar el cambio. Estos cambios son vistos en términos de los sistemas de interacción entre cada persona dentro de la familia o relación (Guerri & Psicoactiva, 2016); lo que requiere es trabajar con estos problemas a través de los miembros de la familia y seres queridos para ayudar a empatizar con la niñez vulnerada. Se les da la oportunidad de entender y apreciar las necesidades del otro, aprovechar los puntos fuertes de la familia y, finalmente, realizar cambios útiles en sus vidas y sus relaciones. (Guerri & Psicoactiva, 2016)

Al considerar la consolidación de la psicología en el tema científico es indispensable reconocer que ha estado muy vinculada en el desarrollo que habían experimentado por las épocas en las ciencias naturales, fisiología y psicosocial. Entonces al considerar a la psicología como ciencia fundamentada en la experiencia, en la metafísica en la matemática; que propusieron que no estaban vinculadas con ningún hecho empírico sino con el alma, que era el objetivo de la psicología herbatiana. (Alicia Garrido & Alvarado, 2007).

Reconociendo en la investigación los aspectos metodológicos, se basó en la utilización de un enfoque mixto; ya que se utilizó el enfoque cuantitativo por la recolección de datos para resolver el problema con base en la medición numérica; y el análisis estadístico para establecer los patrones del comportamiento de los NNA y comprobar las variables y el problema planteado. Así como el enfoque cualitativo ya que se utilizó la observación y la recolección de datos sin medición numérica para descubrir y afinar las preguntas de investigación planteadas, así como analizar el significado de las acciones humanas y la vida social de los NNA en su entorno. Asimismo se utilizó el método lógico-deductivo para razonar y formarse un juicio objetivo y realista para ofrecer un programa de adiestramiento a familias de protección temporal (Sampieri, R, Fernández, C, Baptista, 2014).

El diseño de la presente investigación es no experimental-transversal ya que no se manipulan las variables enunciadas, solo se observaron en su ambiente actual y posteriormente se describieron, además es transversal ya que se recolectaron los datos de las 98 familias de cuidado temporal en un determinado momento, se describió y se analizó la relación entre cada uno de ellos. El instrumento que se utilizó fue el cuestionario. Es descriptivo ya que las variables se observaron y se proporcionó una descripción de sus particularidades y los rasgos importantes a analizar, y se describió tendencias de un grupo o población. En la investigación se realizó un orden lógico para distribuir el trabajo conforme a cinco factores que se presentaron en la ilustraron 1, donde se refiere el proceso que se utilizó para recolectar, analizar y proponer el programa de adiestramiento para familias de protección temporal. Considerando como población en la investigación las familias que actualmente se encuentran registradas en la Dirección de Niñez, Adolescencia y Familia (DINAF) que fueron las 98 familias. La unidad de análisis seleccionada fueron las familias que han considerado brindar los cuidados que requiere los NNA en condiciones de vulneración de derechos en las personas que participan como familias de protección temporal en la DINAF, que corresponden a las medidas acogidas para brindar el bien interés de la niñez; La unidad de respuesta se representa por el porcentaje de opinión recolectado a través de los individuos, organizaciones e información, que permitirá la comprensión e importancia de proporcionar herramientas que identifiquen las características de los NNA que sean acogidos en la medida de protección en familia de protección temporal de los que están en condiciones de vulneración de derechos. El proceso de recolección de los datos con la proporción de la población de las familias que participan en el programa de Familia Protección Temporal, busca brindar un espacio adecuado a los NNA que se encuentren en vulneración y que les permite convivir en un hogar para desarrollar sus habilidades afectivas y cognitivas. El cuestionario a utilizar para recolectar información e identificar los resultados obtenidos, sirvió para encontrar la afirmación o disponibilidad, para dar apertura al programa de adiestramiento a familias de protección temporal. La técnica que se utilizó a través de los agentes de la sociedad involucrados en la temática y los cambios adoptados por las acciones propuestas, se utilizó para la recolección de la información y los resultados que se obtuvieron serán utilizados para la aplicabilidad del programa de reinserción laboral para los jóvenes en condiciones de vulneración del derecho. En la presente investigación se aplicó una encuesta dirigida a las Familias de Protección Temporal que actualmente se encuentran registradas en la DINAF y una entrevista dirigida a las entidades o instituciones residenciales que manejan el concepto de familias solidarias o cuidado temporal, en donde ambas contaron con el proceso debido de estructuración de un instrumento, además se utilizó la técnica de observación, todo esto con la finalidad de obtener la información necesaria en la investigación. Las principales fuentes de información en la investigación fueron las familias de protección temporal e instituciones residenciales al cuidado temporal que brindan apoyo a los NNA en situación de vulneración.

4. ANÁLISIS Y RESULTADOS

A través de la aplicación del instrumento a 28 personas de las diferentes Familias de Protección Temporal que se encuentran registradas en el cuidado de la niñez en vulneración que se encuentran bajo el cuidado del Estado de Honduras a través de la Dirección de Niñez, Adolescencia y Familia (DINAF), se pudo proporcionar la información que permite validar la investigación, referente a la propuesta del diseño del programa de adiestramiento a familias de protección temporal en los diferentes municipios de Honduras.

Dando respuesta al objetivo de la investigación, que era el desarrollar un programa de adiestramiento a familias de protección temporal, que quieren colaborar en brindarles las necesidades básicas a la niñez vulnerable, con respecto a esto es pertinente reconocer cuales han sido los beneficios de las actuales FPT, que en este momento se encuentran realizando el servicio de brindar un hogar a niños, niñas y adolescentes que estén desprotegidos por sus familiares; Es indispensable comprender el motivo por el que las diferentes familias han elegido ser parte del programa como FPT; donde podemos identificar en las respuestas brindadas por los diferentes encuestados, que lo hicieron; 1. Por la necesidad de ver adolecer a una niña bien enferma, así fue como una familia inicio y se inscribió en participar en el programa; 2. El deseo de ayudar y cuidar a los niños en situación de abandono y niños vulnerables. (Y más que todo, brindarles el amor que ellos merecen mientras esperen regresar con sus familias biológicas y/o ir en adopción.). Considerando, la respuesta a la siguiente pregunta referente: ¿Cómo se enteró de esta medida de protección que el Estado de Honduras brinda a las familias solicitantes para proporcionarle a los NNA cuidados y atención con respecto a sus necesidades básicas?, es pertinente reconocer en las respuestas brindadas por los encuestados, que se encuentran:

A través de diferentes organizaciones que iniciaron a brindar su servicio en nuestro país Honduras, por la necesidad de cuidar a la niñez vulnerable; Otra respuesta fue por medio del Instituto Hondureño de la Niñez y la Familia (IHNFA). A través de la actual institución que se encuentra encargada de la coordinación de la protección de la niñez y adolescencia.

Es importante reconocer la opinión de las diferentes familias de protección temporal, o cómo iniciaron en el programa, se puede identificar que muchos empezaron con el propósito de adoptar a un NNA, como también otro grupo lo hicieron por altruismo; que esto conlleva a responder a la necesidad de la familia, no a la necesidad del NNA de vivir en un hogar, con todos los cuidados que requiere.

Es pertinente comprender que fue lo que motivó a las Familias que han acogido a NNA con alguna discapacidad, para responder al objetivo de evaluar los beneficios que se han encontrado a través de los programas actuales en la DINAF en el cuidado de la niñez desprotegida; considerando las repuestas de los encuestados acerca de si considerarían la acogida de un NNA con discapacidady en ese caso sus razones para hacerlo (Gráfico 1).

Gráfico 1. ¿Estaría dispuesto a acoger en su hogar como familia de Protección Temporal a NNA con alguna discapacidad?

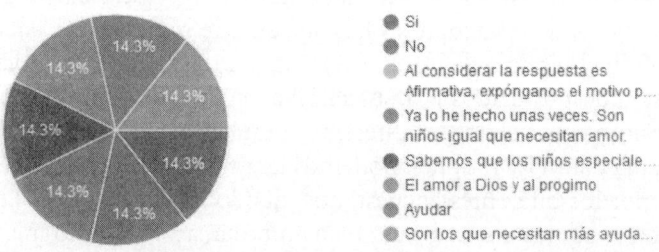

Considerando la respuesta de las familias que brindaron su opinión, es pertinente reconocer si cada una comprende con qué motivo se escogió para que le brindara los cuidados necesarios al niño, niña que acoge en su hogar. Así pues, todas las familias conocían cuál era el objetivo de la medida de protección.

Al determinar qué factores de riesgo afectarán el adiestramiento para formar a las familias de cuidado temporal, en primer lugar, se tiene que reconocer cuáles son las necesidades que el niño, niña y adolescentes ocupe para su cuidado, desde este punto es necesario reconocer a la familia de protección temporal y no venir realizando la atención de manera improvisada, sin comprender cuáles son las necesidades y cuidados especiales que requiere el NNA. Cuando las familias fueron preguntadas acerca de si considerarían oportuno recibir alguna capacitación oportuna para el cuidado y la atención de la niñez vulnerada, respondieron afirmativamente e hicieron hincapié en tratar aspectos relativos a cómo cuidar el corazón de los niños, el tema del luto y la separación y traumas y discapacidades, entre otros.

En cuanto a la atención que le están brindando a los niños, niñas y adolescentes en la medida de familia de protección temporal la respuesta más común es que sean dos personas, aunque pueden llegar a ser cinco o más personas, como se aprecia en el gráfico 2 o que tienen una interacción con otras personas.

Gráfico 2. ¿Cuántas personas participan del cuidado y protección del niño, niña o adolescente en la medida como Familia de Protección Temporal?

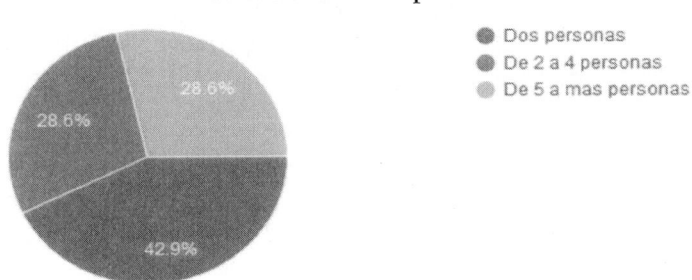

● Dos personas
● De 2 a 4 personas
● De 5 a mas personas

28.6%
28.6%
42.9%

Considerando el gráfico 3, puede observarse que de las diferentes atenciones se refleja la fisioterapia en un 28.6 %, y el resto de los cuidados que requiere la niñez se refleja un porcentaje de 14.3% en las diferentes atenciones, como: médico, terapia psicológica, educación, y demás cuidados que requiere la niñez.

Gráfico 3. ¿Qué cuidados les brindan las familias a los niños, niñas y adolescentes?

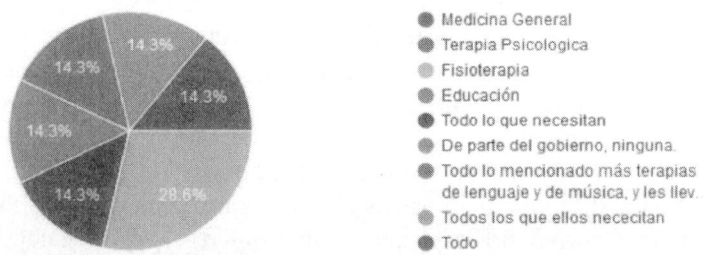

Se reconoce los diferentes domicilios donde en este momento se encuentran la niñez en la medida de protección temporal, con respecto al acogimiento; se identifican en la zona norte del país Honduras y el resto en la zona centro en Tegucigalpa, como la ciudad de la Ceiba, Atlántida; El domicilio de las familias de protección, donde se encuentran ubicados los niños, niñas y adolescentes que se encuentran con esta medida de protección y cuidado.

En el gráfico 4 se identifica el porcentaje de las ubicaciones de la niñez acogida en la medida de protección, como: Familia de Protección Temporal. Donde se identifica con el 57.1% en San Pedro Sula, Cortes, 28.6% en el Distrito Central, Francisco Morazán y con el 14.3% en La Ceiba, Atlántida de los diferentes Municipios del país de Honduras; Reconociendo el porcentaje de las familias de protección temporal que se encuentran inscritas en la DINAF, en los diferentes Municipios de Honduras; para el cuidado y protección de la niñez.

Gráfico 4. Municipio de las Familias de Protección Temporal

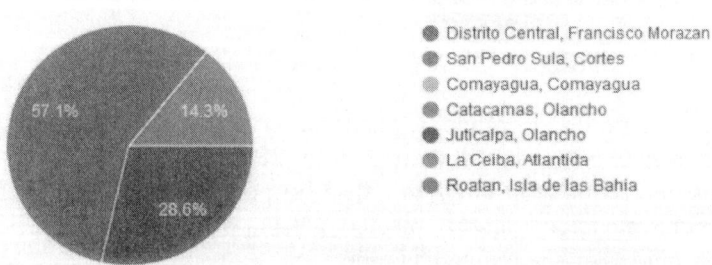

Por último es importante hacer referencia al hecho de que el servicio de Familia de Protección Temporal se está brindando desde hace más de dos años por todas las familias. Es indispensable reconocer el tiempo que se ha dejado pasar para formalizar los procesos legales, con respecto a la niñez desprotegida en el país; el porcentaje promedio del tiempo que se encuentra la niñez al cuidado de las diferentes familias de protección temporal en Honduras.

5. CONCLUSIONES

Implementar y elaborar el programa de adiestramiento a las familias de protección temporal que se encuentran iniciando el proceso para acreditarse con la medida de protección ha sido clave. En cuanto al desarrollo que se ha encontrado a través de las familias que han venido brindando el cuidado de la niñez, ha sido favorable y adecuado para cada niño que ha sido ingresado en los diferentes hogares, que actualmente se presentan en la base geográfica de las familias de protección temporal que maneja la DINAF, en el cuidado de la niñez desprotegida; Al determinar qué factores de riesgo afectarán el adiestramiento para formar a las familias de cuidado temporal, es pertinente reconocer en la niñez desprotegida las necesidades que requieran y en cuanto a ello buscar a la familia idónea para su cuidado y no venir haciendo lo que años anteriores se ha estado viniendo realizando, que es ingresar a un niño, niña sin un estudio previo de cada uno en cuanto en las áreas: psicológicas, psiquiátricas, y pediátricas.

En virtud a la población y muestra escogida para realizar la herramienta para evaluar, cuál ha sido el acercamiento que la institución que se encarga en rectorar los cuidados alternativos para la protección vulnerable en nuestro país, se encuentra realmente escueta, en cuanto a seguir un protocolo que tiene hasta este momento un año de ser elaborado, donde solo se encuentra ciertas deficiencias, porque realmente el proceso no se encuentra claro: ¿Cuál ha sido el mecanismo que está utilizando la DINAF para dar a conocer estas medidas de cuidado alternativo? 1. En este momento lo que se está formalizando a las familias que han tenido niños y niñas a su cuidado, como una medida de protección que anteriormente maneja la anterior institución que se dedicaba al cuidado y protección de la niñez en Honduras y que en el

penúltimo trimestre del año en los meses de agosto a septiembre se estuvo realizando la ubicación de familias que se encontraban en manejo
de la organización BUCKNER; 2. En cuanto a las encuestas realizadas
no se obtuvo la muestra que se tenía establecido; por motivo a que no
se tuvo acceso o comunicación total de las familias que se encuentran
registradas en la DINAF, donde en el manual del protocolo expresan
que son 98, donde la muestra era de 28 familias de las cuales solo se
logró recoger la información en 10 familias; las cuales se encuentran la
mayor parte ubicadas en la zona central que es Tegucigalpa, en segundo lugar se encuentra San Pedro Sula, La ceiba y Comayagua; que fue
con apoyo de las diferentes organizaciones como ser ROOM y familias
solidarias que se encuentran en Tegucigalpa; 3. Iniciar con el programa
de adiestramiento con las familias de protección temporal que ya realizaron los estudios precisos para reconocer la idoneidad que se encuentran verificados y comprobados por los diferentes profesionales que
ha sido intervenida la familia que ha iniciado el proceso de solicitud
de acogimiento de la niñez vulnerable; 4. Establecer un catálogo de las
diferentes características necesarias de los niños, niñas y adolescentes,
que se requiere complementar para el cuidado oportuno y así poder
identificar a las Familias de Protección Temporal idóneas para cada
uno; 5. Es pertinente reconocer que de los objetivos establecidos en la
investigación se realizaron un 50% porque no se obtuvo el total de la
muestra establecida, pero es indispensable indicar que se propone una
herramienta que busca reconocer los puntos para mejorar y así establecer: la identificación del personal clave que genere la optimización de
la información precisa de lo que son las medidas de protección alternativas para el cuidado y protección de la niñez hondureña; y promover la medida de Familia de Protección Temporal con el propósito de
agilizar los procesos legales del niño, niña y adolescente, que entra por
una vulneración de sus derechos y no se les siga revictimizando, en la
utilización para conseguir apoyo que nunca llega a la niñez vulnerada.

6. BIBLIOGRAFÍA

BRAVERMAN, R., & ELVIRA FORERO HERNÁNDEZ. (2007, y 2008).
Evaluacion de los Medio Familiar, Hogares Sustitutos y Amigos de ICBF.
FERNÁNDEZ DAZA, M. (2018). Cuidado alternativo de niños, niñas y ado-
lescentes en Latinoamérica: Estado actual del Acogimiento Familiar.

GARRIDO ALICIA, & ALVARADO, J. L. (2007). Psicologia Social (Segunda).

GUERRI, M., & PSICOACTIVA, P. (2016, enero 22). La Terapia Familiar Sistémica. Recuperado 26 de agosto de 2018, de https://www.psicoactiva. com/blog/la-terapia-familiar-sistemica/

La niñez hondureña y sus instituciones - Diario La Tribuna. (s. f.). Recuperado 23 de julio de 2018, de http://www.latribuna.hn/2014/11/04/la-ni-nez-hondurena-y-sus-instituciones/

La Unión Europea avanza en la protección de los derechos de la infancia. (2011, marzo 3). Recuperado 25 de agosto de 2018, de http://platafor-madeinfancia.org/la-union-europea-avanza-en-la-proteccion-de-los-dere-chos-de-la-infancia/

Palummo - La situación de niños, niñas y adolescentes en las.pdf. (s. f.). Recuperado de https://www.unicef.org/ecuador/libro_NNA_REGION.pdf

Salvo - TEORÍA FAMILIAR SISTÉMICA.pdf. (s. f.). Recuperado de https:// psico.edu.uy/sites/default/files/cursos/int-teorias_TEORIA_FAMILIAR_ SISTEMICA.pdf

Salvo, J. (s. f.). TEORÍA FAMILIAR SISTÉMICA, 16.

SAMPIERI, R., FERNÁNDEZ ,C., BAPTISTA, (2014). Metodología de la Investigación, ((5ta.ed.).). D.F: MacGraw Hill

Services, T. D. of F. and P. (s. f.). El Cuidado Temporal y la Adopción (TARE). Recuperado 23 de julio de 2018, de https://www.dfps.state.tx.us/adop-tion_and_foster_care/about_tare/foster_care/espanol2.asp#porque

Capítulo 10

Determinación de los factores psicosociales de los niños y niñas dedicados a la venta ambulante en ciudad universitaria, tegucigalpa, de agosto a octubre del año 2018

Nohemi Lizzeth Vindel Vindel
Docente y Coordinadora de Comisión de Vinculación
Universidad Sociedad de Psicología
Universidad Nacional Autónoma (UNAH)
Honduras
lizzeth30@yahoo.es

1. INTRODUCCIÓN

El fenómeno del trabajo infantil se ha extendido por años durante los países centroamericanos, conforme el tiempo ha pasado su tendencia cada vez es mayor hacia la naturalización de la actividad. El trabajo infantil es caracterizado en esencia por su interferencia en la escolaridad de los niños, además de la exposición a distintos riesgos tanto físicos como mentales (UNICEF Bolivia, 2012).

En relación a la dinámica presentada se decidió abordar esta temática desde un punto de vista contextualizado que permita desarrollar estrategias de mayor impacto en cuanto al beneficio para estos niños y niñas. Considerando, que la Universidad Nacional Autónoma de Honduras forma en sí misma una estructura con características sociales específicas, se optó por abordar tal temática dentro de la misma, ya que estos niños forman parte de dicha estructura. Por lo cual se crean factores de protección y de riesgo específicos de su labor dentro de la institución.

La actividad del trabajo infantil dentro de la universidad encuentra su mayor punto de interacción entre los niños y los estudiantes, que son en su mayoría su principal objetivo de venta. Por lo que se consideró entrevistar a ambos grupos y conocer su opinión sobre esta temática. Tanto a estudiantes como a niños se les aplicaron entrevistas dentro de las cuales se consideraban aquellos elementos que sirvieran de protección a los niños, y aquellos identificados como un riesgo, buscando así una mayor comprensión de la dinámica entre ambos grupos.

Con base en lo anterior cabe destacar que, si se desea entender y combatir algún fenómeno o circunstancia social la mejor manera es involucrarse en su realidad específica, lo que permite desarrollar estrategias adaptadas a la situación. Y en temática de trabajo infantil se debe comprender todos aquellos factores que interrelacionen entre sí para alcanzar un mayor impacto en su combate.

Podría decirse que la universidad es un foco de comercio interno, con una población total de 82,218 estudiantes, la mayoría de ellos en Ciudad Universitaria conforma un activo económico importante del cual dependen muchos comercios y familias. Dentro de la universidad existen establecimientos legalmente constituidos, quienes tributan una renta mensual a la Universidad. Pero, también el comercio ambulante se sustenta de las actividades desarrolladas dentro de la institución, son distintos los productos en venta, pero la mayoría se basa en dulces o frutas, si bien hay adultos involucrados en este tipo de venta, una gran parte son niños de entre 5 a 12 años que recorren los distintos edificios y facultades de la Universidad. Siendo este el panorama cabría decir que es una práctica que se adaptado a su medio, por ende, ha desarrollado características que la diferencia de prácticas similares fuera de la universidad, por lo que al tratar con ella se deben crear estrategias adecuadas que respondan a las necesidades específicas de esta actividad.

2. TRABAJO INFANTIL

El trabajo infantil se presenta como un fenómeno social que se ha ido desarrollando y evolucionando en distintos países, teniendo su origen en distintos factores los cuales suelen relacionarse con situaciones de pobreza, desempleo y abuso. "El término "trabajo infantil" suele definirse como todo trabajo que priva a los menores de su niñez, su potencial y su dignidad, y que resulta perjudicial para su desarrollo físico y psicológico". (Confederacion Sindical Internacional, 2008). La infancia es una etapa crucial en el desarrollo psicosocial de las personas en la cual interactúan distintos elementos que establecen la personalidad, además de intervenir en la salud tanto física como mental. En cuestión de trabajo infantil siempre se debe tomar en cuenta los aspectos culturales o normativos de la sociedad acerca de lo que es considerado o no como trabajo infantil. Cuándo calificar o no de "trabajo infantil" a una actividad específica dependerá de la edad del niño o la niña, el tipo de trabajo en cuestión y la cantidad de horas que le dedica, las condiciones en que lo realiza, y los objetivos que persigue cada país. La respuesta varía de un país a otro y entre uno y otro sector. (CSI, 2018)

Las actividades en las cuales los niños y niñas pueden ser involucrados son variadas y en su mayoría atentan contra su integridad, es común encontrar cada vez con mayor frecuencia familias que por alguna u otra razón insertan a sus hijos al mundo laboral a tempranas edades, entre estas actividades la Confederación Sindical Internacional (2008) enumera las siguientes:

1. Trabajo doméstico: Muy común y en ocasiones considerado como aceptable, tiene lugar tanto en el hogar familiar como fuera de éste.

2. Labores agrícolas: Muchos de los niños que trabajan lo hacen en la agricultura.

3. Trabajo en industrias: Este trabajo puede ser regular o casual, legal o ilegal, dentro del núcleo familiar o efectuado por el niño únicamente y para un empleador.

4. Trabajo en minas y canteras: En muchos países se emplea mano de obra infantil en minería a pequeña escala.

5. Esclavitud y trabajo forzoso: Incluyendo lo que se conoce como servidumbre por deudas, más común en áreas rurales.

6. Prostitución y trata de menores: Es una de las peores formas de trabajo infantil. Los peligros a que se enfrentan los niños son extremos y van de la degradación moral a enfermedades de transmisión sexual o incluso la muerte.

7. Trabajo en la economía informal: Incluye toda una serie de actividades como limpiar zapatos, mendigar, conducir rickshaws (vehículos pequeños), vender periódicos o recoger basura. Algunas de estas formas resultan claramente evidentes mientras que otras están ocultas al público.

2.1. *El trabajo infantil en Centroamérica*

La incidencia del trabajo infantil en la región centroamericana comparte un escenario similar, en base debido a una economía y situación social análoga en la región, la cual se refleja en los datos obtenidos por María De Andraca (2007) entre los cuales resaltan los siguientes:

1. El trabajo infantil afecta a una proporción significativa de niños, niñas y adolescentes de entre 5 y 17 años de los seis países, aunque con una importante variabilidad entre ellos, la que va desde el 10% en Costa Rica hasta el 23% en Guatemala.

2. Los niños, niñas y adolescentes trabajan en actividades de baja calificación y con escasa o nula remuneración.

3. El trabajo infantil se da en mayor proporción en la población masculina y en las áreas rurales.

4. Las jornadas de trabajo que desempeñan los niños son muy extensas, constituyéndose en un claro factor de interferencia para sus responsabilidades escolares.

5. Hay vacíos y debilidades en el marco legal de los países, lo cual limita los esfuerzos por reducir el trabajo infantil y garantizar las oportunidades educativas de los niños.

6. Las limitaciones normativas se agravan por las deficientes capacidades de fiscalización y coordinación de las instituciones, y las leves o nulas sanciones para los infractores, lo que configura un cuadro de alto riesgo para los niños trabajadores.

2.2. *Trabajo infantil en Honduras*

Es difícil encontrar dentro de la teoría una conceptualización del trabajo infantil fuera de la estadística, por lo cual se opta por definirlo desde un punto de vista legal y de derecho, dentro del cual el trabajo infantil incluye:

- Niños, niñas y adolescentes de 5-13 años que trabajan (Código del Trabajo, Art. 32; Código de la Niñez y la Adolescencia, Art. 120).

- Adolescentes de 14-15 años que trabajan más de 20 horas semanales o expuestos a trabajos peligrosos, independientemente de las horas trabajadas (Código de la Niñez y la Adolescencia, Art. 125a y Art. 115).

- Adolescentes de 16-17 años que trabajan más de 30 horas semanales o expuestos a trabajos peligrosos (Código de la Niñez y la Adolescencia, Art. 125a y Art. 115).

Cada país o región establece las consideraciones necesarias para considerar a un niño como tal, así como edades mínimas para trabajar consideraciones laborales que son restringidas o prohibidas para los niños (Arita, 2006).

Considerablemente el trabajo infantil sigue representando un elemento de riesgo social, el cual no ha sido abordado con estrategias eficaces que permitan un verdadero cambio. Tal problemática requiere un constante abordaje que se adapte a un contexto dentro del cual se requiere un nivel de intervención multidisciplinario, que garantice un cambio permanente a este fenómeno. Basu (como se cita en Arita, 2006) comenta que la práctica del trabajo infantil, pudiera haberse visto influenciada por países industrializados a las naciones subdesarrolladas. El trabajo infantil en Honduras sigue afectando a aproximadamente 328.000 niños, niñas y adolescentes de 5-17 años, más del 12 por ciento de las personas de este grupo de edad (Programa Entendiendo el Trabajo Infantil, 2015).

El trabajo infantil dejó de ser un efecto de otras distintas problemáticas, convirtiéndose a la vez en un elemento generador de diversos efectos en la sociedad asociados con la violación de derechos. El trabajo infantil suele acompañarse por pobreza o pobreza extrema, estos menores son de escasos recursos y oportunidades de vida. La constante repetición de modelos de vida entre las familias de escaso recurso en lugar de suponer un cambio hacia un mejor estilo de vida, más bien solo permite que se siga sufriendo de un estilo de vida dentro del cual todos sus miembros se ven limitados en cuanto a sus oportunidades de desarrollo. Como lo presenta la CEPAL existe una correlación negativa en cuanto a la no culminación de la secundaria en relación con el sueldo que perciben, por lo cual elementos como la educación representa un punto de cambio importante contra la lucha hacia el trabajo infantil.

3. MÉTODO

En la presente investigación de enfoque cualitativo se abordan aspectos contextuales sobre factores de protección y riesgo en una población infantil dedicada a la venta ambulante. Dentro de la cual los principales objetivos son:

1. Identificar factores de riesgo a los que se ven expuestos los niños y niñas dedicados a la venta ambulante.
2. Identificar factores de protección de los niños y niñas dedicados a la venta ambulante.
3. Orientar estrategias de abordaje psicosocial para la atención de niños y niñas que se dedican a la venta ambulante.

4. DISEÑO

Se hace uso de un diseño fenomenológico que permite explorar en las experiencias de niños y niñas dedicados a la venta ambulante y las experiencias de estudiantes universitarios quienes conviven casi a diario con estos niños.

5. PARTICIPANTES

La muestra final estuvo compuesta por 10 niños dedicados a la venta ambulante de los cuales 9 eran niños y solamente una niña. Además de un total de 15 estudiantes conformado por las carreras de Ingeniería Mecánica, Ingeniería Química, Derecho, Química y Farmacia, Ingeniería en Sistemas, Ingeniería Industrial, Lenguas Extranjeras, Psicología, Arquitectura y Mercadotecnia. Este mediante una estrategia de muestro por conveniencia, lo que da oportunidad de acceder a los casos disponibles para la investigación.

6. PROCEDIMIENTO

La recolección de datos se llevó a cabo a través de entrevistas semi estructurada a estudiantes, y una actividad recreativa con los niños, en la cual se ofrecieron regalos y un desayuno por su participación, además se les entrevisto con previo consentimiento informado a sus padres o encargados mediante una entrevista semiestructurada adaptada a su nivel de comprensión. Solo las entrevistas a estudiantes fueron grabadas en audio, debido a situaciones de seguridad y confidencialidad con los niños.

7. ANÁLISIS DE DATOS

Para realizar el análisis de resultados se optó por transcribir las respuestas grabadas en audio por los estudiantes, y transcribir las respuestas de los niños en una base de cuadros que permitieran un mejor manejo de la información, con lo cual se pudiese obtener aspectos relevantes con los factores de riesgo y protección desde distintas dimensiones en la actividad de venta ambulante dentro de la universidad. Esto categorizado entre factores de riesgo y protección encontrados en la teoría. A continuación, se detallan las dimensiones de análisis.

8. FACTORES DE PROTECCIÓN

1. Relaciones familiares:

Las respuestas de los estudiantes en base a la concepción de las relaciones familiares de estos niños giran en torno a temas relacionados con la carencia de afecto, se consideran difíciles en base cuestiones relacionadas al estrés que viven los padres, así como a las obligaciones que lo niños tienen con estos. El maltrato también es considerado, en cuestiones relacionadas a las bajas ventas y se expresaría en su mayoría por un maltrato de tipo verbal. En contra parte, los niños manifiestan tener buenas relaciones con sus padres, así como hermanos y su familia extendida. Es de notar que en esta actividad la incorporación de una gran mayoría de los miembros de la familia es común, lo que permitiría que sus relaciones tiendan a un fortalecimiento.

2. Políticas públicas:

En relación con el tema de políticas públicas la mayoría de los estudiantes desconoce sobre la existencia de estas dentro del ámbito legal nacional, a excepción de un único caso el cual se comentó sobre los derechos de los niños y el Código de la niñez. En cuanto al tema de estrategias a realizar para combatir el trabajo infantil, la mayoría de los estudiantes enfatizó el tema de la sanción hacia los padres que obligan "según su percepción" a sus hijos a laborar, sanciones relacionadas a multas o hasta cárcel para los padres o responsables. También se abordaron estrategias de educación casi obligatoria en la cual se incluyan aspectos relacionados a la sexualidad y además del desarrollo de un pensamiento de emprendedurismo como medio de auto sustento familiar.

3. Educación:

Al respecto sobre si los niños asisten a la escuela la perspectiva que tienen los estudiantes es que no lo hacen, entre las principales razones expresadas están las siguientes: Por obligaciones que estos tienen en su casa, por falta tiempo ya que consideran que los niños laboran la mayor parte del día, por falta de oportunidades y por su situación económica. Mientras que las respuestas de los niños confirman que asisten a la escuela o colegio en algún momento del día, a excepción de uno de ellos quien comentó recibe clases por parte de una estudiante de la universidad que le instruye. A la mayoría de ellos les gusta asistir a la escuela, salvo a uno que manifestó que le aburre.

4. Identificación del riesgo:

La mayoría de los estudiantes identifican a la actividad de venta ambulante como riesgosa dentro de la universidad, debido a factores como son: el hecho de que dentro de la universidad no solo son estudiantes los que se encuentran, personas ajenas a la misma pueden entrar sin problema alguno y así causarles algún tipo de daño a estos niños, también consideran que al compartir con estudiantes estos pueden verse influidos por ellos en cuanto a la adopción de vicios. El tiempo que pasan dentro de la universidad es otro factor propuesto, así como el hecho de recorrer solos hasta altas horas de la noche las instalaciones universitarias. Son considerados como niños indefensos ante una actividad que comentan es incluso riesgosa hasta para los adultos. He aquí otra diferencia en cuanto a la percepción del riesgo de tal actividad, ya que la mayoría de los niños considera que el riesgo no está presente, a pesar de esta diferencia ambos grupos coinciden que la protección que brindan los estudiantes a los niños es un factor de protección para ellos.

Al comparar las respuestas obtenidas por ambos grupos se aprecia que comparten escenarios de riesgo similares en cuanto a las peleas, asaltos y secuestros, cabe destacar que estos últimos desde la perspectiva de los niños ocurre cuando autoridades de instituciones orientadas hacia la protección infantil organizan redadas en las cuales se les detiene y se les lleva a dichas instituciones. El hambre que los niños puedan pasar es una consideración especial que hacen los estudiantes, en parte tal vez se deba a que es una de las estrategias que mayor utilización tiene por partes de los niños al acercarse a los estudiantes para ofrecerles sus productos. Las violaciones y asesinatos son también consideraciones propias de los estudiantes. Al respecto con los niños es curioso observar que la mayoría de casos en los cuales perciben un riesgo tal se asocia con el equipo de seguridad dentro de la universidad. Situaciones que van desde el decomiso de la mercancía, desalojo, agresiones y hasta encierro en determinados lugares de la universidad. Cabe señalar que ante esta situación los estudiantes suelen involucrarse en el apoyo de los niños.

9. FACTORES DE RIESGO

1. Supervisión inadecuada:

La respuesta común entre los estudiantes acerca de que si los padres conocen donde estos niños venden sus productos refiera a que ellos no saben dónde están sus hijos dentro de la universidad, algunas expresaron que a ellos es decir los padres solo les interesa que los niños vendan sus productos. En cuanto con quienes se llevan, la mayor parte de los estudiantes considera que los padres suponen que sus hijos se llevan únicamente con los demás niños dedicados a la misma actividad, sin embargo, desconocen si estos entablan amistad con estudiantes y otras personas. Las respuestas de los niños ante estas dos preguntas son afirmativas, siendo en uno de los casos que la madre de uno de ellos labora dentro de la universidad y por ende conoce los lugares donde el estará, mientras que al respecto de la segunda pregunta uno de los niños comenta que su madre le aconseja que no debe llevarse con "*gabillas*" que es lo mismo a malas compañías.

2. Tiempo:

Al analizar la cantidad de horas consideradas tanto por estudiantes y los niños en cuanto a su actividad se observa que existe cierta similitud entre ambas respuestas, las cuales oscilan entre 10 y 12 horas al día, lo cual a la semana representa alrededor de entre 50 a 60 horas de trabajo.

3. Actividad como medio de subsistencia:

Las razones propuestas por los estudiantes acerca de la venta ambulante giran en torno a la falta de oportunidades laborales y la dedicación casi entera en cuanto a tiempo y familia a tal actividad. Al contrastar con las respuestas de los niños acerca de si sus padres trabajan, se observa que la venta ambulante en su mayor parte es solo una manera más de ingreso familiar, ya que otras actividades informales sirven de apoyo económico familiar. La ganancia diaria con mayor frecuencia propuesta por los estudiantes fue de 50 lps al día, y de 3000 lps al mes.

Los niños reciben cierta parte de la venta que reportan a sus padres, siendo lo común recibir 100 lps al día de la venta, dando como resultado un estimado de 2000 lps al mes para el niño o niña. Hecho que contrastaría con la consideración de los estudiantes acerca de que los niños en su mayoría no reciben parte del dinero de la venta.

Al comparar el uso que según los estudiantes se le da al dinero que los niños obtienen de la venta ambulante se encuentran similitudes en cuanto a elementos comunes como ser la comida, seguido por la vestimenta apareada con la ropa. Para los niños otro uso común del dinero es el destinado a comprar o surtir su venta.

8. Edad:

Al comparar el rango de edad actual de los niños con el rango de edad en el cual empezaron a laborar en esta actividad, se puede notar un margen de hasta 12 años de dedicación en tal actividad, el rango de inicio va desde los 5 hasta los 12 años, rango que encaja perfectamente con la percepción actual que tienen los estudiantes sobre la edad de estos niños, situación que podría deberse al factor convivencia entre ambos grupos, donde la primera impresión de edad de estos niños quedo ligada en la experiencia del primer contacto de los estudiantes con ellos.

10. CONCLUSIONES

Las relaciones familiares conforman un factor de protección para estos niños, considerando que la actividad de venta ambulante está conformada por familias casi completas su dinámica familiar contribuye al refuerzo de vínculos que permiten mayor protección.

Las políticas públicas a pesar de no contar con el suficiente conocimiento y apoyo de distintas instituciones aun conforman un factor de protección capaz de solventar en cierta medida dificultades que se presentan en la actividad de venta ambulante.

Respecto a la educación si bien se ha entendido como un factor de protección con base en la inscripción de los niños a la escuela, en el caso particular de los niños dedicados a la venta ambulante en la universidad se toma en consideración establecer este elemento como un factor de riesgo ya que prefieren quedarse en la universidad para mejorar sus ventas.

La identificación del riesgo que conlleva la actividad de venta ambulante más allá de un factor de protección en este caso se puede considerar como un factor de riesgo, debido en gran medida a que estos niños que desde temprana edad han sido expuestos a la venta ambulante han naturalizado su actuar por lo cual han dejado de percibirla como un riesgo que flagele su integridad.

Abordando el tema de la supervisión como un factor de riesgo cuando esta no está presente, se observa que en el caso que compete este se convierte en un factor de protección. Debido considerablemente al hecho de que esta actividad es realizada por familias que laboran dentro de la universidad.

El tiempo que estos niños invierten en su actividad diaria de venta sigue constituyendo un factor de riesgo, considerando que en parte debido a esto descuidan su educación y se arriesgan al cansancio, tedio y estrés que conlleva una actividad rutinaria que les exige una fuerte demanda de energía, pues a la semana acumulan hasta un total de 60 horas de trabajo.

A pesar que entre las familias de estos niños se desarrollan de otras actividades de comercio informal aún se sigue considerando el trabajo infantil como una vía de ingresos económicos al seno familiar, constituyendo un factor de riesgo, principalmente por el pensamiento normalizado de esta práctica por parte de los padres de estos niños.

En cuanto al factor edad se sigue considerando un factor de riesgo, que a pesar del rango actual de los niños con el cual se considerarían en parte aptos para desarrollar con menor dificulta su actividad, se debe tener en cuenta que la mayoría de ellos empezaron a edades muy tempranas, establecidas casi desde los 5 años.

Los estudiantes de la universidad constituyen por el momento un factor de protección para los niños, ya que en su diario convivir se establecen vínculos afectivos entre ambos grupos.

Un elemento descubierto como factor de protección se basa en la aspiración de los niños hacia lo que desean dedicarse una vez alcanzada la adultez. Tal elemento conforma un componente motivador para estos niños. Es de notar que muchas de las profesiones que estos niños mencionan se relacionan con los edificios donde dichas carreras se desarrollan.

Otro factor descubierto y considerado como un factor de riesgo, son las distintas confrontaciones que ocurren entre manifestantes y policías en cercanías universitarias, ya que estos niños suelen guiarse por la sensación de emotividad que estas manifestaciones suelen provocar, llegando a involucrarse a las mismas por lo cual se exponen a una situación de represión tal que vulnere su integridad.

En conclusión, el fenómeno del trabajo infantil dentro de espacios universitarios no se acaba con políticas de mano dura, sino con estrategias de reducción de factores de riesgo y fortalecimiento de factores de protección. Con lo cual se logre una disminución paulatina de la actividad, ya que al cerrarse las puertas este fenómeno emigra a otros puntos, con lo cual más allá de disminuir se contribuye a un mayor riesgo de vulnerabilidad para niños que a corta edad se ven casi obligados a tener que madurar para adaptarse a una sociedad en la cual se ven aislados o excluidos de oportunidades de desarrollo personal y familiar.

11. BIBLIOGRAFÍA

ALTER Grupo de investigación . (2008). *Familias en exclusión social extrema* . Navarra: Universidad Publica de Navarra.

ARITA, S. (2006). *Determinantes del trabajo infantil en Honduras*. Zamorano.

Codigo de la niñez y la adolescencia. (1996). *Codigo de la niñez y la adolescencia*. Tegucigalpa: ENAG.

Confederacion Sindical Internacional. (2008). *Mini guia de accion Trabajo Infantil*.

Instituto Nacional de Estadistica [INE]. (2017). *LVIII ENCUESTA PERMANENTE DE HOGARES DE PROPÓSITOS MÚLTIPLES –EPHPM – JUNIO 2017* . Tegucigalpa: INE.

MURILLO, V., RODRÍGUEZ, I., & Zamora, J. C. (2006). *Situación del trabajo infantil y adolescente en Centroamérica* .

Programa Entendiendo el Trabajo Infantil. (2015). *Entender el trabajo infantil y el empleo juvenil en Honduras* . Roma.

RAUSKY, M. E. (2009). Trabajo y familia: el aporte de los niños trabajadores a la reproducción del hogar. *Trabajo y Sociedad Indagaciones sobre el trabajo, la cultura y las prácticas políticas en sociedades segmentadas, 11*(12).

ROMERO, V., AMAR, J., PALACIO, J., MADARIAGA, C., SIERRA, E., & QUINTERO, S. (2012). Factores familiares y sociales de alto riesgo asociados al trabajo infantil en ciudad de las costa caribe colombiana. *Universitas Psychologica, 11*(2), 481-496.

SAMPIERI, H. (2014). *Metodologia de la Investigacion*. México.

UNICEF. (2002). *La pobreza en América Latina y el Caribe aún tiene nombre de infancia*. Mexico: CEPAL, UNICEF.

UNICEF. Bolivia. (2012). Lo que debemos saber del trabajo infantil: 24 horas para ser feliz.

VALDERRAMA, A., Salgado, D., & Ortiz, J. (2014). *Identificacion de los factores que conllevan a niños, niñas y adolescentes en edades comprendidas entre los 9 a 17 años a trabajar en las plazas de mercado de la ciudad de florencia*. Florencia.

Capítulo 11
Proteccion a niñez hondureña desplazada por violencia. Mecanismos impulsados por la dirección de niñez, adolescencia y familia (DINAF)

Yury Deyanira Zepeda Ordóñez
Psicóloga
Dirección de Niñez, Adolescencia
y Familia (DINAF)
yuryzepeda80@gmail.com

1. INTRODUCCION

En un contexto histórico de migración interna e internacional de la población hondureña, asociado tradicionalmente a razones económicas o laborales, durante los últimos años se ha evidenciado de manera creciente la existencia de desplazamiento forzado interno y externo generado por la violencia y criminalidad en el país. El aumento en la presencia del crimen organizado y sus distintas manifestaciones delictivas (asesinatos, secuestros, extorsiones, reclutamiento forzado, narcotráfico, y control de territorios) así como la presencia de otros factores determinantes como ser la persecución política está llevando a que cada vez más personas se vean forzadas a dejar su lugar de residencia habitual para proteger su vida, libertad, integridad y seguridad física, ante la falta de mecanismos de protección adecuados. Hasta la primera mitad del año 2018 se reportaban más de 264.481 personas desplazadas por causa de la violencia de los cuales se estima que cerca de 78,000 son menores de edad. (CIPPDV 2015, Pág. 9 y 12).

El presente trabajo tiene su origen en los múltiples casos de niños y niñas que han sido víctimas de desplazamiento forzado por violencia en Honduras. Como principal objetivo busca conocer con mayor profundidad el fenómeno del desplazamiento forzado por violencia, que atenta contra los derechos y garantías fundamentales de los niños y niñas así como dar una mirada al abordaje y atención de estos casos a través de la Dirección de Niñez, Adolescencia y Familia (DINAF) durante los años 2017 y 2018. Y de esta manera ser capaces de responder mediante acciones nacionales pertinentes, adecuadas e integrales, conforme a los estándares internacionales de protección de los derechos humanos y las buenas prácticas impulsadas por los organismos internacionales, además se pretende establecer las bases para generar un protocolo de atención específico diferenciado y eficaz para estos casos; así como también apoyar la creación de Iinstituciones Residenciales de cuidado alternativo (IRCA)especializados en brindar protección a este tipo de población.

Espero que esta investigación sirva a la Dirección de Niñez, Adolescencia y Familia (DINAF) y al país en general como primer insumo para impulsar la formulación de políticas públicas, la toma de decisiones y la generación de medidas adecuadas para el combate al fenómeno citado, su prevención y la protección integral y holística a las personas desplazadas y sus familiares. A su vez, que se convierta en un instrumento de consulta y referencia nacional e internacional para quienes se interesan en la temática.

2. CONTEXTO DE VIOLENCIA Y DESPLAZAMIENTO FORZADO INTERNO

Según el Instituto Nacional de Estadísticas de Honduras (INE), para Diciembre del 2019 se estimaron en Honduras 9,223,382 habitantes, población que se caracteriza por ser mayoritariamente urbana y joven siendo las/os niñas, niños y adolescentes menores de 19 años el 47.35% del total de la población (INE 2016, Pág.11). Por otra parte en 2016 se registraron un total de 5,150 homicidios de los cuales 361 correspondían a NNA menores de 18 años, los cuales fallecieron de manera violenta (IUDPAS, 2018). El número de personas desplazadas en el mundo ha tenido un incremento sustancial, en este sentido, los países del Triángulo Norte de Centroamérica (Guatemala, El Salvador y Honduras) continúan experimentando un número creciente y elevado de personas que huyen por múltiples y complejas causas. Para el año 2016 la cifra histórica acumulada de hondureños que huyeron del país en busca de protección internacional era de 45,710 (CONADEH, 2017).

En el caso de Honduras, el desplazamiento forzado interno es una situación que deriva principalmente de la violencia generalizada ante la gravedad de esta problemática social, el Gobierno de la República de Honduras en noviembre de 2013, reconoció la existencia del desplazamiento forzado por violencia y, como medida para atender el impacto del mismo, creó la Comisión Interinstitucional para la Protección de Personas Desplazadas por la Violencia (CIPPDV) la cual tiene como objetivo impulsar la formulación de políticas y la adopción de medidas para la prevención del desplazamiento forzado por la violencia, así como la atención, protección y soluciones para las personas desplazadas y sus familiares. El Comisionado Nacional de los Derechos Humanos (CONADEH) con el apoyo del Alto Comisionado de las Naciones Unidas para los Refugiados (ACNUR), creó la Unidad de Desplazamiento Forzado Interno (UDFI), el 20 de junio de 2016.

3. DESPLAZAMIENTO FORZADO EXTERNO (EL EXODO HONDUREÑO)

Los países del triángulo norte de Centroamérica se enfrentan a niveles de crimen y violencia sin precedentes para la región, vinculados, en gran parte, al aumento de la presencia de grupos de crimen organizado transfronterizo y a la creciente importancia de esta región en operaciones de narcotráfico. Entre las diferentes consecuencias que tiene la violencia ejercida por estos grupos se encuentra el desplazamiento forzado, fenómeno de difícil caracterización y que, por lo general, se torna invisible. Según datos del ACNUR, 14.427 hondureños recibieron en 2017 el estatus de refugiados en el mundo. (UDFI, 2017).

El 12 de octubre del 2018 la primera caravana de migrantes hondureños comenzó su viaje hacia el Estados Unidos partiendo desde la ciudad de San Pedro Sula, Honduras, donde un grupo de 160 personas se reunieron en una terminal de autobuses y se prepararon para partir, a través de Guatemala y México en donde se fueron sumando más personas a este grupo. Para finales de octubre se estimaba que en la primera caravana, que se encontraba en México, había por lo menos unos 2,500 los niños de las 9 mil personas que la conforman. En lo que va del 2019 varias caravanas más han partido del país con el mismo propósito, a pesar de conocer los relatos desalentadores de personas que integraban la primera caravana.

4. MARCO LEGAL DE PROTECCIÓN

Las siguientes líneas nos ayudaran a conocer el contexto jurídico nacional que contempla las bases para brindar protección a los testigos protegidos en Honduras.

CÓDIGO PROCESAL PENAL Según el Código Procesal en su **Artículo 237** referente a la Protección a Testigos establece que cuando exista un fundamento racional de que existe peligro para la persona vinculada al proceso penal o a sus familiares directos, el Órgano Jurisdiccional de oficio, ordenara la adopción de una o varias medidas de protección que se estime conveniente al caso, entre las cuales figuran: Que no conste en las actuaciones que se lleven a cabo los datos personales del testigo, la declaración será recibida sin la asistencia de público en la Sala de Juicio, para efecto de comunicaciones se fijara como domicilio, la propia sede del órgano jurisdiccional interviniente y otras propuestas de las partes o a consideración del Órgano Jurisdiccional.

LEY DE TESTIGO PROTEGIDO Fue promulgada en el Congreso Nacional bajo el *Decreto Legislativo N° 63-2007*. Dicha ley fue creada teniendo como base la Convención de Palermo, en la cual se obliga a los Estados parte a adoptar medidas dentro de sus posibilidades, para proteger de manera eficaz a los testigos participantes en el proceso penal.

PROYECTO DE LEY DE DESPLAZAMIENTO INTERNO La Comisión Interinstitucional para la Protección de las personas desplazadas por violencia (CIPPDV) entregó a miembros del Congreso Nacional de Honduras el Proyecto de ley para la Prevención, Atención y Protección de las personas desplazadas forzadamente. (2019).

5. DATOS DE VULNERACIÓN DE DERECHOS DE NIÑOS Y NIÑAS EN HONDURAS

Las fuentes internas de la DINAF, desde 2015 hasta diciembre del 2019 reflejaban el registro de 5993 NNA con sus derechos vulnerados, los cuales se detallan a continuación.

TIPO DE VULNERACIÓN	NÚMERO DE CASOS
Declaradas/os en situación de abandono	170 NNA
Insatisfacción de sus necesidades básicas	648 NNA
Tenían su patrimonio amenazado	12 NNA
Carecían de representante legal	800 NNA
Objetos de maltratos	1767 NNA
Situación Especial que atentó contra sus derechos o su integridad (por situación de calle, riesgo de reclutamiento por Maras, víctimas de trata, desplazamiento forzado, migración ilegal, no tipificados...)	2017 NNA
Adictas/os o expuestas/os a sustancias que producen dependencia	489 NNA

6. NORMATIVA NACIONAL DE PROTECCIÓN A NIÑAS, NIÑOS Y ADOLESCENTES

Honduras posee un marco legal, dónde se establecen los principios básicos para el cumplimiento de todos los derechos de las NNA y se confirma que los tratados internacionales ratificados por el Estado entran a formar parte del derecho interno. Por esta razón, la preservación y restitución de derechos y el Interés Superior del Niño guían la regulación normativa en la que se basan las diferentes medidas protección especial:

- La **Constitución Política de La República de Honduras** de 1982;
- El **Código de la Niñez y la Adolescencia** de 2013, en el que destacan: **Artículo 93,** "El gobierno adoptará las medidas que sean necesarias para prevenir y, en su caso, sancionar, las amenazas o las violaciones a los derechos de los niños"; el **Artículo 149:** La declaratoria de que un (a) niño (a) se encuentra en vulneración de sus derechos obliga a la institución competente, en este caso la DINAF, a proceder de inmediato a brindarle la protección que necesite; y/o el **Artículo 150,** dónde se establecen una serie de medidas de protección especial para los niños y niñas vulnerados en sus derechos.
- El **Código de familia** de 2013.
- El **Código Penal de Honduras.**
- **Ley de Municipalidades de Honduras** de 2013.
- **Ley de Procedimientos Administrativos** de 1987.
- **Política Nacional de Prevención de la Violencia hacia la Niñez y la Juventud en Honduras** de 2012.

7. METODOLOGIA

El presente trabajo se desarrolló bajo un diseño no experimental, transeccional y descriptivo. Atendiendo a estos principios la investigación se llevó a cabo mediante la revisión de casos de niños y niñas desplazados por violencia, conocidos y atendidos por la Dirección de Niñez, Adolescencia y Familia (DINAF) durante los años 2017 y 2018. La recolección de datos fue realizada mediante la verificación manual de los expedientes físicos o digitales registrados en el archivo de la DINAF, en los cuales se identificó, en la descripción de hechos, la ocurrencia de situaciones que derivaron en desplazamiento forzado por violencia. Se diseñó y elaboró una matriz para consignar los valores provenientes de los casos identificados, los cuales fueron sometidos a un minucioso control de calidad y validación antes de ser integrados a la base de datos. Para ampliar la información se elaboró y aplico un instrumento que contenía preguntas abiertas en relación al tema, dicho instrumento fue respondido por personal multidisciplinario que conoce y aborda los casos en DINAF y en algunas ONG que fungen como centros de protección temporal y que han tenido la oportunidad de trabajar con niños y niñas desplazados por violencia de manera directa.

8. ANALISIS DE DATOS

La revisión de los expedientes se condenso en la siguiente tabla.

N	SEXO	EDAD	TIPO DE VULNERACIÓN CON QUE SE REGISTRA	MEDIDA DE PROTECCIÓN APLICADA	SEGUIMIENTO DE CASO
1.	Femenino	14 años	Supuesto abuso sexual / Testigo Protegido	Ingreso a centro de protección	SÍ
2.	Femenino	12 años	Abuso Sexual	Ingreso a centro de protección	SÍ
3.	Masculino	17 años	Abuso Sexual	Reintegro Familiar	NO
4.	Masculino	12 años	Carece de representante Legal, Consumo de Drogas	Ingreso a centro de protección	NO
5.	Femenino	17 años	Situación Especial	Ingreso a Centro de protección	NO
6.	Femenino	17 años	Víctima de explotación sexual	Ingreso a Centro de protección	SÍ
7.	Femenino	15 años	Consumo de drogas	Ingreso al centro de protección	NO
8.	Femenino	1 año	Situación especial que atenta contra su integridad física	No consta en el expediente	NO

N	SEXO	EDAD	TIPO DE VULNERACIÓN CON QUE SE REGISTRA	MEDIDA DE PROTECCIÓN APLICADA	SEGUIMIENTO DE CASO
9.	Femenino	17 años	Situación especial que atenta contra su integridad física	No consta en el expediente	NO
10.	Femenino	16 años	Situación especial	Ingreso a Centro de Protección	NO
11.	Masculino	15 años	Situación Especial	Reintegro Familiar	NO
12.	Masculino	10 años	Situación especial que atenta contra su integridad física	Ingreso a Centro de Protección	NO
13.	Masculino	14 años	Situación especial	Ingreso a centro de protección	NO
14.	Femenino	12 años	No figura en el expediente	Reintegro Familiar	NO
15.	Femenino	12 años	No figura en el expediente	Reintegro Familiar	NO
16.	Femenino	12 años	No figura en el expediente	Reintegro Familiar	NO
17.	Femenino	14 años	Situación Especial	Reintegro Familiar	NO

ENTREVISTA CON EQUIPO MULTIDISCIPLINARIO

En la Dirección de Niñez, Adolescencia y Familia (DINAF) todo NNA sin importar la vulneración de derechos de la que son objeto se aborda brindándole atención psicológica, médica y legal y en la mayoría de los casos también se les proporciona un espacio de protección digno. Es importante recalcar que se trata de dar una asistencia multidisciplinaria, sin embargo en la medida en que se dan más casos de niños y niñas desplazados por violencia, la capacidad de respuesta por parte del estado disminuye porque hay pocos espacios de protección para este tipo de vulneración de derechos y el presupuesto que ameritan es muy alto.

Los niños y niñas, víctimas de desplazamiento forzado, como medida de protección se ingresan en un IRCA que cuente con las medidas de seguridad mínimas para salvaguardar sus vidas, cuidando de su integridad física y psicológica. Mientras tanto se busca una medida de protección más a largo plazo, siempre en el marco del interés superior del niño. En algunos casos se articula con instituciones, como el Alto Comisionado de las Naciones Unidas Para Los Refugiados (ACNUR) el cual se encarga de realizar las diligencias respectivas para que algunos de estos niños puedan salir del país. Es necesario mencionar que se cuenta con pocos medios para la atención de este tipo de casos, en su mayoría después de un tiempo en un IRCA los niños o niñas son reintegrados con un familiar dentro o fuera del país. De acuerdo al protocolo de atención de los casos de vulneracion de derechos, las medidas de protección impuestas deben ser revisadas cada seis meses para verificar su funcionalidad.

Las instituciones que trabajan con la protección de niños y niñas desplazados por violencia tienen oportunidad de mejorar la atención individualizada y diferenciada de estos casos mediante las siguientes especificaciones: Identificación, intervención integral y seguimiento de caso. También se debe trabajar en lograr una mejor articulación con las instituciones que apoyan en el manejo de estos casos para que los procesos sean más diligentes. Además es necesario mencionar que actualmente no existen IRCAS especializados que brinden atención a niños y niñas desplazados por violencia, lo cual dificulta encontrar un espacio adecuado para este tipo de víctimas.

9. PRESENTACIÓN DE RESULTADOS

De acuerdo a los datos obtenidos se puede observar que las niñas son más afectadas por el fenómeno del desplazamiento forzado a causa de la violencia. Esto quizá obedezca a factores como la misoginia y mayor vulnerabilidad del mujeres ante la violencia de genero. En cuanto a las medidas de protección aplicadas podemos

observar que en la atención de estos casos la medida de protección
más frecuente es el ingreso del niño o niña a un IRCA, mientras se
evalúan otras opciones viables. Una de las medidas que se valoran
es el reintegro familiar una vez que se han realizado los estudios
correspondientes que validen que el entorno donde el NNA será
ubicado sea seguro para él.

A pesar que en el protocolo de atención de casos de vulneración
de derechos con que cuenta la Dirección de Niñez, Adolescencia y Familia (DINAF) establece que una vez aplicada una medida de protección temporal debe ser revisada para conocer su efectividad. Según los
datos recabados podemos observar que de todos los casos de niños
y niñas victimas de desplazamiento forzado el porcentaje al que se le
da seguimiento es mínimo. Esto obedece a diferentes razones como
ser: complejidad del caso, en ocasiones el NNA ha salido del país,
personal insuficiente para realizar estas actividades y recursos económicos limitados. Otros aspectos que se pueden observar en la tabla
que condensa la revisión de expedientes es que sin importar la edad
los niños y niñas, por diferentes razones están expuestos a ser víctimas
de desplazamiento por violencia; sin embargo el grupo de edad más
vulnerable esta entre las edades de 12 a 17 años de edad. Además es
evidente que la mayoría de los casos de desplazamiento por violencia
de tipifican bajo la vulneración de *"SITUACION ESPECIAL"* la cual
está contenida en el Código de la Niñez y Adolescencia Hondureño,
este término es un tanto ambiguo y complica el registro de los casos,
por tal razón no se tienen cifras exactas de los niños víctimas de este
fenómeno.

Es importante mencionar que como parte del mandato y del compromiso de la Dirección de Niñez, Adolescencia y Familia (DINAF)
con la niñez Hondureña se ha desarrollado y establecido un sub sistema de protección de Niños, Niñas y adolescentes (SIGADENAH).
Se espera que la puesta en práctica cercano de este subsistema de
Protección a la niñez Hondureña traiga consigo mejoras significativas
en el papel de las diferentes instituciones que trabajan con niñez en
Honduras, en especial a la DINAF. Por tal razón es necesario que en
este subsistema se incluya el tema de los NNA desplazados por violencia de manera diferenciada; después de todo ese constituye uno de
los objetivos fundamentales de este trabajo.

10. CONCLUSIONES

El desplazamiento de niños y niñas por causa de la violencia y criminalidad es todavía un fenómeno relativamente "invisible" en el país, prueba de ello es la falta de cifras concretas referente a este tema. Por lo tanto el abordaje institucional del desplazamiento forzado interno y externo, sigue caracterizándose por la atención empírica, debido a la ausencia de mecanismos idóneos para la prevención, protección y solución duradera de las necesidades de las víctimas.

Se considera urgente contar con las herramientas de identificación de personas afectadas por el desplazamiento mediante el análisis de riesgo, criterios unificados de selección y priorización de casos, IRCAS y protocolos de atención y protección integral y diferencial de la población afectada por el desplazamiento.

En la mayoría de los casos los desplazamientos ocurren silenciosamente, de manera que el individuo o la familia que se desplaza pasan inadvertidos. Por lo general, se efectúa por cuenta propia con la ayuda solidaria de familia o amigos. Los lugares donde se ubican las personas desplazadas, por lo general, son dentro del territorio nacional sin embargo cuando la persecución y amenaza no cesa los desplazados huyen del país, convirtiéndose en migrantes.

11. RECOMENDACIONES

Adoptar medidas urgentes para brindar una respuesta eficaz, diferenciada, efectiva e integral, para la protección de los niños, niñas y adolescentes víctimas del desplazamiento forzado interno y externo; tomando en consideración los principios establecidos en la Convención de los Derechos del Niño y las normas rectoras del desplazamiento, con respecto a garantizar el interés superior del niño y asegurar la unidad familiar en albergues.

En el mediano plazo, se recomienda la creación de un protocolo de atención específico que incluya la protección, prevención, asistencia y soluciones para personas desplazadas por violencia. Dicho protocolo deberá garantizar una asistencia imparcial, de acuerdo con las necesidades de las personas afectadas y sin discriminación de ningún tipo.

Se recomienda la creación de IRCAS especializados en los cuales se incorporen y orienten programas y proyectos dirigidos a niños, niñas, adolescentes y jóvenes desplazados por violencia. Se aconseja también fortalecer las redes de protección existentes, elevando la capacidad técnica en materia de protección de sus integrantes y generando estrategias que promuevan a la articulación interinstitucional e intersectorial con un mecanismo de coordinación único.

Durante el proceso de creación de un marco de protección integral o previo a éste, se recomienda promover una ruta de atención inmediata a personas desplazadas o en riesgo de desplazamiento, que permita su protección de los daños físicos y psíquicos causados por la violencia y la coerción (albergues, centros temporales de protección, ayuda humanitaria de emergencia, medidas cautelares, etc.). Del mismo modo es indispensable incluir estrategias y mecanismos para la prevención del desplazamiento forzado.

12. BIBLIOGRAFÍA

ACNUR. Tendencias Globales, Desplazamiento Forzado en 2016, Forzados a Huir. http://www.acnur.org/t3/ leadmin/Documentos/Publicaciones/2016/10627.pdf

Comisión Nacional de Derechos Humanos (CONADEH). Unidad de Desplazamiento Forzado Interno (UDFI). *Informe Especial. El Desplazamiento Forzado Interno en Honduras*. Enero– Diciembre 2017.

Congreso Nacional de Honduras, Decreto 63-2007. *Ley de Protección a Testigos en el proceso Penal*, La Gaceta-Diario Oficial de la Republica de Honduras. Tegucigalpa 2007.

El Estudio de Caracterización del Desplazamiento Interno en Honduras fue presentado por el Gobierno Nacional en ocasión de la visita del Relator Especial Sobre los Derechos Humanos de los Desplazados Internos, para garantizar el compromiso en favor de las personas afectadas.

MARTÍN SANTOS, Daniel, *"Subsistema De Protección Especial De Derechos De Niñas, Niños Y Adolescentes, "Marco Conceptual Y De Funcionamiento"*, Dirección De Niñez, Adolescencia Y Familia (DINAF) 2018.

UDFI-CONADEH, Boletín Estadístico Sobre el Desplazamiento Forzado Interno: Identificación de Casos en los Registros de Quejas del CONADEH, Enero – Diciembre 2016. http://app.conadeh.hn/descargas/bolet%-C3%ADn%20Estad%C3%ADstico%20UDFI%20-%202016.pdf

Universidad Nacional Autónoma de Honduras (UNAH), Instituto Universitario en Democracia, Paz y Seguridad (IUDPAS), *Boletín Nacional Mortalidad y Otros 2017*, Edición No.48, marzo 2018.

Capítulo 12
Factores que inciden en la deserción escolar en estudiantes del Centro Educativo Héctor V. Medina, Municipio de Valle de Ángeles, Departamento de Francisco Mozarán, Honduras 2018

Rosario Aragón Martínez
*Docente y Coordinadora de la Unidad
de Investigación Departamento de Trabajo Social
Universidad Nacional Autonoma de Honduras
rosario.aragon@unah.edu.hn*

1. INTRODUCCIÓN

La educación es uno de los derechos fundamentales establecidos en la Convención de los Derechos del Niño; los Estados parte, lo reconocen y, tienen el deber de velar porque se pueda ejercer progresivamente y en condiciones de igualdad, adoptando medidas y oportunidades de forma igualitaria para que todos los niños y niñas asistan regularmente a las escuelas. Este fenómeno que se ha venido agudizando especialmente en educación básica y secundaria, de acuerdo a la opinion de los organismos internacionales, la Secretaría de Educación, autoridades educativas, docentes y orientadores se debe a muchos factores que están incidiendo en la interrupción del proceso educativo de niños y niñas que se matriculan para cursar un año de escolaridad; pero, en el transcurso del periodo educativo desertan, sin que los miembros de la comunidad educativa de los diferentes centros encuentren estrategias para combatir este problema, debido a que se desconoce cuáles son las raíces que están provocando la deserción.

El centro educativo Héctor V. Medina es uno de los institutos que en los últimos años se han incrementado los casos de deserción escolar, ante la impotencia del personal para contrarrestar el fenómeno. El año 2016 fue uno de los más altos en toda la historia del centro educativo; los maestros, por su parte, creen que uno de los factores de la deserción escolar es la migración de los padres de familia con destino hacia los Estados Unidos y España, así como el trabajo infantil, teniendo como constancia la cantidad de hogares monoparentales. En consecuencia, la investigación resaltó las acciones que el personal docente y administrativo realiza para prevenir el fenómeno y rescatar los casos de estudiantes que se han retirado del centro educativo.

Fue conveniente porque permitió establecer algunas medidas preventivas y correctivas para disminuir la problemática escolar; de trascendencia social, porque sirve de base para que se implementen estrategias y sea un ente piloto en el combate a la deserción escolar, bajando los índices a nivel municipal, departamental y nacional; como utilidad metodológica, este estudio puede ser replicado en otros centros educativos del país, a fin de contar con un panorama más amplio de la situación a enfrentar.

Con la investigación se ha pretendido crear conciencia acerca de la importancia de buscar medidas preventivas para evitar que los niños y niñas sigan desertando dejando su educación a medio camino siendo el impacto la disminución del fenómeno. La investigación fué factible realizarla, ya que existió apertura de las autoridades educativas, facilitando el acceso a los informantes. El objetivo general fué determinar los factores que inciden en la deserción escolar de los niños y niñas matriculados en el centro educativo técnico Héctor V. Medina del municipio de Valle de Ángeles, durante el año 2018. Los objetivos específicos se enmarcaron al análisis de los factores sociales y económicos que están incidiendo en la deserción escolar; asi como describir las actitudes de los miembros de la comunidad educativa ante la deserción escolar de los niños y niñas y, conocer las acciones realizadas para contrarrestar los factores que están provocando la deserción escolar.

2. PANORAMA DEL FENÓMENO DE DESERCIÓN ESCOLAR

El informe anual (UNICEF 2017), aduce que una de las causales de mayor relevancia para la deserción escolar son los altos niveles de pobreza, los conflictos prolongados y los diferentes problemas sociales; por lo que, considera que debe existir "mayor inversión para tratar las razones que mantienen a los niños vulnerables fuera de la escuela". Tambien se desarrolló un estudio denominado "Los factores asociados al fracaso escolar en Chile", donde se habla de factores endógenos y factores exógenos, manifestándose que son los niños y adolescentes de los sectores vulnerables y excluidos, quienes tienen las mayores probabilidades de fracasar en su paso por los establecimientos educacionales.

Por otra parte, (Román 2013 pág. 37) aduce que la deserción escolar es el último momento de una cadena de situaciones que está enfrentando el niña-niña entre ellos *"bajos aprendizajes, reprobación de grados, ausencias reiteradas, desmotivación por avanzar y aprender, todos signos evidentes de un proceso de fracaso escolar, cuyo último eslabón es el abandono y la desvinculación definitiva de la escuela y el sistema".*

(Román 2013 pág. 37), plantea dos teorías enmarcadas a identificar y comprender el origen y dinámica de la problemática educativa, ya que, mientras una visualiza los factores y causas fuera del sistema escolar, la otra considera que estos fenómenos se deben a factores inherentes a la escuela. También Roman (2013), expresa que existen otros factores que están incidiendo en menor medida como "los intereses y problemáticas propias de la juventud. Asi mismo, este autor expresa que la problemática de deserción escolar alude esencialmente a aspectos propios de los maestros y manifiesta que *"mientras más negativa es la imagen que los profesores construyen sobre los niños, menor es el nivel de logro alcanzado y más bajo el rendimiento exhibido".*

Un estudio realizado en Colombia por (Moreno, D.2013, pág.122) denominado la *Deserción Escolar un problema de Carácter Social* establece que *"uno de los principales factores que originan la deserción escolar entre otros, son la distancia de colegios, problemas económicos y dificultades académicas".* Comenta (Román 2013) que surgen otros factores que están incidiendo en este fenómeno como el capital cultural y simbólico que rodea el ambiente familiar del estudiante, expresa que *"los niños de padres con niveles de escolaridad alto, es menor la probabilidad de deserción; contrario a la probabilidad de deserción que aumenta en estudiantes con madres de baja escolaridad o que no ven utilidad a la educación".*

Otros factores según (Román 2013, pág. 44), van relacionados con la situación educativa, entre ellos "la transición entre nivel primario al secundario. El paso de la experiencia escolar vivida en primaria hacia el nivel secundario, aparece como un hito vital complejo y difícil de procesar y asimilar por los estudiantes más vulnerables". También es decisivo y preocupante de acuerdo al autor, encontrar en algunos estudiantes "baja autoestima y falta de confianza en sus propias capacidades de aprender". En este sentido, muchos estudiantes que no rinden o avanzan de acuerdo a lo esperado y, que presentan mayores dificultades para aprender tienen mayores probabilidades de desertar. La Secretaría de Educación, en su informe 2014-2016, afirma que los datos fríos en deserción podrían estar siendo afectados por: "El abandono escolar por causa de trabajo infantil; probablemente asociado a la pobreza familiar; la violencia generalizada en los centros educativos, los embarazos en jóvenes a partir de los 10 años, la migración internacional, inter-municipal e inter-departamental".

3. CIFRAS DE DESERCIÓN ESCOLAR

En Honduras, el informe ejecutivo de la LVIII Encuesta Permanente de Hogares de propósitos múltiples EPHPM (*INE* 2017) establece que "la cobertura en educación es es sólo *del 28.1%. Esto quiere decir que casi uno 1 de cada 3 jóvenes está asistiendo a un centro de enseñanza".* Uno de estos caminos de autoexclusión escolar se da, sobre todo, en estudiantes del primer ciclo de educación básica y media; ya que, un alto porcentaje de niños y niñas está enfrentando este problema. En este sentido, la Secretaria de Educación establece que:

Para el año 2014 se registraron 62,938 casos de deserción escolar que representaron una tasa de deserción escolar de un 3.1%. Para el 2015 existieron 48,228 casos, los cuales significaron aproximadamente un 2.4% del total de la población matriculada y, para el 2016 llegó a un 2.9% que implicaron 59,354 estudiantes que abandonaron el sistema educativo. La deserción educativa ocurre en todos los grados y se acentúa más a partir de séptimo grado en adelante. (Secretaría de Educación, 2017, pág. 15).

Los factores, de acuerdo a la Secretaría, pueden estar influenciados por aspectos geográficos o las distancias entre el centro educativo y el hogar, las condiciones no adecuadas en el entorno escolar. También los factores familiares como la desintegración familiar o el abandono paternal de alguno de los progenitores.

4. METODOLOGÍA

Enfoque de la investigación: se realizó un estudio mixto, según (Sampieri 2003 pág.21) "es el más alto grado de investigación o combinación entre los enfoques cualitativo y cuantitativo". A través de él, se obtuvo información cuantitativa que permitió establecer los factores de la deserción escolar desde el conocimiento de los estudiantes y con la información cualitativa se describió qué saben, qué piensan y qué creen los padres y madres de familia, alumnos y maestros en relación a los factores que inciden en la deserción escolar. Así como los testimonios de adolescentes que desertaron y que debido a las acciones emprendidas por el personal docente, específicamente el departamento de orientación, retornaron al centro educativo. El alcance del estudio fue descriptivo, logrando describir los factores del fenómeno de la deserción escolar.

Diseño de investigación: de acuerdo a (Hernández, pág.120), es la estrategia o plan que se pretende utilizar para obtener toda la información que se desea recopilar para el estudio. En el enfoque cuantitativo se utilizó un diseño no experimental, el cual recolecta datos de forma pasiva sin introducir cambios y tratamientos. Para el enfoque cualitativo se consideró el diseño fenomenológico, el cual según (Oiler, 1986) estudia el mundo percibido y no un fenómeno en sí mismo, También se utilizaron testimonios de los estudiantes que habían desertado del sistema educativo y que retornaron con la intervención del personal docente y de orientación.

Población y Muestra: La población que se eligió para realizar esta investigación fueron estudiantes del nivel básico y secundario, que habían desertado o no, del sistema educativo, padres de familia, personal docente y administrativo del centro educativo Héctor V. Medina; en el enfoque cuantitativo se realizó un muestreo intencional no probabilístico bietápico, seleccionando dos secciones de séptimo grado con 22 estudiantes; dos de octavo grado con 22 estudiantes; una sección de noveno grado 22 estudiantes , décimo grado 22 y onceavo 12; considerando que sólo existía una sección.

5. RESULTADOS DEL ESTUDIO FACTORES QUE INCIDEN EN LA DESERCIÓN ESCOLAR EN LOS ESTUDIANTES DE EDUCACIÓN BÁSICA Y MEDIA

Al hablar de factores de deserción escolar, se debe tener una mirada multifactorial y no enfocarse en uno, ya que se corre el riesgo de caer en subjetividades; por ello, una de las informantes expresa que: *"del centro educativo durante este año se han retirado alrededor de 100 estudiantes entre las tres jornadas, lo que equivale a un 10% de la matricula"*. El orientador del Instituto refiere que en el 2018: las deserciones ascienden a 61 estudiantes (39 de educación básica y 22 de bachillerato técnico profesional) y se hubiese aumentado las cifras pero, el programa que han implementado permitió rescatar un grupo de estudiantes. Manifiesta el informante, que anteriormente no tenían un trabajo sostenido para esta labor de rescate, pero que a partir del año 2017 lo han realizado con mayor regularidad y compromiso: *"Anteriormente no había un trabajo sostenido sobre el problema de la deserción pero el año pasado y este año 2017-2018 se han buscado estrategias que han dado resultados; todavía; habría que buscar o afinar otras"* (A1).

Para el logro de los objetivos han diseñado un proceso metodológico que les permite que todos los docentes se concienticen de la importancia de que el niño-niña adolescente culmine su proceso académico y no lo miren como un número más; por lo que el reto es involucrar a todo el personal en este proyecto: *"Primer lugar verificar con los docentes de las asignaturas donde lleva menor rendimiento académico, la situación y la posibilidad de que nos brinden el domicilio, número de teléfono contacto o cualquier estrategia por medio de los estudiantes, eso hace que hagamos visitas domiciliarias directamente y ya tratamos que se reintegre el estudiante a las otras clases"* (A2).

Asimismo, consideran los informantes que previo a la deserción de los educandos; estos presentan algunas características como mal comportamiento, desinterés hacia el estudio, baja autoestima, constantes inasistencias, retraimiento, no llevan tareas; bajo rendimiento académico, entre otros; observarlas permite al personal docente y padres de familia la prevención para evitar que el número aumente. Es importante mencionar que aunque los estudiantes han desertado del centro educativo, la actitud del personal y el interés que tienen en el caso hacen que quieran retornar y sigan adelante con su proceso educativo *"llamaron a mi mamá que me querían volver a reintegrar al colegio, si sentí como que la gente pensaba en mí"* (E9). También se analizaron los factores sociales como los educativos, familiares y económicos que inciden en la deserción escolar desde el enfoque cualitativo. En los factores educativos el fenómeno es considerado por los docentes como un problema fuerte; el cual se ha venido agudizando a pesar de los esfuerzos por disminuirlo. *"Pues yo creo que son uno de los mayores problemas que tenemos de los años anteriores porque los jóvenes pues inician aparentemente muy entusiasmados pero, de repente, pues empiezan a faltar a clases"* (D1). Al analizar el ambiente educativo, se determinó que no es un factor de auto exclusión o deserción escolar ya que, no está incidiendo en la problemática porque tienen un buen ambiente educativo; antes bien, este es un factor protector para los estudiantes. "Yo no he visto maltrato de parte de los docentes o de los estudiantes sí se han presentado casos de bulling que se han resuelto de la mejor manera que se han tratado en tiempo y forma pero considero que es un ambiente óptimo para que ellos desarrollen todas sus habilidades" (D1). *Los y las estudiantes también consideran que existe un buen ambiente educativo y que en ningún momento es el motivo por lo que decidieron desertar.* "Si, es muy agradable todo, desde los profesores hasta los alumnos más pequeños son, para que, muy bien" (E8). El bajo rendimiento académico es uno de los factores de autoexclusión o deserción *escolar que ha incidido en mayor escala de acuerdo a lo planteado por los estudiantes que abandonaron sus estudios, el que va acompañado por otros factores como la influencias de amistades más conocido como "gavillas".* "Por problemas, iba mal en las notas; por gavillas" (E9). "Por una adicción, por jugar video juegos a las maquinitas" (E10). Este bajo rendimiento puede estar condicionado por problemas de aprendizaje; "Si, que me cuesta mucho estudiar y no se me queda nada" (E1). Por su parte, las autoridades aducen que el bajo rendimiento escolar puede tener sus raíces en la formación que recibieron en la escuela primaria. "Mala base desde la escuela, entonces tiene muy pocas habilidades en la escritura, en la parte de las operaciones matemáticas. Entonces eso lo va arrastrando, tiene un bajo rendimiento en el primer parcial, en el segundo" (A1). *Esta falencia hace que los estudiantes se desmotiven, particularmente los del primer ciclo básico, séptimo y octavo año.*

Otro factor que está incidiendo en la deserción escolar es la influencia de personas que ellos consideran amigos. *"A veces entro y a veces no entro, porque me quedo con mis compañeros jugando"* E3. *"Pues mala influencia, porque he decidido retirarme de mis estudios" (E5). "No, sólo a jugar y a salirme de clases"* (E6). También los padres coinciden que los problemas de deserción pueden estar influenciados por amistades y, muchas veces, ellos no se dan cuenta *"Yo supongo que sí, porque me han contado que ella se lleva con unas niñas de acá, que también son así que no entran a clases, que son rebeldes no sé quiénes son pero a mí me lo dicen otros compañeritos de ella".* (PM 2).

Un factor que sólo es mencionado por los padres son las amenazas o bulling que sufren algunos estudiantes que desean retirarse. *"Quizás por tanto que se está dando ahorita el bulling, digamos que mi hija estaba sufriendo una extorsión, yo pienso que esas son las causas"* (PM4). El lugar de domicilio es un factor de deserción escolar, ya que, muchos estudiantes vienen de comunidades retiradas. *"Sí, tenemos estudiantes que caminan de tres a cuatro horas para llegar al centro educativo y eso los trae estudiantes ya cansados, y quizás eso hace que su rendimiento académico sea bajo"* (A2). *"Si, porque vivo muy largo y mi mami no me da dinero para ir al colegio y más bien es peligroso porque están asaltando. Me voy solita, vivo en la siembra; gasto en ir y venir veinte Lempiras, diez de ida y diez de venida"* (E12).

El embarazo en adolescentes es otro factor *de* acuerdo a las autoridades del Centro Educativo: *"En el año yo tengo 6 casos de embarazo, se han retirado a pesar de que se les ha buscado porque la familia ya no quiere apoyarle"* (A1). De acuerdo a los docentes, los factores familiares que inciden van orientados al poco apoyo que los padres dan a sus hijos en el cumplimiento de tareas y al escaso acercamiento con el centro educativo; por tanto, la tendencia es que los padres no están transmitiendo valores sobre todo en la disciplina y deseos de superación encontrándose pérdida de autoridad; aunado a la desintegración familiar: *"Mis papás no están, mi mamá está en México y se fue con una de las caravanas que va hacia Estados Unidos. (E 10). La desintegración familiar en gran medida afecta mucho, porque sólo está la jefa de hogar y en menores casos el jefe de hogar"* (A1).

El poco involucramiento de los padres en las actividades del centro educativo, se encontró como factor de deserción escolar, ya que es reducida la participación en las reuniones de formación de padres a través del programa. La situación económica de los padres es uno de los factores que mayormente está incidiendo en la deserción escolar, muchos padres no pueden cubrir las necesidades educativas de sus hijos, de acuerdo a la experiencia de los docentes y estudiantes. *"la situación mía es el dinero, porque con el dinero podemos salir adelante y todo (E 11). Mamá no manda dinero, no, no está bien todavía"* (E10). *"Primeramente porque mi madre es sola y no tenemos el apoyo de mi papá y, pues nadie nos ayudaba y no me quedaba de otra que salirme porque somos varios con mis hermanos y ellos estaban estudiando"* (E11).

Algunos padres expresan que sus hijos dejan de estudiar por contribuir con la economía familiar, debido a que los ingresos son escasos porque son madres solteras. *"Por eso el muchacho él busca trabajar, pues le dan 150.00 Lempiras. Sí, sí me da y él mismo deja para ver si quiere comprar algo"* (PM6). *"La metí a trabajar y también para que fracasara; por último la corrieron del trabajo y a raíz de eso también perdió el año"* (PM1).

Otro de los objetivos del estudio es la actitud de los involucrados en la deserción, los cuales demuestran sentimientos de tristeza, indignación; sin embargo un número considerado de estudiantes ha retornado al centro educativo a través de acciones realizadas por docentes y autoridades; ellos expresan que la acción de desertar no les había hecho sentirse bien y que se había dado por circunstancias ajenas a su voluntad, pero que están contentos de haber regresado *"Cuando me salí yo supe que era la decisión más mala que había tomado, porque si no estudiaba no iba a ser alguien en la vida y no me iba poder preparar para ser lo que quiero ser"* (E11). *"No era algo fácil para mí porque yo quería seguir estudiando, pero como no podía, no era todo igual"* (E12).

También los estudiantes se sintieron contentos de poder retornar al centro educativo, ya que consideraron que tenían una nueva oportunidad y sobre todo que se interesaban en ellos. *"Llamaron a mi mamá que me querían volver a reintegrar al colegio si, sentí como que la gente pensaba en mí"* (E9). *"Me siento satisfecha de seguir estudiando, "Me alegro de haber vuelto porque es importante estudiar"* (E1).

6. OPINIÓN DE LOS ESTUDIANTES SOBRE LOS FACTORES QUE INFLUYEN EN LA DESERCIÓN ESCOLAR

Este estudio se realizó con 51 estudiantes varones y 49 mujeres entre las edades de 11 a 18 años, de educación básica y media; entre este grupo de estudiantes se observa que el 64% tiene aspiraciones de estudiar una carrera universitaria; el 18% aspira a una carrera técnica o de servicios; mientras que un 18% aún no tiene definida una meta educativa posterior a su formación a nivel medio; lo que indica que este es el porcentaje que puede estar vulnerable a la deserción escolar. Un alto porcentaje de los estudiantes entrevistados aduce que la oportunidad de estar en un centro educativo les mantiene motivados(91%);sobre todo, por el aprendizaje que están adquiriendo, el saber que contarán con un título(93%),la generación de un empleo para apoyar la economía familiar(86%), seguir estudios universitarios(86%). En el centro educativo existen estudiantes que en un determinado momento de su vida desertaron del instituto, pero que voluntariamente o con intervención de los docentes, particularmente por el departamento de orientación, retornaron a sus actividades educativas. En la muestra obtenida se encuentra un 15% de estudiantes que en algún momento desertaron; mientras un 85% no lo ha hecho, los cuales aducen que lo hicieron por problemas económicos y familiares, inseguridad, influencia de amigos, trabajo, problemas de salud,otras en menor escala es el consumo de drogas, autoestima baja. La opinión que los estudiantes tienen sobre los problemas en los que se ven inmersos y que están provocando la deserción escolar son el bajo rendimiento académico, bulling, las malas relaciones con padres o familiares, la falta de empleo y los bajos ingresos del grupo familiar.

7. OPINIONES DE LOS ESTUDIANTES ENCUESTADOS SOBRE LOS FACTORES QUE PUEDEN LLEVAR A MUCHOS ESTUDIANTES A DESERTAR

1. Es una mala decisión al desertar, porque tenemos que pensar en grande.
2. Pensar en el fututo y especializarse para tener mejores oportunidades en la vida.
3. La deserción escolar, en mi opinión, es algo malo pero, es por varios motivos; ya sea por falta de dinero o problemas.
4. El desertamiento del colegio no es porque algunas veces queremos nosotros; sino, es que nuestros padres no tienen los recursos para seguir ayudándonos.
5. Tal vez ustedes como docentes puedan apoyarlos, porque tal vez ellos tienen problemas con sus padres o falta lo económico.
6. No es tanto de los hijos sino que también es de los padres que no se preocupan mucho en los estudios de los hijos; otra es por empleo que se salen para ayudar.
7. Tenía una compañera que a mitad de año se salió embarazada.

8. PRINCIPALES HALLAZGOS

De acuerdo a los objetivos planteados en el estudio, se presentan importantes hallazgos en relación a los factores sociales: educativos, familiares y economicos, analizado desde el enfoque cualitativo y cuantitativo.

Se encontró que la mayoría de los estudiantes desertados provienen de los grados de educación básica (7mo, 8vo, 9no), y disminuye en educación media que comprende los bachilleratos técnicos profesionales, los 12 niños y niñas informantes que habían desertado y que retornaron al centro educativo, manifestaron que recibieron buen trato del personal docente y compañeros, no recibiendo bulling. Se analizó el bajo rendimiento educativo, encontrando que es uno de los factores que está incidiendo, pero que este factor va asociado a otros factores. Se analizó las influencias de amistades, la cual está incidiendo significativamente en la deserción. Otro factor que es importante considerar es la salud de los estudiantes, ya que ha incidido en la decisión de desertar, lo que lleva a otro estudio para determinar las causas relacionadas a este factor, considerando que muchos estudiantes se ven expuestos a estrés escolar, debido a las presiones de los deberes educativos.

Se encontró que la desintegración familiar; es un factor influyente, ya que, en muchos hogares no existe la figura paterna, en otros faltan las dos figuras, creciendo el niño niña con abuelos u otros parientes, los cuales no brindan la atención necesaria para el cumplimiento de sus deberes escolares y consecuentemente la deserción escolar. Otro factor analizado es la apatía o poco interés de los padres en los deberes educativos de los hijos, manifestado en escaso involucramiento en las actividades. La situación económica incide categóricamente, debido a la falta de empleo y los bajos ingresos. Se encontraron variables emergentes, como la actitud de los miembros de la comunidad educativa; entre ellas, que los estudiantes que han desertado presentan sentimientos de tristeza, nostalgia; por otra parte, la actitud de las autoridades y docentes; es de impotencia, incertidumbre; pero, también el fenómeno se convierte en un reto, por lo que han buscado estrategias para disminuir la problemática, no obstante consideran que es un esfuerzo integral de toda la comunidad educativa, autoridades municipales y nacionales.

9. RECOMENDACIONES

Las acciones que han estado realizando las autoridades, personal de orientación y docente son importantes pero, no son suficientes para contrarrestar el fenómeno; por tanto, debe tomarse en cuenta la prevención, estableciendo estrategias, basándose en los factores predominantes; involucrando para ello, a toda la comunidad educativa y estableciendo redes de apoyo; sobre todo, en el factor económico, las distancias de los estudiantes y en lograr el involucramiento de los padres. Se debe fortalecer el programa iniciado por el personal de orientación, encaminado a la prevención de la deserción escolar y al rescate de las y los estudiantes que por los factores analizados han desertado; para ello deben considerarse los siguientes proyectos: Proyecto de tutoría entre pares, de justicia restaurativa escolar, de formación de padres, que incluya la participación formativa y de cooperación, proyecto de apoyo familiar o estudiantil en torno a becas educativas, Proyecto de capacitación continua al personal docente y administrativo. El Estado debe priorizar la prevención con la creación de una política para disminuir el fenómeno, estimular a los centros educativos que realicen estrategias para prevenir el fenómeno. Reforzar las leyes en torno a evitar la vulneración del derecho a la educación.

10. BIBLIOGRAFÍA

Referencias sitio Web

MORENO, D. (5 de Noviembre de 2013). La Desercion Escolar un problema de Carácter Social.Recuperado el 3 de Noviembre de 2018, de Vestigium ire.: file:///C:/Users/MONTES/Downloads/795-2365-1-PB%20(1).pdf Moreno

ROMÁN, M. (2013). Factores asociados al abandono y la desercion escolar en America Latina, una mirada en conjunto. 11(2), 34-59. (REICE, Ed.) Recuperado el 30 de septiembre de 2018, de www redalyc.org/articulo. oa?i=55127024002

SECRETARÍA DE EDUCACIÓN. (Noviembre de 2017). Informe Sistema Educativo Hondureño en Cifras 2014-2016. Recuperado el 30 de septiembre de 2018, de https://www.se.gob.hn/media/files/articles/201711_usinieh_informe_estadistico_2014_2016.pdf.

UNICEF. (2017). Informe anual. Recuperado el 28 de septiembre de 2018, de httwww.unicef.org/spanish/pps://ublications/files/UNICEF_Informe_Anual_2017_ES.pdf.

Referencias Textos no electrónicos

ARIAS, F. (1999). El proyecto de Investigación (Tercera ed.). Caracas, Venezuela:

INE. (2017). Resumen Ejecutivo LVIII encuesta permanente de hogares de Propósitos múltiples ephpm – junio 2017.

HERNÁNDEZ SAMPIERI. (2010). Metodologia de la Investigación (quinta ed.). México D.F.

Capítulo 13
Reflexionando sobre la eficacia de los recursos de la Cooperación Internacional en la mejora de la situación de la niñez en Honduras en los últimos 3 años

Mónica Regina Bran
Técnica en Cooperación Externa
Dirección de Niñez, Adolescencia y Familia (DINAF)
Honduras
mbran@dinaf.gob.hn

1. INTRODUCCIÓN

El Estado de Honduras como signatario de la Convención de los Derechos del Niño (CDN), ratifica en el año 1990 dicho instrumento, procurando la observancia de otros instrumentos internacionales de importancia, orientados a garantizar el cumplimiento de los derechos de la niñez y adolescencia hondureña; sujetándose a la obligación insoslayable de destinar gasto público en temas de infancia y adolescencia, haciendo uso de medidas apropiadas de índole económica y técnica, por separado o bien, mediante la asistencia técnica y la Cooperación Internacional, hasta el máximo de los recursos de que disponga, para lograr progresivamente el cumplimiento y goce de los derechos. La CDN ha emitido tres (3) informes con sus Observaciones Finales en donde se han evaluado las medidas que el Estado ha puesto en marcha para cumplir con las disposiciones sugeridas por dicha Convención.

Es a partir del año 2013 que Honduras inicia el ejercicio de medición de la inversión pública en niñez y adolescencia como un mecanismo para monitorear el monto de los recursos públicos asignados al financiamiento de programas que de forma específica o indirectamente, promueven o repercuten en el bienestar y la realización de los derechos de la niñez.

En el año 2014 se institucionaliza oficialmente la rendición del Informe de Inversión Pública que analiza el presupuesto público de la Administración Central y Descentralizada, así como la inversión pública dirigida a la niñez y adolescencia desde múltiples categorías de análisis. Dicho informe, presenta clasificaciones de la inversión pública en niñez como los grandes grupos de derechos enunciados en la Convención sobre los Derechos del Niño (Supervivencia, Desarrollo, Protección y Participación) y el ciclo de vida (primera infancia, niñez, y adolescencia), entre otras, conformando para ello, el Comité Interinstitucional para la Medición de la Inversión Pública en Niñez y Adolescencia, integrado por la Dirección de Niñez, Adolescencia y Familia (DINAF), la Secretaría de Estado en los Despachos de Desarrollo e Inclusión Social (SEDIS), la Secretaría de Estado en el Despacho de Finanzas (SEFIN) y la Secretaría de Estado en el Despacho de Coordinación General de Gobierno (SCGG) que, con el apoyo del Fondo de Naciones Unidas para la Infancia (UNICEF), han institucionalizado una metodología de medición de la inversión pública en niñez y han elaborado la medición desde el 2013 al 2017.

Año	En millones de US Dólares	En millones de Lempiras	# de NNA	Inversión en Niñez
2015	$1,389.5	L. 30,680.4	3,484,289	L.16.9
2016	$1,355.7	L.31,750.2	3,488,871	L.14.0
2017	$ 1,316.8	L. 31,551.3	3,493,181	L.14.3

En este escenario nacional, el Estado debe armonizar los ingresos nacionales como los provenientes de Organismos Internacionales, bajo el concepto de eficacia y eficiencia de la ayuda oficial al desarrollo, dado que éstos últimos, son complementarios al presupuesto nacional. La presente investigación trata de mostrar de manera descriptiva, cualitativa y cuantitativa, como Honduras ha incursionado desde el 2015 al 2017, en lo correspondiente a la protección de la niñez y adolescencia, con el apoyo de fuentes nacionales como externas, en su nivel de avance de cumplimiento de los grandes grupos de derechos (Supervivencia, Desarrollo, Protección y Participación) y el ciclo de vida (primera infancia, niñez, y adolescencia).

2. PLANTEAMIENTO DEL PROBLEMA

2.1. Antecedentes de la Investigación

A lo largo de los años, cada administración recoge una mora gubernamental en diferentes materias que son de obligatorio cumplimiento para el Estado, no siendo la excepción, lo concerniente a los derechos de la población infantil, considerada ésta de cero a 18 años de edad, según el Código de la Niñez hondureño vigente.

Honduras ha hecho considerables esfuerzos por eficientar la administración pública haciendo uso de mecanismos administrativos que permitan la correcta y eficiente gestión financiera para el cumplimento de las obligaciones que como Estado le corresponde, como la "Medición de la Inversión Pública en Niñez y Adolescencia" oficializada desde el 2014, en un trabajo coordinado del Comité Interinstitucional para la Medición de la Inversión Pública en Niñez y Adolescencia.

Tanto el Gobierno de Honduras como los Organismos de Cooperación Internacional que ponen a disposición del Estado los fondos en modalidad de ayuda reembolsable y no reembolsable, parten de la idea de que una mayor inversión en la niñez y adolescencia propicia cambios en los proyectos de vida de los miles de niños y niñas que no gozan de sus derechos y enfrentan serias dificultades para lograr el desarrollo humano pleno.

Siendo que los fondos provistos por la Cooperación Internacional son complementarios al financiamiento que el Estado mismo dispone para desarrollar su Plan de Gobierno, es este quien prioriza y delinea, las acciones a impulsar durante el período de gobierno; por lo que, el Estado de Honduras bajo la estructura de la Visión de País y Plan Nación, se direcciona hacia un nivel de reordenamiento a nivel de fondos propios del Estado como los asignados por los Organismos de Cooperación Internacional, bajo la definición de prioridades que como Gobierno se establecieron en el pasado período (2014-2017) y que siguen vigentes para los próximos cuatro (4) años de gobierno (2018-2021).

El mayor reto de país continúa siendo el uso eficiente y eficaz de los sistemas de recolección de información y de los recursos propios y los provistos por la cooperación internacional, que se han invertido en el tema de protección de los NNA y el por qué estos recursos no se han traducido en una mejora del nivel de vida y goce de derechos de éstos.

2.2. *Formulación de la investigación*

La presente investigación intenta destacar los factores que desaceleran la eficacia en el uso de los recursos de la Cooperación Internacional en la mejora de la situación de la niñez en Honduras, y las limitaciones contextuales y coyunturales existentes bajo el concepto de inversión en niñez. La asignación de recursos sin la consciente identificación de necesidades de los grupos metas beneficiarios, la no definición de indicadores de medición, reducen la brecha de alcanzar y medir resultados de impacto.

2.3. *Preguntas del objeto de estudio*

¿Cuáles son los factores que desaceleran la eficacia de los recursos de la Cooperación Internacional en la mejora de la situación de la niñez hondureña?

¿Considera que el proceso de planificación que el Estado implementa para la priorización de las necesidades y la asignación de recursos está orientado a la eficacia en el uso de los recursos provistos por la Cooperación Internacional?

¿Considera que la población infantil es consultada en la definición y priorización de necesidades?

¿Considera pertinente la distribución geográfica en donde actualmente está focalizada la ayuda internacional en el país?

¿Considera Usted que exista una estrecha coordinación y vinculación entre las instituciones responsables y coordinadores del tema de niñez que minimice la duplicidad y sub utilización en el uso de recursos provistos por la Cooperación Internacional?

3. OBJETIVOS DE LA INVESTIGACIÓN

Objetivo general

Analizar la eficacia o no en el uso de los recursos provistos por la Cooperación Internacional que permitan la mejora en la situación de vida de la niñez hondureña, con el fin de reorientar los procesos de identificación, planificación, ejecución y monitoreo de resultados de impacto en las iniciativas que persigan elevar el nivel de vida los niños, niñas y adolescente en Honduras, con un enfoque de goce y cumplimiento de derechos.

Objetivos específicos

*   Cuantificar la asignación de los recursos de la Cooperación Internacional, en la mejora de la situación de vida de la niñez hondureña.

*   Identificar las brechas que, en materia de derechos de la niñez, no están alcanzando niveles de mejora de vida de la niñez hondureña.

*   Analizar los niveles de inversión pública (fondos propios y externos) en los últimos tres (3) años.

4. JUSTIFICACIÓN Y DELIMITACIÓN DEL TEMA DE INVESTIGACIÓN

Para el Estado de Honduras y aún más para el Ente Rector en materia de niñez, quien tiene la responsabilidad de rectorar y coordinar Políticas Públicas en beneficio de la niñez hondureña, es valioso disponer de una investigación que le permita identificar como la inversión a nivel de fondos propios y de la Cooperación Internacional impulsan o no, el cumplimiento de derechos de los niños niñas y adolescentes en Honduras, traducido en un cambio de vida.

Las limitaciones que puedan darse en la presente investigación, estarán derivadas del nivel de sistematización de las fuentes de información que disponga el Estado, así como los Organismos de Cooperación.

5. VIABILIDAD DEL TEMA DE INVESTIGACIÓN

La presente investigación tiene como finalidad analizar la eficacia en el uso de los recursos dispuestos por los Organismos de Cooperación Internacional, analizados desde una visión de fondos complementarios al presupuesto nacional, en el contexto de la protección de los derechos de los niños, niñas y adolescentes hondureños, entendiendo como el Estado armoniza el financiamiento dentro de las prioridades que éste define, así como comprender como la distribución del gasto público en las poblaciones y territorios con mayores desventajas, puede ser una forma de combatir la pobreza y la desigualdad.

6. CONSECUENCIAS DE LA INVESTIGACIÓN

Tal y como se ha mencionado anteriormente, resulta de trascendental importancia la visión estratégica que el Estado debe procurar para asegurar que la sociedad avance en su bienestar general, garantizando el cumplimiento de la calidad de vida de los niños y niñas, mediante la identificación de brechas sociales que deben ser priorizadas través de una agenda de gobierno, mediante un proceso eficaz de planificación y presupuestación, siendo capaz de armonizar y canalizar los fondos que la Cooperación Internacional aportan al presupuesto estatal. La protección integral de derechos, requiere de una definición estratégica correcta de indicadores medibles en la arista de los cuatro grupos de derechos enunciados en la Convención.

7. MARCO TEÓRICO

El ordenamiento legal internacional y nacional, establece la obligación de destinar gasto público a la infancia y adolescencia, para hacer efectivos los derechos humanos de la niñez. En el caso de Honduras, el marco legal orientado a la protección de la niñez incluye, la

Constitución de la República, la Convención sobre los Derechos del Niño y el Código de la Niñez y la Adolescencia, más un amplio catálogo de instrumentos jurídicos y legales.

La Constitución de la República no hace referencia explícita sobre la obligatoriedad de asignar recursos para la realización de los derechos de los niños y niñas. Sin embargo, el Artículo 119 del Capítulo IV, referido a los Derechos del Niño, lleva implícita dicha obligación, al disponer que: "Los niños gozarán de la protección prevista en los acuerdos internacionales que velan por sus derechos".

8. VISIÓN DE PAÍS (2010-2038) Y PLAN DE NACIÓN (2010-2022)

En el marco de la planificación, Honduras cuenta con un lineamiento estratégico denominado Visión de País 2010-2038 que recoge las condiciones de una nación posible y futura, basada en cuatro grandes objetivos nacionales y 22 metas de prioridad nacional.

La agenda de niñez está estrechamente vinculada a los Objetivos:

- Objetivo #1: Meta 1.1: Erradicar la pobreza extrema, Meta 1.2: Reducir a menos de 15% el porcentaje de hogares en situación de pobreza, Meta 1.3: Elevar la escolaridad promedio a 9 años, Meta 1.4: Alcanzar 90% de cobertura de salud en todos los niveles del sistema.

- Objetivo #2: Meta 2.2: Reducir los niveles de criminalidad a un nivel por debajo del promedio internacional, Meta 2.3: Reducir el Índice de Conflictividad Social a menos de 6, todo ligado a los 4 grupos de derechos antes enunciados.

9. SITUACIÓN DE LA NIÑEZ Y ADOLESCENCIA EN HONDURAS

El Comité de los Derechos del Niño, en el informe "Observaciones Finales en los Informes Periódicos Cuarto y Quinto Combinados de Honduras" del 2015, reconoció que el Estado Hondureño ha tomado medidas para mejorar la calidad de vida de su población y especialmente de las/os NNA, como son: institucionalizar la valoración de la inversión pública en la infancia y su impacto en las/os NNA; creación de instituciones y sistemas de información para la recopilación y análisis de datos sobre los derechos del niño; incluir el derecho del niño a tener su interés superior como consideración primordial en el marco jurídico; escuchar y respetar las opiniones del NNA y garantizar su participación en foros públicos, principalmente en los Congresos Infantiles, y los gobiernos escolares y estudiantiles; incrementar la inscripción de nacimientos; documentar los procesos regulares e irregulares de migración y brindar asistencia y protección a los niños repatriados; combatir el trabajo infantil.

Sin embargo, a pesar de los significativos avances, desafortunadamente continúan habiendo grandes limitaciones en acceso a servicios básicos de salud, agua potable y saneamiento, vivienda digna, medio ambiente sano, vacunación universal, Atención Primaria en Salud y prevención de la violencia; así como múltiples situaciones que ponen en riesgo y/o vulneran los derechos de las niñas, niños y adolescentes hondureños.

10. DIRECCIÓN DE INFANCIA, ADOLESCENCIA Y FAMILIA (DINAF)

En el 2014 se crea la Dirección de Niñez, Adolescencia y Familia-DINAF como el ente rector, formulador, gestor, coordinador y supervisor de la implementación de políticas nacionales y normativa en materia de niñez, adolescencia y familia que, junto a otros actores públicos, organizaciones de la sociedad civil, ONGs y Agencias del Sistema de Naciones Unidas trabajan para garantizar el INTERÉS SUPERIOR DE NIÑO.

11. ENFOQUE DEL SISTEMA DE PROTECCIÓN INTEGRAL DE GARANTÍA DE DERECHOS DE LA NIÑEZ Y LA ADOLESCENCIA EN HONDURAS

Un Sistema de Protección Integral de Garantía de Derechos de la Niñez y la Adolescencia reconoce al niño y niña como "sujeto social de derechos". Cada actor a nivel de estado, gobierno local, organizaciones civiles no gubernamentales y comunidad cooperante aúnan esfuerzos para la concreción de este modelo integrador, que brinde respuestas concretas a la niñez. Se trata de pasar del niño como "objeto de protección" al niño como "sujeto de derechos". Este cambio de enfoque supone focalizar, como muy bien expresa la planificación estratégica, los esfuerzos en la articulación de los actores, tanto del Estado, como de la sociedad civil y la cooperación internacional; la capacitación y la asistencia técnica, y la promoción de la participación social, en especial, de los niños y niñas.

Honduras viene protagonizando una serie de esfuerzos de cara a la construcción de una institucionalidad que promueva y proteja de forma integral los derechos de los niños y niñas, a la luz de los lineamientos de la CDN. Sin embargo, dichos esfuerzos aún requieren ser sostenidos y alineados con los estándares internacionales en materia de adecuación normativa e institucional. En su última Observación, el Comité por los Derechos del Niño expresó que "observa con reconocimiento los esfuerzos realizados para armonizar la legislación nacional con la Convención, en particular la reforma del Código de la Niñez y la Adolescencia, el Código de Familia, el Código Civil, el Código Penal, el Código Procesal Penal y la Ley Contra la Violencia Doméstica.

12. CONTEXTO DE LA AYUDA DE LA COOPERACIÓN INTERNACIONAL PARA HONDURAS

Honduras ha sido uno de los países latinoamericanos con mayores volúmenes de ayuda oficial para el desarrollo (AOD), entre los años 2015, 2016 y 2017, los volúmenes de recursos recibidos de donantes ascendieron a:

2015: un total de USD$557,129,761.26 millones.

2016: un total de USD$599,624,663.61 millones.

2017: un total de USD$2,266,901,599.04 millones.

El Estado de Honduras a través de la Secretaría de Relaciones Exteriores formula, coordinar, ejecuta, da seguimiento y evalúa la Política Exterior y las Relaciones del Estado, que dirige y rectora el Presidente de la República. Es a través de la Dirección de Gestión y Cooperación Internacional, la encargada de propiciar el fortalecimiento de los mecanismos de cooperación con los Gobiernos amigos, Organismos Internacionales y Sistemas de Integración /Concertación Regional, a través del Servicio Exterior y en coordinación con la Secretaría Técnica de Planificación y Cooperación Externa, con la finalidad de facilitar la obtención de recursos y la implementación de nuevas estrategias para ampliar la cooperación internacional hacia Honduras.

13. MOVILIZACIÓN DE RECURSOS DE LA COOPERACIÓN 2015-2016-2017

En las fuentes oficiales de la Secretaría de Relaciones Exteriores se registra que los Organismos Internacionales otorgaron a Honduras en la modalidad de Fondos No Reembolsables (Donaciones) un total de USD$9.7 millones en iniciativas referentes a niñez, siendo los principales donantes destacan: Fondos de las Naciones Unidas para la Infancia (UNICEF), Save The Children (SCH), Plan Internacional, Banco Interamericano de Desarrollo (BID), Agencia Española de Cooperación Internacional para el Desarrollo (AECID), Programas de las Naciones Unidas para el Desarrollo (PNUD), EUROSOCIAL, USAID, Fondo de Población de las Naciones Unidas, ACNUR, Visión Mundial y Child-Fund, así como Gobiernos que aportan fondos bajo un sistema de financiación multianuales, como el Gobierno de Canadá, España, entre otros.

Para la DINAF el principal socio estratégico desde el 2014 ha sido UNICEF quienes apoyaron la creación y funcionamiento de la Institución y con quienes iniciaron un programa de cooperación bilateral para impulsar la agenda de la niñez a nivel estatal. Entre el 2014 y 2015 donaron alrededor de US$119,000 el 2015 apoyando temas orientados a la protección de la infancia, justicia juvenil, migración y vulneración de derechos.

El BID aportó entre el 2015-2017 apoyo por US$268,000 destinado al impulsar el proceso de certificación de ONG´s que tiene al cuidado niños y niñas.

OIM apoya desde el 2014 a la fecha el tema migratorio a través de asistencia técnica y financiera. Del 2014 al 2017 se otorgó una cartera de alrededor de US$150,000. En el mismo tema, también se recibió apoyo técnico de ACNUR.

SCH entre el 2015-2017 otorgó ayuda financiera por cerca de US$80,000, para citar algunas cifras valorativas.

14. UNA MIRADA CRÍTICA DE LA INVERSIÓN DE PÚBLICA EN NIÑEZ 2015-2017

Pese a los registros de ayuda internacional que el Estado ha captado a lo largo de este período en estudio, aún existe una brecha significativa que muestra que las condiciones de vida y de desarrollo de los niños y las niñas, no están resultando eficazmente a favor de ellos. Hay más niños en desnutrición, más deserción escolar, más violencia en los hogares, escuelas y comunidades, incremento en la paternidad irresponsable, menos calidad en los servicios de salud y menos acceso a medicamentos, mutación de enfermedad entre otras de significativa consideración.

Lo anterior indica que la medición de la eficacia no necesariamente radica en relación al volumen de fondos generados por fuentes de financiamiento, sino más bien, tiene estrecha relación en la estrategia de priorización de derechos que el Estado determine, creando mecanismos apropiados tanto para la asignación de recursos como para la medición de los resultados. Para citar un ejemplo, décadas atrás se ha venido trabajando en temas de prevención en el área de salud, violencia, educación, seguridad inyectándose considerables recursos externos y la situación de esos temas no ha dado los resultados esperados. La sociedad junto al Estado no ha atacado la causalidad de los fenómenos sociales, han generado agendas reactivas que obedecen a dar respuesta inmediata y sin ningún impacto o cambio. Poco se ha invertido y priorizado en fortalecer, educar los núcleos familiares de donde se generan los futuros padres y madres de familia. La familia con la base nuclear de la sociedad, debe ser un órgano fortalecido en mayor proporción.

El Estado ha estimado presupuestos elevados en materia de seguridad, salud, educación como los principales ejes en las agendas de gobierno, pero aun así las erogaciones presupuestarias no han logrado reducir las brechas de no cumplimento de derechos.

Otro aspecto a considerar es la falta de claridad y posicionamiento en los mandatos de creación de las instituciones y organizaciones que intervienen en el tema de niñez. Las instituciones y organizaciones están interesadas en captar fondos para desarrollar sus propios programas y proyectos desvinculados de una estrategia de apoyo desde y para el Estado.

La falta de armonización de la Cooperación Internacional es otro aspecto importante de mencionar, dado que cada donante según su rubro de financiamiento trae definida las líneas en las cuales podrán ofertar a quienes acceden a su financiamiento, esto lógicamente limita de alguna manera, la fuerza con la que una institución y/o organización pueda proyectar resultados de impacto.

15. CONCLUSIONES

Dado que los fondos de cooperación son complementarios al presupuesto del Estado, éstos deben ser definidos y priorizados estratégicamente hacia garantizar a la niñez y adolescencia como grupos vulnerables, el bienestar común, el desarrollo integral y el disfrute de los derechos enunciados en la Convención de los Derechos del Niño.

Los esfuerzos que el Estado ha venido realizando para ordenar la administración estatal son significativos, pero insuficientes, en lo que a derechos concierne. El diseño de una Visión de País 2010-2038 y un Plan de Nación 2010-2022 más una planificación orientada hacia una gestión por resultados ha permitido definir líneas estratégicas de intervención con indicadores de mediciones sectoriales que evaluarán el rendimiento de la gestión del Estado en el cumplimiento y garantía según el grupos de derechos enunciados en la Convención sobre los Derechos del Niño (Supervivencia, Desarrollo, Protección y Participación); enfatizando un mayor repunte, al cumplimiento de los derechos a la educación, a la salud, a la alimentación, agua y saneamiento, en el período analizado.

El Estado debe hacer una equitativa asignación y distribución de los recursos en forma articulada y coordinada entre todas las instituciones responsables de garantizar los derechos de la niñez.

Honduras debe trascender en el cambio estructural de la Institución rectora en temas de niñez, ya que a la fecha no tiene el nivel de una Secretaría de Estado, y tampoco cuenta con el presupuesto necesario para la labor encomendada, sumado a esto, el marco jurídico es débil y la última reforma del Código de la Niñez data del 2013 y aparece aun el nombre del Instituto Hondureño de la Niñez y la Adolescencia-IHNFA, anterior institución en la que descansaba la protección de la niñez.

En el actual Plan de Gobierno, el tema de niñez descansa en el trabajo que impulsa la Primera Dama de la nación, pero no es una de las prioridades en la agenda de gobierno.

Pese a los registros de ayuda internacional que el Estado ha captado a lo largo de este período en estudio, aún existe una brecha significativa que muestra que las condiciones de vida y de desarrollo de los niños y las niñas, no están resultando eficazmente a favor de ellos. Hay más niños en desnutrición, más deserción escolar, más violencia en los hogares, escuelas y comunidades, incremento en la paternidad irresponsable, menos calidad en los servicios de salud y menos acceso a medicamentos, mutación de enfermedad entre otras de significativa consideración.

Debido a la inexistencia de una Política de Cooperación Internacional para el Desarrollo, se tiene como resultado la duplicidad de financiamientos y acciones en materia de niñez, que hace menos eficaz el uso de los recursos provistos por el Estado con financiamiento interno y externo

En cuanto al propósito de la inversión dirigida a la niñez, la finalidad más relevante continuó siendo la educación, representando el 65.0% en promedio y mostrando tendencia creciente para esta finalidad, lo que se relaciona directamente con el grupo de gasto mayoritario que corresponde al pago de remuneraciones o servicios personales a las y los maestros que atienden la educación de las niñas, niños y adolescentes en Honduras. En segundo lugar, le siguió la función de servicios de salud, con un 21.0% en promedio durante estos cinco años.

16. RECOMENDACIONES

Posicionar y priorizar la agenda de la niñez, a través del diseño e implementación de una Política de Infancia, que impulse la concreción de un marco legal y jurídico necesario para impulsar acciones estratégicas en favor de la infancia.

Afianzar en el marco de la Política de Infancia, la implementación del Sistema Integral de Garantía de Derechos de la Niñez, con el objetivo de definir y priorizar una ruta de abordaje desde los enfoques de prevención promoción, y gestión de derechos a nivel local, departamental y nacional.

Implementación de un Observatorio de la Infancia que permita la generación de evidencia en materia de niñez, desarrollo de investigaciones y la recopilación, sistematización y registro de datos sobre cumplimiento de derechos para la correcta y oportuna toma de decisiones.

Implementar una política de cooperación que priorice un abanico de necesidades como Estado y se armonice la cooperación externa según las fuentes de financiamiento, buscando fortalecer la trasparencia en la gestión, uso y manejo de fondos sean estos, fuente donación o crédito.

Ampliar la base de datos y de registro de la Secretaría de Relaciones Exteriores, de todas las iniciativas financiadas con fondos vía donación o crédito o cualquier otra modalidad de cooperación en materia de derechos humanos y de niñez con el objetivo de identificar las brechas en las cuales debe priorizas la priorización de fondos.

17. BIBLIOGRAFÍA

Comité de los Derechos del Niño, *Segundo Informe del CDN y sus Observaciones*, 1999.

Congreso Nacional de Honduras (1996), *Decreto Legislativo No. 35-2013, Código de la Niñez y la Adolescencia*, Artículos 92 y 273.

Congreso Nacional de Honduras (1996), *Decreto Legislativo No. 35-2013, Código de la Niñez y la Adolescencia*, Artículo 83.

Coordinación General de Gobierno (CGG), *Visión de País 2010 – 2038 y Plan*

de Nación 2010-2022, enero 2010

Dirección de Niñez, Adolescencia y Familia (DINAF) 2016, *Planificación Estratégica DINAF*. Pág. 36.

DINAF/UNICEF, *Informe de Inversión Pública, 2013-2015*, octubre, 2016.

DINAF/UNICEF, *Informe de Inversión Pública, 2016*, octubre, 2017.

DINAF/UNICEF, *Informe de Inversión Pública, 2017*, (sin publicar, borrador, 22 noviembre 2018.

http://pgc.sre.gob.hn/portal/

Instituto Nacional de Estadística (INE) (2016), Encuesta Permanente de Hogares de Propósitos Múltiples.

Instituto Nacional de Estadísticas (INE), *Censo de Población y Vivienda 2013 y Proyecciones, 2014-2020.*

Instituto Nacional de Estadística (INE) (2016). *Resumen Ejecutivo Encuesta Permanente de Hogares de Propósitos Múltiples*, Punto 8: Pobreza, Pág.11, 12 y 13.

UNICEF (2016), *La Inversión Pública dirigida a la niñez y la Adolescencia 2013-2015*

UNICEF, Informe Anual UNICEF, 2015, 2016, 2017, https://www.unicef. org/spanish/publications/index_92018.html

Capítulo 14
Factores psicosociales de apoyo a la inclusión educativa de niños y niñas viviendo con VIH en el proyecto "Montaña de Luz", Morocelí, El Paraíso

Amilcar Iván Valladares Corrales
Coordinador del Centro de Asistencia Psicológica
Escuela de Ciencias Psicológicas
Universidad Nacional Autónoma de Honduras (UNAH)
Honduras
amilcar.valladares@unah.edu.hn

1. DESCRIPCIÓN DEL PROBLEMA

De acuerdo con el artículo 153 de la Constitución de la República de Honduras, la educación básica en Honduras (primero al noveno grado) es obligatoria. El sistema educativo en Honduras tiene un presupuesto limitado para cubrir las necesidades de calidad educativa. Para el año 2018, el presupuesto a nivel educativo fue de 25,446 millones de lempiras, dirigido en un 90% a salarios y honorarios de Maestros y administradores del sistema educativo, siendo limitada la inversión en infraestructura, mobiliario y acceso de los menores a los centros escolares (Otras voces en educación, 2018).

Esta dificultad presupuestaria, sumado a pobre acceso a centros escolares, especialmente en las zonas rurales, otras causas de la deserción de los niños en el ambiente escolar, se debe a extrema pobreza que orilla a que los menores apoyen a sus padres por medio del trabajo infantil, la migración a otros países por problemas económicos provoca la deserción escolar también. Se suma a ello la inseguridad ciudadana que viven las zonas urbanas de Honduras, provoca que los niños en edad escolar (6 a 15 años) no reciban educación formal.

De acuerdo con Carlos Suazo (2017) presidente del Colegio Profesional Unión Magisterial de Honduras (COPRUMH) 46,875 niños no asistieron a centros educativos en el año 2017 por las situaciones anteriormente expuestas **Fuente especificada no válida.**

Sin embargo, no se incluye en estas cifras, el porcentaje de 6% de niños en edad escolar, que UNICEF - Honduras ha considerado viven con alguna discapacidad o una necesidad educativa especial en la que se incluye a los niños seropositivos por VIH según Banco Mundial (UNICEF, 2012).

En el año 2006 la Coordinadora de Instituciones Privadas Pro las Niñas, Niños, Jóvenes, Adolescentes y sus Derechos (COIPRODEN) publica en su documento sobre la "Situación de la Niñez en Honduras, que se han identificado 1650 niños no mayores de 19 años, viviendo con VIH, y 1130 de ellos, son menores de 15 años. La transmisión ha sido en su mayoría de la madre al hijo. Esto motivó a que en el año 2006 se elaborara y aplicara la Ley Especial sobre VIH – SIDA.

"ARTÍCULO 51.- Los centros educativos, de capacitación o adiestramiento público o privado, no podrán negar o restringir el acceso a la educación o capacitación de las personas infectadas por el VIH o enfermas de SIDA: los que transgredan esta disposición se les impondrá como sanción una multa de un salario mínimo mensual por primera vez y tres salarios mínimos mensuales si es reincidente. Lo anterior sin perjuicio de la obligación de asegurar el acceso a la persona viviendo con VIH" (Congreso Nacional de Honduras, 1999).

Por tanto, la Convención de los Derechos del Niño y la Ley especial de VIH/SIDA, indican que no puede discriminarse o privar a una persona viviendo con VIH de la educación. Ante la ausencia de información básica que oriente a los administradores del sistema educativo sobre las condiciones de inclusión o exclusión de los niños con VIH/SIDA se hace necesario identificarlas para promover acciones que ayuden a la población viviendo con VIH y en especial a los niños a que ejerzan su derecho a la educación.

Uno de los supuestos sobre los niños que viven con VIH que asisten a centros educativos, es que no lo declaran y lo mantienen en privacidad para evitar la discriminación y el prejuicio. Sin embargo, en la comunidad de Morocelí, un municipio de el departamento de El Paraíso en Honduras, se encuentra la Sociedad Amigo de los Niños, una organización sin fines de lucro, cuyo principal propósito es dotar a los niños y niñas que sufren algún tipo de problemática social de una vivienda, educación y desarrollo integral óptimo con apoyo de padrinos extranjeros.

Esta organización está avalada por la Dirección de Niñez y Familia (DINAF) organismo estatal encargado de velar el cumplimiento de los derechos de los niños y niñas de Honduras. Dentro de la Sociedad Amigo de los Niños, se encuentra un hospital especializado en la atención de los niños y niñas viviendo con VIH y que son huérfanos pues sus padres han muerto o han sido abandonados. Los menores asisten a la escuela de la comunidad y reciben clases con los demás niños de la comunidad.

De aquí que, se requiere explorar, identificar, comprender las condiciones que los niños, las y los educadores han generado para que se mantenga la calidad educativa de los niños, la interacción con los demás compañeros y algunos factores de riesgo que se hayan identificado y superado.

2. PREGUNTAS DE INVESTIGACIÓN

De acuerdo con los resultados de investigación del 2014 por parte de ONUSIDA – Honduras, de 10 personas viviendo con VIH, 4 han sufrido discriminación ya sea educativa como laboral.

Es por esta razón, que la presente investigación se interesa por estudiar ¿Cuáles son los factores psicosociales que han permitido la inclusión educativa de niños viviendo con VIH, del proyecto Montaña de Luz? Esto con el fin de explorar las condiciones sociales, psicológicas, emocionales, de interacción interpersonal que han provocado que los niños se mantengan en acceso educativo sin sufrir discriminación por parte de educadores, cuidadores y coetáneos.

De acuerdo con Leyre (2017) con base a la Psicología positiva, existen factores de protección, que se conceptualizan como: todas aquellas circunstancias, características, condiciones y atributos vinculados al comportamiento prosocial, que potencian las capacidades de un individuo para afrontar con éxito determinadas situaciones adversas.

Por ello, es parte de esta investigación ¿Identificar los factores de protección que ha potencializado la inclusión educativa de los niños viviendo con VIH?

Y, por último, otra de las preguntas necesarias para un buen análisis de la situación inclusiva de los niños viviendo con VIH, en el centro educativo, es explorar ¿qué factores de riesgo se han podido manejar o se están controlando para que los niños continúen su proceso académico?

3. OBJETIVOS DE LA INVESTIGACIÓN

3.1. Objetivo General

Determinar factores psicosociales de inclusión, en el ambiente educativo de los NNA del proyecto "Montaña de Luz" del municipio de Moroceli en el Departamento de El Paraíso, Honduras.

3.2. Objetivos Específicos

a) Identificar factores de protección que han apoyado la inclusión educativa de los niños viviendo con VIH.

b) Identificar factores de riesgo que pueden afectar la inclusión de los niños viviendo con VIH en el ambiente educativo y en el proceso de aprendizaje.

c) Describir la dinámica de interacción social de los niños viviendo con VIH con la comunidad educativa, incluyendo a los Maestros, cuidadores y sus coetáneos.

4. MÉTODO

4.1. Enfoque, Alcance y Diseño

El enfoque metodológico del estudio sobre factores de psicosociales de apoyo a la inclusión educativa de NAA con VIH en el proyecto "Montaña de Luz", sigue un paradigma cualitativo, puesto que se va a profundizar en la percepción y experiencias a los que los NNA se ven involucrados en su diario vivir.

La investigación es de alcance descriptivo, en ella se especifican características de los NNA que están involucrados con VIH, propiamente en el estudio se sistematizan las características psicologías de estos, como también es importante mencionar que a partir de la información obtenida se analizaron y detallan las experiencias del personal que labora en la institución y los Maestros responsables de su educación.

El estudio sigue un diseño fenomenológico, puesto que se centra en el análisis y comportamiento de los NNA, recopilando información, sobre sus vivencias y las valoraciones del entorno en el cual se desempeñan.

4.2. Participantes

Para llevar a cabo el estudio se evaluaron 12 de 25 NNA que viven en el proyecto, el cual se encuentra ubicado en Morocelí, departamento de El Paraíso, también a se realizó un grupo focal con 5 empleados y adicionalmente entrevistas a 4 maestros.

Los participantes se seleccionaron por medio de un muestreo no probabilístico, considerando como parámetro de selección, el tipo de muestreo "sujetos tipo", aquí los actores clave deben cumplir ciertas características previamente definidas (García-Cabrero, 2009), siendo para esta investigación el eje central, los NNA que viven en el proyecto montaña de luz, donde ellos o sus padres viven con VIH.

Se consideró abordar 25 NNA, pero por diversos motivos solo se encontraban presente el día de la evaluación 12 NNA, a pesar de ello es importante mencionar que con dicha muestra se logró alcanzar el criterio de saturación teórica, logrando comprender el fenómeno de estudio.

4.3. Técnicas, Instrumentos y Estrategias de Análisis

A los 12 NNA evaluados se les aplico la técnica de Interpretación de Dibujo Libre, la cual consistió en la realización de un dibujo sobre su entorno (escolar), luego de ellos se procedió a analizar las principales características (psicológicas) ahí representadas. Con la finalidad de profundizar en las experiencias y aprendizajes se hizo un grupo focal.

Con fines de establecer un proceso de validación de los resultados, los análisis se realizaron por de la triangulación por fuentes (García, Ibáñez & Alvira, 2007) a través de la incorporación de entrevistas a los maestros de educación básica.

4.4. *Categorías de Análisis*

Tabla 1. **Operacionalización de las variables del estudio**

Categorías	Dimensiones	Indicadores
Factores de Protección	1. Adaptación al ambiente escolar. 2. Relaciones con figuras de autoridad 3. Relaciones con pares	– Rendimiento Académico e Independencia – Buena conducta – Adecuadas relaciones sociales
Factores de Riesgo	1. Riesgo a la salud 2. Relaciones con figuras de autoridad 3. Ausencia familiar	– Efectos secundarios de medicamentos. – Mala conducta – Sentimientos disfóricos
Estrategias de adaptación	1. Interacción social 2. Empoderamiento 3. Seguridad e Independencia	– Relaciones empáticas – Adaptación al ambiente – Competitividad, buena convivencia y autoestima

5. RESULTADOS

5.1. *Factores de Protección*

5.1.1. Adaptación al Ambiente Escolar

Los resultados demuestran que los NNA están adaptados al ambiente escolar, obteniendo resultados favorables (aprobación de las asignaturas), lo cual es confirmado por parte de los Maestros y cuidadores, resaltando que esta adaptación está más asociada a los vínculos sociales, juegos y actividades extracurriculares.

Se identificó como efecto de los medicamentes, que se produjo un caso de déficit de atención y otro de hipersomnia, en el salón de clases, pero no afectaron el aprovechamiento a nivel global.

5.1.2. Relaciones con Figuras de Autoridad

Los NNA buscan el respeto y aprobación por parte de las figuras de autoridad, teniendo relaciones de empatía y familiaridad, de igual manera los Maestros expresan que al establecer límites disciplinarios responden adecuadamente.

Por otro lado, se han observado casos de mala conducta en los adolescentes, pero los Maestros expresan que al establecer orientación y comunicarse con ellos, los jóvenes responden adecuadamente.

5.1.3. Relaciones con Pares

Los NNA presentan capacidad de socialización e integración con el grupo de pares, esto debido a que necesitan afecto de las personas de su ambiente escolar; es importante mencionar que han existido conflicto con sus compañeros y que al establecer límites disciplinarios estos cesan.

5.2. Factores de Riesgo

5.2.1. Riesgo a la Salud

No se evidencian crisis físicas a raíz de la condición de VIH, dado que se brindan y respetan una serie de tratamiento, brindados por los cuidadores, como ser consumo de retrovirales, visitas mensuales a médicos y la pronta atención que brindan las enfermeras de la institución.

Sin embargo, existen efectos secundarios producidos por los diversos medicamentos que son utilizados como parte del tratamiento, lo que repercute en síntomas hiper actividad, impulsividad, agresión, déficit de atención y en un caso síntomas psicóticos.

Es importante mencionar que los NNA, mantienen su tratamiento, aun cuando por motivos de vacaciones escolares, se trasladan con sus familias; aquí la institución brinda seguimiento continuo a las condiciones de salud de los NNA.

5.2.2. Relaciones con Figuras de Autoridad

No se reflejan conductas disruptivas frente a figurar de autoridad, pero si se menciona que surgen conductas desafiantes en la etapa de la adolescencia, justificando dichas acciones debido a cambios hormonales e intereses sociales.

5.2.3. Ausencia de la Familia Nuclear

Los NNA tienen libertad de comunicación (vía telefónica), pero existen visitas programadas bimestrales debido a la distancia de la institución, también cabe mencionar que se les brinda la oportunidad a los NNA de visitar a sus familias durante los periodos de vacaciones.

En dos casos la ausencia de los familiares causa ansiedad y en otro caso sentimientos de tristeza, pero a pesar se observa adaptación a la institución y al centro educativo.

En algunas ocasiones, en las visitas familiares, se comunican conflictos, estos producen tensión y frustración en los NNA; en contraposición los que no reciben visitas sienten agresión e impulsividad.

5.3. Estrategias de adaptación

5.3.1. Interacción Social

Los NNA establecen lazos basados en la solidaridad, los cuales se ven reflejados en una conducta donde impera la buena voluntad y el desarrollo de vínculos afectivos con sus contemporáneos. Lo anterior se ve reforzado en una dinámica de apoyo en doble vía, donde los adolescentes orientan, apoyan y refuerzan a los menores, y estos buscan corresponder con gratitud. Por ende, se observa una buena adaptación e integración social dentro del entorno escolar.

En un caso se observó una fuerte necesidad de aprobación por parte de personas adultas y superiores, para poder actuar y tomar decisiones, lo que implica el mejoramiento de las habilidades de comunicación e incremento de la seguridad.

5.3.2. Empoderamiento

Antes de hacer mención de los resultados, los NNA con VIH inicialmente sufrieron rechazo (año 2011) más influenciado por los padres de familia, que por los NNA de la comunidad; ante este hecho los niños fueron informados de la condición de sus compañeros y de sus derechos.

Por ello a raíz de esta situación los psicólogos de proyecto crearon un taller psicoeducativo sobre VIH. Otro aspecto por mencionar es que la información de que NNA presentan VIH positivo se mantiene con confidencialidad dentro del centro educativo y la comunidad; siendo los NNA los que tienen la libertad de expresar abiertamente su condición.

Es importante destacar que, a partir de la realización de los talleres, la recepción y aceptación de los padres de familia ha mejorado, como también la de los NNA miembros de la comunidad.

5.3.3. Seguridad e Independencia

La mayoría de los NNA tienen rasgos de extroversión, competitividad y orientación al logro, como formas de sublimar impulsos y otros para obtener atención y reconocimiento de quienes les rodean. El centro les desarrolla independencia por las actividades que realizan, enfocándose en su propio beneficio.

En dos casos se manifiesta ansiedad por la ausencia de sus familiares, sin afectar la motivación y el interés por aprender, que el ambiente académico les provee liberación de tensión y capacidad de integración social.

6. CONCLUSIONES

Con base a los resultados del estudio se logró identificar factores de protección que permiten una adecuada inclusión de los NNA con VIH en su entorno educativo, estos factores corresponden a un proceso adecuado integración dentro su ambiente escolar.

No se identificaron factores de riesgo de alto impacto, en términos generales la condición de VIH es atendida de forma adecuada y reduce el riesgo de enfermedades oportunistas que puedan atentar con la salud de los NNA, esto gracias a la importante labor del proyecto y sus colaboradores.

Producto de la adolescencia se han reportado conflictos con la autoridad, no asociados directamente con la condición de salud, los cuales logran resolverse oportunamente, dado el acompañamiento psicológico brindado.

Los NNA muestran buenas estrategias de adaptación, su interacción social es adecuada dado que, han desarrollado vínculos afectivos con sus pares, como también sentimientos de aprobación a sus figuras de autoridad; lo que se refleja en buenos resultados académicos.

Cabe destacar que los NNA del proyecto han logrado acoplarse de forma eficaz al entorno educativo, aun sin contar con estas condiciones; esto se explica, gracias al apoyo y la adecuada integración establecida con la comunidad y el centro educativo.

Diversos antecedentes sugieren que existe rechazo, deserción escolar, posibles accidentes físicos, prejuicio social, alteraciones sensoriales y neurológicas que afectan el aprendizaje del menor con VIH; cabe destacar que actualmente no presentan dichas problemáticas de forma significativa, esto se explica dado a la protección integral que se ha desarrollado entre la comunidad, el centro educativo y el proyecto.

Lo anterior expuesto, respalda planteamientos que dan valor al cuidado y atención de los NNA con VIH, con el involucramiento de todos los agentes involucrados en su desarrollo personal, social y académico; el cual debería estar integrado en un plan estratégico el cual no existe formalizado, pero si se ejecuta de forma empírica.

Este estudio es un insumo importante para la compresión de los NNA que viven con VIH, evidencia la importancia del trabajo en conjunto por lograr la inclusión en la escuela y posteriormente en su vida adulta.

Como uno de los ejes de mejora continua, es vital, estructurar talleres, conferencias y diseñar materiales psico-educativos, que faciliten la comprensión, desarrollo de empatía y disminución del perjuicio hacia los NNA que viven con VIH.

Es importante también diseñar estrategias donde se permita involucrar activamente a los padres de familia o cuidadores, para que estos integren un equipo para el apoyo en la adaptación integral eficiente.

Dado que los NNA se encuentran bien adaptados a su entorno educativo sería adecuado sistematizar las experiencias del proyecto "Montaña de Luz", para que las mismas sirvan de base para la implementación de políticas de inclusión en NNA con VIH em el resto del país. Los cuales deben enfocarse en (1) Promover factores de protección centralizados en el cuidado y aprovechamiento académico; (2) Disminuir los factores de riesgo orientados a la salud y no discriminación; (3) Logro de la adaptación escolar y social fomentando el empoderamiento de NNA, sin evidenciar su condición.

7. BIBLIOGRAFÍA

BERMAN, R., MERESMAN, S., GALVA, J., & RODRÍGUEZ , E. (2011). *Desarrollo Inclusivo: la experiencia de VIH-Sida.* En Breve.

Congreso Nacional de Honduras. (13 de noviembre de 1999). Ley Especial de VIH/SIDA. *La Gaceta número 29,020.*

Consejo Nacional de SIDA. (2015). *Resultados del informe nacional de progreso de la respuesta contra el VIH y SIDA.* Obtenido de http://www.unaids.org/sites/default/files/country/documents/HND_narrative_report_2015.pdf

Coordinadora de Instituciones Privadas Pro las Niñas, Niños, Jóvenes, Adolescentes y sus Derechos . (2006). *III Informe de la situación actual de la niñez hondureña.* Tegucigalpa.

El Espectador. (9 de mayo de 2012). *Por tener VIH positivo suspenden a dos niños de escuela en Cali. El espectador.*

El Heraldo. (23 de agosto de 2018). Más de 1,000 casos de VIH-SIDA se regitran al año en Honduras. Obtenido de https://www.laprensa.hn/honduras/1209827-410/m%C3%A1s-de-1000-casos-de-vih-sida-se-registran-al-a%C3%B1o-en-honduras

Fondo de las Naciones Unidas para la Infancia. (2006). *Convención sobre los derechos del niño*. Obtenido de http://www.un.org/es/events/childrenday/pdf/derechos.pdf

Fondo de las Naciones Unidas para la Infancia. (2012). *Educación de calidad y protección de la infancia y adolescencia*. Obtenido de https://www.unicef.org/honduras/17365_24257.htm

Fuente, A. (1999). La Escuela ante el SIDA y sus consecuencias. *Revista de curriculum y profesorado*, 1-10.

Fuenzalida, M. (2012). *Viviendo con VIH: aspectos psicológicos*. Talca.

GARCÍA, F., ALVIRA, F., & IBÁÑEZ, J. (2007). *El análisis de la realidad social. Métodos y técnicas de investigación*.

GARCÍA-CABRERO, B. (2009). *Manual de métodos de investigación para las ciencias sociales Un enfoque de enseñanza basado en proyectos.* . Ciudad Universitaría, Coyoacán: Manual Moderno.

LEYRE, L. (2017). *Factores de protección*. Crimipedia.

MILES, M. B., & HUBERMAN, A. (1994). *Qualitative data analysis: An expanded sourcebook*. Thousand Oaks, CA: Sage.

Organización Mundial de la Salud. (2015). *Objetivo Del Milenio 6: combatir el VIH/SIDA, el paludismo y otras enfermedades*. Obtenido de http://www.who.int/topics/millennium_development_goals/diseases/es/

Organización Mundial de la Salud. (2018). *VIH/SIDA*. Obtenido de http://www.who.int/topics/hiv_aids/es/

Otras voces en educación. (2018). Honduras: En 2018 la inversión por cada niño será de 1,300 lempiras. Obtenido de http://otrasvoceseneducacion.org/archivos/265899

Peters, S. (2006). Educación para todos: La inclusión de los niños con discapacidad. *En Breve*, 1-4.

Pinel, J. (2015). *Byopsichology*. México D.F.: Prentice Hall.

SAMPIERI, R., FERNÁNDEZ, C. P., & BAPTISTA, P. (s.f.). *Metodología de la Investigación*. México D.F.: McGRAW-HILL.

Secretaria de Educación de Honduras. (2014). *Reglamento de Educación Inclusiva*. Tegucigalpa.

ZEPEDA, L. (2017). El periodismo necesita inversión. Para compartir esta nota utiliza los íconos que aparecen en la página. Obtenido de https://www.elheraldo.hn/pais/1125297-466/por-qu%C3%A9-51918-ni%-C3%B1os-y-j%C3%B3venes-dejaron-las-aulas-este-a%C3%B1o-en

SEGUNDA PARTE
JUSTICIA JUVENIL

Capítulo 15
Principios para la prevención de la delincuencia

Elisa García España
Profesora Titular de Derecho Penal y Criminología
Universidad de Málaga
España
elisa@uma.es

1. INTRODUCCIÓN

Honduras tiene una de las tasas de homicidios más elevadas del mundo, con más de 40 homicidios por cada 100.000 habitantes según datos de la Organización de Naciones Unidas contra la Droga y el Delito. La violencia institucional, especialmente policial, y la intrafamiliar (agresiones físicas y sexuales dentro del hogar) también son destacables. Como otros países centroamericanos, está azotado por la delincuencia organizada y la corrupción. No cabe duda de que Honduras es un país que necesita repensar su política social y criminal en aras de un cambio que permita la paz social y el desarrollo económico.

La Criminología ha desarrollado estrategias de prevención de la delincuencia que funcionan, dando buenos resultados en la reducción del hecho criminal. Pero estas estrategias han sido diseñadas y testadas en países pacificados y con mayor desarrollo social, como son los anglosajones y los europeos principalmente (Farrell, Tilley, Tseloni, 2014). El contexto de violencia de estos países es muy distinto al que experimentan países como Honduras. La delincuencia en aquellos ha ido descendiendo a lo largo de las últimas décadas fruto de diferentes explicaciones, entre las más plausibles, el desarrollo económico y *social* (Dijk, Tseloni, Farrell, 2012). El traslado de programas concretos

de prevención de la delincuencia que funcionan en esos países no tiene
por qué funcionar en un entorno tan distinto como el centroamericano. Sin embargo, es posible iniciar un cambio social y político a partir
de un afrontamiento diferente en el tratamiento causal de la violencia,
asumiendo que las estrategias de prevención de la delincuencia deben
adaptarse a las necesidades locales.

Por eso, en estas páginas, más que exponer programas exitosos de
prevención de la delincuencia, se van a desarrollar principios básicos
que inspiran prácticas sociales recogidos por la Guía de prevención
de la delincuencia de Naciones Unidas (2011). Para entender adecuadamente tales principios se hace necesario desarrollar, desde el punto
de vista de la Criminología, el papel que juegan los diferentes actores
del control social formal e informal en la prevención o promoción de
la delincuencia. A partir de ahí se enriquecerá la explicación con los
diferentes momentos en los que se puede abordar la prevención de
la delincuencia, así como los diferentes ámbitos desde los que debe
afrontarse.

2. FACTORES DE RIESGO Y DE PROTECCIÓN DE LA DELINCUENCIA COMO PUNTO DE PARTIDA DE LA PREVENCIÓN DE LA DELINCUENCIA

No existe una definición consensuada de prevención de la delincuencia (Hazel, 2008), pero podemos entender por tal "las estrategias
y medidas encaminadas a reducir el riesgo de que se produzcan delitos
y sus posibles efectos perjudiciales para las personas y la sociedad, incluido el temor a la delincuencia, y a intervenir en sus posibles causas"
(ONU, 2011, pág. 9)

Por el contrario, sí existe un acuerdo científico más o menos mayoritario sobre los factores que colocan a la persona en una situación
de riesgo frente al delito y sobre los factores que le protegen frente a
él. Conocer estos factores de riesgo y protección permite elaborar una
serie de estrategias y programas encaminados a prevenir o reducir
hechos delictivos.

La Guía de prevención de la delincuencia de Naciones Unidas
(2011) enumera los factores de riesgo atendiendo a los niveles mun-

dial, nacional, local e individual. *A nivel mundial* se hace referencia a factores como los grandes movimientos de población, la rápida urbanización, los desastres ambientales, las recesiones económica y cambios de tendencias comerciales. Sin embargo, las investigaciones criminológicas más recientes han demostrado que esos factores lejos de ser un riesgo para la delincuencia, resultan ser protectores frente a la misma. Así, por ejemplo, los movimientos de población (flujos de migrantes) están resultando ser unas de las causas de la reducción de la delincuencia en los países receptores (Martinez y Lee, 1998; Rumbaut y Ewing, 2007; Sampson, 2008, Wadsworth, 2010, entre otros). Sin embargo, en un contexto de movilidad humana es posible que proliferen delitos como la trata de personas y de tráfico de inmigrantes. Por otra parte, elementos como la capacidad de gobierno parecen tener una mayor incidencia en la proliferación de delincuencia violenta. Piénsese, por ejemplo, en la capacidad de corruptela de grupos de delincuencia organizada internacional (tráfico de drogas, armas o personas) frente a instituciones y estructuras debilitadas.

Si descendemos a nivel nacional, la desigualdad social se postula como uno de los factores más potentes para el aumento de la delincuencia. De hecho, muchos estudios incluyen el coeficiente Gini (que mide la desigualdad de ingresos dentro de un país) para comparar los niveles de delincuencia en diferentes países en relación con dicho factor para demostrar que la desigualdad social tiene una relación causal con la delincuencia. Otros factores de riesgo son los altos niveles de corrupción, la baja calidad de las instituciones y ciertos patrones sociales.

A nivel local, las deficiencias de socialización como consecuencia de una baja calidad educativa, el fácil acceso a armas o la falta de cohesión social son elementos que contribuyen a la generación de la delincuencia.

La parentalidad errática, el grupo de amigo disocial, y determinados rasgos biológicos de la persona son factores de riesgo individuales que pueden derivar en conductas agresivas.

Frente a esos elementos desencadenantes de la delincuencia, hay otros que permiten resistirse a ella y que tienen que ver con la capacidad de las ciudades, comunidades e individuos para evitar el delito y la victimización a pesar de sus circunstancias. Estos factores de protección, que suelen ser opuestos a los de riesgo, son bajos niveles de desigualdad, calidad en la gobernanza, adecuados programas sociales y educativos, participación ciudadana, parentalidad positiva, etc.

Partiendo de este conjunto de factores de riesgo y protección a nivel nacional y local es posible diseñar programas de prevención de la delincuencia. Para ello es importante saber qué ámbitos y tipos de prevención de la delincuencia existen, lo que exponemos a continuación.

3. ÁMBITOS DE LA PREVENCIÓN DE LA DELINCUENCIA: INTERSECCIÓN ENTRE EL MOMENTO DE ACTUACIÓN Y EL OBJETO DE ATENCIÓN

Una de las formas más conocidas de clasificar los diferentes tipos de prevención es siguiendo el modelo usado en el campo de la salud pública (Medina, 2011). Para adaptarlo al ámbito de la Criminología solo debemos sustituir la enfermedad por el delito. Es decir, abordar la delincuencia como una epidemia y el delito como una enfermedad a prevenir y tratar. Por *prevención primaria* se entiende el conjunto de conocimientos y actuaciones encaminadas a evitar la aparición de problemas u oportunidades de riesgo, fortaleciendo los recursos del individuo y de su medio social. El delito (enfermedad) aun no ha aparecido. Suelen ser medidas que esperan alcanzar sus efectos a largo plazo, siendo el rédito político muy escaso. La *prevención secundaria* se orienta a evitar que los problemas se consoliden, trabajando con grupos de riesgo. En este caso el delito aun no ha aparecido pero está próximo a aparecer si no se pone remedio. En el ámbito de la salud son supuestos en los que tratamos de evitar que una enfermedad grave aparezca, aconsejándole al paciente fumador que deje el tabaco. En el ámbito de la Criminología sería el caso de las investigaciones sobre absentismo escolar, agresividad, consumo de drogas, etc. Son situaciones de riesgo que hay que abordar para evita que surja el delito. La *prevención terciaria* es sinónimo de tratamiento. Son actuaciones que recaen principalmente sobre el objeto de atención una vez que ya se ha producido el delito, intentando restablecer la situación y minimizar sus consecuencias. Cuando se diagnostica una enfermedad se pone un tratamiento. Igualmente cuando el delito se produce hay que tratar a la persona que cometió el delito para que no lo vuelva a cometer. Pero también hay que tratar a la víctima para evitar su victimización reiterada, así como reparar los daños materiales ocasionados para seguir fortaleciendo el control social informal.

Cada tipo de prevención puede recaer sobre distintas áreas u objetos de la Criminología. Véase el siguiente cuadro:

Tabla 1. Tipos de prevención según objeto de estudio

	Prevención primaria	Prevención secundaria	Prevención terciaria
OBJETIVO	Reducir oportunidades	Evitar que los problemas se consoliden	Disminuir daños y evitar repeticiones
1. Delincuente	Intervenciones estructurales a nivel social, sanitario, urbanístico, etc.	Prevención individual de trabajo social. Ej. Terapia drogadictos o tutela de menores	Reinserción y rehabilitación (tratamiento del delincuente) (Redondo, 1998)
2. Víctima	Reducción de sentimientos de inseguridad ciudadana	Autodefensa y saber reaccionar ante un delincuente	Terapia de crisis. Restitución.
3. Control social formal e informal	Organización policial, judicial y penitenciaria. Estructuras sociales en barriadas, etc.	Evitar reacciones policiales o judiciales discriminatorias por el tipo de delito, de autor o de víctima	Colaboración ciudadana en el esclarecimiento de delitos
4. Delito	Urbanismo y espacio defendible	Sistema de protección: alarmas, etc (Felson,1998)	Reparar y evitar deterioros de edificios

Por ello, la Criminología puede aportar conocimientos en la prevención de la delincuencia concretando el objeto de estudio y el tipo de prevención que realmente se desea.

En cuanto al delito y su posible prevención destacamos las acciones encaminadas a mejorar el medio. Desde el punto de vista de la prevención primaria habría que evitar la aparición de oportunidades delictivas. En este sentido se han orientado las investigaciones realizadas en el seno de la teoría del "Espacio defendible" de Newman.

La idea es fortalecer el medio social en el que se desenvuelven los individuos para evitar la aparición de problemas o conflictos. La prevención secundaria del delito surgiría una vez que se ha detectado un problema en un determinado área de la ciudad y se quiere evitar que este problema se consolide. Por ejemplo, a partir de un análisis cartográfico de la delincuencia en una ciudad se detecta que en determinada zona están comenzando a concentrarse denuncias por hurtos y robos en comercios. Una actuación de prevención secundaria podría ser que los comerciantes dispusieran de sistemas de alarmas y de dispositivos visuales de control interior de su establecimiento para disuadir la comisión del delito y evitar que en esa zona se consolide el problema. La prevención terciaria del delito consistiría en reparar la zona urbana que ha sido objeto frecuente y constante de hechos delictivos, con la finalidad de evitar que continúe su deterioro y el aumento de la delincuencia.

La intervención con delincuentes (sean estos potenciales delincuentes o tengan ya una carrera delictiva consolidada) ha sido el tipo de estudios que ha monopolizado a la Criminología durante mucho tiempo. Si con el Positivismo el objetivo era encontrar el factor diferencial entre delincuentes y no delincuentes, actualmente se trabaja sobre las situaciones de riesgo potenciales y reales, por una parte, y sobre deficiencias psicológicas de delincuentes, por otro. Desde el punto de vista de la prevención primaria, las actuaciones deben dirigirse a la población en su conjunto. Son actuaciones de política social, de gestión municipal sobre distribución de recursos, de apoyo a la familia y control escolar como pilares centrales del control social informal. Pero es posible, y además frecuente, que en determinados colectivos, principalmente jóvenes, surjan situaciones conflictivas asociadas en términos de alta probabilidad a comportamientos delictivos. Me estoy refiriendo al consumo reiterado de drogas, situaciones de desamparo en menores de edad, absentismo escolar, etc. En estas circunstancias la prevención secundaria tiene que actuar sobre los sujetos que se encuentran en esta situación de riesgo delictivo para evitar que deriven en comportamientos delictivos. La prevención terciaria es el conjunto de actuaciones encaminadas a la reinserción del sujeto infractor a través de programas específicos en medio abierto o cerrado.

La Criminología también puede diseñar programas de prevención desde las propias víctimas. La prevención primaria debe conseguir que el sistema penal en su conjunto sea de la confianza de la ciudadanía. Es en esta intersección donde se estudian los sentimientos de inseguridad y miedo al delito. Sería preciso hacer partícipes a los ciudadanos en las políticas de seguridad. Esto se puede conseguir realizando anualmente encuestas de victimización. Con ellas se fomenta la participación ciudadana y, a través de la divulgación de sus resultados, se consigue un enorme efecto educativo en los ciudadanos. Algunos países europeos han promovido la creación de equipos preventivos multidisciplinares o interdisciplinares, que no solo persiguen la participación ciudadana organizada, sino también ser eficaces en la prevención del delito. Este fomento responde al nuevo concepto de "community governance", mediante la cual la delincuencia se percibe como problema de "todos" en una localidad. En los foros multidisciplinares cada representante de un organismo colabora en la "community", pero sus funciones y las de su organismo no cambian. En los foros interdisciplinares hay una fusión de funciones y el trabajo resultante transciende, es más que una suma de las partes. Por ejemplo, en 1998 bajo el gobierno del Partido Laboralista en Gran Bretaña se aprobó el Crime and Disorder Act que representó la primera vez que en ese país se obligaba por ley a la policía y las corporaciones locales a colaborar en la creación y puesta en marcha de estrategias de prevención de la criminalidad. Según Hough y Tilley (1998), estas estrategias de participación presentan algunas dificultades, como la ignorancia de algunos participantes, la desconfianza, el abuso del foro para adelantar las prioridades de uno de los organismos miembros, la falta de conocimientos sobre la prevención de la delincuencia, la tendencia a hablar más que actuar, la presencia de ideologías de trabajo opuestas, y la desigualdad de poder entre los organismos participantes, entre otros. Sin embargo, un foro de participación de este tipo puede alcanzar, según esos autores, muy buenos resultados si tiene objetivos claros, el compromiso de sus miembros de desarrollar, actuar y mantener las estrategias acordadas, liderazgo y coordinación eficaz y permanente, participación periódica de altos cargos de los organismos participantes, información y formación en materia de prevención de la criminalidad y la asistencia de buenas bases de datos para el proceso de resolución de problemas. La prevención secundaria sobre la víctima se produce en aquellos casos en los que se ha detectado una situación de riesgo especial para un determinado colectivo. Así, en el caso de que en una determinada zona se estén produciendo agresiones sexuales en serie contra un determinado perfil de víctima, la prevención secundaria estaría formada por todas aquellas actuaciones tendentes a su propia autodefensa y a identificar la posible situación de peligro de potenciales víctimas. Por último, la prevención terciaria con la víctima persigue la reparación del daño y un tratamiento individualizado en caso de crisis post-traumática. Con ello se previene una posible reacción descontrolada de la víctima del delito. Las actuaciones propias de la mediación o la justicia reparadora tendrían como objetivo este tipo de prevención.

Dentro de la prevención y el control del delito, los estudios criminológicos sobre el control social pueden contribuir no solo a aumentar la eficacia del sistema penal, sino también a eliminar actuaciones. Entendiendo que el delito es en parte realidad y en parte construcción a raíz de la reacción social, estamos manifestando que la actuación de la policía y del sistema judicial contribuye a delimitar qué es un delito y cuál es su volumen oficial desde el momento en que realizan un atestado policial o una detención, o se aplica la ley penal de una determinada forma. En consecuencia, se pueden aportar conocimientos criminológicos importantes que contribuyan, por una parte, a prevenir el delito y, por otra, a evitar actuaciones sesgadas por parte de los agentes del sistema penal. En relación con este último concepto, desde el punto de vista de la prevención primaria las actuaciones deben estar encaminadas a la formación continua y especializada de los aplicadores de la norma. Con la prevención secundaria se intenta que no se generalicen prácticas por parte de los agentes penales que puedan contribuir a que en el imaginario social se creen definiciones erróneas sobre la participación de ciertos colectivos en la delincuencia. A esto se encaminan, por ejemplo, las investigaciones sobre la discriminación racial en las actuaciones policiales de identificación y detención ("racial profiling"). Este tipo de estudios suelen tener como objetivo primordial sensibilizar a las fuerzas de seguridad sobre unas prácticas que pueden representar un trato discriminatorio hacia determinados colectivos (habitualmente inmigrantes o gitanos en el caso español) y que no implican mayor eficacia policial en la prevención del delito, provocando por otra parte en estos colectivos desconfianza hacia la policía (García España, Arenas García y Miller, 2016).

La Criminología, además, puede contribuir a mejorar las respuestas del sistema penitenciario, tanto en medio abierto como cerrado. En cuanto a la prevención terciaria se concreta en el diseño de programas encaminados a la reinserción social y a proporcionar a las personas que trabajan en prisión –funcionarios, educadores, asistentes sociales, etc. o a las de libertad vigilada o agentes de libertad condicional– un mejor conocimiento de cuáles son los factores que con más intensidad inciden en el complejo entramado criminal.

4. PRINCIPIOS BÁSICOS PARA LA PREVENCIÓN DE LA DELINCUENCIA EN HONDURAS

La Guía para la aplicación de las Directrices para la prevención del delito de la Oficina de Naciones Unidas contra la Droga y el Delito (ONODC) es una herramienta práctica para ayudar a los países a iniciar estrategias en la prevención de la delincuencia. Para alcanzar la reducción del delito este organismo se apoya en la defensa de los derechos humanos y en una cultura de legalidad que promueva la prevención del delito y la reforma de la justicia penal.

Con todo, toda estrategia de prevención que pretenda ser eficaz y alcanzar resultados beneficiosos debe tener un enfoque comunitario y proactivo (Sansfacon & Welsch, 1999; Waller, 2006). El enfoque comunitario se sustenta en el hecho de que los factores causales de la delincuencia son multivariables (sociales, económicos y ambientales). La lucha contra la delincuencia no se puede hacer descansar únicamente sobre el sistema de justicia y el derecho penal, sino que requiere del concierto de todos los agentes concernidos (ámbitos educativo, sanitario, vivienda, urbanismo, empleo, servicios sociales, etc.). Esto conlleva adoptar acciones proactivas, esto es, previas a la aparición de conflictos y la victimización, mejor que acciones reactivas propias del derecho penal y el sistema judicial.

Además de lo anterior, la prevención del delito necesita para su abordaje partir de una serie de criterios o principios básicos. A continuación se exponen los elementos detectados por la Guía (2011) para que la prevención del delito pueda iniciarse en países con realidades tan complejas como la hondureña.

4.1. Impulso gubernamental

La función de un gobierno central es procurar la dirección, coordinación, financiación y recursos adecuados. Además, la prevención de la delincuencia debe estar presente en las estructuras y programas del gobierno. Para ello es necesario establecer un plan con prioridades y objetivos claros. Un plan nacional para la prevención de la delincuencia debe basarse en consultas con el mayor número posible de sectores, incluida la opinión pública, y debe basarse en resultados científicos y en la recopilación de datos del país o región concretos. Solo a través del conocimiento empírico de la realidad es posible establecer realmente cuáles son las prioridades de intervención a corto, medio o largo plazo. Para ello es importante establecer unos objetivos y las áreas de actuación, atendiendo de forma prioritaria las necesidades de los grupos en situación de riesgo.

Una vez establecidos los objetivos principales del plan, hay que concretar igualmente los recursos necesarios, un cronograma de actividades y quienes serán los que participarán en su ejecución.

Una dificultad que suelen encontrar los gobiernos es estimular a sus ministerios a operar con objetivos comunes de forma multisectorial, en lugar de trabajar solo en las esferas propias de sus competencias. De hecho, no suele ser fácil que los ministerios de salud, urbanismo o trabajo hagan aportaciones importantes a la prevención de la delincuencia y a la seguridad de las comunidades.

Pero también es importante que se involucren los medios de comunicación y la ciudadanía ya que la política pública en materia criminal puede estar condicionada por la alarma social creada por la exposición de determinados acontecimientos en los medios de comunicación. De hecho, es habitual que los medios se centren en los delitos más violentos, determinando la actitud pública frente al delito. Sin embargo, también se sabe que cuando se aporta una información más equilibrada la opinión pública suele respaldar estrategias de prevención del delito. Por ejemplo, en El Salvador, se hizo un estudio sobre percepción pública de la delincuencia que puso de manifiesto que, si bien muchas personas pensaban que había que reforzar la policía y endurecer las penas, la mayoría opinaba que era necesario poner en marcha programas de prevención (Cañas, 2009).

Es por ello muy importante que la población esté informada sobre los resultados positivos de los programas que se ejecutan y trabajar con los medios de comunicación para generar una información equilibrada sobre la delincuencia y las posibilidades de prevenirla.

Por otra parte, hay otros agentes que también hay que involucrar. De hecho, en muchos países los gobiernos han realizado fuertes vínculos con universidades o con organismo de investigación con el fin de que presten asesoramiento, selecciones proyectos para su financiación, evaluar políticas y programas ejecutados, realizar investigaciones y ayudar a crear sistema de recopilación de datos. Una de las organizaciones de investigación regionales que merecen la pena resaltar en este sentido es la Facultad Latinoamericana de Ciencias Sociales (FLACSO) que coordina centros universitarios y de investigación de América Latina para el trabajo sobre temas de seguridad y prevención.

Otra forma de obtener ideas y capacitación en la prevención de la delincuencia es a través del intercambio de información y experiencias entre países y ciudades como el Programa Ciudades más Seguras de las Naciones Unidas conocido como ONU-Habitat.

4.2. Estrategias basadas en el conocimiento eficaz e inclusivo

Se pone de manifiesto en el Manual que las intervenciones encaminadas a la reducción de la delincuencia deben basarse en conocimientos e información adecuados y científicamente validados gracias a la evaluación de proyectos empíricos sobre inclusión social.

La inclusión social es un enfoque con el que se pretende apreciar las necesidades y experiencias de todos los sectores de la sociedad. Eso significa tener especialmente en cuenta a las personas más empobrecidas, grupos minoritarios, menores en la calle, y mujeres victimizadas. La mirada de estos grupos es bastante diferente a la del resto de la población y sus tasas de victimización no suelen recogerse en las estadísticas oficiales.

Por otra parte, cualquier estrategia de reducción de la delincuencia requiere previamente conocer la incidencia y prevalencia de la delincuencia en el país o región en el que se quiere intervenir; contar con conocimientos científicos sobre las causas del delito; y recabar información sobre políticas y buenas prácticas obtenidas de la evaluación de programas.

Para conocer la incidencia y prevalencia de la delincuencia, incluyendo en el diagnóstico la perspectiva inclusiva relativa a los grupos más vulnerables y excluidos, se recomienda utilizar, no solo estadísticas oficiales adecuadamente elaboradas por la policía, sino también a través de métodos complementarios diversos como las encuestas de victimización, autoinformes de delincuencia, sistemas de información geográfica, o técnicas cualitativas como entrevistas, grupos de discusión.

Las estadísticas policiales son necesarias como base del conocimientos delictivo, pero no siempre son fáciles de elaborar. Internacionalmente es sabido que las estadísticas oficiales no se corresponden con la realidad delictiva (Van Dijk, 2006) en ningún país del mundo, pero nos acercan a esa realidad y nos informa de la reacción de la policía frente a ciertos delitos y no otros. Para superar las limitaciones de las estadísticas oficiales, existen otras técnicas de investigación muy utilizados por la comunidad científica.

Así, las encuestas de victimización pretenden conocer la delincuencia sufrida por la población que no es denunciada y, por tanto, desconocida. De esta forma se puede complementar el conocimiento adquirido con las estadísticas oficiales. También permiten analizar problemas de delincuencia concretos o de poblaciones afectadas como victimización de menores. Con la intención de extender las encuestas de victimización como instrumento de ayuda a los países y ciudades se elaboró una encuestas de victimización internacional que ofrece un cuestionario estandarizado para permitir comparaciones entre países (Díez Ripollés, J.L. & García-España, 2009; García-España, Díez-Ripollés, Pérez, Benítez, Cerezo, 2009).

Las encuestas de autoacusación (o autoinformes de denuncia) suelen realizarse sobre grupos de población, normalmente jóvenes, para saber el número de delitos que han cometido (Fernández, Bartolomé, Rechea y Megías, 2009). Con este tipo de técnica es posible conocer hechos sin víctimas, como tráfico de drogas, no conocidos por la policía y en los que no hay una víctima a la que preguntar como en la técnica anterior.

Los sistemas de información geográfica (SIG) suelen emplearse como un instrumento de apoyo del control policial y combina datos policiales con información sobre localización espacial. Se suelen usar con fines operacionales, tácticos y estratégicos. Pero una de las grandes aportaciones de los SIG son los datos geocodificados, es decir, la información geográfica precisa donde se comenten los delitos, facilitando buenos modelos analíticos.

También son interesantes para alcanzar un buen conocimiento de la delincuencia las fuentes cualitativas (entrevistas, grupos de discusión, entre otras) ya que permiten ahondar en motivos y causas que no son detectables a través de la metodología cuantitativa anteriormente expuesta.

Una vez realizado el diagnóstico de la realidad sobre la que se quiere intervenir, es necesario armarse de conocimientos científicos eficaces que permitan abordar adecuadamente los objetivos propuestos. Un recurso importante para saber cuando estamos ante conocimientos y buenas prácticas validados internacionalmente son las evaluaciones realizadas por la Colaboración Campbell. Además, cada vez se dispone de estudios científicamente fiables en América Latina llevados a cabo por FLACSO. Esta fuente es muy importante para que Honduras concrete proyectos que ya han sido validados en países vecinos con contextos parecidos.

4.3. Planificación, seguimiento y evaluación

Para la prevención del delito es importante seguir un plan que contemple un proceso sistemático de elaboración y ejecución de las actividades diseñadas. En Europa suele seguirse para la elaboración de esta planificación lo que se denominan las cinco íes: inteligencia, intervención, implementación, implicación e impacto. Pero son las normas Beccaria para una adecuada calidad en la gestión de los proyectos de prevención del delito las que ofrecen de forma detallada las fases de planificación y gestión de proyectos (Marks, Meyer y Linssen, 2005).

En países como Honduras, uno de los grandes problemas es la delincuencia organizada y el tráfico de drogas transnacional. Este tipo de delincuencia afecta también a la seguridad local y no puede combatirse solo a través de la seguridad en las fronteras o actuando contra grandes traficantes internacionales. La delincuencia organizada se sostiene a través de redes de personas convencidas de que su participación en ese grupo criminal le reportará beneficios. En comunidades locales pobres y desfavorecidas, como puede ser San Pedro Sula o algunas áreas de Tegucigalpa, integrarse en ese tipo de grupos puede ser una de las pocas opciones que tengan los jóvenes. En otras ocasiones los grupos de delincuencia organizada extorsionan a los jóvenes de las comunidades locales para que formen parte de sus filas. Por todo esto es importante tomar medidas de prevención de ámbito local. Es habitual que el tipo de medidas que se tomen sean de represión y por tanto reactivas. Sin embargo, son las medidas proactivas y comunitarias las más eficaces. De ahí la necesidad de invertir en estrategias de educación, empleo, servicios públicos y ocio, entre otras.

Para abordar la prevención de la delincuencia, ya sea a nivel nacional o local, lo importante es plantearse objetivos claros, concretos y alcanzables en un periodo entre 3, 5 e incluso 10 años. Los objetivos deben plantearse en función a los principales problemas detectados y sus causas probables. En torno a ello se diseñan un conjunto de iniciativas y actores que participarán en su ejecución, teniendo en cuenta los recursos necesarios para ello. Un ejemplo de eso son los Planes de acción para combatir la violencia contra la mujer en Alemania. El Gobierno Federal alemán incluyó en el plan de acción de 1999 la necesidad de revisar la legislación vigente, cooperar con organizaciones no gubernamentales, intervenir con los infractores, sensibilizar a los expertos y a la ciudadanía y fomentar la cooperación internacional en la materia.

También a nivel de gobiernos locales existen actualmente herramientas útiles para orientar el desarrollo de la prevención del delito que se han elaborado a partir d la experiencia práctica de muchos países. Entre ellas destacamos el Manual de Seguridad Ciudadana "La clave para municipios más seguros en América Latina" del Banco Interamericano de Desarrollo (2009). Un ejemplo de cómo desde los gobiernos locales puede responderse de manera sistemática y planificada al aumento de violencia y homicidios, poniendo en marcha una serie de iniciativas muy eficaces es Bogotá. En esta ciudad se implementaron campañas para promover el desarme de los ciudadanos y el control del consumo de alcohol mediante sistemas de información eficaces; e emprendieron también medidas para rehabilitar espacios urbanos deteriorados; se constituyeron comités de seguimiento de la delincuencia de barrio para fomentar las relaciones de colaboración entre la policía de proximidad y los residentes locales; y la reforma y modernización de la policía y se adoptó un enfoque epidemiológico para el seguimiento de datos de delincuencia, lo que permitió adoptar medidas de prevención (Buvinic, Alda y Lamas, 2005).

Las medidas emprendidas por Bogotá tuvieron un reflejo en la reducción de los homicidios de 80 a 28 por cada 100.000 habitantes, y las detenciones policiales aumentaron un 400% sin incrementar el número de efectivos. Este éxito tiene que ver con el compromiso a lo largo de tres equipos de gobierno diferentes con dicho plan y la asignación de recursos suficientes para su ejecución. Sabemos que el caso de Bogotá ha sido eficaz gracias a la evaluación que todo tipo de programa de estas características requiere. La evaluación de los programas puestos en marcha es otra de las recomendaciones de las Directrices de Naciones Unidas para la prevención de la delincuencia. Estas evaluaciones suelen centrarse en el grado de implementación del diseño inicial y de los resultados conseguidos. En cualquier caso, todos los programas que se pongan en marcha, aunque hayan sido validados, deben ser evaluados. Para ello, muchos gobiernos acuerdan con universidades y centros de investigación como evaluadores externos de los programas de prevención de la delincuencia emprendidos.

4.4. Coordinación de los agentes clave

Uno de los elementos más dificultoso pero a la vez más importante es la colaboración o el trabajo con agentes clave comprometidos con la reducción de la delincuencia. La Administración pública necesita tiempo para colaborar con otras entidades y estar dispuestos a compartir datos.

La policía es un agente clave esencial para la reducción de la delincuencia siempre que adopte un enfoque proactivo y orientado a los problemas. Para ellos es necesarios que las estructuras policiales sean menos jerárquicas y más flexibles en la toma de decisiones en los mandos inferiores; preparar respuestas proactivas, más que reactivas, a la delincuencia; y trabajar con la comunidad y gobiernos locales. El modelo de control policial orientado a la comunidad existentes en Colombia, por ejemplo, es un buen ejemplo de sistemas de policía accesibles localmente que cuentan con pequeñas comisarías situadas en los diferentes barios y cooperan con la comunidad. La idea es que la policía, como servicio público, atienda a las preocupaciones de los vecinos y usuarios locales. También las comisarías de policías de mujeres son un recurso muy usado en América Latina (Brasil, Ecuador, Nicaragua y Perú) como estrategia para que las mujeres aumenten su disposición a denunciar la violencia que sufren en el entorno familiar y público, y aumentar la sensibilización sobre el tema. Dan empleo a mujeres policías y personal de apoyo femenino, con formación especializada en violencia contra la mujer, y colaboran con los servicios locales.

Además de la policía, un agente clave en la reducción de la delincuencia es el sector de la justicia y los servicios de reinserción. Existe una variedad de enfoques en tema de reinserción que van desde los programas en prisión preparatorios para la puesta en libertad, hasta supervisión en libertad y ayuda para la formación en prisión, dándole continuidad tras salir de prisión. Un buen número de programas de reinserción incluyen componentes de justicia restaurativa con el fin de mejorar las relaciones comunitarias, reafirmar los valores, ayudar a las víctimas, estimular la asunción de responsabilidad por el victimario y prevenir la reincidencia alentando al cambio y la convivencia pacífica en la comunidad.

4.5. Movilización de la sociedad civil

Los gobiernos no pueden prevenir la delincuencia o construir ciudades más seguras sin la participación y la implicación de los ciudadanos. Por eso, entre los agentes clave más importantes está la sociedad civil organizada. Un ejemplo del importante papel de la sociedad civil en la prevención de la delincuencia fue el llevado a cabo en el Salvador. La sociedad civil organizada lideró una sociedad colaborativa con el gobierno. Entre otros logros, esta iniciativa consiguió que se estableciera una Comisión Nacional de Seguridad Ciudadana y Paz Social con representación de los cinco partidos políticos existentes, universidades, sector privado y grupos de ciudadanos y religiosos. De dicha comisión surgió un documento con 75 propuestas para reducir la violencia armada en El Salvador.

Pero los mecanismos de participación de la sociedad civil son diversos: Una de ellos es el conocido en América Latina como los "presupuestos participativos" en donde los vecinos escogen los proyectos a los que asignar determinada dotación presupuestaria, permitiendo cambios en la comunidad a iniciativa vecinal.

Otra forma de participación es a través de las evaluaciones o auditorías participativas por grupos comunitarios. Este tipo de participación fomenta la colaboración con las autoridades locales. Un ejemplo de este tipo de auditorías es el referido a la seguridad de la mujer promovidas por movimientos feministas con el objetivo de introducir cambios en los barrios o espacios públicos. La mejora se observa en el alumbrado público, la creación de espacios infantiles y en el uso de espacio público por parte de la mujer que antes eran reacias a usar por miedo a ser victimizadas.

Entre la sociedad civil organizada merece la pena destacar las organizaciones no gubernamentales, por su especialización en los temas a los que se dedica y por su cercanía a los ciudadanos, y el sector privado. Este último, compuesto por negocios, fábricas y comercios, puede verse muy afectado por los niveles de delincuencia, y además tiene potencial para la creación de empleo y el desarrollo económico de la zona. Por tanto, es un colectivo especialmente interesado en contribuir a la implementación de políticas de seguridad pública.

5. CONCLUSIÓN

Tras más de 20 años de proyectos pilotos y evaluaciones, son muchos los ejemplos de políticas y prácticas eficaces para la reducción de la delincuencia que deben tenerse en cuenta a la hora de diseñar estrategias de prevención del delito. Si bien es cierto que la mayoría de las investigaciones y experiencias se han desarrollado en países con altos ingresos, no son desdeñables los proyectos puestos en marcha en ciudades o países con características similares a la realidad hondureña. Por lo que es posible, a partir de estos principios básicos expuestos, liderar una iniciativa para diseñar un plan estratégico de actuación que encamine a Honduras hacia una mayor cohesión social y pacificación comunitaria.

No existe ningún enfoque óptico en la reducción del delito. El uso de una variedad de enfoques capaces de responder a las necesidades locales y problemas concretos de delincuencia y victimización a corto y largo plazo es la recomendación que se alcanza tras la exposición de los principios básicos de prevención de la delincuencia expuestos en estas páginas.

6. ACTIVIDAD PARA EL LECTOR HONDUREÑO

En Honduras se han creado las mesas de seguridad ciudadana hondureñas. Estas son consejos consultivos comunitarios locales que sustituyeron al anterior Programa de comunidad más segura establecido por el Gobierno a nivel nacional. Las mesas cooperan regularmente con la policía municipal local, la justicia y otros sectores.

¿Son estas mesas de seguridad ciudadana lideradas por la sociedad civil? Desarrolle su respuesta remitiéndose al origen de las mismas y a su desarrollo posterior.

7. BIBLIOGRAFÍA

BUVINIC, M., ALDA, E. y LAMAS, J. (2005). *Emphasizing Prevention in Citizen Security. The Inter-American Development Bank's Contribution to Reducing Violence in Latin America and the Caribbean.* Inter-American Development Bank. Washington D.C. https://www.academia.edu/3038446/Emphasizing_prevention_in_citizen_security

CAÑAS, J.S. (2009). "La victimización y la percepción de inseguridad en El Salvador en 2009". *Boletín de prensa*, año XXIV, n° 5 del Instituto Universitario de Opinión Pública.

DÍEZ RIPOLLÉS, J.L. & García España, E. (2009). *Encuesta a víctimas en España.* IAIC y Cajasol Fundación.

DIJK, JAN VAN; Tseloni, A.; Farrell, G. (2012). *The International Crime Drop: New Directions in Research.* Springer. p. 203.

FARRELL, Graham; TILLEY, Nick; TSELONI, Andromachi (September 2014). "Why the Crime Drop?" . Crime and Justice. *43* (1): 421–490.

FELSON, M. y Clarke, R. (1998). *Opportunity Makes the Thief.* Police Research Series, paper 98, London: Home Office.

FERNÁNDEZ, E., BARTOLOMÉ, R., RECHEA, C. y 0, A. (2009). "Evolución y tendencias de la delincuencia juvenil en España". *Revista española de investigación criminológica*.

GARCÍA ESPAÑA, E.; Díez Ripollés, J.L.; Pérez Jiménez, F.; Benítez Jiménez, M.J.; Cerezo Domínguez, A.I. (2009). "Evolución de la delincuencia en España: Análisis longitudinal con encuestas de victimización". *Revista española de investigación criminológica*.

HAZEL, N. (2008). *Cross-national comparison of youth justice*. Youth Justice Board. London.

MARTÍNEZ, R. Jr. y LEE, M.T. (1998). "Immigration and the ethnic distribution of homicide in Miami", 1985–1995. *Homicide Studies*, 2

MARKS, E. MEYER., A y LINSSEN, R. (2005).*Quality in Crime Prevention*. Hannover.

RUMBAUT, R. G. y EWING, W.A. (2007). *The Myth of Immigrant Criminality and the Paradox of Assimilation. Incarceration rates among Natives and Foreing-born Men*. Immigration Policy Center (A Division of the American Immigration Law Foundation).

SAMPSON, R. (2008). "Rethinking Immigration and Crime", *Contexts*, num. 7.

SANSFACON, D. y WELSCH, B. (1999). *Crime Prevention Digest II: Comparative Analysis of Succesful Community Safety*. Centro Internacional de Estudio para la prevención de la Criminalidad. Montreal.

UNODC (Oficina de las Naciones Unidas contra la Droga y el Delito) (2011).. "Manual sobre la aplicación eficaz de las Directrices para la prevención del delito". *Serie de Manuales sobre Justicia Penal*. Naciones Unidas. Nueva York.

WALLER, I. (2006). *Less law, More order: The Truth about reducing crime*. Pleaguer Publisher. Connecticut.

WADSWORTH, Tim (June 2010). "Is Immigration Responsible for the Crime Drop? An Assessment of the Influence of Immigration on Changes in Violent Crime Between 1990 and 2000". Social Science Quarterly. *91* (2): 531–553.

Capítulo 16
La delincuencia juvenil internacional y hondureña

Luz María Durán Moreno
Profesora Investigadora
Universidad de Sonora
México
luzmaria.duran@unison.mx

1. INTRODUCCIÓN

El objetivo de este capítulo es brindar una visión del comportamiento delictivo y violento de los jóvenes en el ámbito internacional, de la región centroamericana y de Honduras en particular, que permita identificar tendencias generales por países y relacionar las condiciones del entorno con la fenomenología de la criminalidad para el caso de Honduras.

A partir de diversos informes estadísticos se describen algunas tendencias de las conductas delictivas de los jóvenes, identificando algunas características en términos de tipos de conductas delictivas principalmente, grupo de edad y género, como elementos referenciales de comportamientos delictivos en diferentes contextos, haciendo hincapié en la limitación de las estadísticas delictivas y la propuesta alterna para una mejor comprensión de este fenómeno.

Además, partir de estos datos e informes de organismos internacionales y de los propios de Honduras, se delimita en forma sucinta la fenomenología de la delincuencia juvenil de ese país y el abordaje desde la criminología para el análisis de la conducta violenta, así como una breve referencia a la política criminal de Estado como respuesta al contexto de la violencia y delincuencia en Honduras.

Cabe señalar que la delincuencia juvenil se refiere a los delitos cometidos por la población de personas entre los 15 y 24 años de edad (ONU, 1985), aunque algunos de los datos amplían este rango hasta 29 años, lo anterior con independencia de los límites de edad que marca cada legislación para considerar adultos a partir de los18 años.

2. EL CONTEXTO INTERNACIONAL DE LA DELINCUENCIA JUVENIL

La delincuencia juvenil es una problemática que se presenta en todo el mundo, mostrando diversas tendencias por países o regiones según la presencia en el entorno social de diversos factores como el nivel de desarrollo económico, la presencia de conflictos armados, grados de impunidad, participación de la comunidad en la supervisión y el control social, narcotráfico y consumo de drogas, por mencionar algunos componentes que muestran influencia en las trayectorias de la delincuencia juvenil.

Respecto a la prevalencia de la criminalidad de los jóvenes en relación con la criminalidad total, el promedio es el 7%, según el International Statistic on Crime and Justice, aunque las cifras varían por países, observando extremos como el 1% en Japón y Belice, hasta el 44% en Ucrania. En la prevalencia por género, la participación de mujeres oscila entre el 10 y el 15% del total de la población delincuencial, presentando también valores discordantes como el 30% registrado en Barbados, contrario a Jordania que no cuenta con registros de delincuencia de mujeres (Harrendorf, Heisaken & Malby, 2010).

Es importante señalar que las estadísticas de delincuencia en los países que se presentan en el siguiente apartado son datos registrados de acuerdo con las categorías y criterios de cada nación, es decir, no corresponden a normas metodológicas que permitan una clasificación uniforme de los delitos y conductas antisociales a nivel internacional, y en consecuencia no son datos comparables. La delincuencia debe medirse no solo de forma válida y confiable, sino también de forma similar.

Pese a los esfuerzos llevados a cabo por las oficinas de las Naciones Unidas, los datos que nos ofrecen las estadísticas no son las estadísticas no son del todo confiables y eficaces a la hora de realizar criminología comprada, y no son del todo eficaces a la hora de realizar criminología comparada, sin embargo, resultan de utilidad a la hora de reflejar la tendencia de la delincuencia juvenil.

Ante las limitaciones de este tipo de datos, la criminología ha creado instrumentos propios –encuestas de victimación y cuestionarios de autoinforme– con el propósito de proveer información suficiente, válida y confiable, acerca del delito, los actores y las circunstancias que actúan alrededor del mismo, posibilitando con ello profundizar en el conocimiento de la criminalidad y probar hipótesis para la verificación de sus teorías. La encuesta de autoinforme fue elaborada por el Grupo de Trabajo The International Self-Report Delinquency Study (ISRD)[1], del cual ya se cuenta con la tercera versión (ISRDI y ISRDII), perfeccionando el instrumento, la metodología y el incremento de los países participantes (Junger-Tass et al. 2010; Rechea, 2008). El perfeccionamiento del instrumento y su probada validez ha hecho de éste una referencia importante en los estudios sobre delincuencia juvenil, posibilitando el estudio desde diferentes perspectivas sobre este fenómeno.

Estos instrumentos, además de proveer información sobre las conductas antisociales y delictivas no detectadas por el sistema de justicia, también permiten identificar variables psicosociales y socioeconómicas que se relacionan con este fenómeno, así como información sobre los

---

[1]   El origen del autoinforme se remonta a mediados de los años cuarenta, en una investigación dirigida por Portefield (1946), en la que se aplicó una encuesta a los jóvenes donde se les preguntaba si habían llevado a cabo alguna de las 55 conductas de una lista. En la década de los setenta se perfecciona el instrumento y se comienza a utilizar el autoinforme para verificar las teorías (Hirschi, 1969), y a partir de los ochenta el método de autoinforme se generaliza para el estudio de la delincuencia juvenil y ello permite el mejoramiento de este instrumento; actualmente es considerado como el mejor método de administración, búsqueda de ítems sensibles, utilización de niveles de respuesta ajustados, etc. (Junger-Tas et al. 1994; Rechea et al., 1995). En 1988, un grupo de científicos reunidos en Noordwijkerhout (Holanda), decidió realizar un estudio sobre consumo de drogas y delincuencia en jóvenes, por medio de la técnica de autoinforme (Klein, 1989). El estudio The International Self-report Delinquency Study (ISRD-1) se lanzó en 1992 por el Centro de Investigación y Documentación del Ministerio de Justicia Holandés, recabando datos en 13 países, la mayoría pertenecientes a la Unión Europea (Finlandia, Gran Bretaña, Países Bajos, Alemania, Bélgica, España, Italia, Portugal, Suiza, Irlanda del Norte, Grecia, Nueva Zelanda y EE.UU (Nebraska). El primer informe (principalmente de tipo descriptivo) fue publicado en 1994, con hallazgos para los países participantes (Junger-Tas, et al. 1994).

contextos que rodean al hecho delictivo, entre otras ventajas. Sin embargo, una importante limitante es que no registra los delitos graves, como el homicidio, violación, secuestro, entre otros, y además este tipo de estudio no se aplica en América Latina y el Caribe, con excepción de Venezuela[2] y México[3]. Por ello, en este trabajo se utilizan los datos de los países antes señalados, es decir, los delitos leves y graves, registrados por las dependencias de justicia respectivas u observatorios en su caso. Particularmente para la región Latinoamericana, si bien se tienen registros de todos los tipos de delitos, es a partir del homicidio intencional que se mide la criminalidad violenta y suele considerarse como variable sustitutiva de los delitos violentos y como indicador de los niveles de seguridad en estos países de la región latinoamericana, resulta pertinente medir la criminalidad a partir del homicidio intencional porque se trata de uno de los indicadores más fáciles de medir y comparar para hacer el seguimiento de las muertes violentas, que suele considerarse como variable sustitutiva de los delitos violentos y como indicador de los niveles de seguridad en estos países.

3. TENDENCIAS DE LAS CONDUCTAS DELICTIVAS DE LOS JÓVENES

Berghuis & De Waard (2017) reportan que cinco países presentan una tendencia a la baja de delincuencia juvenil en el período del 2000 al 2015, siendo estos Reino Unido, Estados Unidos, Nueva Zelanda, Canadá y Alemania, vinculadas al desarrollo social como factores favorables para la disminución de la delincuencia, considerando entre estos a una mayor prevención, menor consumo de alcohol, mayor compromiso con la educación, mejoras en el nivel de satisfacción de las condiciones de vida y el uso del tiempo.

Ucrania representa un porcentaje elevado de menores infractores, el crimen juvenil es una mezcla de ofensas criminales y delitos violen-

---

[2]   Morillo, S., Birkbeck, CH., Crespo, F. (2011). Autocontrol y conducta desviada: Una exploración con datos Venezolanos. (Self control and deviant behaviour: An exploration with Venezuelan data). Volume 30. Revista Cenipec, 2011. pp. 171-203

[3]   Durán, L. (2016) La conducta antisocial a partir del autocontrol y la influencia de los amigos. https://dialnet.unirioja.es/servlet/tesis?codigo=146224

tos. La hipótesis de Rudinskaya (2016) es que se debe a los conflictos armados y la crisis económica que impactan a este país, y caracteriza la siguiente tendencia: la causalidad de los delitos comunes se debe a las condiciones de pobreza de la población y la lucha por la supervivencia en un ambiente hostil; aumento de la violencia urbana; la convergencia de varios patrones de comportamiento criminal, el impulso a la reincidencia; y la participación de menores en actividades delictivas con influencia de sus padres y otros familiares cercanos y otras personas vinculadas al crimen. La tasa anual de criminalidad juvenil varia de 2012 a 2015, de 34.7% a 132.1% respectivamente.

Italia, en cambio, no registra un aumento de la criminalidad juvenil. Según datos del Ministerio de Justicia, los menores arrestados por grupo de edad, género y tipo de delitos presentan las siguientes tendencias: mayor incidencia en los delitos contra el patrimonio, seguido de contra las personas y en tercer lugar contra la seguridad pública. Entre el grupo de edad de 14 a 24 años, el rango de 18 a 20 años representa la mayor prevalencia, y la participación porcentual de las mujeres es del 3% (Ministero della Giustizia, 2017).

España, de acuerdo con el trabajo de Montero (2014) la frecuencia de menores detenidos de entre 14 a 17 años oscila entre los 17000 y 26000 aproximadamente, entre el período de 2002 a 2010; en el período de 2007 a 2010 el número de menores condenados aumentó un 33.8%; mientras que entre 2010 y 2012 se produjo una baja del 11.33%. En el período de 2007 al 2012 el aumento final fue de 18.61%. La mayor incidencia por tipos de delitos son, en primer término, contra el patrimonio y el orden socioeconómico, le siguen lesiones, contra la seguridad colectiva y torturas e integridad moral, que representan el 85% del total de delitos.

En el continente asiático, Tailandia presenta la siguiente tendencia con base en la investigación de Narkvichetr (2010). Según las estadística del Departamento de Observación y Protección Juvenil, el número de delincuentes juveniles (de 7 a 18 años) que fueron arrestados por la policía y enviados a los Centros de Observación y Protección Juveniles aumentó en el país de 29,925 en 2003 a 51,128 en 2007, lo que significa un incremento de 71% en ese período; concentrándose una más alta participación el grupo de edad de 15 a 18 años, en contraste con el grupo de 7 a 14 años; sin embargo, en este grupo de menores se presenta una tendencia al alza más alarmante. En cuanto a los tipos de delitos, el de mayor frecuencia es contra la propiedad, y de manera significativa aumentaron los delitos de homicidio y lesiones corporales, de 4843 caso en 2003 pasó a 8284 en 2006 con una ligera disminución en 2007. En las últimas décadas, la heroína fue el principal problema de drogas en adultos y menores de edad. El pronóstico criminológico es negativo, según el estudio de Hanpanyapichit y Somsin (2003, citado en Narkvichetr 2010), debido a una mayor participación de los jóvenes en crímenes violentos y en edades más tempranas, así como en el uso de drogas.

Etiopía presenta como principales delitos cometidos por los menores de edad: los crímenes económicos (robo o intento de robo), abuso de confianza, crimen contra el estado y regulación municipal (mercado negro), además reporta un número cada vez mayor en delitos relacionados con el alcohol y estupefacientes o drogas, además de la participación en crímenes de personas y violentos (Andargachew, 2004).

Canadá, entre 2015 y 2016 tuvo un total de 8455 jóvenes de 12 a 17 años que fueron supervisados en custodia o en un programa comunitario, lo que equivale a 49 jóvenes en servicios correccionales por cada 10 mil jóvenes en ese país. La tasa de jóvenes en servicios penitenciarios bajó un 11% en comparación con 2014-2015 y un 33% menos que en cinco años (Malakieh, 2016).

Como tendencia generalizada de la delincuencia juvenil a nivel internacional, se observa que en países con un alto grado de desarrollo económico y social prevalecen los delitos del *orden común,* como los patrimoniales, económicos o contra la propiedad, mientras que en países con bajo nivel de desarrollo presencia de delitos violentos y contra las personas, incentivados estos comportamientos por la presencia del crimen organizado, consumo de drogas y conflictos armados; considerando que el carácter de estos factores es para favorecer o desincentivar los comportamientos delictivos o violentos, según sea el caso.

4. AMÉRICA LATINA Y HONDURAS

La región centroamericana de El Salvador, Honduras y Guatemala es considerada la región más violenta del mundo (denominada Región del Triángulo del Norte Centroamericano, RTNC), con excepción de algunos países que se encuentran en situación de guerra.

De acuerdo con el índice de criminalidad 2016, medido a partir del número de homicidios por cada cien mil habitantes[4], se agrupa a varios países de esta región en "riesgo extremo": Venezuela, Honduras, El Salvador, Guatemala y México. El informe 2017[5], coloca en primer lugar a Venezuela con 89 homicidios, El Salvador 60, Jamaica 55.7, Honduras 42.8, Guatemala 26.1, Colombia 24 y México 22.5

La violencia es persistente y cuantiosa, mientras que esta región representa apenas el 8% de la población mundial, como contraparte concentra el 37% de los homicidios de todo el mundo, ocho de los diez países más violentos del mundo se localizan en estas latitudes. Como antecedente, en 2013, de las 50 ciudades más violentas del mundo, 42 se encontraban en Latinoamérica, incluidas las 16 más violentas. La tasa de crecimiento anual de homicidios (3.7 por ciento) superó drásticamente al crecimiento poblacional (1.15 por ciento) entre 2005 y 2012. Solamente en 2012, 145,759 personas fueron víctimas de homicidio en ALC, correspondientes a 400.44 homicidios por día y 4.17 homicidios cada 15 minutos (Banco mundial de datos, 2016). Reiteradamente y en diversas mediciones los países de la RTNC se encuentran entre los países con los índices de violencia homicida más altos de la región y del mundo, particularmente Honduras y El Salvador que cuentan con tasas de homicidios de 74.6 y 64.2 por cada 100.000 habitantes respectivamente, cifra que se ubica muy por arriba de la media regional.

---

[4]   Ante las dificultades de realizar estudios comparativos sobre los índices de criminalidad, se ha optado por tomar el índice de homicidios como el indicador que nos permite evaluar los niveles de intensidad de la violencia. El homicidio intencional no solo es pertinente por la gravedad del delito, sino también porque se trata de uno de los indicadores más fáciles de medir y comparar para hacer el seguimiento de las muertes violentas, que suele considerarse como variable sustitutiva de los delitos violentos y como indicador de los niveles de seguridad en los países. Según la clasificación internacional es "la muerte ilícita a una persona con la intención de causarle la muerte u ocasionarle lesiones graves". Tal definición proporciona una orientación clara para establecer si determinado acto homicida debe considerase homicidio intencional a los efectos de la producción de estadística.

[5]   Homicide Rates in Latin America and the Caribbean.

En varios de los países de América Latina la intensidad de la violencia es mayor que en Europa, Asia y Norteamérica, violencia que se caracteriza por la incidencia de los homicidios intencionales con una evolución permanente de crecimiento; por la intensidad de la violencia con eventos adicionales a la muerte como la tortura, cuerpos desaparecidos y desmembrados, enfrentamientos entre pandillas y bandas del narcotráfico; por las disparidades de incidencia e intensidad de la violencia; así como por el impacto en las comunidades de esta región, en términos de fuertes obstáculos para la integración, permanencia y cohesión social, optando por las migraciones masivas de centroamericanos hacia Estados Unidos, con las consecuencias que implica el tránsito hacia el norte poniendo en riesgo la vida, padeciendo privaciones y con una alta probabilidad de ser deportados a sus países de origen; además, el impacto de los homicidios en la esperanza de vida, principalmente de los hombres jóvenes, es una de las consecuencias más importantes de la violencia extrema en Centroamérica. Además, el costo del crimen y la violencia, tienen fuertes repercusiones en la productividad laboral de la población, con altos costos en el PIB (en 2014 el costo de homicidios en Honduras fue del 1.62% del PIB, más de cinco veces que el promedio regional) con implicaciones en términos de desarrollo del capital humano y crecimiento a futuro.

Estos países constituyen históricamente sociedades muy violentas, las décadas de los ochenta y noventa son importantes para comprender la situación de finales del siglo XX y principios del XXI (las décadas perdidas según el Fondo Monetario Internacional, FMI) y el escalamiento de las violencias y de las muertes. El diagnóstico del Informe 2007 de la Oficina contra la Droga y el Crimen de las Naciones Unidas, describe el contexto: inicio del ajuste estructural, la aplicación del neoliberalismo, el paulatino desmantelamiento del estado, recurrentes crisis económicas y políticas, la guerra civil y de guerrillas, los regímenes militares en Sudamérica, posicionamiento de las ultraderechas, incremento de flujos migratorios, el avance del crimen organizado (narco), la explosión urbana, recrudecimiento de la violencia, las bandas en las principales urbes LA, la transnacionalización de las pandillas juveniles de CA hacia EU, el deterioro de la vida cotidiana. El mismo diagnóstico es enfático en el señalamiento de causas y explicaciones:

> Varios países de la región son vulnerables debido a factores socioeconómicos resultado de ingresos inequitativos, urbanización

caótica, pobreza masiva, una proporción muy alta de juventud, fácil acceso a una gran cantidad de armas, y un ambiente inestable post-conflicto. Estos factores sociales agravan, asustan a los inversionistas y promueven la fuga de capital doméstico y de grandes cerebros. ... Mientras que el crimen y la corrupción reinan y el dinero de drogas pervierte la economía, el Estado ha perdido el monopolio sobre el uso de la fuerza y los ciudadanos no confían más en sus líderes y en las instituciones públicas. Como resultado, el contrato social se desmorona y la gente toma la ley por sus propias manos, tanto para protegerse como para cometer delitos" (UNODC, 2007).

No es propósito de este capítulo hacer un análisis histórico y cultural de Honduras y la región centroamericana, pero es importante hacer referencia a este contexto pues la condición juvenil y la expresión de la violencia es también historia y cultura, es mucho más que un estadio biológico vinculado con la edad de las personas; además la organización social influye en la mayor o menor propensión a determinados niveles y formas del conflicto y la violencia (Howars, R., 1995). De tal suerte que ante un contexto económico, cultural y político como el descrito, se configura una organización donde las normas, prácticas e instituciones específicas de esa sociedad se relacionan con la conflictividad y se instituye una cultura de la violencia.

5. LA FENOMENOLOGÍA DE LA DELINCUENCIA Y LA VIOLENCIA EN HONDURAS

Se caracteriza por una contundente participación de hombres jóvenes, de entre 15 y 30 años, alrededor del 81 por ciento de las víctimas de homicidio registradas en 2017 eran hombres y niños, y más del 90 por ciento de los sospechosos de homicidio eran hombres (Oficina de las Naciones Unidas contra la Droga y el Delito, UNODC, 2019), además este mismo grupo etario de varones constituye la mayor proporción de víctimas de homicidio y representa alrededor del 50% de las víctimas en Honduras: En América Latina alrededor del 10% de las víctimas de homicidio son mujeres, lo que da lugar a una tasa de homicidios de mujeres que es la más alta del mundo en comparación con otras regiones. Las tasas de homicidios femeninos en ALC ascienden a 4.3 por 100.000 mujeres, cifra que representa casi el doble del promedio mundial de 2.3 víctimas por 100.000 mujeres. Sin embargo, la proporción de mujeres es mayor en Chile y Perú, donde llega al 19% y al 16%, respectivamente, que, en Honduras y El Salvador, donde asciende al 8% y al 11%, respectivamente (Rodgers & Baird, 2016). En México, el asesinato de mujeres cobro notoriedad a nivel internacional en 1993 cuando se denunciaron públicamente estos hechos en Ciudad Juárez, Chihuahua, y a casi 20 años se reconoce en el código penal como delito de feminicidio, derivado de los asesinatos de mujeres por su condición de género que se manifiesta por la violencia sexual, la tortura, el antecedente de violencia familiar y la exposición de los cuerpos en espacios públicos, principalmente. Actualmente se cometen entre 10 y 11 feminicidios cada día en promedio.

El patrón de violencia es letal, predominan las conductas graves y de alto impacto como el homicidio y el tráfico de drogas, asociado a los grupos delictivos y al consumo de drogas como parte del estilo de vida de las pandillas y con el hecho de que la región Centroamérica se ha convertido en un punto de tránsito de más del 80 por ciento del tráfico total de cocaína entre los países andinos y América del Norte.

Las pandillas han transitado de ser agrupaciones locales de jóvenes dedicados al crimen común para constituirse en organizaciones transnacionales vinculados al crimen organizado y al tráfico de drogas, relacionados con crímenes de alto impacto y con niveles extremos de violencia. El fenómeno de la mara salvatrucha (MS13) y la pandilla del barrio (B18) es un elemento que constituye parte de la fenomenología de la delincuencia juvenil de Honduras, la región centroamericana y algunos otros países de Latinoamérica (México, Brasil, Colombia, Ecuador y Venezuela), coexistiendo con otras pandillas, con formas diversas de organización social. Valenzuela (2015) sostiene que se mantiene la afiliación de jóvenes, con un promedio de edad de 15 años, la mayoría no estudia y su media se ubica en los 8 años de escolaridad, muchos no trabajan y vienen de familias desdibujadas, y tienen como motivo más fuerte para el ingreso, aunque ha disminuido, el *vacil* (adquirir respeto, tener poder, prestigio y un lugar social, que ha sido negado por el proyecto neoliberal, o por presiones, amenazas o engaños para que colaboren). El mismo autor señala al fenómeno sistemático de homicidios de jóvenes como juvenicidio, vinculados a contextos de precariedad en diversos ámbitos de sus vidas, como pobreza, no acceso a justicia, y en general fuertes limitantes para desarrollar proyectos viables de una vida digna. En México se han registrado 118 mil 393 muertes violentas de jóvenes en el período 2007 al 2016.

El crimen organizado y el narcotráfico se asocia a los altos niveles de violencia en ALC, la Encuesta de Conflictos Armados del Instituto Internacional de Estudios Estratégicos IISS (2017) arroja luz sobre uno de los temas políticos cruciales de América Latina: la violencia provocada por grupos de crimen organizado que alcanzan los niveles de un conflicto armado, las 39,000 personas asesinadas en México, Honduras, Guatemala y El Salvador en 2016 indican una crisis de seguridad mucho más compleja y grave que la mayoría de los demás países de la región (John P. Sullivan and Robert J. Bunker, 2017).

Se puede hablar de diversas organizaciones criminales entrelazadas (pandillas, narcotráfico, bandas del crimen organizado), junto a delitos rutinarios y de alta intensidad, pero con una mayor prevalencia de delincuencia violenta.

La investigación criminológica sobre delincuencia violenta se ha desarrollado desde múltiples puntos de vista, desde el enfoque biológico (estimulación de ciertas zonas cerebrales, hormonas sexuales, …), psicológico (instintos, impulsos, aprendizaje social, pensamiento criminal, valores y actitudes antisociales, escasa capacidad para controlar las agresión, …), desde aproximaciones microsociales (experiencias infantiles de violencia, falta de cuidados y atención, lazos sociales poco sólidos, apego a grupos antinormativos, …), macrosociales (influencias subculturales, aceptación social de la violencia, pobres condiciones económicas, …) y multifactoriales (Garrido, Stangeland y Redondo, 2001).

Todas las propuestas y enfoques llevan a definir una necesaria combinación de factores personales y ambientales, porque lo factores del entorno pueden ser tan importantes en la determinación y generación de condiciones propicias para promover comportamientos contrarios a las normas, como su competencia, motivación e inteligencia. Y en esta línea, una de las explicaciones que goza de alta aceptación y resulta pertinente de acuerdo con el contexto aquí descrito, es la formulada por la Teoría del aprendizaje social, en donde la hipótesis central es que la agresión y la conducta violenta se aprenden a través de la experiencia directa y la imitación de modelos reales y simbólicos (Akers, 1997, 2006; Bandura, 1987).

Derivado de ello, la familia se constituye como el primer grupo de referencia y se convierte en un punto central de atención ya que puede ser fuente de modelos agresivos. Cuando esta conducta forma parte de los patrones de comportamientos habituales en la familia, el niño carece de experiencias socializadoras adecuadas o de modelos prosociales de aprendizaje, y tiene más probabilidad de imitar las respuestas violentas predominantes de su entorno y adaptarse a ellas; en consecuencia, un individuo que haya crecido en un ambiente donde la violencia es admitida y reforzada tendrá más oportunidades de adoptar la violencia como un mecanismo eficaz para enfrentar los conflictos, en contraparte con el individuo que fue socializado en ambientes donde toda manifestación agresiva era castigada y rechazada optará por buscar mecanismo alternos pacíficos para resolver los conflictos.

Por otra parte, el enfoque de las Trayectorias criminales se ocupa especialmente del desarrollo humano en el tiempo, describe una secuencia de faltas cometidas durante cierto periodo de la vida, y plantea la necesidad de responder a las preguntas por qué las personas comienzan a transgredir (inicio), por qué continúan (persistencia), por qué las transgresiones se tornan más frecuentes o más graves (agravamiento), y por qué las personas cesan de transgredir (desistimiento). Los factores q determinan el inicio pueden diferir de los que determinan otros aspectos de las trayectorias (Maguire, M., Morgan, R., Reiner, R., 2002).

Uno de los factores que se destacan en este enfoque es el situacional resultado de la interacción de la persona (con cierto grado de tendencia antisocial subyacente) y el entorno (el cual proporciona oportunidades para delinquir). La teoría de las Actividades rutinarias de Cohen y Felson (1979) intenta explicar cómo las oportunidades para cometer crímenes surgen y cambian con el tiempo. Para que se perpetre un delito de tipo depredatorio, el requerimiento mínimo es la convergencia en tiempo y lugar de un transgresor motivado y un objetivo adecuado, en ausencia de un vigilante capaz de evitar el acto delictivo. Para los autores, las oportunidades dependen de actividades rutinarias con las cuales se satisfacen necesidades básicas como alimento y techo, por ejemplo, la cantidad de mujeres que trabajan, casas desocupadas durante el día, etc.

La formulación más reciente en la criminología, el modelo de Triple Riesgo Delictivo (TRD), desarrollado por Santiago Redondo (2008, 2015), asume que ninguno de los factores por sí solos, ya sea personales, sociales y de oportunidad delictiva, pueden proporcionar una explicación suficiente del riesgo delictivo y que en el común de las circunstancias se requiere del concurso de los diversos factores. Sugiere que el riesgo delictivo de un individuo resulta de la combinación de tres fuentes etiológicas: disposiciones y capacidades personales, apoyo prosocial recibido y oportunidades para el delito a que es expuesto, todo ello en un marco estructural de factores de riesgo y de protección que al interactuar en magnitudes diversas pueden desencadenar procesos criminógenos.

Contrario a la lógica planteada por la criminología, se inicia en la región la aplicación de leyes[6] dirigidas contra las adscripciones a las pandillas, consideradas medidas de *mano dura,* como respuesta a esta problemática. Esto condujo a una serie de confrontaciones entre autoridades estatales y pandillas que contribuyeron a que se volvieran más profesionalizadas y menos visibles que anteriormente, ayudando a su participación en el tráfico de drogas. El confrontamiento, la persecución y la represión bajo la visión de *cero tolerancia* no ha controlado el ingreso de los niños y jóvenes a las pandillas y maras. Contrario a una política de prevención se construye una política de estigmatización hacia los jóvenes, que ha contribuido al incremento de las violencias (Aguilar, 2006).

La violencia responde a un rasgo multifactorial y complejo, por ello todos los modelos teóricos expuestos se refieren a un proceso de influencia recíproca entre la conducta de la persona y su ambiente, por ello identificar la influencia del entorno en sociedades caracterizadas por una cultura de violencia es un factor clave para su comprensión, que debe considerase si se quiere incidir en la prevención y reducción del delito y la violencia.

6. BIBLIOGRAFÍA

AKERS, R. (1997). Criminological theories. Los Angeles, CA: Roxbury Publishing Company.

---

[6]   En el año 2003, en El Salvador se implementa el famoso Plan Mano Dura; en Guatemala, el Plan Tornado y el Plan Escoba. Para el año 2004, en El salvador, la versión del Plan Super Mano Dura y en Guatemala el Plan Escoba, y en 2005 se hizo una propuesta de iniciativa de Ley Antimaras. En 2010 se aprueba en El Salvador la Ley de proscripción de maras, pandillas, asociaciones y organizaciones de naturaleza criminal. Las leyes de convivencia social fueron diseñadas en contra de los pordioseros, la mendicidad, los vagabundos.

ANDARGACHEW, T. (2004). The crime problema and its correctios. Vol. 2. Addis Adaba. Ethiopía: Addis Adaba University Press

AOKI, Y. (2014). More schooling, less youth crime? Learning from an earthquake in Japan. Browser Download This Paper.

BANDURA, A. (1987). Teoría social del aprendizaje. España: Espasa Libros

Banco mundial (2016). Consultado en https://datos.bancomundial.org/

BERGHUIS, B., & DE WAARD, J. (2017). Declining juvenile crime–explanations for the international downturn. Justitiële Verkenningen, vol. 43 (1)

CAWLEY, M. (2014). Jóvenes en Latinoamerica y víctimas de crímenes violentos. https://es.insightcrime.org/noticias/analisis/jovenes-cada-vez-mas-responsables-pero-tambien-victimas-de-crimenes-violentos-en-latinoamerica/

CHALOM, M. (2001). Seguridad ciudadana, participación social y buen gobierno: El papel de la policía. Centro de las Naciones Unidas para los asentamientos humanos (HABITAT-UN), Centro Internacional para la prevención de la criminalidad, Ciudades más seguras, Ediciones Sur. Santiago.

COHEN y FELSON (1979). Social Change and Crime Rate Trends: A Routine Activity Approach. American Sociological Review, 44 (04), 588-608

DURÁN, L. (2016) La conducta antisocial a partir del autocontrol y la influencia de los amigos. https://dialnet.unirioja.es/servlet/tesis?codigo=146224

RIAD, D. (1990). Directrices de las Naciones Unidas para la Prevención de la Delincuencia Juvenil Directrices de Riad.

GARRIDO, STANGELAND y REDONDO (2001). Principios de criminología. Valencia: Tirant lo blanch…

GATTI, U. (2014). Self-reported juvenile delinquency in Italy: the phenomenon and the risk factor. Italian Journal of Criminology, 2(1), 43-71.

HARRENDORF, S., HEISKANEN, M. y MALBY, S. (2010). International statistics on crime and justice. S. Malby (Ed.). European Institute for Crime Prevention and Control, affiliated with the United Nations (HEUNI).

HOWARS, M. (1995). La cultura del conflicto: Las diferencias interculturales en la práctica de la violencia. España: Paidos.

INSIGHTCRIME (2017). Homicide Rates in Latin America and the Caribbean. Consultado en https://.es.insightcrime.org

JAITMAN, Laura ( ). Los costos del crimen y de la violencia. Nuevas evidencia y hallazgos en América latina y el Caribe.

JIMÉNEZ, E. (2016). La violencia en el Triángulo Norte de Centroamérica: una realidad que genera desplazamiento. Papel Político, 21 (1), 167-196.

JHONSON, C. (2015). Are we failing them? An Analysis of the New Zealand Criminal Youth Justice System. Auckland, New Zealand.

JUNGER-TASS, J., HAEN, I., ENZMANN, D., KILLIAS, M., STEKETEE, M. y GRUSZCZYNSKA, B. (2010). Juvenile Delinquency in Europe and Beyond. Results of he Second International Self-Report Delinquency Study. New York: Springer Science+Business Media.

0, M., MORGAN, R., REINER, R., (2002). Manual de criminología. México:Ed. Oxford University Press

MALAKIEH, J. (2016). Youth corretional statics in Canada, 2015/2016. https://www.statcan.gc.ca/pub/85-002-x/2017001/article/14702-eng.htm

MONTERO HERNANZ, T. (2014). La criminalidad juvenil en España (2007-2012). Revista Criminalidad, 56(2), 247-261

NARKVICHETR (2010). Juvenile Crime and Treatment of Serious and Violent Juvenile Delinquents in Thailand. Recuperado de http://www.unafei.or.jp/english/pdf/RS_No78/No78_16PA_Narkvichetr.pdf

OMS (2016). Violencia Juvenil. Recuperado de http://www.who.int/mediacentre/factsheets/fs356/es/

ONU (2019). Estudio mundial sobre el homicidio 2019. https://www.unodc.org/mexicoandcentralamerica/es/webstories/2019/release_homicide-study_2019.html

OUSSEDIK, F. (2015). L'Algérie, une société en guerre contre elle-même. NAQD, 32,(1), 105-134. https://www.cairn.info/revue-naqd-2015-1-page-105.htm.

RECHEA, C. (2008). Conductas antisociales y delictivas de los jóvenes en España. España: Consejo General del Poder Judicial y UCLM.

RODGERS, D., & BAIRD, A. (2016). Entender a las pandillas de América Latina: una revisión de la literatura Revista Estudios Socio-Jurídicos, vol. 18, núm. 1, enero-junio, 2016, pp. 13-53 Universidad del Rosario Bogotá, Colombia

RODRÍGUEZ, Ernesto (2013). Jóvenes, violencias y cultura de paz en América Central: enfoques, dilemas y respuestas a desplegar en el futuro. IX Reunión del Foro de ministros de Desarrollo Social de América Latina y el Caribe, Tegucigalpa, Honduras, 6 y 7 de marzo 2013. http://www.redalyc.org/articulo.oa?id=73343370001

S MORILLO, CH BIRKBECK, F 0 (2011). Autocontrol y conducta desviada: Una exploración con datos Venezolanos. (Self control and deviant behaviour: An exploration with Venezuelan data). Volume 30. Revista Cenipec, 2011. pp. 171-203

SULLIVAN, J. and BUNKER, R. (2017). Mexican Cartel Strategic: Quantifying Conflict in Mexico - Armed Conflict, Hyper-Violent Criminality or Both?. https://smallwarsjournal.com/jrnl/art/mexican-cartel-strategic-note-no-21

VILLALOBOS, Joaquín (2015). "El infierno al sur de México. Revista Nexos, México. www.nexos.com.mx

VALENZUELA, J.M. (2015) Juvenicidio: Ayotzinapa y las vidas precarias en América Latina y España. Barcelona: Ned Ediciones, Guadalajara: ITESO, Tijuana: El Colegio de la Frontera Norte.

Capítulo 17
Menores víctimas de violencia en Honduras

María José Benítez Jiménez
Profesora de Criminología
Universidad de Málaga
España
mjbenitez@uma.es

1. INTRODUCCIÓN

En este capítulo se abordará la victimización de los niños y adolescentes en Honduras, incorporando información sobre datos, fenomenologías, medición y políticas de prevención e intervención. A pesar de la fuerte creencia arraigada durante mucho tiempo de que los menores de edad padecen menos violencia que los adultos, hoy en día nos encontramos ante una tendencia internacional permeable a visualizar la violencia a la que son sometidos los sujetos más vulnerables del sistema, esto es, los menores.

No obstante esta corriente abanderada por países en los que la situación de la infancia y adolescencia goza de mayor bienestar, no se materializa en muchos otros en los que las dificultades sociales, políticas y económicas lastran el crecimiento "natural" de la comunidad.

En este apartado se ofrecerá una recopilación de información sobre menores víctimas en Honduras, teniéndose en cuenta también datos en el ámbito comparado. La clasificación que se ha tenido en cuenta para abordar esta materia es la llevada a cabo con carácter general por la Organización Mundial de la Salud (O.M.S.) en su informe de 2002 sobre violencia y salud[1]. De este modo, las diferentes formas de victimización de menores a las que se hará mención se insertan dentro

---

[1]   Disponible https://www.who.int/violence_injury_prevention/violence/world_report/en/summary_es.pdf
Consulta realizada el 15 de febrero de 2018.

de violencia autoinfligida, interpersonal o colectiva, quedando recogidas también en cada una de ellas las manifestaciones violentas físicas, sexuales, psicológicas y desatenciones.

Así pues, serán referidos aspectos relativos a menores víctimas de suicidios, autolesiones, maltrato por parte de padres y cuidadores, abusos y agresiones sexuales en el hogar y fuera del entorno del menor, así como la trata con fines de explotación laboral o sexual y las maras.

Cuando la violencia es habitual, la victimización se convierte en algo frecuente. De este modo, la victimización infanto-juvenil suele convertirse en polivictimización en muchas ocasiones, pues en determinados contextos las agresiones violentas no tienen carácter puntual sino sistemático. En estos casos las consecuencias para los menores y adolescentes son distintas y se precisan abordajes de diferente índole para atajarlas.

Los programas hondureños de prevención e intervención existentes y los propuestos en este estudio conforman un abanico de opciones con el que trabajar. Se hará especial hincapié en la sensibilización en materia de abuso sexual familiar pues en Honduras este problema es estadísticamente notable, conllevando siempre consecuencias devastadoras para la víctima y en algunos supuestos embarazos no deseados.

Por último y, para concluir, se integrarán datos y propuestas de cara a realizar breves recomendaciones o apuntes que sirvan de apoyo a las iniciativas ya comenzadas por instituciones preocupadas por la infancia y la adolescencia en Honduras.

2. FORMAS DE VICTIMIZACIÓN

2.1. Violencia autoinfligida

Desde la Criminología las autolesiones y el suicidio tienen un componente claro de rechazo hacia el contexto en el que vive el sujeto. Son diversas las teorías y las explicaciones acerca de estas conductas desde diversas disciplinas[2], si bien existe un hilo conductor común

---

[2] Vid. R. Hinojal Fonseca, J. Bobes García, M.B. López García: "El suicidio: aspectos conceptuales, doctrinales, epidemiológicos y jurídicos", en *Revista de derecho penal y criminología*, nº 3, 1993, pp.309-412.

que vincula el suicidio con la idea de insatisfacción y sufrimiento. Con independencia de los prejuicios que cualquier sociedad puede tener hacia este tipo de conductas, resulta clave medir su incidencia y conocer su impacto.

No todos los países presentan escenarios similares ante el suicidio infanto-juvenil, pues, por ejemplo, la fuerte presencia del control social informal en Japón difiere de las dificultades de desarrollo físico y psicosocial en lugares de África o Centroamérica. Sin embargo las tendencias apuntan a un crecimiento de esta fenomenología que se sitúa entre el segundo y cuarto puesto a nivel mundial como forma de causa de muerte de niños y adolescentes[3].

En Honduras se difundió públicamente que los casos de niños que se suicidan van en aumento. Según datos del Observatorio de la Violencia de la Universidad Autónoma de Honduras (UNAH), cabe indicar que mientras los supuestos de suicidio de adultos han descendido levemente, los casos de suicidio infanto-juvenil se han incrementado[4].

Si realizamos una comparativa entre 2008 y 2018 la prevalencia de la conducta objeto de análisis se ha incrementado casi un 3%, pasando de un 16,5 (n=52) a un 19,1% (n=77), siendo extraídos estos porcentajes del total de suicidios acaecidos y conocidos en Honduras. Resulta interesante realizar un análisis pormenorizado de ese incremento registrado para conocer más profundamente sus características, sin dejar de anotar que con independencia de su tendencia resulta interesante para la Criminología y para la sociedad conocer aspectos cualitativos de estos comportamientos.

Si abordamos la edad como indicador de estudio, cabe señalar que partiendo de los grupos etarios previstos por el Observatorio de la Violencia de la Universidad Autónoma de Honduras (UNAH) (0-4; 5-9; 10-14; y 15-19), los jóvenes que más se suicidan son los que

---

[3]   Infomación disponible en https://www.humanium.org/es/suicidio-infantil/ Consulta realizada el 1 de julio de 2019. Vid. tambíen Informe de Unicef Argentina sobre "Suicidio". Comunicación, infancia y adolescencia: Guías para periodistas, 2017, p. 8.

[4]   Vid. G. Bustillo: "Suicidios de niños generan inquietud en Honduras", artículo en *Proceso digital,* 2 de julio de 2018. Disponible en https://proceso.hn/salud/5-salud-y-sociedad/suicidios-de-ninos-generan-inquietud-en-honduras.html, consulta realizada el 7 de junio de 2019.

tienen entre 15 y 19 años, existiendo en este grupo un incremento en 2018 respecto a 2008 del 23%, pasando de 39 víctimas a 62. Respecto a los niños y jóvenes de 10 a 14 años indicar que el índice de suicidio en este grupo no es tan alarmante, pero sí aumenta en 2018 el número de suicidios de chicas. Sería recomendable plantearse la prevención con las niñas y jóvenes en esta franja de edad.

Otra variable a analizar para poder establecer posibles respuestas de reajuste es el sexo de las víctimas. Si tenemos en cuenta exclusivamente a los niños, niñas y jóvenes que se suicidaron en 2008 y en 2018, se ha de indicar que los chicos puntúan más en prevalencia de estas conductas, como puede apreciarse en el Gráfico 1, si bien las chicas han sido las que han incrementado su porcentaje en 2018. Por otro lado, si focalizamos nuestro interés en el porcentaje que supone en el global de mujeres y varones los suicidios de niños, niñas y adolescentes, ha de puntualizarse que los suicidios de niñas y chicas adolescentes representaron en 2008 el 29,3% y en 2018 el 38,5%, superando el 12 y 13% respectivamente de los niños y chicos jóvenes, de donde cabe colegir la mayor vulnerabilidad de las niñas ante este fenómeno[5].

Gráfico 1. Niños, niñas y adolescentes suicidas en Honduras según sexo. 2008 y 2018 (%)

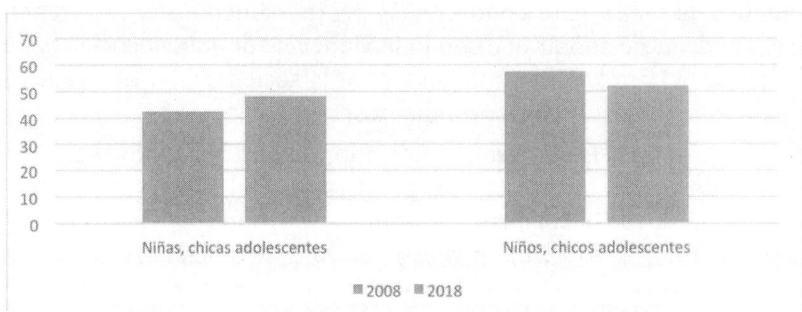

Fuente: Elaboración propia a partir de datos facilitados por el Observatorio de la Violencia de IUDPAS, UNAH- Honduras.

---

[5] Esta información queda contrastada también en otros años por el OV UNAH. Al respecto, Vid. M. Hernández: "Suicidio en Honduras: ¿Por qué menores de 15 años se quitan la vida?, disponible en https://tiempo.hn/suicidio-infantil-en-honduras-por-que/ Consulta realizada el 8 de junio de 2019.

2.2. Violencia interpersonal

La violencia sufrida por los menores víctimas de delitos procede de diversos contextos, no quedando exento ningún espacio de necesidad de protección. A nivel internacional informes institucionales[6] se hacen eco de la dura realidad que algunos niños, niñas y adolescentes padecen con frecuencia, llegando a perder la vida en alguno de estos episodios violentos.

En este apartado se hará referencia a homicidios, maltrato, lesiones y violencia sexual. Es habitual que la batería de conductas de las que son víctimas los menores se mezclen y desemboquen en la polivictimización[7], pues es conocido que aquél niño, niña o joven agredido sexualmente o golpeado no suele serlo de modo esporádico ni de modo exclusivo. Por tanto la repetición en el tiempo y el padecimiento de conductas victimizantes múltiples son la esencia del maltrato al menor.

Con relación a *víctimas de homicidio* en Honduras, tasa que en 2017 fue del 41.6[8], cabe señalar que según datos del Observatorio de la Violencia de la UNAH, si comparamos 2008 y 2018 puede apreciarse que en cifras absolutas descienden los homicidios con carácter general pasando de 4473 a 3731, así como también en lo que respecta a menores pasando de 518 a 470. Sin embargo, si tomamos en cuenta cifras relativas, el porcentaje de niños, niñas y adolescentes que perdieron la vida a causa de un homicidio pasaron de un 11,5% a un 12,5% de 2008 a 2018.

---

[6]   Vid. Informe de UNICEF: *Una situación habitual: Violencia en las vidas de los niños y los adolescentes. Datos fundamentales*, 2017. Vid. también Informe de SAVE THE CHILDREN: *Violencia viral: Análisis de la violencia contra la infancia y la adolescencia en el entorno viral*, 2019.

[7]   Término acuñado por Finkelhor *et al* en 2007. Al respecto, Vid. C. Guerra *et al:* "Polivictimización y sintomatología postraumática: el rol del apoyo social y la autoeficacia", en *Rev.psicol.*vol. 26, n° 2, 2017, pp. 1-10.

[8]   Vid. Asociación para un Sociedad más Justa, disponible en http://asjhonduras. com/webhn/tag/tasa-de-homicidios-honduras/, en donde se plasma la disminución de la tasa en los últimos años, tendencia reconocida por el IUDPAS de la UNAH.

Por grupos de edad, en Honduras, los chicos y chicas de entre 15 y 19[9]años, así como ocurre en los suicidios, son mayormente víctimas de homicidio, acaparando en 2008 y en 2018 el 85% y el 86% respectivamente. También destaca el hecho de que el grupo etario de 5 a 9 años es el menos laminado por conductas homicidas tanto en chicos como en chicas, seguido por los grupos de 0 a 4 años y de 10 a 14.

Con relación al sexo del menor víctima y como se aprecia en el Gráfico 2, mayoritariamente los homicidios se concentran en niños y chicos jóvenes, si bien ha de resaltarse el hecho de que de 2008 a 2018 el porcentaje de chicos desciende y el de chicas se incrementa en 4 puntos.

Gráfico 2. Niños, niñas y adolescentes víctimas de homicidio en Honduras según sexo. 2008 y 2018 (%)

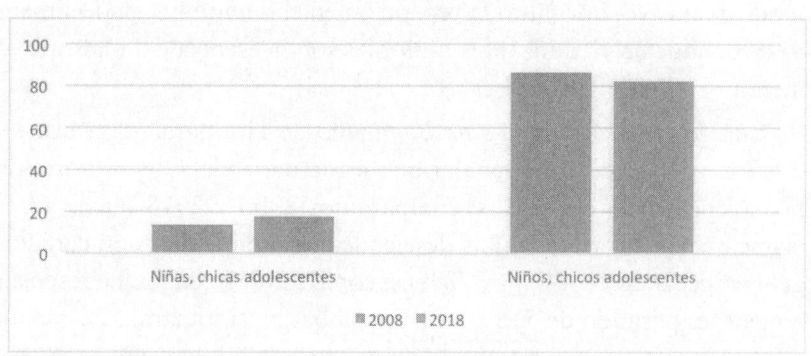

Fuente: Elaboración propia a partir de datos facilitados por el Observatorio de la Violencia de IUDPAS, UNAH-Honduras.

Los grupos de edad de 5 a 9 y de 10 a 14 años no sólo padecen menos homicidios sino que además de 2008 a 2018 han descendido para ambos sexos. En sentido inverso los menores pertenecientes a los grupos de edad de 0 a 4 y de 15 a 19 años han sufrido más homicidios en 2018 que en 2008 participando de este incremento tanto los

---

9   Informe de UNICEF (2017): *Una situación habitual: Violencia en las vidas...*, *op. cit.*, p. 5. También el Informe hace referencia a este dato e incide en la vulnerabilidad de este grupo de jóvenes a nivel internacional, recordando que "cada 7 minutos un adolescente muere en un acto violento".

chicos como las chicas, aunque hay que señalar el notable incremento del homicidio en las chicas de 15 a 19 años pasando del 61% al 71%. Otro apunte interesante con relación a los homicidios de niños, niñas y adolescentes según sexo es que del grupo de mujeres fallecidas por homicidio en Honduras, más del 20% tienen menos de 19 años, porcentaje que en el caso de los hombres no alcanza el 12%.

Respecto al *maltrato a niños, niñas y adolescentes,* a nivel general debemos reflexionar sobre la prohibición de maltrato a menores en casa y en la escuela[10]. Las cifras mundiales sobre disciplina violenta y exposición a la violencia doméstica en la primera infancia son escalofriantes, pues cerca de 300 millones de niños de 2 a 4 años en todo el mundo (3 de cada 4) son habitualmente víctimas de algún tipo de disciplina violenta por parte de sus cuidadores, considerándose necesario por una cuarta parte de estos el castigo físico para educar adecuadamente a los niños. Sólo 60 países han adoptado una legislación que prohíba totalmente el castigo corporal contra los niños en el hogar, lo que deja a más de 600 millones de niños menores de 5 años sin protección jurídica plena. Si nos referimos al castigo en la escuela destaca el dato de que son 732 millones de niños entre 6 y 17 años los que viven en países en los que el castigo corporal en la escuela no está completamente prohibido[11].

Con relación a Honduras, y si establecemos la comparativa 2008-2017 (pues es este el último año del que se reflejan datos), podemos indicar que los requerimientos fiscales para la evaluación médico-legal del menor maltratado se incrementan en cifras absolutas, pasando de 190 a 447 casos, si bien se mantiene la tendencia a que las niñas padezcan un 4% más de maltrato que los niños (Gráfico 3). Si revisamos la incidencia de este tipo de victimización por grupos de edad, vemos que de los 5 a los 9 años es mayor la vulnerabilidad a sufrir malos tratos con carácter general, ocupando el segundo lugar de riesgo la horquilla de 10 a 14 años para los niños y la de 0 a 4 años para las niñas.

---

[10] Vid. Hecker T. *et al* (2014): "Corporal punishment and children's externalizing problems: A cross-sectional study of Tanzanian primary school aged children", en *Child Abuse Negl.*, mayo, 38(5), pp. 884-892, donde se vincula empíricamente el castigo corporal o psicológico en la infancia, ya sea en casa o en la escuela, con problemas de externalización de los menores.

[11] Vid. Informe UNICEF (2017): *Una situación habitual, ob. cit.* p. 3.

Gráfico 3. Niños, niñas y adolescentes víctimas de maltrato en Honduras.
2008 y 2017 (%)

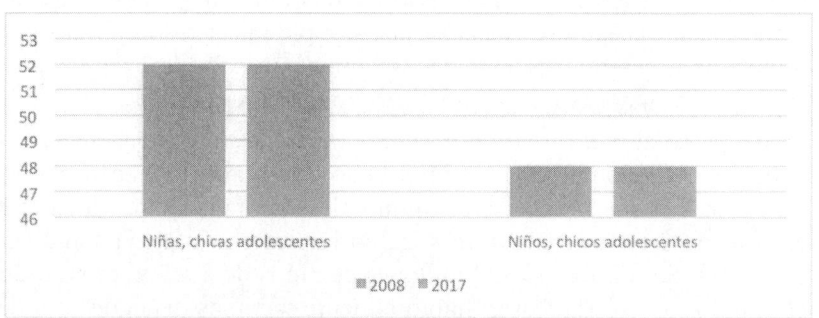

Fuente: Elaboración propia a partir de datos facilitados por el Observatorio
de la Violencia de IUDPAS, UNAH-Honduras.

Es preciso referenciar en este trabajo el estudio realizado en materia de maltrato infantil por Castillo *et al*, que abarca el período de 2010 a 2015 y analiza casos de maltrato infantil evaluados en la clínica forense de Tegucigalpa[12]. Se pone de manifiesto igualmente que las víctimas de maltrato son mayoritariamente niñas (57%) y la edad promedio casi 8.6 años, siendo la madre la principal agresora.

Profundizar en las razones de porqué se perpetúan conductas lesivas para los individuos más vulnerables de la comunidad considerándolas no sólo necesarias sino también aconsejables, nos acerca a entender el reto que implica modificar la visión socializadora del castigo, que en países como Honduras representa un paradigma de actuación.

Otros comportamientos violentos de los que son víctimas los menores son las *lesiones*, constatadas en los requerimientos fiscales para evaluación médico-legal. En 2008 y 2017 puede apreciarse que en Honduras el porcentaje de menores lesionados en ambos hitos se mantiene en un 25%, si bien en números absolutos las lesiones con

---

12   Vid. N. D. Castillo Godoy/ M. Matamoros Zelaya/ G. Roque Pacheco/ S.J. Villanueva: "Caracterización de casos de maltrato infantil, Dirección de Medicina Forense de Tegucigalpa", en *Revista de Ciencias Forenses de Honduras*, 2018, vol. 4, nº2, pp. 2-10.

carácter general se incrementan casi en más de un 40% en 2017, pudiendo deberse esta subida también al rigor de recogida de datos y no exclusivamente al mayor número de supuestos.

Si realizamos el análisis por sexos, se pone de manifiesto que los porcentajes son prácticamente iguales para chicos que para chicas, por tanto la prevalencia según sexo de este tipo de conductas es casi la misma. Cabe señalar que al realizar el estudio según edad, los niños de 0 a 9 años son más vulnerables a las lesiones que las niñas, como así también lo son las niñas de 10 a 14 y las jóvenes de 15 a 19 en comparación a los chicos.

El siguiente comportamiento victimizante a referir son las agresiones/abusos sexuales, comportamientos altamente frecuentes según estudios internacionales[13]. Con relación a la *violencia sexual* hacia menores en Honduras constatada en los requerimientos fiscales según evaluación médico legal, cabe indicar que este tipo de comportamientos se incrementan de 2008 a 2017 en ambos sexos, si bien la prevalencia en niñas y chicas es mucho mayor que en niños, como puede apreciarse en el Gráfico 4, acaparando ellas más del 80% de las agresiones.

Gráfico 4. Niños, niñas y adolescentes víctimas de violencia sexual en Honduras según sexo. 2008 y 2017 (%)

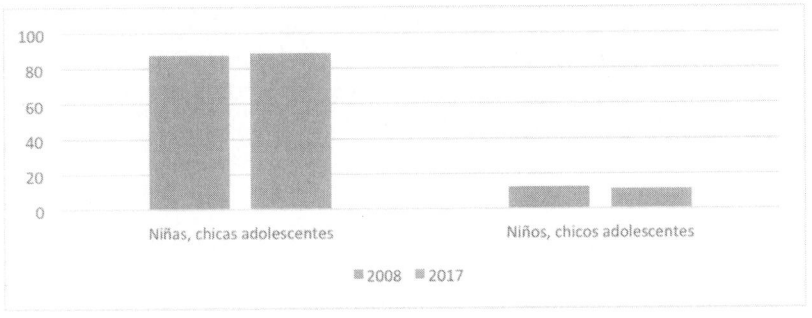

Fuente: Elaboración propia a partir de datos facilitados por el Observatorio de la Violencia de IUDPAS, UNAH- Honduras.

---

[13]   Vid. N. Pereda. "¿Uno de cada cinco? Victimización sexual infantil en España", en *Papeles del psicólogo*, 2016, vol. 37(2), pp. 3-13.

De los datos se colige que los niños, niñas y jóvenes sufren violencia sexual en porcentajes muy elevados, pues en 2017, de los 0 a los 19 años, la victimización fue del 89%, correspondiendo el 11% restante a edades adultas. Dentro de las diversas horquillas de edad, tanto en 2008 como en 2017, de los 5 a los 9 y de los 10 a los 14 años se refleja una mayor vulnerabilidad a este tipo de agresiones, tanto por parte de las niñas como de los niños. Cabe matizar que en 2017 los niños de 5 a 9 fueron victimizados en casi un 50% y las niñas de 10 a 14 años en un 47%. Estos datos son relevantes de cara a propuestas de programas de prevención, pues ayudan a conocer la edad de mayor riesgo para ser víctimas de conductas que implican agresiones sexuales.

Resulta fundamental reflexionar sobre esta realidad que se vincula a consecuencias que acompañarán al niño o a la niña de por vida, tal como un embarazo no deseado o problemas psicológicos que impidan el correcto desarrollo de los menores. También late en esta problemática una carencia de educación sexual y una vivencia repetida de abusos sexuales en el hogar, hechos que se reajustarían si existiese la suficiente sensibilización de la sociedad hondureña.

Por otro lado, la forma de vida de algunas familias no favorece el rechazo a estas conductas, pues el hacinamiento en el que viven puede facilitar el contacto sexual con miembros de la familia, así como la visualización de relaciones sexuales en la misma habitación. La privacidad y la sexualidad no van de la mano cuando hay extrema pobreza. Por lo tanto, el fortalecimiento de lazos familiares y la educación sexual son dos puertas que hay que abrir para combatir este lastre en el crecimiento general de la comunidad[14].

---

[14]   Al respecto, Vid. la opinión de expertos en esta materia en el periódico *Proceso digital* de 27 de febrero de 2018 donde se hacer referencia al "Dramático aumento de abusos sexuales en Honduras". Disponible en https://www.proceso.hn/nacionales/9-nacionales/dramatico-aumento-de-abusos-sexuales-en-honduras.html Consulta realizada el 9 de junio de 2019. En el mismo sentido y anotando que el 95% de los abusos sexuales los cometen familiares, en *La prensa*, 23 de agosto de 2018. Disponible en https://www.laprensa.hn/honduras/1209844-410/honduras-abusos-sexuales-familiares-menores-. Consulta realizada en 26 de agosto de 2018.

Es precisa la transformación de patrones de conductas profundamente arraigados en el día a día de Honduras. Si no hay un cambio de agujas, no podemos pretender que el tren cambie de rumbo, porque la inercia no piensa pero es fuerte y para combatirla hemos de ser pensantes no poderosos, todos tenemos algo que proponer de cara a conseguir un objetivo claramente necesario para el progreso del país.

2.3. Violencia colectiva

Otra esfera de manifestación de la violencia es la procedente de grupos o instituciones que con fines políticos, económicos o sociales provocan una disrupción en el trascurso pacífico y natural de la convivencia. La corrupción es el talón de Aquiles del progreso social, pues no sólo limita sino que invalida el acceso a los canales de resolución de problemas sociales de un modo justo y equitativo.

En Honduras, desafortunadamente, la corrupción representa un bloqueo institucional de los mecanismos lógicos de respuesta y frena el crecimiento de la infancia y la adolescencia. Las políticas públicas fallidas finalmente desembocan en los más vulnerables, porque ellos son los hilos que soportan el peso de lo injusto. Conocido es que para que unos tengan mucho otros tienen que tener poco y que para que los que tienen mucho sigan teniéndolo el abuso es clave, pues este ayuda a mantener el desequilibrio.

Comportamientos cobijados por la corrupción son el tráfico y la trata de personas, el turismo sexual con menores, las guerras, los matrimonios forzados, el negocio de venta de bebés, el tráfico de armas, las maras... y en definitiva cualquier conducta que perjudique a determinados sujetos o colectivos en beneficio de otros. Haremos en este apartado solo referencia a algunos de los delitos que impiden la inclusión de los menores en un circuito de desarrollo prosocial: la trata de personas y las maras.

Respecto a la trata de personas, cabe indicar que según el Informe 2018 de la Embajada de Estados Unidos en Honduras (segmento Honduras), a pesar de que el Gobierno no cumple plenamente las normas mínimas para la eliminación de la trata de personas, sí se están realizando esfuerzos para conseguirlo. Se han realizado campañas de prevención "Las niñas no se tocan, no se violan, no se matan" y "Denuncia la trata, de eso se trata"[15]. Además el gobierno dejó constancia de esos mayores esfuerzos al investigar y enjuiciar a más tratantes, incluidos funcionarios sospechosos de complicidad, y al condenar a un mayor número tratantes. No obstante *no logró obtener condenas para los funcionarios cómplices ni para los turistas involucrados en la explotación sexual de menores*[16].

Además "...el gobierno mantuvo sus labores de identificación, remisión y asistencia a las víctimas de la trata sexual; pero las autoridades siguieron dependiendo en gran medida de las ONG para lo relativo al financiamiento y la prestación de servicios[17]. Fueron identificadas 150 víctimas en 2017, de las cuales 53 eran menores.

"...Conforme a los informes de los cinco últimos años, Honduras es principalmente un país de origen y de tránsito para hombres, mujeres y niños objeto de la trata sexual y de trabajo forzoso; en una muy menor medida, es un lugar de destino para mujeres y niñas de países vecinos víctimas de la trata sexual. Mujeres y niños hondureños son víctimas de la trata sexual dentro del país y en otros países de la región, en particular en México, Guatemala, El Salvador, Belice y Estados Unidos..."

"...Los menores que viven en la calle son vulnerables a la trata sexual y al trabajo forzoso. Las organizaciones delictivas, entre ellas las maras, someten a niñas a la trata sexual, obligan a menores a mendigar en las calles y coaccionan y amenazan a hombres jóvenes para que transporten drogas o cometan actos de extorsión o violencia, incluidos asesinatos. Esto ocurre principalmente en zonas urbanas, pero una ONG informó que la actividad marera había aumentado en las zonas rurales. Durante el año, hubo constantes denuncias de niños sometidos a la trata sexual en las calles de ciudades grandes, en particular en San Pedro Sula, so pretexto de que mendigaban o vendían en las calles. Honduras es un país de destino para turistas de Canadá y Estados Unidos involucrados en la explotación sexual de menores..."[18].

---

[15]   Tal y como se recoge en el Informe sobre la situación de los Derechos Humanos en Honduras, p. 33. Secretaría de Estado de Derechos Humanos (SEDH), Honduras, 2018.

[16]   Vid. Informe de la Embajada de Estados Unidos en Honduras: *Sobre la trata de personas (Segmento Honduras)* 2018.

[17]   *Ibidem.*

[18]   *Ibidem.*

El otro fenómeno de violencia colectiva seleccionado es este capítulo es el relativo a las maras. No podemos desvincular la infancia y adolescencia en Honduras, como previamente ha podido comprobarse, de ese panorama oscuro. Estudios[19], informes[20] y titulares en los periódicos internacionales se hacen eco de esta terrible realidad[21]. Las cartas están sobre la mesa y por todos es conocido que detrás de esas pandillas violentas con ejércitos de jóvenes desheredados de la suerte y en busca de "un lugar en el mundo" se esconden organizaciones movidas por intereses económicos.

El crimen organizado lamina Honduras y a su infancia, pero hemos de confiar en que los pasos que avanzamos nos dirigen al fin del laberinto. La educación es la herramienta que podrá articular una respuesta funcional al caos, siempre que desde el corazón del sistema emerja una necesidad de cambio que combata la corrupción. La violencia colectiva en Honduras victimiza a los niños y adolescentes más que a ningún otro colectivo, los convierte en victimarios y víctimas a un tiempo, pues cuando son privados de libertad por cometer delitos se acercan a otro infierno y si después optan por abandonar la pandilla entran en él.

3. CONCLUSIONES Y PROPUESTAS

La violencia en Honduras hacia los menores queda reflejada en este capítulo, si bien son muchos los niños, niñas y adolescentes que no han quedado registrados en los datos expuestos. Es importante conocer la prevalencia oficial de los hechos acaecidos, pero sin olvidar

---

[19] Vid. T. Andino: "Maras y violencia: Estado del arte de las maras y pandillas en Honduras", en *Análisis* nº 1, 2016, pp. 1-42.

[20] Informe de InSight Crime (Investigation and Analysis Organized Crime) y ASJ (Asociación para una sociedad más justa) apoyado por la agencia de Estados Unidos (USAID) *Maras y pandillas en Honduras*. 2015. Informe sobre *la situación de maras y pandillas en Honduras*. Programa nacional de Prevención, Rehabilitación y Reinserción Social y apoyado por UNICEF, 2011.

[21] "El territorio de las pandillas en Honduras: o nos matan o los matamos". *The New York Times* (EEUU) (4/05/2019); "Honduras y su lucha contra las maras". *El País* (España) (15/02/2018); "Mara o muerte: palizas y violaciones para formar a los jefes pandilleros de Honduras". *El Confidencial* (España) (05/11/2018); "Las maras: el terror que expulsa a los centroamericanos". *ABC* (España) (22/10/2018).

que esa información nos muestra solo una parte de los sujetos que pueden estar padeciendo comportamientos victimizantes.

Considero que la realización de encuestas específicas de victimización estandarizadas y periódicas como instrumento de medición adicional, permitiría conocer aspectos esenciales de las vivencias de los menores encuestados y complementaría los datos oficiales.

La violencia autoinfligida infanto-juvenil se ha incrementado en Honduras, síntoma claro de insatisfacción con la propia vida y con el entorno que rodea a las víctimas. La violencia interpersonal relativa a homicidio, maltrato, lesiones y agresiones sexuales es la más común y la más temida por la sociedad. Por último, la violencia colectiva es una extensión de la violencia interpersonal, menos alarmante pero más letal, porque aniquila la proyección de futuro.

Por otro lado, cabe indicar que en las cifras de los comportamientos examinados destaca una clara variable y es la de género. Puede indicarse que en prevalencia en homicidios y suicidios, los niños y jóvenes puntúan más que las niñas, si bien la comparativa entre años muestra que el aumento se produce en las niñas y chicas jóvenes.

Con relación a maltrato y violencia sexual, las niñas son las grandes protagonistas, poniéndose de manifiesto que también en Honduras el sexo es un factor de riesgo. No pretendo con este llamamiento sacar a la luz lo evidente o infravalorar el sufrimiento de los niños varones víctimas, si no solicitar una reflexión que ayude a aportar equilibrio al sistema. Se deben generar ideas que beneficien a todos por igual, y solo desde la educación (que no siempre es equiparable a formación) podremos conseguirlo.

Considero que el abordaje de prevención de las agresiones sexuales podría hacerse con programas de sensibilización en las escuelas. Son diversas las iniciativas ya existentes y a través de la lectura de cuentos puede tratarse esta dura temática de una manera sutil para que los menores se sientan con capacidad de respuesta ante determinadas situaciones.

Se me ocurre también que podría apoyarse un programa de sensibilización sobre la lucha contra el abuso sexual familiar a través de carteles en lugares públicos como consultas médicas, juzgados, calles o aeropuertos, pues ayudarían a la visualización social del problema y coadyuvarían a combatir también el turismo sexual con menores.

Una propuesta de programa de prevención de la trata podría ser situar en los baños de bares, gasolineras, aeropuertos o lugares de tránsito, tal y como otros países ya realizan, información con acceso a teléfono gratuito para que las posibles víctimas puedan llamar y solicitar ayuda.

En Honduras han sido muchas las iniciativas que han tomado forma en los últimos años para mejorar la vida de los niños, niñas y adolescentes. Realizando este artículo he podido revisar la cantidad de documentos novedosos existentes, informes sobre la problemática concreta de las maras y abordajes multidisciplinares para combatir embarazos adolescentes no deseados. Resulta esperanzador contrastar tantas iniciativas. La educación ha de ser el elemento que alinee todas estas políticas de actuación.

Por último, creo que es clave incidir en la necesidad del fortalecimiento del vínculo familiar como modo de preservar una esfera intermedia entre el sujeto y la sociedad. He tenido la suerte de haber sido testigo del interés de excelentes profesionales hondureños en que la infancia de su país goce de mejores condiciones y de más oportunidades. La infancia es el lugar al que siempre volvemos y protegerla es proteger el futuro. Materializar esto es complicado cuando la plataforma de sujeción es inestable, pero todo parece indicar que existen herramientas para estabilizarla: La educación, el control social informal y el interés político.

4. BIBLIOGRAFÍA

ANDINO, T.: "Maras y violencia: Estado del arte de las maras y pandillas en Honduras", en *Análisis* n° 1, 2016, pp. 1-42.

BUSTILLO, G.: "Suicidios de niños generan inquietud en Honduras", artículo en *Proceso digital*, 2 de julio de 2018 en https://proceso.hn/salud/5-salud-y-sociedad/suicidios-de-ninos-generan-inquietud-en-honduras.html

CASTILLO GODOY, N.D./ Matamoros Zelaya, M./ Roque Pacheco, G./ Villanueva, S.J.: "Caracterización de casos de maltrato infantil, Dirección de Medicina Forense de Tegucigalpa", en *Revista de Ciencias Forenses de Honduras*, 2018, vol. 4, n°2, pp. 2-10.

GUERRA, C. *et al*: "Polivictimización y sintomatología postraumática: el rol del apoyo social y la autoeficacia", en *Rev.psicol.*vol. 26, n° 2, 2017, pp. 1-10.

HECKER T. *et al* (2014): "Corporal punishment and children's externalizing problems: A cross-sectional study of Tanzanian primary school aged children", en *Child Abuse Negl.*, mayo, 38(5), pp. 884-892.

HERNÁNDEZ, M.: "Suicidio en Honduras: ¿Por qué menores de 15 años se quitan la vida?, disponible en https://tiempo.hn/suicidio-infantil-en-honduras-por-que/

HINOJAL FONSECA, R., BOBES GARCÍA, J., LÓPEZ GARCÍA, MB: "El suicidio: aspectos conceptuales, doctrinales, epidemiológicos y jurídicos", en *Revista de derecho penal y criminología*, n° 3, 1993, pp. 309-412.

Informe sobre *la situación de maras y pandillas en Honduras*. Programa nacional de Prevención, Rehabilitación y Reinserción Social y apoyado por UNICEF, 2011.

Informe de InSight Crime (Investigation and Analysis Organized Crime) y ASJ (Asociación para una sociedad más justa) apoyado por la agencia de Estados Unidos (USAID) *Maras y pandillas en Honduras*. 2015.

Informe de la Embajada de Estados Unidos en Honduras: *Sobre la trata de personas (Segmento Honduras)* 2018.

Informe de SAVE THE CHILDREN: *Violencia viral: Análisis de la violencia contra la infancia y la adolescencia en el entorno viral*, 2019.

Informe de Unicef Argentina sobre "Suicidio". Comunicación, infancia y adolescencia: Guías para periodistas, 2017.

Informe de UNICEF: *Una situación habitual: Violencia en las vidas de los niños y los adolescentes. Datos fundamentales*, 2017.

Informe sobre la situación de los Derechos Humanos en Honduras, p. 33. Secretaría de Estado de Derechos Humanos (SEDH), Honduras, 2018.

PEREDA, N. "¿Uno de cada cinco? Victimización sexual infantil en España", en *Papeles del psicólogo,* 2016, vol. 37(2), pp. 3-13.

Enlaces citados consultados:

https://www.humanium.org/es/suicidio-infantil

http://asjhonduras.com/webhn/tag/tasa-de-homicidios-honduras/

Capítulo 18
Las problemáticas de consumo desde una perspectiva de la complejidad

Andrea Agrelo
Directora de la Licenciatura en Psicología
Universidad del Aconcagua
Argentina
andreagrelo@uda.edu.ar

1. INTRODUCCIÓN

Las adicciones constituyen una problemática compleja que involucra dimensiones biológicas, psicológicas y socioculturales; su impacto trasciende al sujeto que la padece y a su entorno familiar, requiriendo para su análisis de varias aproximaciones teóricas y de salud pública. (Hall et al; 2015). Un análisis integral implica necesariamente la inclusión de diferentes perspectivas conceptuales articuladas entre sí.

Consumir sustancias, no siempre fue un problema. En el desarrollo histórico del consumo el uso de sustancias psicoactivas se ha planteado como un elemento arraigado en las culturas antiguas, en donde la tradición servía de regulador de la dosis. Actualmente, el consumo está ligado a lo recreativo. El consumismo de nuestra era impone una permanente búsqueda de la euforia y el bienestar, planteados a través del consumo (Arrieta y cols; 2017).

Los construccionistas sociales enfatizan cómo los sistemas culturales y sociales forman el significado y la experiencia de enfermar (Conrad y Barker, 2015, citado en E. Becoña; 2016). El fenómeno de la Adicción incluye una trama muy compleja de representaciones y de prácticas en donde se articulan procesos sociales, económicos, políticos, ideológicos y culturales.

La perspectiva sociocultural, posibilita abordar el problema como un espacio de relaciones entre sustancias, sujetos y contextos, entendiendo a la droga no solamente *"como un ente normativo (modelo penal) o patológico (modelo médico)"* (Apud, I. y Romaní, O.; 2016, p. 120). Es necesario adoptar una visión crítica e integral de la problemática, describir y reconocer, dentro de la problemática, aspectos como la construcción social de las adicciones en el desarrollo socio histórico, la representación social de las adicciones y la estigmatización.

El Instituto Nacional de Abuso de Drogas (NIDA; 2012) define Adicción como "una enfermedad crónica del cerebro, a menudo con recaídas, caracterizada por la búsqueda y el consumo compulsivo de drogas a pesar de las consecuencias nocivas para la persona adicta y para los que le rodean." (párr.3). Esta perspectiva claramente plantea una concepción biológica del problema.

Intentando ampliar la mirada, se entiende por consumos problemáticos "aquellos consumos que –mediando o sin mediar sustancia alguna– afectan negativamente, en forma crónica, la salud física o psíquica del sujeto, y/o las relaciones sociales. Los consumos problemáticos pueden manifestarse como adicciones o abusos al alcohol, tabaco, drogas psicotrópicas –legales o ilegales– o producidos por ciertas conductas compulsivas de los sujetos hacia el juego, las nuevas tecnologías, la alimentación, las compras o cualquier otro consumo que sea diagnosticado compulsivo por un profesional de la salud" (Ley 26.934/14).

La problemática está entrecruzada por una multiplicidad de factores que favorecen o neutralizan su desarrollo. Es un sujeto en su contexto sociohistórico, con su historia vincular, el que nos permite analizar las diferentes dimensiones implicadas. Los consumos problemáticos atraviesan en la actualidad, toda la trama sociocultural.

Posicionarse sólo desde la perspectiva de la persona con consumo problemático, y dentro de él, desde su cerebro, es un planteo reduccionista que limita el análisis y deriva en prácticas y políticas que, además de no ser efectivas, tienden a estigmatizar al sujeto y a su familia.

La perspectiva sociocultural da un marco complejo que posibilita el análisis crítico, considerando el contexto e interrogándose sobre la manera en que influye en la construcción de la subjetividad.

2. PENSAR DESDE LA COMPLEJIDAD

Las prácticas responden a modelos teóricos. Cada modelo responde y privilegia cierta mirada sobre la realidad, por eso es necesario conectarlos, eso implica pensar desde la complejidad. No es el planteo de un modelo en sí, sino la posibilidad de abstraerse de los modelos y vincularlos para tener una lectura compleja de la realidad. Así, con modelos integrados, se posibilitan intervenciones integrales.

Es necesario partir de una lectura compleja que impulse intervenciones que involucren diversos actores sociales y posicionen al sujeto que está en situación de vulnerabilidad, como protagonista en la construcción de alternativas.

El modelo biologicista se enfoca en el impacto que las sustancias psicoactivas producen en el cerebro, para explicar la problemática adictiva. Aun cuando explica las interacciones con el medio, lo hace desde una mirada neurobiológica.

El análisis desde los factores protectores y de riesgo como punto de partida para analizar la complejidad de factores intervinientes, no deja de poner el acento en el sujeto, como sujeto o grupo de riesgo.

Siguiendo a A. C. Camarotti y A. L. Kornblit (2015), el abordaje que se plantea desde un paradigma de la vulnerabilidad propone superar la noción de riesgo individual con una perspectiva de vulnerabilidad social; tendiendo a retirar el peso de la estigmatización de las personas, universalizando la preocupación por el problema y estimulando una implicación activa en la prevención (p. 216). Es el contexto social, cultural, económico, jurídico de las personas y comunidades, el que condiciona la vulnerabilidad, no es un acto individual voluntario. "Las personas no son vulnerables, sino que están vulnerables". El enfoque de la vulnerabilidad es posibilitador de prácticas en el plano social, a través de la generación y consolidación de redes multisectoriales; comprendiendo que dar información o enseñar un oficio (per se) no implica prevenir ni insertar socialmente. Un abordaje integral, implica actuar sobre el contexto, por medio de políticas públicas. Este abordaje amplía el objetivo de las intervenciones de lo individual, a lo social (p.217 cit.).

Para considerar una situación de vulnerabilidad, se debe tener en cuenta la historia de la persona en relación con las situaciones o acontecimientos críticos que pudieran dar cuenta de comportamientos de riesgo. La red cercana y el contexto social más amplio permiten analizar el estado de vulnerabilidad desde una perspectiva integral que incluirá en su respuesta acciones interdisciplinarias e intersectoriales.

3. NIÑEZ, ADOLESCENCIA, FAMILIA Y CONSUMOS PROBLEMÁTICOS

Los consumos problemáticos se presentan en todos los ámbitos sociales y en todas las edades y géneros. La diferencia reside en los niveles de vulnerabilidad que se presentan en las diferentes poblaciones. Vulnerabilidad relacionada con los factores que se conjugan para desarrollar un consumo problemático y también aquella que es consecuencia de ese consumo. Las edades, el género y las condiciones socioeconómicas, definen la gravedad del problema y los niveles de recuperación.

Haciendo foco en el sistema familiar, el consumo problemático se entiende desde una modalidad interaccional interdependiente en donde tanto el desarrollo como el mantenimiento (y su padecimiento), involucra a todos los miembros del sistema.

Dentro del sistema familiar, el adolescente es especialmente vulnerable a iniciar el consumo de sustancias psicoactivas, por la etapa vital que atraviesa. La búsqueda de placer y nuevas experiencias, la necesidad de autonomía en el proceso de desarrollo de la identidad y la característica de no percibir la dimensión real del riesgo, producto de su incipiente maduración, son aspectos que hacen esperable el surgimiento de conductas transgresoras y de riesgo. Sumado a su situación particular y familiar, en el contexto social actual, se considera el consumo como modalidad de interacción, inclusión y recreación, lo que hace que incida especialmente en la etapa adolescente.

El riesgo de desarrollar una adicción se duplica cuando el consumo se inicia en la etapa adolescente, y se reduce a medida que aumenta la edad de inicio de consumo. Es menos probable que una persona desarrolle dependencia si comienza a consumir luego de los 25 años (J. C. Godoy; 2017).

El riesgo aumenta cuando dentro del sistema familiar, se presenta el consumo problemático. Aumenta la vivencia de abandono e inseguridad. El sistema no logra contener a los niño/as y adolescentes en su proceso crítico de desarrollo y crecen en un ambiente de incertidumbre, límites difusos, dificultades en la comunicación y con más probabilidades de presentar situaciones de violencia intrafamiliar. El uso de drogas de los adultos referentes del sistema familiar es un relevante factor de riesgo al igual que la actitud permisiva hacia el consumo.

Otro escenario se configura cuando los progenitores no consumen drogas, cumplen las normas sociales, presentan intolerancia explícita frente a las drogas y revelan cierto inconformismo frente al consumo de sustancias legales como el alcohol. Las pautas de crianza asertivas, la comunicación funcional y el apoyo familiar constituyen una fuente de seguridad para el adolescente, en una etapa caracterizada por cambios constantes y experiencias nuevas (M. Gutiérrez; 2016).

El consumir sustancias psicoactivas en la adolescencia, no conduce necesariamente al desarrollo de una adicción, en general, forman parte de conductas esperables en esa etapa crítica. Son las características de funcionalidad o disfuncionalidad del sistema familiar, y del contexto social en donde éste está inmerso, los que determinarán un nivel mayor o menor de vulnerabilidad frente al desarrollo de una adicción.

Es la población adolescente, un universo clave al momento de definir y planificar políticas de salud públicas.

Las políticas públicas, deben responder integralmente a las problemáticas de consumo, minimizando el uso del sistema judicial e invirtiendo en Prevención y Promoción de la Salud. Deben plantearse desde el marco de las condiciones establecidas por la normativa internacional y nacional a favor de la niñez y la juventud, desde un enfoque de Derecho.

4. CONSUMO DE DROGA Y DELITO, UNA RELACIÓN COMPLEJA

Preguntarse acerca de la causalidad entre el consumo de sustancias psicoactivas y la conducta delictiva, es esperable. Ambas problemáticas se manifiestan con gran frecuencia, conjuntamente.

Las investigaciones al respecto giran en torno de 3 posibles hipótesis:

1) "El consumo de drogas conduce a la comisión de delitos"

Esta afirmación, proviene del modelo tripartito de Goldstein que reconoce 3 modalidades derivadas de la relación del consumo con la conducta delictiva:

- La atribución sistémica en donde se visualizan los delitos que ocurren por ser un mercado ilegal, a partir de los patrones de interacción del sistema de distribución y consumo.
- La atribución psicofarmacológica en donde se relaciona el efecto del principio activo de la sustancia en el organismo con la posibilidad de cometer un delito.
- La atribución económica - compulsiva que explica el hecho de que una persona pueda llegar a delinquir para conseguir una dosis (en E. Valenzuela y P. Larroulet; 2010).

Lo que se cuestiona es suponer que, al existir una correlación entre consumo y delito, ello implique necesariamente una vinculación causal.

La segunda hipótesis sobre la que se trabaja es la que considera que:

2) "Los infractores de la ley se convierten en consumidores de drogas"

En este punto de vista, el sujeto es primero un delincuente y el consumo de drogas es una conducta característica de la subcultura del crimen. Pertenecer a un contexto delictivo, presionaría a sus integrantes hacia el consumo. Por otro lado, los ingresos económicos obtenidos de delitos adquisitivos suministran medios para adquirir drogas. Y, también se observa que los grupos infractores, organizan y participan de festejos entre las actividades delictivas. Las críticas a este planteo tienen la misma base que la anterior, no es posible comprobar una determinación causal por el hecho de estar relacionadas.

3) "Ambas conductas comparten factores en su desarrollo y mantenimiento, por ello aparecen fuertemente asociados"

Desde esta tercera hipótesis, se describen cuáles son los aspectos que se entrecruzan entre ambas problemáticas. Los sujetos que delinquen comparten características de personalidad con los consumidores de drogas como: alta impulsividad, bajo autocontrol y dificultad para demorar la gratificación de sus necesidades. Otra característica que frecuentemente tienen en común es el Locus de control externo, esto es: la atribución causal de sus problemas, por fuera de su persona. Atribuyen sus actos a causas externas y a no asumen la responsabilidad sobre los mismos. Lo personal sumado a factores de vulnerabilidad social, potencian la relación consumo de drogas – conducta delictiva.

El inicio temprano en el consumo de sustancias es un posible predictor de conducta delictiva futura. Del mismo modo, una incipiente conducta antisocial, es indicador de posible consumo de sustancias. Los adolescentes que muestran conductas violentas comienzan a consumir drogas a edades más tempranas. Los resultados de algunos estudios muestran que la mayoría de los menores infractores consumen algún tipo de sustancia y que la relación con grupos de iguales desviados, también influye. Drogas y delincuencia comparten características psicosociales en su inicio y desarrollo (L. Contreras Martínez; V. Molina, Banqueri; M. C. Cano Lozano; 2012).

En las investigaciones queda de manifiesto que es más alto el porcentaje de consumidores entre la población privada de libertad que en la población general, pero ello no implica que haya una relación determinante.

Son muchos los factores que pueden dar cuenta de este fenómeno: pobreza, trastornos de personalidad, factores culturales y sociales, amigos consumidores o contacto con la prisión. Estos aspectos sirven para comprender tanto el riesgo de delincuencia como el de drogodependencia. El nexo causal entre drogas y delincuencia aparece con mucha frecuencia en: actos violentos en casos de intoxicación por alcohol, cocaína o psicodislépticos; delincuencia funcional (robos, hurtos, estafas, falsificación de recetas, etc.) para evitar la abstinencia, especialmente en adictos a la heroína y cocaína; y producción y tráfico a pequeña escala con el único objetivo de autoabastecerse (Bean, 2014, en Esbec y Echeburúa; 2016).

Delito y Droga se encuentran en escenarios como: polarización social, movilidad social descendente, segmentación social, disminución de espacios de interacción entre distintas clases, fragmentación social, exclusión social, desaparición de relaciones salariales como mecanismos de integración social y pérdida de la condición de sujeto social capaz de transformar la realidad.

Por el lado de la sustancia, no es posible plantear que la droga es por sí misma criminógena. Los efectos de las diferentes sustancias responden a diversas variables que se conjugan entre sí: el principio activo y su impacto en el Sistema Nervioso Central, las expectativas ante el consumo, el contexto social al momento del consumo, la representación social de la sustancia, entre otros. Lo neurobiológico y lo psicosocial, se conjugan en escenarios específicos: una fiesta, un ámbito laboral, un grupo de adolescentes en una esquina, un barrio urbano marginal o en la soledad de un cuarto. El contexto complejiza el análisis causal de los factores intervinientes.

Un aspecto para considerar en el análisis de la conducta delictiva y el consumo de sustancias es el del adicto como víctima de delito. El adicto muestra comportamientos específicos que contribuyen a potenciar su victimización. Por su conducta, estado frecuente de intoxicación, estilo interpersonal e interacciones que establece, el adicto puede colocarse en una posición de vulnerabilidad y precipitar la ocurrencia del delito del que es víctima. Si bien esta relación no está muy estudiada, el consumidor de sustancias como víctima se puede considerar como una de las confluencias de la relación droga-delito.

Queda claro que desde una perspectiva que reconoce la complejidad de la relación no existe un único modelo teórico que explique el nexo entre consumo y delito.

Al trazar la concordancia entre Drogas y Delito, es posible plantear que no existe relación causal entre ambas conductas, ambas son el resultado de la existencia de determinantes comunes, de manera que los sujetos expuestos a estos factores pueden desarrollar las dos conductas indistinta o conjuntamente. El origen de la delincuencia y el consumo de sustancias, hay que investigarlo en una serie de factores interrelacionados (Ramos Barbero; 2009).

5. INTERVENIR DESDE LA COMPLEJIDAD

Pensar desde la complejidad implica un abordaje pertinente con esa lectura. Las problemáticas de consumo no se manifiestan solas, son parte de un amplio espectro de fenómenos complejos que provocan sufrimiento social. Se requiere una mirada y una intervención que atraviese las dificultades que emergen.

La intervención en red es una perspectiva teórica y metodológica que posibilita el diagnóstico y la planificación de estrategias dirigidas a la prevención, reducción de daño y riesgos asociados, junto con el abordaje asistencial del consumo problemático. El modelo apunta a la articulación de una red de recursos, creando una trama operativa para optimizar los recursos y aumentar la complejidad efectiva de las redes sociales de las personas (Machín, J.; 2010).

El eje de la intervención es la promoción de procesos de inclusión social.

Tanto en la prevención como en el tratamiento de las adicciones, es preciso trabajar articuladamente sobre la representación social de la comunidad con respecto a las personas con consumos problemáticos. Desestigmatizar para evitar la marginación social. Así es como desde un nivel se trabaja para que los sujetos puedan recuperarse de su situación de consumo y en otro nivel simultáneo se prepara el entramado que sostendrá a los sujetos que necesitan integrarse socialmente en su proceso de tratamiento. Se incluye también, en este nivel, a las personas y familias de la comunidad que estén en situación de vulnerabilidad y que dificultan el bienestar y desarrollo saludable de los sujetos en recuperación.

El abordaje asistencial necesita contar con una modalidad que no excluya al sujeto de su contexto social y familiar. La persona debe construir herramientas que le posibiliten convivir y participar activamente en su entorno. Prevención y Asistencia son intervenciones que necesariamente se definen, sostienen y potencian mutuamente. Además, en contextos de exclusión social grave, los sujetos no tienen acceso a la oferta de tratamientos existentes. Se requiere acompañar a las personas y a las comunidades a recuperar la capacidad de proyectar un cambio, y posibilitar el mejoramiento de la calidad de vida.

El abordaje comunitario se puede plantear como un recorrido no lineal, realizado en parte por caminos que existen y en parte por caminos que hay que hacer, por caminos que siempre se cruzan con otros y también consigo mismos. Las fases implican detener los procesos de autodestrucción y disminuir la peligrosidad de las conductas de riesgo. Simultáneamente, se apunta a incrementar la seguridad de las conductas de riesgo, mejorar las condiciones de vida y comenzar procesos de integración social (op. cit p. 315).

6. BIBLIOGRAFÍA

APUD. I. y ROMANÍ, O. "La encrucijada de la adicción. Distintos modelos en el estudio de la drogodependencia" *Health and Addictions/Salud y Drogas*, 16 (2), junio 2016, pp. 115-126.

ARRIETA, E.; ÁLVAREZ, F.; GONZÁLEZ, P. Varios *Un libro sobre drogas* El gato y la caja, Ciudad Autónoma de Buenos Aires, 2017.

BALLESTER BRAGE , Ll. "Intervención comunitaria, diversidad y complejidad social" *Prisma* 6, junio 2011, pp. 6-29.

BECOÑA, E. "La adicción "no" es una enfermedad cerebral" *Papeles del Psicólogo*, 37 (2), mayo-agosto 2016, pp. 118-125.

CAMAROTTI, A. C. y KOMBLIT. A. L. "Abordaje integral comunitario de los consumos problemáticos de drogas: construyendo un modelo" *Salud colectiva*, 11(2), junio 2015, pp. 211-221.

CONTRERAS MARTÍNEZ, L.; MOLINA BANQUERI, V. y CANO LOZANO, M.C. "Consumo de drogas en adolescentes con conductas infractoras: análisis de variables psicosociales implicadas" *Adicciones*, 24 (1), 2012, pp. 31-38.

ECHEBURÚA, E.; FERNÁNDEZ-MONTALVO, J. y AMOR, P. J. Psychological treatment of men convicted of gender violence: A pilot-study in Spanish prisons" *International Journal of Offender Therapy and Comparative Criminology* 50, 2006, pp. 57-70.

ESBEC, E. y ECHEBURÚA, E. "Abuso de drogas y delincuencia: consideraciones para una valoración forense integral" *Adicciones*, 28 (1), 2016, pp. 48-56.

GODOY, J. C. "Cerebro adolescente" en *Un libro sobre drogas*, Capítulo 1, El Gato y la Caja, Ciudad Autónoma de Buenos Aires, 2017, pp. 55-63.

GUTIÉRREZ, M. "Factores de riesgo y de protección asociados al consumo de alcohol en adolescentes" *Psyconex*, 8 (12), 2016, pp. 1-10.

HALL, W.; CARTER, A. y FORLINI, C. "Thebraindisease" *The Lancet Psychiatry*, 2 (1), 2015, pp. 105-110.

Ley N°26.934. Plan Integral para el Abordaje de los Consumos Problemáticos. Información legislativa. Ministerio de Justicia y Derechos Humanos. Presidencia de la Nación. Argentina, 30 de abril de 2014.

MACHÍN, J. "Modelo ECO2: redes sociales, complejidad y sufrimiento social" *Redes* 18, junio 2010, pp. 305-325.

MILANESE, E. *Tratamiento comunitario. Teorías y Conceptos. Glosario Crítico ECO2* 3ra Edición, Asociación de Formación y Reeducación Lua Nova. Ciudad Autónoma de Buenos Aires, septiembre 2017.

NIDA "Principios de tratamiento para la drogadicción: Una guía basada en las investigaciones" *National Institute on Drug Abuse*, julio 2010.

NUNES, L. M., y SANI, A. "Adicción a las drogas y victimización: una revisión teórica" *Psicología y Salud*, 25 (2), 2015, pp. 273-277.

RAMOS BARBERO, V. y GARROTE PÉREZ ALBÉNIZ, G. "Relación entre la conducta consumo de sustancias y la conducta delictiva" *International Journal of Developmental and Educational Psychology* 1, 2009, pp. 647-656.

VALENZUELA, E. y LARROULET, P. "La relación droga y delito: Una estimación de la fracción atribuible" *Estudios Públicos*, 119, junio 2010, pp. 33-63.

Capítulo 19
Modelos de intervención penal con menores

José Luis Díez Ripollés
Catedrático de Derecho Penal
Universidad de Málaga
España
ripolles@uma.es

El actual derecho penal de menores, con sus diversas configuraciones, es producto de una determinada evolución histórica que puede interpretarse de acuerdo a la progresiva aparición de diversos modelos de intervención penal. En lo que sigue vamos a hacer una sucinta descripción y evaluación de ellos.

1. EL DERECHO PENAL CLÁSICO Y SU SUPERACIÓN

El *derecho penal clásico*, vigente a lo largo del siglo XIX y en las primeras décadas del siglo XX, aplicaba a los menores un régimen penal sustancialmente no diferenciado del de los adultos.

El procedimiento de verificación de su responsabilidad y de determinación de las sanciones a imponer tenía los mismos rasgos que el de los mayores, con las mismas rutinas y clichés. La detención y la prisión preventiva eran instrumentos de uso corriente.

Las penas impuestas en caso de condena eran semejantes a las de los adultos, si bien solían atenuarse. Estaban ausentes medidas de corrección de los menores, hecho que también valía para los mayores de edad.

No existían establecimientos de cumplimiento de las penas de internamiento propios de los menores. Cumplían su sanción privativa de libertad en establecimientos ordinarios. El estrecho contacto con los adultos internados generaba o consolidaba procesos de corrupción social en los menores.

La *escuela positivista* del derecho penal comienza a fines del siglo XIX y principios del siglo XX a ejercer una fuerte crítica a la forma en que el derecho penal clásico trataba a los delincuentes. Consideraba, además, que una de las causas más significativas del coetáneo incremento de la delincuencia juvenil era el abordaje que el sistema penal hacía de sus comportamientos delictivos. Pero lo cierto es que esta corriente teórica no acabó de perfilar una propuesta alternativa viable.

Distinto fue el caso con las llamadas *escuelas intermedias* del derecho penal, las cuales a principios del siglo XX ya estaban en condiciones de hacer propuestas viables de reforma. Partían de unos presupuestos que favorecían ese cometido. En especial, su preferencia por los fines preventivos de la pena, su énfasis en la lucha contra la peligrosidad futura del delincuente real o potencial, y su original creación del sistema de doble vía compuesto de penas y de medidas de seguridad. Además, la delincuencia juvenil pasó a constituir uno de sus principales objetos de atención, a lo que no era ajeno el hecho de que la aplicación de medidas educadoras y correctoras presentaba muy buenos pronósticos en el colectivo de menores.

Hay que pensar también que el *estatuto social del menor* ha cambiado significativamente en el periodo de entreguerras (guerras mundiales de 1914 y 1939), lo que favorece el emprendimiento de cambios. Los menores pasan a ser considerados seres humanos peculiares, ya no meros adultos en pequeño. Se generaliza la educación obligatoria. Se prohíbe el trabajo infantil. Se extiende, sobre todo en las ciudades, la nueva familia nuclear, que da lugar a unas relaciones entre padres e hijos menos autoritarias y distantes que antaño. Y se desarrollan disciplinas científicas especialmente dedicadas a ellos como la pediatría, la psiquiatría infantil, la pedagogía...

Por otra parte se difunde la preocupación por el tema en círculos expertos nacionales e internacionales, lo que se refleja en la celebración de numerosos *congresos internacionales* con participación de interesados de numerosos países, entre ellos España. De hecho, la nueva tendencia encaja bien en la tradición correccionalista (Arenal Ponte) y correccionalista-positivista (Dorado Montero) que tanto arraiga en

España. Destacan en este campo Jiménez Vicente, Guallart López de Goicoechea y Cuello Calón.

Todos estos cambios generan un potente movimiento de creación de *tribunales tutelares de menores*, que se inician en los Estados Unidos y Canadá (Illinois 1899, Pensilvania 1901, Canadá 1908) y que en Europa establecen en primer lugar Portugal (1911) y Bélgica (1912), para extenderse luego a la mayoría de los países europeos.

Sin embargo, este enfoque tutelar no se acoge del mismo modo en todos los países europeos, de forma que podemos hablar de que se asientan dos sistemas diversos de abordaje de la delincuencia de menores.

El primero de ellos aspira a excluir al menor del derecho penal mediante la creación de un sistema de intervención ajeno a la administración de justicia penal. El contacto de este sistema con la jurisdicción penal, en cuanto a asuntos, procedimiento y reacciones, es solo lejano. Los países nórdicos europeos optan de manera estricta por esta alternativa, asegurándose de que el menor queda al margen de cualquier intervención judicial. También diversos estados norteamericanos, Bélgica y Portugal asumen este enfoque.

El segundo sistema de intervención quiere configurar un derecho penal propiamente juvenil como una rama específica del derecho penal fuertemente orientada a la prevención especial. En este caso se sigue un procedimiento similar al ordinario e impulsado por jueces de carrera (Holanda 1901, Francia 1912), y se presta especial atención a que las penas y/o medidas impuestas tengan fines exclusivamente preventivo-especiales, singularmente reeducadores (Inglaterra y Gales 1908, Alemania 1923).

En España se intenta combinar ambos sistemas, aunque el que se implanta a fondo es el primero: la ley de tribunales tutelares de menores española es una de las primeras de Europa (1918) y se aplica a todos los menores inimputables, es decir, por debajo de los 16 años. Por el contrario, el derecho penal juvenil no acabó de desarrollarse: el código penal preveía una atenuación facultativa de la pena para los menores de 16 a 18 años, pena que además podía sustituirse por una medida de seguridad. Pero nunca acabó de aplicarse sistemáticamente, ni en frecuencia ni en calidad, la citada medida.

2. EL MODELO TUTELAR

Este modelo tiene su origen en el movimiento de creación de los tribunales tutelares de menores que, como ya se ha dicho, se extendió por Norteamérica y Europa desde finales del siglo XIX. Vamos a detenernos algo más en su configuración, a cuyo fin vamos a seguir el modelo implantado en España.

Este modelo tuvo una larga vigencia en nuestro país, pues rigió de 1918 a 1992. Con todo, hasta 1963 no se completó la red de tribunales tutelares y de reformatorios para menores en todas las provincias españolas.

Estos tribunales tenían tanto competencias protectoras, hoy pertenecientes al ámbito del derecho civil, como reformadoras, hoy integradas en el derecho penal. Su ámbito objetivo de actuación incluía los delitos y faltas cometidos por menores, pero también infracciones de leyes administrativas, y meros comportamientos asociales de menores prostituidos, licenciosos, vagabundos... en el decir de la ley. Podían perseguir incluso infracciones cometidas por adultos y relacionadas con los menores.

En cuanto a su ámbito subjetivo, el límite máximo estaba en los 16 años, pero no había límite mínimo de edad, tampoco para la actividad reformadora. Por lo demás, lo determinante para ajustar la intervención eran las condiciones morales o sociales manifestadas y no los hechos realizados, con lo que se trabajaba en buena medida en un marco cercano al derecho penal de autor.

Hasta 1976 los integrantes de los tribunales solo precisaban ser licenciados en derecho, lo que generaba orgánicamente un híbrido administrativo-jurisdiccional dependiente del ministerio de justicia. Tras esa fecha se permite que esos órganos, ahora unipersonales, se ocupen por miembros de la carrera judicial o fiscal. Solo en 1985 se crean los juzgados de menores, insertos en la jurisdicción ordinaria como órganos judiciales especializados.

El procedimiento del modelo tutelar español difería del procedimiento jurisdiccional, pues estaba transido por un enfoque paternalista y autoritario, en el que las garantías penales se estimaban innecesarias, cuando no distorsionantes. No intervenían abogados ni procuradores y solo se permitía la defensa propia del menor. Las sesiones eran a puerta cerrada. Principios como los de presunción de inocencia, derecho a no declarar y otros eran desconocidos. Y no se preveían recursos a órganos superiores.

Las reacciones consistían en medidas que perseguían exclusivamente fines preventivo-especiales, especialmente la recuperación del menor mediante la enseñanza, el trabajo y la religión. Estas medidas no tenían por qué guardar proporción con los hechos cometidos, y eran indeterminadas siempre que se respetara el límite de duración de la mayoría de edad civil. Estaban previstos internamientos, aunque solo para los casos difíciles. Y, por supuesto, dado el ámbito objetivo de actuación antes descrito, se podían imponer medidas predelictuales.

3. EL MODELO EDUCATIVO

Este modelo se puede considerar la réplica en el ámbito de los menores del modelo político-criminal resocializador en el ámbito de los adultos. Ello sin perjuicio de que enlaza fácilmente con el modelo tutelar acabado de describir, del que se puede considerar una modernización. De ahí que en algunos países como España no siempre se diferencia. Arraiga especialmente tras la II Guerra Mundial, especialmente en aquellos países como los anglosajones de Norteamérica y los nórdicos europeos donde también encontró gran eco el modelo resocializador referido a los adultos.

Los factores que lo impulsan son muy similares a los del modelo resocializador en los adultos. Entre los más importantes cabe citar:

La consolidación del estado de bienestar europeo, que posibilita ampliar notablemente las intervenciones sociales sobre los menores problemáticos. El progreso de las ciencias sociales, y en particular la criminología, en el conocimiento y afrontamiento de las conductas desviadas juveniles. La consideración de la delincuencia y de las conductas irregulares juveniles como un fenómeno, en la mayoría de las ocasiones, pasajero, que remite espontáneamente con la edad. El descenso de la delincuencia juvenil desde los años 40 a los 70 del siglo XX en Europa. La constatación, cada vez más acreditada, de los efectos negativos que producen en los menores las intervenciones de la justicia penal, lo que incluye unas actuaciones tutelares muy ligadas a actitudes paternalistas autoritarias.

Podemos señalar como uno de los rasgos básicos del modelo su pretensión de *desjudicializar* sea la intervención tutelar sea la propia del derecho penal juvenil. En ese sentido, se crean nuevos organismos, como consejos de familia o comités de expertos. Se promueve que policía y fiscalía resuelvan el caso antes de llegar al ámbito judicial. Y se otorga un importante papel a instituciones administrativas de asistencia social.

También se aspira a *diversificar* el catálogo de medidas disponibles. A tales efectos, se proscriben en lo posible las medidas que impliquen privaciones o limitaciones de libertad, y se potencia el acogimiento familiar, las familias sustitutivas o las residencias familiares. Hay una fuerte presencia de trabajadores sociales, los cuales procuran mantener la reacción social a la conducta delincuente del menor dentro del entorno familiar y social de este, incidiendo tanto sobre el menor como sobre el contexto familiar y social.

Dadas las características anteriores, no ha de extrañar que en el diseño de las estrategias preventivas desempeñe un papel decisivo la comunidad, en estrecha relación con los servicios sociales institucionalizados.

De todos modos, el modelo sigue manteniendo rasgos muy característicos del modelo tutelar. Así, no distingue adecuadamente entre los ámbitos de protección y reforma, interviene sobre conductas meramente asociales, no delictivas, y no se respetan las garantías procesales.

El modelo entra en crisis al mismo tiempo que el modelo político-criminal resocializador de los adultos, y por motivos semejantes. En este caso, uno de los motivos más relevantes es la comprobación de que las amplias y difusas intervenciones sociales realizadas tenían un sesgo clasista, pues se habían convertido en instrumentos de marginación de las clases sociales más desfavorecidas. Su crisis arrastró también al modelo tutelar, el cual se había mantenido inalterado en muchos países europeos, como España.

4. EL MODELO DE RESPONSABILIDAD Y SU PROFUNDIZACIÓN

Este modelo vuelve a mantener una correspondencia con los cambios producidos en la intervención penal sobre adultos, y responde a los cambios ideológicos que condujeron al abandono del modelo político-criminal resocializador y su sustitución en muchos lugares por lo que se ha dado en llamar el modelo político-criminal garantista.

Sus inicios se hallan en una serie de sentencias del tribunal supremo de Estados Unidos que tuvieron lugar desde mediados de los años 60 y en los años 70 del pasado siglo, y encontraron campo abonado en las críticas al modelo político-criminal resocializador que empezaron a surgir poco tiempo después. Su profundización se produjo tras la aprobación de determinados convenios internacionales impulsados por Naciones Unidas –Reglas mínimas de Pekín sobre la administración de justicia de menores de 1985, Convención de los derechos del niño de 1989– y por el Consejo de Europa –Recomendación R(87) 20 de 1987–.

El factor impulsor más importante fue la reclamación de un proceso justo para los menores, dotado de las debidas garantías penales. Ni un modelo tutelar, que se veía paternalista y autoritario, ni un modelo educativo, con un enfoque peligrosista y un fuerte sesgo social, estaban en condiciones de asegurar tal pretensión.

Rasgos básicos del nuevo modelo son los siguientes:

Reconocimiento del menor como un sujeto responsable, de forma que se le puede pedir cuentas por el hecho delictivo realizado. Ello sin perjuicio de que su responsabilidad se puede graduar. Así, hay un límite mínimo en el que no hay responsabilidad, por lo que el menor debe ser remitido a los órganos de protección; en la práctica ese límite oscila entre los 12 y los 16 años, aunque hay países que lo colocan en los 8 (Escocia), 10 (Inglaterra y Gales) o 18 (Bélgica). El menor que supera ese límite mínimo y que no alcanza, por lo general, los 18 años deberá responder penalmente en el marco del derecho penal juvenil; ese intervalo etario está determinado por razones biológicas pero también político-criminales. Finalmente, los llamados jóvenes adultos, que ya han superado los 18 años pero no han alcanzado los 21 años, tienen un régimen específico; podrá consistir en una aplicación facultativa del derecho penal juvenil (Alemania, Holanda), o en la aplicación del derecho penal de adultos pero con importantes atenuaciones o especificidades (Austria, Suecia, Polonia).

En cuanto al ámbito objetivo, el derecho penal juvenil se aplica a los comportamientos delictivos previstos en el código penal de adultos. Quedan fuera, por consiguiente, las intervenciones de protección sobre menores abandonados o desvalidos. También, aunque no siempre, las conductas antisociales de menores que no llegan a ser delictivas, esto es, los ilícitos de estado (status offences).

Las reacciones que se impongan por la conducta delictiva deberán inspirarse en el interés del menor, entendido en términos preventivo-especiales, e implicarán que este ha de asumir su responsabilidad. Habrán de respetar el principio de proporcionalidad con la gravedad del hecho realizado y con las circunstancias personales, familiares y sociales del menor; en ningún caso su aflicción debe superar la de los adultos por el mismo hecho. Y deberá disponerse de un amplio catálogo de medidas, de las que podrá hacer uso el juzgador discrecionalmente a la vista del interés del menor. Habrá una promoción consciente de las medidas no privativas de libertad, dando preferencia a las que se cumplan en el entorno social del menor; la medida privativa de libertad tendrá carácter excepcional. Todas las medidas tendrán una duración determinada, que será la menor compatible con los fines preventivos.

En cuanto a la verificación de responsabilidad, se ha de llevar a cabo por una jurisdicción especializada inserta en la jurisdicción ordinaria. Y el procedimiento ha de respetar el conjunto de garantías penales y procesal-penales desde las primeras diligencias hasta el fin de la ejecución de la medida. Entre tales garantías cabe citar, a título de ejemplo, los principios de legalidad, presunción de inocencia, defensa letrada, acusación y contradicción, el derecho a guardar silencio y a la apelación, y la prohibición de dilaciones indebidas. Necesidades específicas de protección de la intimidad del menor pueden llevar a que no se difundan imágenes de él o a que las sesiones no sean públicas.

El interés en desjudicializar aconsejará hacer uso del principio de oportunidad procesal, que se materializará, en función de la importancia del hecho o de la condición o actitud del menor, en desistimiento de la fiscalía, sobreseimiento del juez, renuncias a aplicar medidas, o técnicas semejantes. Estas darán pie, si procede, a controles sociales o intervenciones sociales informales, sin que deba descartarse la remisión del menor al sistema de protección.

Se ha de atender igualmente a las necesidades de las víctimas mediante programas de mediación, conciliación y reparación, que deben tener repercusiones en el procedimiento y en las medidas adoptadas.

Una profundización de este modelo se ha dado con el denominado **modelo de intervención mínima** o de las 4Ds, el cual, sin renunciar al modelo de responsabilidad, intenta paliar los efectos negativos que toda intervención penal conlleva. Se trata de reducir esta lo más posible, pues se duda de su capacidad para mejorar la situación del menor delincuente, y se teme su proclividad a empeorarla. Las Ds aluden a los términos despenalización, desjudicialización, debido proceso y desinstitucionalización.

Lo más característico de su propuesta es la despenalización. A tales efectos, en primer lugar deben salir del derecho penal juvenil, donde estén previstos, los ilícitos de estado, las conductas antisociales no delictivas. Además, el derecho penal juvenil no ha de ser accesorio del derecho penal de adultos, por lo que se han de eliminar de aquél los delitos eminentemente juveniles de escasa relevancia como hurtos, hurtos de uso, daños, conducciones de vehículos temerarias o bajo la influencia de drogas, consumo de drogas... . Por las mismas razones se habrán de excluir delitos de bagatela en general o los delitos mal llamados sin víctima, esto es, afectantes a bienes jurídicos colectivos.

Por lo que se refiere a la desjudicialización, impulsa el empleo de reacciones al margen del sistema de justicia penal juvenil. Con todo, habrá que procurar prevenir el efecto de expansión de red, es decir, que los operadores jurídicos tiendan a ampliar la intervención penal sobre los menores, ocupándose de conductas que antes no eran objeto de su atención, en la medida en que ahora no tienen por qué aplicarles medidas estigmatizadoras.

La desinstitucionalización procura reducir lo más posible los internamientos u otras medidas que involucren a instituciones de carácter residencial. Por último, el debido proceso o proceso justo no es más que una profundización en las técnicas ya desarrolladas por el modelo de responsabilidad original.

5. EL MODELO REPARADOR

Constituye la réplica, en el caso de los menores, del modelo abolicionista en los adultos. Es sabido que éste nunca ha logrado consolidarse, si bien ha sido determinante para generalizar, entre modelos que responden a otros criterios, ciertas técnicas por aquel diseñadas como la mediación, la reparación y lo que en general se conoce como justicia restauradora. En la justicia de menores la penetración de esas técnicas ha sido notablemente más intensa que entre los adultos e incluso ha permitido hablar, en algunos pocos ordenamientos, de que ese es el modelo efectivamente aplicado.

Objetivos básicos del modelo son tres. La reparación material y moral del daño causado a la víctima o a la comunidad. La asunción de responsabilidades por el delincuente menor de edad por las consecuencias negativas de su actuación. Y el desencadenamiento de una respuesta educativa que favorezca la reinserción social del menor.

Al ser un correlato del modelo abolicionista entiende el delito como un conflicto entre las partes, que debe ser resuelto sustancialmente entre ellas. Ello exige habilitar programas de solución de conflictos que potencien los acuerdos entre las partes, programas que perseguirán algunos de los siguientes tipos de acuerdo o, más frecuentemente, varios de ellos: Programas de mediación, mediante los que un mediador intenta acercar posturas para llegar a un acuerdo satisfactorio para todos. Programas de conciliación, que buscan la satisfacción psicológica de la víctima, mediante el arrepentimiento y la petición de disculpas del autor, y su aceptación por la víctima. Programas de reparación, que pretenden restaurar la situación previa al comportamiento delictivo mediante la realización por el autor de hechos en favor de la víctima o de la comunidad.

Pero un auténtico modelo reparador implica que existe un órgano decisorio que sustituye al órgano penal o parapenal, cuya competencia se restringe a determinar la culpabilidad o la inocencia, y en los casos discutidos quizás a aquellos casos en los que no hay forma de llegar a algún tipo de acuerdo. Entre los pocos ordenamientos que han llegado tan lejos se encuentra el de Nueva Zelanda.

Así, una ley de 1989 creó las comisiones familiares (*family group conferences*) que están constituidas por el menor y su familia, la víctima y su representante, personas invitadas por unos y otros, la policía, un trabajador social y, en los casos más graves, el abogado del menor. Su convocatoria presupone que el menor ha reconocido el hecho delictivo cometido. Constituyen una real alternativa a la justicia juvenil siempre que el menor no haya sido detenido; en caso contrario la comisión no pasa de formular recomendaciones al juez de menores, el cual, por cierto, suele atenderlas. Un trabajador social se ocupa de organizarlas, velar porque se desarrollen de acuerdo a los fines pretendidos por la ley, y controlar el cumplimiento de lo acordado. En ellas se producirá una discusión franca sobre una propuesta abierta que presenta el menor delincuente y su familia. Será preciso que se produzca un acuerdo entre todos. Si el acuerdo se produce y conlleva privación de libertad o internamiento residencial será el juez quien deba adoptar la medida; si no ha habido acuerdo decidirá sobre la medida a imponer, según haya mediado detención previa o no, el juez o la policía.

En la mayoría de los ordenamientos no se ha llegado tan lejos. Es cierto que en unos pocos países se ha extendido la técnica de comisiones familiares o comisiones comunitarias, con diferente alcance (Irlanda del Norte, Australia, Canadá...). Pero lo que realmente predomina en un gran número de países son programas de justicia reparadora integrados en el sistema más amplio de justicia juvenil. Estos programas, que a veces gozan de un apoyo normativo expreso o se apoyan en previsiones legales más genéricas aunque usualmente se llevan a cabo sin respaldo normativo expreso, no han dejado de tener un carácter residual en casi todos esos países.

En España la LO 1/2000, arts. 7.1.j), 19, 51.2, contempla específicamente técnicas de conciliación y reparación, que si dan un resultado satisfactorio en el caso concreto pueden originar el sobreseimiento del expediente, la desactivación de la medida impuesta o una medida de trabajos en beneficio de la comunidad.

6. EL MODELO SECURITARIO

Vuelve a ser una réplica de un modelo político-criminal ensayado para los adultos, en este caso, el modelo de la seguridad ciudadana. Se asienta sobre todo en Estados Unidos y otros países anglosajones con fuertes políticas neoliberales, con la excepción de Nueva Zelanda. También contamina a diversos países europeos, aunque de manera más limitada.

Entre sus factores impulsores más importantes cabe citar, ante todo, la difusión de las políticas criminales de mano dura y ley y orden en el marco de la intervención penal en general y sobre los adultos en particular. Adquiere, en ese sentido, especial relevancia el renovado protagonismo de la delincuencia clásica, la extensión de un sentimiento de inseguridad ante la delincuencia juvenil, el especial interés en las víctimas de delitos, el deseo de recuperar la carga aflictiva de las medidas impuestas así como la imposición de internamientos, y la implicación de las instituciones de protección en este enfoque más punitivo. Además, el paso a este modelo se ha visto allanado por la previa introducción del modelo de responsabilidad, en cuanto que reivindica de manera rotunda y hasta cierto punto unilateral la idea de que al menor hay que hacerlo responsable por sus actos.

Entre sus rasgos básicos se pueden mencionar los siguientes:

Se amplía el ámbito subjetivo y objetivo de la justicia juvenil. En cuanto a lo primero, no es raro que desciendan los límites mínimos de edad a partir de los cuales se puede exigir responsabilidad a los menores. Lo que va acompañado del cuestionamiento de la extensión de la justicia juvenil a los semiadultos. España es a este último respecto muy ilustrativa: Tras dos suspensiones de la entrada en vigor de la previsión legal que contemplaba el régimen específico de los semiadultos, y una efectiva vigencia de ella brevísima, algo más de un mes, finalmente ha sido suprimida de la ley de justicia de menores. La persistencia de su mención en el art. 69 del código penal se ha convertido en irrelevante.

En el ámbito objetivo se producen fenómenos paralelos. Por un lado, el sistema de protección de menores resulta contaminado por técnicas propias del sistema de reforma de menores. Así, en España, L0 8/2015, pasan a preverse intervenciones cuasipunitivas para conductas que no entran en la justicia penal de menores, en concreto, internamientos – acogimiento residencial– para menores sometidos a instituciones de protección. Esos internamientos tienen previstas medidas de seguridad específicas, por más que se entiendan como medidas coercitivas o de vigilancia. Por otro lado, cada vez más países prevén la posibilidad de reenviar el enjuiciamiento del menor a la jurisdicción de adultos, si el juez de menores estima especialmente grave el comportamiento –waiver–.

Tampoco el sistema de medidas permanece ajeno a esta evolución, e incorpora con fuerza fines retributivos y, sobre todo, preventivo-generales. A ello se añade un especial interés en asegurar el principio de proporcionalidad entre hecho cometido y medida impuesta, aun cuando ello deje sin considerar debidamente las circunstancias del menor y las de su entorno. En ese sentido, las reacciones más duras, singularmente el internamiento cerrado, se amplían a cada vez más supuestos delictivos; así, en España, LO 8/2006, el internamiento cerrado se prevé para cualquier delito grave, incluso delito menos grave, siempre que concurran cierta condiciones de muy diferente pelaje. También se incrementa la duración de las medidas en todos los tramos de edad, singularmente en lo internamientos cerrados. Y adquiere progresiva relevancia la reincidencia. De nuevo lo podemos ver en España, mediante las LLOO 7/2000 y 8/2006, con una elevación general de los internamientos cerrados, que ya pueden llegar a los 10 años en caso de concurso de infracciones.

Con el procedimiento se pretende primordialmente mejorar su eficacia. Eso se traduce, no solo en una mejor coordinación entre las diversas instancias judiciales, sino igualmente en la potenciación de los juicios rápidos. Las medidas cautelares de internamiento son aprovechadas a fondo, ampliando supuestos susceptibles de ser sometidos a ellas y su duración. En España la LO 8/2006 extiende esas medidas cautelares a supuestos en que hay riesgo de atentar contra los bienes jurídicos de la víctima, y se aceptar prolongarlas hasta los nueve meses. El protagonismo que va adquiriendo la víctima hace que algunos países como España, L0 15/2003, abandonen la exclusiva persecución de oficio y admitan la acusación particular de la víctima o sus familiares. Y los plazos de prescripción tienden a equipararse a los de los adultos.

La transformación de las medidas impuestas viene acompañada del endurecimiento de su ejecución. Así, se admite remitir al menor al sistema penitenciario de adultos, una vez haya cumplida cierta edad, para que cumpla allí su medida de internamiento, sin que sea obstáculo que el hecho delictivo lo haya cometido siendo menor. España prevé tal cosa a discreción judicial a partir de los 18 años, y de forma obligada cuando alcance los 21 años o tenga 18 y haya estado ya en prisión.

7. EL MODELO SOCIALMENTE INCLUYENTE. CONTRASTES ACTUALES

A la hora de involucrarse en la discusión actual sobre cuál sea el modelo de justicia de menores más adecuado puede ser útil contraponer dos conjuntos de ordenamientos vigentes especialmente contrapuestos, los países nórdicos europeos, por un lado, y la mayoría de estados de Estados Unidos, por otro.

Los países nórdicos disponen hoy en día de un modelo que combina el modelo tutelar con el derecho penal de los adultos, sin tener previsto un derecho penal juvenil propiamente dicho.

Por lo que se refiere al componente tutelar, cabe aclarar ante todo que se dirige en gran medida al ámbito de protección, no de reforma, de menores. Pues se aplica a menores de 14 años o menos, límite que casi coincide con el paso del ámbito de reforma al de protección en muchas jurisdicciones nacionales. Tiene un enfoque muy bienestarista, sin que haya una clara delimitación entre temas civiles y penales. En los casos más graves se puede llegar a imponer una convivencia con una persona, familia o grupo educativo, aunque lo normal son tratamientos ambulatorios y programas preventivos. Y, desde luego, no hay un procedimiento propiamente dicho: Si hay que interrogar al menor para identificar, por ejemplo, a otros coautores adultos, se hace en presencia de los padres o de un trabajador social. No deja de reconocerse que sería deseable un mayor respeto de las garantías individuales.

Sorprende inicialmente saber que el derecho penal de adultos se aplica a menores de 15 años en adelante, una edad muy temprana para verse sometido a ese régimen. Pero esto se ve inmediatamente matizado por dos hechos ilustrativos: Hay una larga lista de peculiaridades a la hora de aplicar el derecho penal de los adultos a los menores. Y además esas peculiaridades se extienden fácilmente a los jóvenes adultos hasta los 21 años.

Así, existe un uso muy frecuente de las técnicas de desjudicialización a través del principio de oportunidad procesal, en manos tanto de la fiscalía como de la policía. De forma que abundan las meras amonestaciones, las renuncias al procedimiento o a la pena, las mediaciones que permiten eludir el procedimiento penal y, significativamente, las remisiones al sistema tutelar. De hecho, los menores entre 15 y 17 años son ordinariamente derivados al sistema tutelar, lo que supone un dato muy relevante.

Las medidas cautelares aplicables a los menores en este derecho penal de adultos están muy limitadas. Para empezar, es extremadamente infrecuente que un menor de 18 años o menos sea detenido por la policía, lo normal es remitirlo a las instituciones de asuntos sociales. Y la prisión preventiva, salvo para periodos muy cortos, no está prevista.

La pena que más se impone es la de multa, seguida de la de suspensión de la pena de prisión, con o sin trabajo en beneficio de la comunidad. La pena de prisión no se puede aplicar a menores entre 15 y 17 años, salvo en delitos muy graves, y su aplicación a menores entre 17 y 18 años y a jóvenes adultos entre 18 y 19 años precisa una justificación muy detenida. Si se impone finalmente la pena de prisión se procura que su cumplimiento sea en lugares específicos para menores y jóvenes adultos, sean módulos específicos en las prisiones sean centros de internamiento cerrados específicos para menores. El desarrollo de estos últimos centros se ha constatado que ha tenido un indeseable efecto de expansión de red, pues han aumentado los internamientos en ellos sin un paralelo descenso del ingreso en módulos específicos de las prisiones.

El ordenamiento de la mayoría de los estados de Estados Unidos contrasta fuertemente con el de los países nórdicos, ya que se puede apreciar una clara adhesión al modelo securitario.

Así, las edades en que se puede aplicar sin restricciones el derecho penal de adultos son bajas en bastantes estados, con frecuencia a los 17 años y en ocasiones a los 16 años. Al mismo tiempo es fácil remitir al derecho penal de adultos a menores de esas edades. Esto último se logra con dos mecanismos. El primero son las leyes de traslado (transfer laws), que pueden proceder a tal cosa por diferentes motivos: A discreción del fiscal o del juez (waiver provisions), obligatoriamente dada la naturaleza del delito cometido o del hecho de haberlo cometido en el seno de una banda, por estar casado, emancipado, por tener antecedentes, etc. El segundo es a través de las condenas mixtas (blended sentences), en virtud de las cuales se prevé imponer, si la medida juvenil no tiene éxito, una pena propia del derecho penal de adultos. De un modo u otro estas técnicas impiden que los menores se beneficien de las redes asistenciales para menores y provocan además que los menores queden sometidos a las numerosas sanciones adicionales que rigen para los adultos. Hay que señalar, de todos modos, que parece que el uso de estas remisiones de los menores al mundo de los adultos está disminuyendo recientemente.

Por lo demás, los ilícitos de estado o conductas antisociales no delictivas de los menores (status offences) persisten, así como la prisión preventiva y las medidas privativas de libertad para ellas previstas. Una reciente ley federal intenta acotar este fenómeno.

Al margen de las remisiones al sistema de adultos ya señaladas, es frecuente que la medida privativa de libertad impuesta a menores se termine cumpliendo, parcialmente al menos, en el sistema penitenciario de los adultos. Casi siempre es obligatorio el cumplimiento allí en cuanto cumples los 21 años, y en ocasiones a los 18 años. Aunque también hay estados que retrasan esa entrada hasta los 24 años. Y, desde luego, no hay previsiones específicas para jóvenes adultos.

Dado el conjunto de previsiones anteriores no ha de extrañar que un número significativo de menores de 18 años acaben sometidos al régimen de los adultos. Desde 1990 a la actualidad el número se ha cuadruplicado. Por lo general, además, no están separados de los adultos. Y la prisión preventiva es una práctica común, en especial si luego van a ser juzgados como adultos. Por último, un número apreciable de menores delincuentes han sido condenados a cadena perpetua. Hasta 2005 podían sufrir en algunos estados la pena de muerte.

Este contraste entre ordenamientos tan diversos permite captar de una manera clara las muy contrapuestas reglas y prácticas que están a disposición hoy en día del sistema de justicia de menores. Y suscita inmediatamente la cuestión de hacia dónde vamos, de qué pretendemos lograr con las intervenciones sobre menores delincuentes. La respuesta a esta pregunta ha de orientar la configuración de la justicia penal juvenil. Mi punto de vista ya lo he expresado en términos generales respecto al modelo político-criminal contemporáneo en su conjunto. Y sostiene que todo sistema de justicia penal ha de procurar, sin perjuicio de su fin protector de bienes jurídicos, no generar exclusión social sobre los que se ven directamente sometidos a su intervención y, si es posible, atenuar o al menos no empeorar la situación de exclusión social eventualmente existente. Idea que se funda en la razonable hipótesis de que cuantos menos efectos socialmente excluyentes genere un sistema penal sobre sospechosos, procesados, delincuentes y exdelincuentes mejor prognosis se dará sobre la reducción y control de la delincuencia.

Y si ese planteamiento vale para la delincuencia de adultos, con mayor motivo es pertinente en la delincuencia de menores. Son sujetos inmersos en pleno proceso de socialización e interiorización de normas, y sería insensato utilizar la intervención penal para dificultarlo en lugar de para facilitarlo.

8. BIBLIOGRAFÍA

CAVADINO, M, DIGNAN, J, 2006, *Penal systems: a comparative approach.* London: Sage Publishing.

DÍEZ RIPOLLÉS, JL, 2011, La dimensión inclusión / exclusión social como guía de la política criminal comparada, *Revista electrónica de ciencia penal y criminología*, 13-12, http://criminet.ugr.es/recpc

DÍEZ RIPOLLÉS, JL, 2015, *La política criminal en la encrucijada*, 2ª edición, Buenos Aires: B de F

DÍEZ RIPOLLÉS, JL, 2016, *Derecho penal español. Parte general*, 4ª edición, Tirant lo Blanch.

DÍEZ RIPOLLÉS, JL, 2017, El abuso del sistema penal, *Revista electrónica de ciencia penal y criminología*, 19-01, http://criminet.ugr.es/recpc

GARCÍA PÉREZ, O, 1999, Los actuales principios rectores del derecho penal juvenil, *Revista de derecho penal y criminología*, 2ª época, 3

GARCÍA PÉREZ, O, 2000, La evolución del sistema de justicia penal juvenil, *Actualidad penal*, nº 32

GARCÍA PÉREZ, O, 2007, La reforma de 2006 de la ley de responsabilidad penal de los menores: La introducción del modelo de la seguridad ciudadana, en Jorge Barreiro, A, Feijóo Sánchez, B, eds, *Nuevo derecho penal juvenil: una perspectiva interdisciplinar*, Barcelona: Atelier.

GONZÁLEZ TASCÓN, M, 2010, *El tratamiento de la delincuencia juvenil en la Unión europea*, Valladolid: Lex Nova

LAPPI-SEPPÄLÄ, T, 2019, Youth Justice and Youth Sanctions in four Nordic States, en Goldson, B, ed, *Juvenile Justice in Europe. Past, Present and Future*, New York. Routledge.

LÓPEZ CABALLERO, JC, 1994, La legislación reformadora de menores en España y Brasil, *Revista de derecho penal y criminología*, nº4.

RANDO CASERMEIRO, P, 2019, Justicia penal juvenil en Estados Unidos y en los países escandinavos, *En prensa*.

VÁZQUEZ GONZÁLEZ, C, 2003, *Delincuencia juvenil. Consideraciones penales y criminológicas*, Madrid: Colex.

Capítulo 20
Evolución, características y contextos problemáticos de la delincuencia juvenil en España

Miguel Ángel Cano
Profesor Titular de Derecho Penal y Criminología
Universidad de Granada
España
macano@ugr.es

1. INTRODUCCIÓN

La delincuencia cometida por menores de edad en España sigue siendo un tema de plena actualidad. Casi veinte años después de aprobarse la comúnmente denominada Ley Penal del Menor,[1] la cual supuso un giro copernicano en el tratamiento de la delincuencia juvenil en España, no son pocas las voces que piden un endurecimiento de la normativa *penal* contenida en la mencionada ley, para con ello combatir la –se piensa– cada vez más «malvada juventud». Las razones de esta percepción son una serie de hechos aislados –que precisamente por aislados han tenido una gran repercusión mediática– protagonizados por menores de edad, en los que el nivel de violencia empleada ha provocado en la población una ola de pánico moral, exigiendo al legislador respuestas enérgicas ante la delincuencia juvenil.

A partir del contexto descrito en el párrafo anterior, el objetivo del siguiente trabajo es, en primer lugar, ofrecer una visión general

---

[1] Ley Orgánica 5/2000, de 12 de enero, Reguladora de la Responsabilidad Penal de los Menores (LORPM), la cual entró en vigor el 13 de enero del año 2001 y que somete a la correspondiente responsabilidad jurídico-penal a los menores autores de infracciones delictivas con edades comprendidas entre los 14 y los 18 años.

sobre la evolución, las características y la estructura de la delincuencia juvenil en España. Posteriormente, en la segunda parte del trabajo, se analizan una serie de ámbitos problemáticos circunscritos a la propia delincuencia juvenil; ámbitos los cuales, sin ser motivo de alarma, sí que merecen ser destacados, ya que los mismos contradicen por decirlo así las características generales que presentan en España los hechos delictivos cometidos por menores de edad.

2. EVOLUCIÓN DE LA DELINCUENCIA JUVENIL EN ESPAÑA

Al volumen que abarca la delincuencia juvenil en España se puede acceder a través de dos vías fundamentales: las estadísticas oficiales, por un lado, y las investigaciones criminológicas, por otro. Por lo que hace referencia a las estadísticas oficiales, hay que decir que las mismas informan únicamente de la criminalidad registrada, es decir, aquella criminalidad que llega a conocimiento de las distintas instancias de control formal. En España son fundamentalmente las estadísticas policiales, las judiciales, así como las publicadas anualmente por la Fiscalía General del Estado. En este trabajo se van a analizar fundamentalmente las estadísticas policiales, las cuales son consignadas anualmente en el Anuario Estadístico del Ministerio del Interior. No obstante la utilidad que presentan las estadísticas oficiales, éstas no reflejan la *criminalidad real* con la que se enfrenta la sociedad española, ya que no todas las infracciones delictivas llegan a conocimiento de las instancias de control social formal, porque, o bien no se detectan, o bien no se denuncian, permaneciendo así una gran cantidad de delitos dentro de lo que se conoce como «cifra negra». Es aquí donde entran en acción las investigaciones criminológicas arriba mencionadas, ya que las mismas tratan fundamentalmente de averiguar la cifra negra de la criminalidad, es decir, el volumen de aquellas infracciones delictivas que, o bien no son percibidas por la población como tales, o bien, siendo percibidas, no son denunciadas ante los órganos de persecución penal (policía y/o justicia). Baste apuntar aquí que las dos técnicas de investigación criminológicas que fundamentalmente se han utilizado en España para tratar de averiguar, con la mayor aproximación posible, la cifra negra de la criminalidad, son las encuestas de autoinforme o de autodenuncia (también denominadas como delincuencia autorrevelada), por un lado, y las encuestas de victimización, por otro.

Conviene señalar que la obtención de datos fiables a lo largo del tiempo sobre la criminalidad de los menores en España no es tarea fácil, pues las fuentes oficiales presentan carencias importantes (Aebi/Linde, 2010), por lo que la Criminología ha tenido precisamente que acudir en los últimos años a estudios de naturaleza criminológica mediante la técnica de autoinforme.

A pesar de todo, los datos publicados en España permiten señalar que la evolución de la delincuencia juvenil muestra en los últimos años una tendencia a la baja, con un descenso palpable en el número de detenciones de menores de edad a partir del año 2011, tal y como se puede comprobar en el *Gráfico 1*:

Gráfico 1. Detenidos o investigados menores de edad en España (2010-2017)[2]

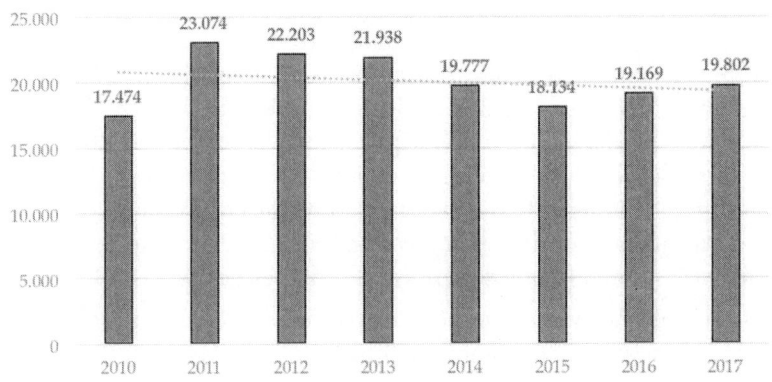

Fuente: Elaboración propia a partir de datos de los anuarios del Ministerio del Interior

---

[2]   Hay que señalar que las cifras relativas a la delincuencia juvenil consignadas proceden de los datos aportados por las Fuerzas y Cuerpos de Seguridad del Estado, excepto los *Mossos d'Esquadra*, cuerpo policial que actúa en la Comunidad Autónoma de Cataluña. A esta circunstancia se añade otra, y es que la Policía Autonómica del País Vasco (*Ertzaintza*) no desglosa los datos correspondientes a las detenciones por homicidios dolosos y asesinatos consumados.

De las cifras reproducidas en el *Gráfico 1* hay un dato que en principio puede sorprender, y es el considerable aumento en el número de detenidos o investigados menores de edad que se produce en el año 2011 con respecto al año 2010. No obstante, ese aumento es en cierta medida ficticio y tiene una explicación. La razón estriba en el importante aumento que de un año para otro se produce en el número de faltas registradas por las instancias policiales, es decir, las infracciones penales de escasa gravedad que, tras la reforma operada en el Código Penal español con la Ley Orgánica 1/2015, de 30 de marzo, han pasado a ser denominadas delitos leves. Así, mientras que en el año 2010 se consignaron un total de 1.356 faltas cometidas por menores de edad, dicha cifra alcanzó las 5.358 en el año 2011 y las 5.233 en el año 2012. Se trata fundamentalmente de faltas ubicables en la delincuencia patrimonial, cuyo aumento en parte podría explicarse por la situación de grave crisis económica que asoló el país en el periodo comprendido entre los años 2009 y 2012, lo cual, muy probablemente, influyó en el aumento de las conductas registradas. Por otra parte, también es muy probable que dichos delitos fuesen denunciados en un mayor número de casos, por lo que más bien debería hablarse de un *trasvase* de la cifra negra de la delincuencia a la cifra registrada. Dejando de lado esta circunstancia, hay que decir que las cifras de detenidos menores de edad bajan a partir del año 2011, alcanzando su mínimo en el año 2015, con 18.134 detenidos o investigados. Si bien en el año 2016 vuelven a subir las cifras, dicho aumento cabe considerarlo como testimonial, ya que el número de detenciones aumenta en apenas 1.000 sujetos. Lo mismo cabe decir con respecto al año 2017, ya que el aumento de detenidos e investigados menores de edad es de apenas 600 personas.

Por último, y aunque posteriormente se volverá a incidir en este tema, hay que decir como conclusión a este epígrafe que España ha venido experimentando una tendencia distorsionada de la evolución y características de la delincuencia cometida por menores de edad por parte de la opinión pública, influenciada en buena parte por los medios de comunicación. De este modo, el conocimiento de la evolución de la delincuencia juvenil ha sido «pobre y muy parcial» (Fernández Molina, *et al.* 2009). En este contexto, la tendencia hacia un mayor populismo punitivo guarda relación con la evolución que ha experimentando la opinión pública, en la que se puede percibir una sensibilidad en aumento frente a los signos de violencia juvenil.

3. CARACTERÍSTICAS GENERALES DE LA DELINCUENCIA JUVENIL

Los distintos estudios criminológicos llevados a cabo para analizar la delincuencia juvenil indican que la actividad delictiva de los menores de edad es en general poco relevante, disminuyendo e incluso desapareciendo en la mayoría de los casos a medida que se va alcanzando la edad adulta. Puede afirmarse así que la delincuencia de los menores de edad es cuantitativa y cualitativamente distinta a la de los adultos, tanto en lo referente a las tipologías delictivas como a las formas de llevarlas a cabo. Partiendo por tanto de los conocimientos de la Criminología en el ámbito de la delincuencia infantil y juvenil se observa cómo ésta se presenta, en la mayoría de los casos, como un fenómeno ubicuo, normal, episódico y con un carácter de bagatela (Cano Paños, 2006: 71).

La tesis de la ubicuidad defiende el hecho de que la delincuencia juvenil se presenta en las sociedades actuales como un fenómeno omnipresente dentro de la juventud, independientemente del hecho de que un joven en cuestión pertenezca a un estrato social determinado o presente una formación educativa característica. Por ello puede decirse que las conductas delictivas aparecen en todas las capas sociales. Por su parte, la tesis de la normalidad alude al hecho de que la delincuencia juvenil supone un fenómeno usual en el periodo de desarrollo de los jóvenes hacia la edad adulta. Los resultados de las investigaciones criminológicas realizadas para sacar a la luz la denominada «cifra negra» de la delincuencia, especialmente las llevadas a cabo mediante el método del autoinforme, han puesto de manifiesto que apenas existen menores que durante su etapa de desarrollo hacia la madurez no hayan realizado alguna conducta delictiva. En relación con esta cualidad se atribuye a la mayoría de la delincuencia juvenil un carácter episódico. Así, una conducta infractora de las normas penales supone para la gran mayoría de los jóvenes un episodio en cierta medida puntual en su desarrollo vital y social hacia la edad adulta. La adquisición de madurez y responsabilidad, unida a la integración social, laboral y familiar del joven, son factores que contribuyen decisivamente a un abandono paulatino de las conductas delictivas. Por último, y como se verá en el siguiente epígrafe, la estructura de la delincuencia juvenil en España muestra, en la mayoría de los casos, un carácter de bagatela. Así, dicha delincuencia está marcada sobre todo por las infracciones contra la propiedad y el patrimonio. *A sensu contrario*, la delincuencia violenta protagonizada por los menores de edad, la cual por otra parte es utilizada tanto por la mayoría de la opinión pública como por determinados sectores políticos para pedir un endurecimiento del Derecho penal de menores, hay que decir que, en virtud de los datos estadísticos publicados por el Ministerio del Interior, supone solo un pequeño porcentaje del total de las infracciones penales cometidas por sujetos menores de 18 años.

4. ESTRUCTURA DE LA DELINCUENCIA JUVENIL

La delincuencia cometida por menores de edad se caracteriza en España por el predominio de los delitos contra la propiedad y el patrimonio. De los datos correspondientes a las estadísticas policiales que publica periódicamente el Anuario Estadístico del Ministerio del Interior se observa una considerable participación de los menores de 18 años en delitos asociados a ese espectro de la delincuencia.

Analizando los datos estadísticos sobre delincuencia juvenil correspondientes al periodo comprendido entre 2013 y 2016, se observa cómo el mayor número de detenciones de menores de 18 años practicadas por parte de la policía se produce por delitos patrimoniales. Así, por ejemplo, en el año 2016 se produjeron un total de 3.008 detenciones por la comisión de un delito de robo con fuerza en las cosas, 4.376 por un delito de hurto y 738 por un delito de sustracción de vehículos. Si se suman estas tres tipologías delictivas y se comparan con el número total de detenciones practicadas en ese mismo año, resulta que en un 42,37% de los casos la detención se produjo por la (presunta) comisión de una de las tres tipologías delictivas señaladas. En el polo opuesto, la delincuencia violenta supone sólo un pequeño porcentaje del total de las infracciones cometidas por menores de edad. Efectivamente, si durante el año 2016 se toman el número de detenciones con respecto a tres tipologías delictivas de naturaleza violenta, los resultados son los siguientes: lesiones: 1.993 detenciones; malos tratos en el ámbito familiar: 1.431; delitos contra la libertad sexual: 433. Comparando estas cifras con el número total de detenciones practicadas durante ese año 2016, los resultados revelan que la delincuencia violenta (con respecto a las tres tipologías analizadas), supuso únicamente un 20,12% del total de las detenciones.[3]

En el *Gráfico 2* se puede ver la evolución de la delincuencia juvenil en España entre los años 2013 y 2016, por tipologías delictivas previamente seleccionadas.

Gráfico 2. Número de detenidos menores de edad por infracciones delictivas en España (2013-2016)

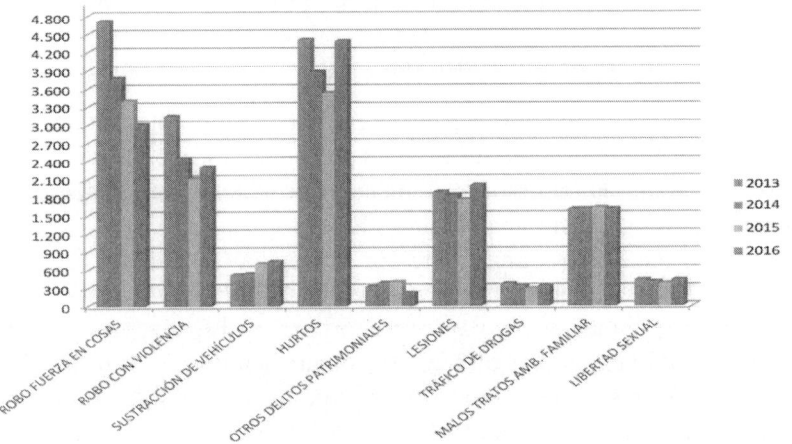

Fuente: Elaboración propia a partir de datos de los anuarios del Ministerio del Interior

De los datos presentados *supra* puede concluirse que los delitos contra la propiedad y el patrimonio ocupan un lugar preponderante dentro de la delincuencia de los menores de edad en España. A diferencia así de la estructura de la criminalidad adulta, los menores de 18 años están

---

3   Lógicamente, hay que tener en cuenta que el componente violento asociado a conductas como las lesiones y, sobre todo, el delito de malos tratos en el ámbito familiar, presenta un carácter muy heterogéneo, ya que, por ejemplo, el maltrato psicológico, aunque aquí entra dentro de la delincuencia violenta, presenta unos índices de violencia incomparables con tipologías como los delitos sexuales o, por ejemplo, los delitos con resultado de muerte. Sin ir más lejos, en el referido año 2016 se produjeron un total de 56 detenciones en España de sujetos menores de 18 años por la presunta comisión de un delito de homicidio/asesinato. Cifras tremendamente exiguas si las mismas se comparan con la delincuencia patrimonial.

sobrerrepresentados en las estadísticas oficiales en relación con estas tipologías delictivas. En cambio, la criminalidad de adultos es, por lo que hace referencia a las formas de aparición, mucho más variada, menos visible y, consiguientemente, más difícil de controlar. Junto a los delitos violentos en todas sus formas pertenecen a los delitos cometidos por adultos todo el espectro de la delincuencia de carácter socio-económico, contra la seguridad vial, así como la criminalidad organizada.

5. ANÁLISIS DE CUATRO ÁMBITOS PROBLEMÁTICOS

5.1. La violencia filio-parental

Desde hace unos años, España se enfrenta a un problema que paulatinamente está alcanzando unas cifras preocupantes, aunque desde luego no alarmantes: las agresiones de menores de edad a ascendientes, denominada «violencia filio-parental» (VFP). Efectivamente, si se consultan los datos publicados anualmente por la Fiscalía General del Estado, se puede observar cómo es a partir de los años 2006 y 2007 cuando la VFP comienza a aumentar de manera importante en España, alcanzando el pico de 5.377 casos en el año 2011, y manteniéndose desde el año 2009 en cifras realmente altas. No se puede saber realmente si ese aumento es consecuencia de una mayor incidencia de las tipologías delictivas asociadas a la VFP, o si más bien lo que se ha producido es un *trasvase* de la cifra negra a la cifra registrada, como consecuencia del mayor número de denuncias. Lo que no puede soslayarse es que la violencia en el ámbito familiar ejercida por los hijos hacia sus padres ha sido uno de los últimos tipos de violencia que ha dejado de permanecer en la esfera privada del hogar. Con todo, debe también señalarse que la VFP no constituye desde luego un hecho novedoso en España. Más que una novedad, habría que decir que lo que se ha producido es una significativa evolución cultural en las relaciones paterno-filiales y una mayor sensibilización hacia toda forma de violencia ejercida en este ámbito (Agustina/Abadías, 2019).

Desde un punto de vista conceptual puede acudirse a la noción de VFP acuñada en su momento por Pereira (2006: 2), según el cual la violencia ejercida por los hijos hacia sus padres puede definirse como «las conductas reiteradas de violencia física (agresiones, golpes, empujones, arrojar objetos), verbal (insultos repetidos, amenazas) o no verbal (gestos amenazadores, ruptura de objetos apreciados) dirigida a los padres o a los adultos que ocupen su lugar. Se excluyen los casos aislados, la relacionada con el consumo de tóxicos, la psicopatología grave, la deficiencia mental y el parricidio».

Tradicionalmente, la dificultad asociada al estudio de la VFP ha venido en parte motivada por la esfera en la cual ésta se produce y, unido a ello, la propia impenetrabilidad que caracteriza al contexto familiar, el cual en no pocas ocasiones se muestra reacio al conocimiento y la intervención desde el exterior. El hecho de que se trate de un fenómeno relativamente reciente en cuanto a su conocimiento público y, también, a su estudio por parte de las ciencias sociales, jurídicas y del comportamiento, explica que hasta hace relativamente pocos años no existieran apenas en España estudios específicos sobre la VFP. Así, por ejemplo, en el estudio llevado a cabo por Calvete *et al.* (2011) se evaluó el perfil de los adolescentes que ejercen violencia física y verbal contra sus progenitores. Los participantes (1.427 adolescentes: 728 chicas y 682 chicos) contestaron numerosas cuestiones personales y ambientales. Los resultados mostraron que mientras que las agresiones verbales menos severas (como chillar a los progenitores) ocurren en el 65,8% de los casos, las agresiones físicas son mucho menos frecuentes (7,2%). Además, mientras que los chicos ejercen más la violencia física, las chicas por su parte llevan a cabo más actos de violencia verbal. Por último, las madres sufren más actos de violencia verbal que los padres.

Por otro lado, del estudio de 227 expedientes judiciales obtenidos en la Fiscalía de Menores de Málaga llevado a cabo por García y Cerezo (2017) se pueden extraer una serie de datos muy interesantes acerca de los menores que protagonizan VFP y que han terminado en el sistema de justicia. A saber: (1) el 70,1% de los delitos que materializan la VFP son cometidos por varones;[4] (2) la edad en que se cometen más actos relacionados con la VFP es a los 16 años; (3) un 51% consumen sustancias tóxicas, de los que un 91% consumen solamente cannabis

---

[4]   Al contrario de lo que sucede en la delincuencia juvenil en general, donde los estudios llevados a cabo con menores infractores señalan la palpable diferencia porcentual entre hombres y mujeres, en el contexto de la VFP los resultados son muy distintos. Así, una serie de estudios llevados a cabo en España en los últimos años atribuyen a la VFP femenina porcentajes que van del 20 al 35%. A la vista de estos datos, se puede afirmar que en este tipo de delito la condición de género femenino presenta una tendencia al alza, en comparación con otras tipologías delictivas.

o alguno de sus derivados, siendo poco frecuente el consumo único de drogas duras; (4) la gran mayoría de los menores infractores poseen el título de secundaria o se encuentran matriculados en alguno de sus niveles de educación; (5) el 55,2% de los menores pertenecen a un grupo de iguales desadaptativos; (6) estos menores suelen presentar altas tasas de absentismo escolar; (7) la principal víctima es la madre, siendo en un 53,7 % de los casos, la única víctima; (8) la mayoría de los menores infractores son educados según estilos permisivos (39,7%), no estando acostumbrados a la aceptación de normas; (9) los hechos que ocurren con mayor frecuencia son las agresiones físicas (26,7%), seguidas del maltrato habitual (20,1%) y las amenazas (19,3%).

Una vez expuestas las características que presenta la VFP en España conviene, si cabe de forma sucinta, analizar el conjunto de indicadores sociológicos, familiares e individuales que podrían explicar este fenómeno.

En primer lugar, y en lo que respecta a los factores sociológicos, es evidente que el nuevo modelo de sociedad en España, con altas dosis de competitividad, consumismo y hedonismo, ha afectado a no pocos menores, los cuales, ubicados en un contexto de comodidad y seguridad, son incapaces de posponer recompensas o de interiorizar valores como la cultura del esfuerzo para conseguir una serie de metas. Ligado a ello, en España puede constatarse en los últimos años un retraso generalizado en la asunción de roles de responsabilidad por parte de los jóvenes, prolongándose en no pocos casos la adolescencia a etapas en las que, hace sólo un par de décadas, el sujeto podía haber incluso formado una familia y disfrutaba de un trabajo estable. Por otro lado, en España se ha sustituido el modelo autoritario en la educación de los hijos por otro fundamentado en una mal entendida cultura democrática (Agustina/Abadías, 2019), donde los progenitores pierden autoridad y donde los hijos se posicionan en una situación de igualdad a la hora de tomar decisiones.

En segundo lugar, y haciendo en este caso referencia a los factores familiares, la aparición de conflictos, tensiones y problemas de diversa índole en el seno de las familias (como consecuencia, por ejemplo, de la separación o divorcio de los padres) puede afectar a la educación de los hijos, dando lugar a que esas situaciones de tensión favorezcan la aparición de conductas violentas en los menores de edad. Según cómo haya sido el proceso de ruptura matrimonial y según se establezca la convivencia resultante de dicho proceso, hay aspectos problemáticos que pueden dar lugar a que el menor responda con desobediencia o incluso con conductas violentas. Otro aspecto familiar digno de mención hace referencia a la incorporación de la mujer al mercado de trabajo. Esto hace que la mujer-madre deba compaginar su actividad laboral con el cuidado de los hijos, circunstancia que, en función del tiempo dedicado a estos últimos, puede favorecer la aparición de conductas disruptivas en los menores. Esta problemática no hace sino acrecentarse cuando se está ante hogares monoparentales. Por otra parte, y siguiendo con los factores familiares, es evidente que la violencia presenciada por los menores en el hogar (ya sea maltrato horizontal o descendente) supone un elemento relevante en el análisis de las causas de la VFP. La presencia de malos tratos en el hogar, bien como testigo, bien como víctima, favorece que el niño interiorice y legitime el uso de la fuerza física para la resolución de conflictos.

En tercer lugar, y en relación con los factores de carácter individual, en el estudio de Ibabe y Jaureguízar (2011) sobre VFP encontraron que dichos menores tenían un menor nivel de autoestima y de tolerancia a la frustración en comparación con otro tipo de jóvenes infractores. Otros estudios destacan la ausencia de autocontrol de los menores agresores como un factor clave en las conductas violentas de los mismos. Respecto a los datos relativos a los perfiles psicopatológicos de los jóvenes implicados en conductas relacionadas con la VFP, y dado que se trata de un fenómeno reciente en la investigación criminológica en España, la mayoría de estudios solamente ofrecen aproximaciones a sus posibles causas (Garrido/Galvis, 2016). Con todo, la investigación ha demostrado que la psicopatía en la infancia y la adolescencia se asocia de manera sólida con la agresión y la delincuencia, incluida la aquí analizada VFP.

Finalmente, y haciendo en este caso referencia a la prevención y tratamiento de la VFP, es evidente que un primer foco de atención deben ser las familias afectadas directamente por esta problemática (por ejemplo, mediante las escuelas para padres). Así, en el caso de España se han elaborado estrategias para intervenir con los padres víctimas de VFP, mediante la transmisión de técnicas o estrategias de «inteligencia educacional» en el modo de interactuar los padres con sus hijos o menores de edad. Pero, al mismo tiempo, resulta necesario intervenir también con los menores autores de delitos vinculados a la VFP. En este sentido, existen pocas evidencias empíricas que conduzcan a afirmar que los menores pueden superar este tipo de conductas sin una necesaria intervención terapéutica. Lógicamente, y dependiendo del grado de lesividad de las conductas desplegadas, dicha intervención terapéutica debe realizarse en libertad o bien en el marco de cumplimiento de una medida de internamiento. En este sentido, algunas comunidades autónomas han especializado algunos centros de internamiento para los menores condenados por VFP, destinando recursos terapéuticos específicos a tales fines. Así, por ejemplo, el Centro de Internamiento para Menores Infractores «El Laurel», en la Comunidad de Madrid, atiende en régimen cerrado, semiabierto y abierto a estos jóvenes, aplicando para ello el Programa Educativo y Terapéutico por Maltrato Familiar Ascendente (González *et al.* 2013*)*, y mostrando unos niveles de reinserción del 95%.

5.2. La criminalidad de grupos. Especial referencia a las denominadas «bandas latinas»

La existencia en España de grupos de menores y jóvenes con conductas desviadas o delictivas no constituye desde luego un fenómeno nuevo. En general, la delincuencia juvenil se caracteriza, al contrario de lo que sucede en la criminalidad de adultos, por la frecuente actividad delictiva en el contexto del grupo de iguales. Las estadísticas oficiales no ofrecen desde luego datos relativos a la proporción de delitos cometidos por menores dentro de la actividad grupal. No obstante, de los resultados procedentes de distintos estudios criminológicos puede concluirse que, en términos generales, alrededor del 40% de los delitos registrados cometidos por menores de edad son llevados a cabo dentro una dinámica grupal de por lo menos tres miembros (Kaiser, 1996: 590).

Con todo, en el caso de España, y desde una perspectiva histórica, no puede hablarse entre los años 1970-2000 de la existencia generalizada de bandas urbanas o *street gangs* de corte anglosajón, es decir, grupos de menores o jóvenes de carácter estable, con una estructura más o menos organizada y una jerarquía establecida, los cuales se forman primordialmente en las zonas más deprimidas de la periferia de las grandes ciudades con la finalidad de controlar y delimitar ese territorio. En este sentido, tampoco se puede hablar en puridad de episodios de confrontación abierta entre esas mismas tribus urbanas rivales.

Sin embargo, el fenómeno de las bandas juveniles empieza a cambiar en España cuantitativa y cualitativamente a finales de los años noventa del pasado siglo, principalmente como consecuencia del fenómeno de la inmigración. Es sobre todo a partir del año 2000 cuando comienzan a tener protagonismo las bandas juveniles de carácter étnico, compuestas sobre todo por menores y jóvenes de origen latinoamericano, y que se asientan en las ciudades de Madrid y Barcelona, destacando su presencia en los barrios más deprimidos de las ciudades dormitorio del área metropolitana de ambas urbes; lugares donde se concentra la mayoría de la población inmigrante llegada a España. De entre todas estas denominadas «bandas latinas», destacan sobre todo dos grupos: los *Latin Kings* y los *Ñetas*, si bien en los últimos años se han consolidado también otras agrupaciones como los *Domican Don't Play* o los *Trinitarios*.

Estas bandas están compuestas mayoritariamente por menores procedentes de Ecuador, Colombia y República Dominicana, aunque puntualmente también aparecen jóvenes de otros países latinoamericanos. Sus edades oscilan entre los 14 y los 23 años. Al igual que sucede con las pandillas o maras que actúan en Centroamérica, los integrantes de estas bandas latinas se caracterizan por presentar una estética y simbología determinadas, unas claras jerarquías, unos ritos de iniciación e incorporación a la banda, así como unos castigos severos si se incumplen las normas. Suelen moverse en el entorno de los centros educativos, parques, zonas de ocio y deportivas, donde realizan una intensa labor de captación de menores de origen latinoamericano para introducirlos en la disciplina del grupo. Paralelamente, estas bandas juveniles mantienen entre ellas una gran rivalidad por el control de los barrios en los que se asientan, los cuales son marcados con pintadas y *grafitis* característicos de la propia banda, para impedir con ello la intromisión de pandillas rivales.

Dentro de las tipologías delictivas cometidas por estas agrupaciones juveniles destacan, sobre todo, las riñas, peleas y ajustes de cuentas entre bandas rivales, sobre todo en el caso de los *Latin Kings* y los *Ñetas*, cuya rivalidad ya existente en sus países de origen la han exportado a territorio español. El episodio que dio origen a esta rivalidad, la cual se extiende hasta la actualidad, tuvo lugar en octubre de 2003 en Barcelona, donde un estudiante colombiano de 17 años murió apuñalado a la salida de un instituto, tras ser confundido por un integrante de los *Ñetas* como miembro de la banda rival de los *Latin Kings*. A partir de entonces se han sucedido en España una serie de episodios violentos protagonizados todos ellos por estas bandas latinas, en el transcurso de los cuales se ha tenido que lamentar la muerte de algunos de sus miembros.

Por otra parte, dentro de las tipologías delictivas de estas bandas latinas merecen también mención especial los robos con violencia e intimidación, las amenazas, las coacciones, así como los delitos de extorsión. Todo este conjunto de actividades suelen tener como destinatarios principales otros menores de edad, con la sustracción preferente de dinero, teléfonos móviles, prendas de ropa o bicicletas. Ahora bien, conviene aquí señalar que la actividad delictiva desplegada por estas bandas juveniles en España no tiene nada que ver con aquélla desarrollada en países como Honduras o El Salvador por parte de la Mara Salvatrucha o el Barrio 18, cuyos niveles de violencia han llegado a afectar incluso a la seguridad nacional de ambos países.

Hay que decir que, en los últimos años, las actividades delictivas de estas bandas han disminuido de forma considerable. Así, actualmente se cifran en alrededor de 250 los miembros de estas bandas latinas en la ciudad de Madrid. No obstante, los episodios violentos y las peleas multitudinarias entre miembros de pandillas rivales continúan produciéndose en Madrid y Barcelona, lo cual no solo ha generado inquietud en el seno de la sociedad española, sino al mismo tiempo una atención inusitada tanto mediática como policial.

Las causas que motivan la formación de este tipo de bandas en territorio español son muy variadas, si bien deben ser destacados, sobre todo, aspectos relacionados con el desarraigo y la desestructuración familiar. El desarraigo vendría motivado fundamentalmente por la falta de vínculos sociales que muchos menores y jóvenes procedentes de Latinoamérica manifiestan con respecto a la sociedad española. En este sentido hay que tener en cuenta que muchos de ellos han tenido que abandonar su país de origen siendo niños o incluso adolescentes, lo cual hace que, tras su llegada a España, la integración de estos sujetos sea en la mayoría de los casos deficiente. Esto hace que ese menor de edad busque refugio en otros menores o jóvenes que se encuentran en la misma situación. En estos casos, la calle se convierte en el principal foco de contagio de la conducta. Por su parte, la desestructuración familiar puede venir motivada, bien por hallarse parte de sus miembros en el país de origen, bien por la falta de atención de padres a hijos por causas de trabajo o separación de los cónyuges. Jornadas laborales maratonianas en trabajos no cualificados, situaciones de pluriempleo o el hecho de sufrir continuos traslados son aspectos que influyen notable y negativamente a la hora de abordar los aspectos socio-educativos de un menor de edad inmigrante. Más allá de estos dos factores analizados, la falta de integración social motivada por la situación de marginalidad y falta de oportunidades que experimentan estos jóvenes pueden motivar, a su vez, su vinculación con otros jóvenes que se encuentran en la misma situación. En el contexto descrito, la formación de estas bandas juveniles puede interpretarse como una reacción simbólica a esa deprivación económica y reconocimiento social a la que se ven sometidos esos menores y adolescentes.

5.3. Los delincuentes juveniles de gran intensidad

Como se ha señalado en un epígrafe anterior, la delincuencia juvenil se caracteriza, también en España, por ser un fenómeno ubicuo, normal y episódico, denotando la mayoría de las infracciones cometidas por menores de edad un carácter de bagatela. Por tanto, puede decirse que, en la mayoría de los casos, la delincuencia juvenil se muestra como una conducta puntual vinculada al desarrollo individual del sujeto que se origina en el contexto de situaciones asociadas a la edad, perdiendo su atractivo una vez alcanzada la etapa adulta.

Ahora bien, distintas investigaciones criminológicas llevadas a cabo en varios países han demostrado que junto a esta criminalidad juvenil como fenómeno omnipresente a la vez que esporádico se encuentra un pequeño sector de menores y jóvenes que se caracteriza por la frecuente comisión de una cantidad importante de delitos –algunos de gravedad– durante un periodo más o menos dilatado de tiempo. Para este grupo de menores se ha creado el concepto de «delincuentes múltiples» o «de gran intensidad». El porcentaje que más o menos abarca este concreto sector de delincuentes juveniles y la frecuencia con la que realiza actividades delictivas se pudo mostrar por vez primera a la comunidad científica a través del estudio longitudinal de cohortes llevado a cabo a finales de la década de 1960 en la ciudad norteamericana de Filadelfia: Desde una vertiente retrospectiva, en dicho estudio se analizaron y evaluaron las actividades delictivas en las que eventualmente se vio implicada una cohorte de nacimiento compuesta por un total de 9.945 menores y jóvenes de sexo masculino nacidos en Filadelfia en el año 1945, los cuales habían residido en dicha ciudad por lo menos entre los diez y los dieciocho años (Wolfgang/Figlio/Sellin 1972: 27). La base de la investigación estaba compuesta por las estadísticas escolares, los datos contenidos en el registro de penados menores de edad, las sentencias condenatorias, así como ulteriores datos referidos a la historia vital de los sujetos analizados. Pues bien, de los 9.945 menores y jóvenes objeto de estudio pudo identificarse a un pequeño grupo compuesto por un 6,3% de sujetos, el cual mostraba una media de cinco o más registros policiales, siendo responsable de más de la mitad (52%) de todos los delitos consignados. Hay que decir que los resultados alcanzados en el estudio de Filadelfia han podido ser confirmados posteriormente en distintas investigaciones realizadas en otros países. Así, en dichos estudios se ha podido determinar la existencia de un «núcleo duro» de entre un 5 y un 10% de delincuentes juveniles, a los cuales se le atribuyen más del 50% de las infracciones delictivas registradas con respecto al conjunto de individuos pertenecientes a esa misma franja de edad.

No cabe duda de que en estos casos se trata de sujetos que, por una serie de circunstancias, están expuestos al peligro de consolidar su actividad criminal más allá incluso de la etapa de la adolescencia.

Hay que decir que en España, y a pesar de la existencia de delincuentes juveniles de gran intensidad –alguno de ellos con una notable repercusión mediática–, no se ha afrontado todavía científicamente el análisis de esta categoría criminológica. Existen interesantes estudios de reincidencia los cuales tratan sobre todo de caracterizar el perfil psicosocial de los menores reincidentes (Capdevila Capdevila/Ferrer Puig/Luque Reina 2005), si bien todos ellos con una finalidad bastante instrumental que es la de desarrollar mecanismos de gestión del riesgo para poder predecir la conducta delictiva. Por el contrario, a día de hoy, los agentes del sistema de justicia juvenil en España, fundamentalmente la policía, pero también los fiscales y jueces de menores, no están en disposición de intervenir en una fase temprana –previa por tanto al cumplimiento de una medida sancionadora– con respecto a este concreto sector delincuencial mediante la utilización de un programa de actuación específico basado en las variables o factores de riesgo que caracterizan a los delincuentes juveniles de gran intensidad.

Pues bien, al contrario de lo sucedido en España, en países como Alemania los menores y jóvenes delincuentes de gran intensidad han venido siendo objeto de estudio por parte de la Criminología, a la vez que de un trato diferenciado por parte de las fuerzas de seguridad y las instancias judiciales. Así, por ejemplo, desde el año 2003 existe en

Berlín una «Directriz Común de la Policía y la Fiscalía para la Persecución de Delincuentes de gran Intensidad». Ello ha dado lugar a la creación, dentro de la Fiscalía de Berlín, de una sección especializada en la persecución de los delincuentes de gran intensidad en general (incluidos por tanto los menores de edad) y, a nivel teórico, la elaboración de un programa específico de actuación dirigido a los menores y jóvenes delincuentes de gran intensidad que han sido objeto de investigación. El objetivo prioritario es lograr una persecución lo más rápida y efectiva posible de aquellos menores y jóvenes de carácter persistente, aunando esfuerzos policiales, judiciales y de los servicios sociales en aras a la prevención, investigación y enjuiciamiento de estos sujetos para así poner fin a carreras criminales de carácter intensivo, antes incluso de que estas hayan dado comienzo.

El interés principal de la estrategia seguida de forma pionera en Berlín (y continuada en otras ciudades alemanas) se circunscribe en descubrir todas aquellas problemáticas específicas asociadas a ese concreto sector delincuencial, teniendo como objetivo reconocer lo más temprano posible a aquellos potenciales delincuentes de gran intensidad para de esta manera diseñar y desarrollar estrategias de naturaleza preventiva como, llegado el caso, reacciones de carácter penal que permitan afrontar eficazmente cada caso en concreto. En este sentido, todas aquellas investigaciones que han tenido como objeto de estudio a los delincuentes juveniles de gran intensidad consideran que las posibilidades de reintegrar satisfactoriamente a uno de estos menores infractores disminuyen de forma considerable a medida que se van consolidando las conductas desviadas (Koch-Arzberger *et al.* 2008: 69).

A partir de los datos empíricos suministrados por varias investigaciones puede decirse que los sujetos considerados como «delincuentes juveniles de gran intensidad» suelen cometer con mayor o menor frecuencia delitos que cabe calificar como graves, jugando la violencia contra las personas un papel preponderante en forma de robos, lesiones, amenazas o delitos contra la libertad sexual. Con todo, casi sin excepción predominan también conductas de escasa o mediana gravedad como el hurto en todas sus modalidades, delitos contra la seguridad vial o los actos vandálicos. Por otra parte, un hecho a destacar en la investigación llevada a cabo en Berlín es que casi un 70% de los delincuentes juveniles de gran intensidad tiene un trasfondo migratorio, procediendo la mayoría de ellos de países de Oriente Medio o de mayoría musulmana. Por último, conviene también destacar que los delincuentes juveniles de gran intensidad suelen actuar en la mayoría de las ocasiones en el contexto grupal, si bien hay que tener en cuenta que en casi todos los casos se trata de agrupaciones ocasionales cuyas actividades van desde luego más allá de la estricta comisión de delitos.

La criminología alemana también ha estudiado el conjunto de factores de riesgo que eventualmente dan lugar a la reiterada comisión de acciones delictivas por parte de menores de edad. En el contexto descrito juega un papel de fundamental importancia el denominado «enfoque multifactorial». El mismo se basa en investigaciones comparativas sobre las características personales, ambientales y sociales de aquellos delincuentes que en repetidas ocasiones han sido registrados oficialmente, por un lado, y una muestra de individuos procedente de la «población normal», por otro. Pues bien, en todas estas investigaciones se han descubierto de forma concordante una serie de factores ligados todos ellos a los delincuentes juveniles de gran intensidad (Dölling, 1989: 315). Entre todos estos factores cabe destacar los siguientes: (1) existencia en el menor o joven de un trastorno de la personalidad disocial; (2) trasfondo migratorio; (3) disfunciones en el seno de la familia; (4) fracaso escolar; (5) situación de desempleo; (6) contactos con otros jóvenes que presentan actividades delictivas más o menos intensas; (7) residencia en barrios marginales o desfavorecidos; (8) consumo de drogas. Lógicamente, todos estos factores pueden servir de punto de partida de cara a reflexionar sobre las medidas adecuadas para prevenir el nacimiento y/o desarrollo de esa intensa actividad delictiva criminal por parte de determinados sujetos.

A partir de lo explicado en los párrafos anteriores, resulta ineludible desarrollar en España la investigación criminológica dirigida a descubrir los factores de riesgo asociados a la categoría de los delincuentes juveniles de gran intensidad, ya que resulta indudable que este sector de delincuentes que muestra una incesante actividad delictiva supone una pesada carga tanto para la convivencia social en general como para el sistema de justicia juvenil en particular.

5.4. *La delincuencia terrorista en el ámbito de los menores*

Otro de los problemas vinculados directamente con la delincuencia juvenil hace referencia a las acciones terroristas cometidas por menores de edad en el contexto del terrorismo islamista. Y en este caso hay que decir que, desgraciadamente, España no ha permanecido ajena a esta problemática. Así, el pasado 17 de agosto de 2017 se produjeron sendas acciones terroristas en las ciudades catalanas de Barcelona y Cambrils, las cuales causaron un total de 17 muertos y decenas de heridos. Los atentados, reivindicados horas más tarde por la organización terrorista Estado Islámico, fueron cometidos por una célula islamista radicada en Cataluña y compuesta fundamentalmente por jóvenes que no superaban los 25 años, teniendo dos de ellos 17 años en el momento de los hechos. Éste y otros sucesos similares cometidos en varios países europeos en las últimas fechas han evidenciado la existencia de dos datos estremecedores: la homogeneidad en los perfiles de sus autores y su determinación a llevar a cabo acciones suicidas de carácter letal (Cano Paños, 2016: 302). Así, en casi todos los casos, sus autores son jóvenes musulmanes con edades comprendidas entre los 16 y los 30 años, nacidos en países europeos aunque originarios de países árabes (fundamentalmente Marruecos). Se trata de jóvenes que han desarrollado la mayor parte de su vida en el seno de la cultura occidental pero que no obstante, y por una serie de causas que van a ser analizadas a continuación, sucumben al mensaje radical procedente del yihadismo militante, personificado en estos momentos por la organización terrorista Estado Islámico, oponiéndose abiertamente al sistema de valores vigentes en la sociedad de acogida, y decidiendo llevar a cabo la *yihad* contra los que ellos consideran «enemigos del Islam», incluidos sus propios conciudadanos.

Tal y como han podido demostrar distintos estudios criminológicos, psicológicos y antropológicos, la radicalización islamista es un proceso por etapas originado por una serie de causas. Así, pueden identificarse principalmente los siguientes cuatro factores, los cuales, aisladamente o en confluencia entre ellos, pueden favorecer un proceso de radicalización: (1) Ausencia de un sentimiento de pertenencia a la sociedad de acogida (factores etno-culturales); (2) Escasas perspectivas sociales y profesionales en el país donde desarrollan sus vidas (factores socio-económicos); (3) Conflictos bélicos, los cuales son percibidos por estos jóvenes como un ataque al Islam (factores políticos); (4) Degradación y/o humillación del Islam como religión a través de acontecimientos como las caricaturas de Mahoma publicadas por determinados medios escritos occidentales, la prohibición del velo islámico en Francia o la situación de los presuntos terroristas retenidos desde hace años en la prisión de Guantánamo (factores religiosos). A esos cuatro factores habría que añadir también una serie de variables de naturaleza psicológica ya que, no cabe duda, existen problemas personales en los jóvenes los cuales juegan un papel importante en su proceso de radicalización.

Las crisis de identidad, reforzadas en muchos casos por su condición de musulmanes y de origen extranjero, llevan a muchos jóvenes a evadirse en una identidad negativa, lo cual conduce a que estos sujetos interioricen un sentimiento de inferioridad y una autoimagen negativa. De forma paralela, un sector de esta juventud reacciona idealizando la propia identidad islámica. Esta crisis de identidad hace a muchos jóvenes proclives a adherirse a grupos y movimientos totalitarios, los cuales les prescriben normas y valores firmes. En estos casos, los jóvenes musulmanes de origen extranjero que viven en países como España encuentran en la narrativa islamista puntos de contacto para atribuirse su pertenencia a una identidad colectiva. Y es precisamente aquí donde aparece Internet como una fuerza persuasiva de carácter demoledor, como el elemento ambiental indispensable para difundir la ideología islamista radical. Efectivamente, ya sea a través de foros islamistas, de publicaciones audiovisuales, de redes sociales o de vídeos de contenido estratégico o ideológico, un joven musulmán europeo a la búsqueda de una identidad se ve expuesto a una narrativa islamista que entre otras cosas justifica la violencia para defender al pueblo musulmán y para vengar agravios.

Para intentar hacer frente al terrorismo islamista, España ha desarrollado una serie de medidas, de carácter tanto preventivo como –fundamentalmente– represivo. Efectivamente, aunque desde instancias oficiales se han impulsado en los últimos años medidas preventivas, las cuales han dado protagonismo tanto a las denominadas «contranarrativas» como a ambiciosos programas dirigidos a la integración social, laboral, así como a la igualdad de oportunidades dentro del colectivo extranjero que habita en el país, lo cierto es que las medidas de naturaleza penal han tenido un protagonismo aún mayor. Sin ir más lejos, en el año 2015 se produjo en España una importante modificación del Código Penal, la cual afectó entre otros preceptos a los que regulan la delincuencia terrorista. Dicha reforma ha dado lugar a introducir tipologías delictivas específicas, las cuales, desde su entrada en vigor, han sido aplicadas en no pocos casos a los menores de edad. Una de ellas es el art. 575 CP, el cual castiga a aquellos sujetos que, bien reciben adoctrinamiento o adiestramiento terrorista con la finalidad de capacitarse para cometer algún delito de terrorismo, bien realizan de forma autodidacta dichas actividades con los mismos objetivos, accediendo por ejemplo de manera habitual a contenidos de Internet «cuyos contenidos estén dirigidos o resulten idóneos para incitar a la incorporación a una organización o grupo terrorista, o a colaborar con cualquiera de ellos o en sus fines». En estos casos, la imputación de este delito a un menor de edad no solo acarrea una mayor penalidad, sino que, lo que aún resulta más grave, conlleva también consecuencias procesales de envergadura, como es el enjuiciamiento de la conducta, no en un Juzgado de Menores ubicado en el lugar donde se ha cometido la conducta delictiva, sino en el seno de la Audiencia Nacional en Madrid.

6. CONCLUSIONES

Del análisis efectuado en los epígrafes anteriores puede afirmarse que la delincuencia juvenil en España presenta, en líneas generales, unas características semejantes al resto de países europeos. Así, en primer lugar, la evolución de las cifras de detenidos menores de 18 años en los últimos años se enmarca en una línea descendiente, excepción hecha de los años 2016 y 2017, donde se produce un leve aumento. En segundo lugar, y en lo que respecta a la estructura de la delincuencia juvenil en España hay que decir en principio que, al igual que sucede en el resto de países europeos, los delitos contra la propiedad y el patrimonio constituyen un amplio porcentaje dentro del conjunto de infracciones delictivas cometidas por menores de edad, destacando por encima de las demás los hurtos, los robos con fuerza en las cosas y los robos con violencia o intimidación; categoría esta última que, a pesar de presentar un componente violento más o menos serio, el móvil de la conducta sigue siendo económico. En el polo opuesto, la delincuencia violenta supone únicamente un pequeño porcentaje del conjunto de infracciones cometidas por menores de edad. Hay que decir que estos datos son refrendados, año tras año, no sólo por las estadísticas publicadas por las instancias oficiales, sino también por el conjunto de investigaciones criminológicas dirigidas a descubrir la «cifra negra» de la criminalidad.

Todos estos datos vendrían a contradecir la imagen que actualmente tienen tanto determinados sectores de la política como –sobre todo– la sociedad española en lo relativo a la delincuencia cometida por menores de edad. Efectivamente, si se analiza la información suministrada por los medios de comunicación españoles, puede llegar a vislumbrarse un amenazante aumento tanto de las cifras de la delincuencia juvenil como de la gravedad de las acciones. En la base de esta visión de la juventud como un «grupo peligroso» se encuentran sobre todo una serie de hechos aislados, los cuales no obstante han saltado a las primeras páginas de los distintos medios de comunicación escritos y audiovisuales. Esta imagen del todo punto parcial y sesgada de la delincuencia juvenil ha venido alimentando en España las exigencias de la población dirigidas a un endurecimiento de la respuesta penal a este tipo de acciones delictivas cometidas por menores, de modo que las estrategias de «mano dura» y «tolerancia cero» han ido ganando adeptos en las últimas fechas.

En este sentido resulta evidente que existen una serie de manifestaciones de la delincuencia juvenil que requieren el impulso de una serie de estrategias de signo fundamentalmente preventivo, sin olvidar una respuesta penal acorde a la gravedad de las conductas, aunque teniendo en todo caso en cuenta el interés del menor. Así, a lo largo de este trabajo se han descrito cuatro ámbitos que suscitan cierta preocupación entre las instancias de control social formal: la violencia filio-parental, la delincuencia asociada a las bandas latinas, los delincuentes juveniles de gran intensidad y los delitos de terrorismo protagonizados por menores de edad. Sin embargo, y a pesar de que son cuatro ámbitos que exigen una especial atención, lo cierto es que su incidencia se mantiene en unos límites más o menos razonables, de modo que –sin negar la necesidad de crear estrategias para su contención– dichas tipologías delictivas no se presentan como un problema de envergadura en el contexto de la delincuencia juvenil cometida en España.

La delincuencia juvenil debe de ser considerada como un problema social, el cual debe abordarse preferentemente desde un punto de vista preventivo y racional, no debiendo ser en cambio combatido con medios exclusivamente penales. Se ha demostrado que el reaccionar a la delincuencia juvenil mediante un mayor castigo puede dar lugar a consolidar el problema de fondo, contribuyendo a afianzar aún más la espiral de la criminalidad. Los déficits sociales o las situaciones de deprivación en las que están inmersos una parte importante de sujetos menores de edad no pueden ser eliminadas únicamente con los medios que el Derecho penal pone a disposición de los operadores jurídicos. El Derecho penal no soluciona problemas sociales.

Para abordar social y racionalmente –que no penalmente– la delincuencia juvenil, deben crearse en primer lugar las condiciones necesarias que hagan posible reaccionar adecuadamente y con la debida antelación a los síntomas y causas de aquélla, actuando en lo que podría definirse como una prevención primaria. Cuando el recurso a la legislación penal juvenil se hace desgraciadamente inevitable, los operadores jurídicos están llamados a llenar con contenidos de política educativa y de (re)inserción los amplios espacios que la ley abre.

Para que estos planteamientos teóricos fructifiquen en una política criminal racional y acorde con la evolución real de la delincuencia juvenil, cuantitativa y cualitativamente considerada, resulta de fundamental importancia que el discurso se traslade nuevamente del ámbito político al científico. En este punto están llamadas el conjunto de disciplinas que tratan la temática delictiva, entre las que hay que destacar sobre todo la Criminología. Es ésta última la que tiene que asumir en especial la tarea de trasladar al discurso público los conocimientos *objetivos* existentes en lo relativo a la delincuencia de los menores de edad, para de este modo desligar la política criminal de cualquier atisbo de *subjetividad* derivada de la coyuntura político-social del momento, o de la sensación de inseguridad reinante en la población.

7. BIBLIOGRAFÍA

AGUSTINA SANLLEHÍ, José Ramón/Abadías Selma, Alfredo (2019): «¿Hijos tiranos o padres indolentes? Claves ante la violencia filio-parental», *Revista Electrónica de Ciencia Penal y Criminología* (en prensa).

AEBI, Marcelo/LINDE, Antonia (2010): «El misterioso caso de la desaparición de las estadísticas policiales españolas», *Revista Electrónica de Ciencia Penal y Criminología*, núm. 12-07, pp. 1-30.

CALVETE, Esther/ORUE, Izaskun/SAMPEDRO, Rafael (2011): «Violencia filio-parental en la adolescencia: Características ambientales y personales», *Infancia y Aprendizaje* 34(3), pp. 349-363.

CANO PAÑOS, Miguel Ángel (2006): *El futuro del Derecho penal juvenil europeo*, Barcelona: Atelier.

CANO PAÑOS, Miguel Ángel (2016): «Aproximación criminológica al fenómeno del "*homegrown-terrorism*". Un análisis de la radicalización islamista desde la teoría de las subculturas», *Revista de Derecho Penal y Criminología*, núm. 16, pp. 301-338.

CAPDEVILA CAPDEVILA, Manel/Ferrer Puig, Marta/Luque Reina, Eulàlia (2005): *La reincidencia en el delito en la justicia de menores*, Generalitat de Catalunya. Departament de Justícia. Centre d'Estudis Jurídics i Formació Especialitzada.

DÖLLING, Dieter (1989): «Mehrfach auffällige junge Straftäter – kriminologische Befunde und Reaktionsmöglichkeiten der Jugendstrafrechtspflege», *Zentralblatt für Jugendrecht*, núms. 7-8, pp. 313-319.

FERNÁNDEZ MOLINA, Esther/Bartolomé Gutiérrez, Raquel/Rechea Alberola, Cristina/Megías Boró, Ángel (2009): «Evolución y tendencias de la delincuencia juvenil en España», *Revista Española de Investigación Criminológica*, núm. 7, pp. 1-30.

GARCÍA ARANDA, Raquel/Cerezo Domínguez, Ana Isabel (2017). «La respuesta del sistema de justicia juvenil al fenómeno de la violencia filio-parental en la provincia de Málaga entre los años 2011 y 2014», *Boletín criminológico*, Instituto andaluz interuniversitario de Criminología (sección Málaga), octubre-noviembre, núm. 173, pp. 1-11.

GARRIDO GENOVÉS, Vicente/Galvis Doménech, María José (2016): «La violencia filio-parental: Una revisión de la investigación empírica en España y sus implicaciones para la prevención y tratamiento», *Revista de Derecho Penal y Criminología*, núm. 16, pp. 339-374.

GONZÁLEZ ÁLVAREZ, María/García-Vera, María Paz/GRAÑA GÓMEZ, José Luis/MORÁN RODRÍGUEZ, Noelia/GESTEIRA SANTOS, Clara/FERNÁNDEZ ARIAS, Ignacio/MORENO PÉREZ, Natalia/ZAPARDIEL FERNÁNDEZ, Alejandro (2013): *Programa de Tratamiento Educativo y Terapéutico por Maltrato Familiar Ascendente*, Madrid: Agencia de la Comunidad de Madrid para la Reeducación y Reinserción del Menor Infractor.

IBABE, Izaskun/JAUREGUIZAR, Joana (2011): «El perfil psicológico de los menores denunciados por violencia filio-parental», *Revista Española de Investigación Criminológica*, núm. 9, pp. 1-19.

KAISER, Günther (1996): *Kriminologie*, 3ª Ed., Heidelberg: H.F. Müller.

KOCH-ARZBERGER, Claudia/Bott, KLAUS/KERNER, Hans-Jürgen/REICH, Kerstin (2008): *Mehrfach- und Intensivtäter in Hessen*. Basisbericht Vol. 1, Wiesbaden: Hessisches Landeskriminalamt.

PEREIRA TERCERO, Roberto (2006). «Violencia filio-parental: un fenómeno emergente», *Revista Mosaico*, cuarta época, núm. 36, pp. 1-3.

WOLFGANG, Marvin E./Figlio, Robert M./Sellin, Thorsten (1972): *Delinquency in a Birth Cohort*, Chicago: The University of Chicago Press.

Capítulo 21
Aspectos significativos de la justicia penal juvenil en Costa Rica a más de 24 años de la entrada en vigencia de la Ley de Justicia Penal Juvenil

Álvaro Burgos Mata
Magistrado de la Sala III Penal
Corte Suprema de Justicia
Catedrático de la Facultad de Derecho
Universidad de Costa Rica
Costa Rica
freudtico@yahoo.es

1. INTRODUCCIÓN

Desde la firma de la Convención sobre los Derechos del Niño en 1989, Costa Rica ha realizado aportes en beneficio de los derechos de las personas menores de edad y hacia la construcción de un Sistema Especializado de Justicia Penal Juvenil, condición necesaria para que las personas adolescentes o jóvenes en conflicto con la ley encuentren un óptimo abordaje por parte del Estado. Esto es posible si acceden al ejercicio de sus derechos humanos (civiles, políticos, económicos, sociales, culturales y recreativos), al tiempo que deben asumir la responsabilidad del delito cometido y daños ocasionados a las personas o comunidad.

El tema de la sanción penal genera amplia discusión en muchos de los sectores de la comunidad, no es un tema reservado únicamente a la persona jurista, sino que la ciudadanía opina en ocasiones ante la indignación de crímenes que golpean fuertemente y cuestionan la realidad nacional, a la vez que piden actuar de una manera más fuerte contra las personas menores que cometen estos actos.

La criminalidad aumenta, y por ende, los gobiernos buscan soluciones para ofrecer seguridad a los y las habitantes, quienes por su parte claman casi siempre sobre el mismo eje, "deben aumentarse las penas".

Si bien esta ha sido una población que con el paso de los años ha sido reglamentada en cuanto al cumplimiento de derechos humanos a su favor con la Ley de Justicia Penal Juvenil, Ley de Ejecución de las Sanciones Penales Juveniles y otros instrumentos internacionales, ha sido cuestionada en lo que se refiere a la ejecución de la pena y el egreso de prisión, sin que existan otros mecanismos, instituciones o políticas que brinden seguimiento para la incorporación al campo educativo, laboral y artístico, entre otros.

En el presente trabajo de investigación se abordará el tema de la ejecución y aplicación de la sanción penal juvenil, en concordancia con los estándares de derechos humanos. Asimismo, se detallará cuál es la situación particular de Costa Rica y las alternativas que se proponen para las personas menores de edad, como parte de un proceso de resocialización.

2. JUSTIFICACIÓN

Los motivos para desarrollar este tema de investigación, parten en primer término de la política criminal de Costa Rica y el discurso resocializador que el mismo conlleva. Es de sumo interés profundizar el tema de la sanción penal juvenil, ya que se ofrece una nueva perspectiva sobre la forma de aplicarla, marcando un sistema donde se incorpore la solución del conflicto bajo un tópico socioeducativo, observando las garantías y principios de derechos humanos que regulan la justicia penal juvenil, tomando en cuenta las condiciones particulares de cada una de las personas acusadas, así como su vulnerabilidad y capacidad de tomar decisiones.

Una vez que se da el ingreso a prisión, la población adulta joven inicia un proceso de institucionalización cuyo impacto podría ser menor según la capacidad de resiliencia o por el contrario, se agravaría con el paso del tiempo, esto a pesar de la atención técnica y sistemática que se les brinda. Se entiende por institucionalización al fenómeno en que la población privada de libertad (que podría ampliarse a otros contextos de encierro total como hospitales psiquiátricos) asume como propias las reglas internas a las que se les somete –desde lo institucional y lo convivencial–, como una forma de sobrevivir a la imposición de una situación que les es del todo ajena, de forma tal que su identidad previa es progresivamente olvidada, al tiempo que deben construir una nueva, compatible y adaptable con sus condiciones actuales, según indica Conde (2009,138). Esto también abarca la pérdida de sensibilidad respecto a la existencia carcelaria y los modos de sobrevivencia en cuanto a agresiones físicas, así como de habilidades sociales para desenvolverse fuera de las paredes de la prisión.

El espacio penitenciario delimita, modela y construye una percepción propia y del contexto, que afecta cuerpo y mente. Un tiempo detenido, marcado por la duración de su sentencia, que parece no transcurrir debido a la monotonía y rutina de la vida carcelaria. Hay un tiempo antes y otro después; se vive en el pasado o futuro intentando olvidar el presente.

Olvidar el presente implica también dejar de lado aspectos de suma importancia para su desarrollo y crecimiento personal y social; conlleva a una condición dual entre el individuo y la sociedad, siendo que se invisibiliza el mundo externo a nivel político, económico y cultural por parte de la población, quienes anulan la existencia de estos; pero al mismo tiempo, la sociedad civil y el sistema estatal, excluyen a esta población, sin preocuparse por brindarles desde su privación de libertad, espacios alternos que permitan su acceso a las áreas antes mencionadas, garantizando sus derechos humanos.

El colectivo de personas que conviven en los establecimientos penitenciarios presenta una serie de características en torno al encierro en instituciones totales con respecto a sus concepciones de realidad y a su propia situación e identidad, especialmente en la población adulta joven que inició su prisionalización aún siendo menor de edad, en una etapa de desarrollo en la que se está reformulando la personalidad y desarrollo de habilidades y destrezas. Y cabe la posibilidad de señalar que esto sucede al existir una brecha entre el aparato jurídico que les protege dentro de prisión, pero les excluye una vez que egresan, quedando desamparados y sin pertenencia a un grupo poblacional específico.

Debe prestarse atención a la doble función social de los centros que atienden a la población juvenil, en los que cabe distinguir las aristas de la atención técnica; por un lado las funciones sancionadoras, de control y contención y por otro las de recuperación, rehabilitación y transformación, siendo que ambas afectan al espacio y al individuo. Esta pérdida de identidad y sensibilidad mencionada, sale a relucir en el momento en que la población descuenta su sentencia, ya que se trunca la atención y seguimiento que se les brindaba en prisión, dando paso a la incertidumbre con respecto a sus posibilidades de acceso a los derechos humanos en términos económicos, políticos y socio culturales (sin mencionar el derecho a la educación, trabajo digno y remunerado y recreación).

La Ley de Justicia Penal Juvenil regula la imposición de sanciones privativas de libertad para personas menores de edad y prevé un conjunto de sanciones alternativas, diferentes al internamiento directo en centro especializado. Pero cuando una persona menor de edad es sentenciada a la pena máxima de internamiento, el Estado debe garantizar su resocialización y el disfrute de todos los derechos fundamentales que como ser humano la asiste, elementos que se desarrollarán a lo largo de la presente investigación.

Por tal motivo, resulta necesario efectuar un análisis del marco jurídico nacional e internacional que enmarca el debido proceso para juzgar a personas menores de edad, así como vislumbrar las alternativas que existen, para mejorar el sistema y respetar los derechos de esos y esas jóvenes.

3. LEGISLACIÓN NACIONAL E INTERNACIONAL DENTRO DEL DERECHO PENAL JUVENIL COSTARRICENSE

La realidad actual en la que se ve inmersa la situación de los derechos humanos en el continente conlleva al surgimiento de nuevos desafíos para los mecanismos de protección, lo que a su vez debe dar paso a una reformulación de las prácticas en el sistema de derechos humanos, sin necesidad de modificar su base normativa. Desde el nivel internacional se han elaborado una serie de instrumentos regionales de protección y promoción de derechos humanos, de los cuales se anotarán los que se relacionan con la población sujeta del sistema penal juvenil.

3.1. Convenciones y normativas internacionales

• Convención Interamericana para Prevenir y Sancionar la Tortura

Se adoptó el 9 de diciembre de 1985 y entró en vigor el 28 de febrero de 1987. Esta Convención incluye una detallada definición de la tortura, así como de la responsabilidad por la comisión de este delito.

Los estados partes no solo se comprometen a castigar severamente a las personas que cometan actos de tortura, sino que además se obligan a adoptar medidas para prevenir y sancionar cualquier otro trato cruel, inhumano o degradante dentro de sus respectivas jurisdicciones (OEA, 1985).

• Protocolo a la Convención Americana sobre Derechos Humanos relativo a la Abolición de la Pena de Muerte

Se adoptó el 8 de junio de 1990 y entró en vigor el 28 de agosto de 1991. Los esfuerzos concertados para incluir la abolición absoluta de la pena capital en la Convención Americana no tuvieron éxito en el contexto de la adopción de dicho instrumento en 1969.

El Protocolo a la Convención Americana sobre Derechos Humanos relativo a la Abolición de la Pena de Muerte fue aprobado en el vigésimo período ordinario de sesiones de la Asamblea General de la Organización de los Estados Americanos (OEA). Este protocolo dispone que los estados partes no aplicarán la pena de muerte a ninguna persona sometida a su jurisdicción (OEA, 1991).

• Principios y Buenas Prácticas sobre la Protección de las Personas Privadas de Libertad en las Américas

Fueron establecidos por la Comisión Interamericana de Derechos Humanos en su 131° periodo ordinario de sesiones, celebrado del 3 al 14 de marzo del 2008. Los Principios y Buenas Prácticas establecen una serie de garantías relativas a las personas sometidas a un régimen de privación de libertad. En dicho instrumento se indica que privación de libertad es:

> Cualquier forma de detención, encarcelamiento, institucionalización o custodia de una persona, por razones de asistencia humanitaria, tratamiento, tutela, protección, o por delitos e infracciones a la ley, ordenada por o bajo el control de facto de una autoridad judicial o administrativa o cualquier otra autoridad, ya sea en una institución pública o privada, en la cual no pueda disponer de su

libertad ambulatoria. (Comisión Interamericana de Derechos Humanos, 2008).

En este sentido, la definición abarca no solo a aquellas personas privadas de libertad por delitos o incumplimiento a la ley, sino también a las personas que están bajo la custodia y la responsabilidad de otras instituciones, donde se restrinja su libertad ambulatoria. Se hace la aclaración que en el caso de Costa Rica no existe ninguna institución, aparte de los centros de atención institucional, que restrinja en sentido estricto la libertad de tránsito. Como instituciones existe el Patronato Nacional de la Infancia (PANI), los centros de rehabilitación para el consumo de drogas (Instituto de Farmacodependencia, IAFA) y el Programa de Nuevos Horizontes del Hospital Psiquiátrico.

Entre los principios indicados en este instrumento, se encuentran aquellos de carácter general (trato humano, igualdad y no-discriminación, debido proceso legal, entre otros), aquellos relacionados con las condiciones de detención de las personas privadas de libertad (salud, alimentación, agua potable, albergue, condiciones de higiene y vestido, medidas contra el hacinamiento, contacto con el mundo exterior, trabajo y educación, entre otros) y, por último, los principios relativos a los sistemas de privación de libertad.

Principios básicos para el tratamiento de los reclusos

Adoptados y proclamados por la Asamblea General el 14 de diciembre de 1990. Establecen que todas las personas reclusas serán tratadas con el respeto que merecen su dignidad y valor inherentes de seres humanos y sin discriminación. Tendrán derecho a participar en actividades culturales y educativas encaminadas a desarrollar plenamente la personalidad humana, así como condiciones que permitan a los reclusos realizar actividades laborales remuneradas y útiles que faciliten su reinserción en el mercado laboral del país y les permitan contribuir al sustento económico de su familia y al suyo propio (ONU, 1990).

Reglas mínimas para el tratamiento de los reclusos

Fueron adoptadas por el Primer Congreso de las Naciones Unidas sobre Prevención del Delito y Tratamiento del Delincuente, celebrado en Ginebra en 1955 y aprobadas por el Consejo Económico y Social en sus resoluciones 663C (XXIV) de 31 de julio de 1957 y 2076 (LXII) de 13 de mayo de 1977.

El objeto de dichas reglas no es de describir en forma detallada un sistema penitenciario modelo, sino únicamente establecer, inspirándose en conceptos generalmente admitidos en nuestro tiempo y en los elementos esenciales de los sistemas contemporáneos más adecuados, los principios y las reglas de una buena organización penitenciaria y de la práctica relativa al tratamiento de los reclusos.

En vista de la variedad de condiciones jurídicas, sociales, económicas y geográficas existentes en el mundo, no se pueden aplicar indistintamente todas las reglas en todas partes y en todo tiempo. Sin embargo, deberán servir para estimular el esfuerzo constante por vencer las dificultades prácticas que se oponen a su aplicación, en vista de que representan en su conjunto las condiciones mínimas admitidas por las Naciones Unidas.

Estas reglas no están destinadas a determinar la organización de los establecimientos para delincuentes juveniles. No obstante, de un modo general, cabe considerar que la primera parte de las reglas mínimas es aplicable también a esos establecimientos. La categoría de reclusos juveniles debe comprender, en todo caso, a las personas que dependen de las jurisdicciones de menores. Por lo general, no debería condenarse a los delincuentes juveniles a penas de prisión (ONU, 1955).

• Convención sobre los Derechos del Niño

Validada por la Asamblea General de las Naciones Unidas el 20 de noviembre de 1989. Se aprobó el 27 de setiembre de 1990 y entró en vigencia el 16 de octubre del mismo año. Es el primer instrumento internacional jurídicamente vinculante de la protección de los derechos de los niños y niñas, lo que significa que establece una fuerza obligatoria para el conjunto de derechos que estipula. Esto implica que los estados que han ratificado la Convención están obligados a respetar y a asegurar que se reconozcan todos los derechos que esta establece en nombre de estas personas menores (ONU, 1989).

• Reglas mínimas de las Naciones Unidas para la administración de la justicia de menores

Tienen por objeto promover el bienestar de la persona menor en la mayor medida posible, lo que permitiría reducir al mínimo el número de casos en que haya que intervenir el sistema de justicia de menores y, a su vez, reduciría al mínimo los perjuicios que normalmente ocasiona cualquier tipo de intervención.

Esas medidas de atención de las personas menores con fines de prevención del delito antes del comienzo de la vida delictiva constituyen requisitos básicos de política destinados a obviar la necesidad de aplicar las presentes reglas.

A su vez, señalan el importante papel que una política social constructiva puede desempeñar en la vida de ese niño, niña o adolescente, entre otros aspectos, en la prevención del delito juvenil (ONU, 1985).

Reglas de las Naciones Unidas para la protección de menores privados de libertad

Adoptadas por la Asamblea General en su resolución 45/113, del 14 de diciembre de 1990. Afirman que el sistema de justicia de menores deberá respetar los derechos y la seguridad de los/as menores y fomentar su bienestar físico y mental, siendo la privación de libertad el último recurso, por el período mínimo necesario y limitarse a casos excepcionales. Solo se podrá privar de libertad a los y las menores de conformidad con los principios y procedimientos establecidos en estas Reglas, así como en las Reglas mínimas de las Naciones Unidas para la administración de la justicia de menores (ONU, 1990).

Su objeto es establecer normas mínimas aceptadas por las Naciones Unidas para la protección de las personas menores privadas de libertad en todas sus formas, compatibles con los derechos humanos y las libertades fundamentales. No debe haber discriminación entre menores sujetos y sujetas de estas reglas por motivos de etnia, género, edad, idioma, religión, nacionalidad, opinión política o de otra índole, prácticas o creencias culturales, patrimonio, nacimiento, situación de familia, origen étnico o social o incapacidad. Se deberán respetar las creencias religiosas y culturales, así como las prácticas y preceptos morales de los y las menores.

• Conjunto de Principios para la protección de todas las personas sometidas a cualquier forma de detención o prisión

Adoptado por la Asamblea General de la ONU en su resolución 43/173, de 9 de diciembre de 1988. Tienen por objetivo la protección de todas las personas sometidas a cualquier forma de detención o prisión. Conformado por 39 Principios, los más relevantes para efectos de esta investigación son (ONU, 1988):

Principio 1: Toda persona sometida a cualquier forma de detención o prisión será tratada humanamente y con el respeto debido a la dignidad inherente al ser humano.

Principio 3: No se restringirá o menoscabará ninguno de los derechos humanos de las personas sometidas a cualquier forma de detención o prisión reconocidos o vigentes en un Estado en virtud de leyes, convenciones, reglamentos o costumbres so pretexto de que el presente Conjunto de Principios no reconoce esos derechos o los reconoce en menor grado.

Principio 4: Toda forma de detención o prisión y todas las medidas que afectan a los derechos humanos de las personas sometidas a cualquier forma de detención o prisión deberán ser ordenadas por un juez u otra autoridad, o quedar sujetas a la fiscalización efectiva de un juez u otra autoridad.

• Directrices de las Naciones Unidas para la prevención de la delincuencia juvenil (Directrices de Riad)

Adoptadas por Asamblea General de la ONU en la resolución 45/112 del 14 de diciembre de 1990. Plantean que se debe reconocer la necesidad y la importancia de aplicar una política progresista de prevención de la delincuencia, así como de estudiar sistemáticamente y elaborar medidas pertinentes que eviten criminalizar y penalizara la persona menor por una conducta que no causa graves perjuicios a su desarrollo ni perjudica a los demás (ONU, 1990).

3.2. Legislación y normativa nacional

• Ley de Ejecución de las Sanciones Penales Juveniles

Se aplica a todas las personas menores de edad sancionadas, con edades entre los 12 años cumplidos y menores de 18 años, y a las personas jóvenes adultas, sancionadas por delito cometido durante su minoridad, que comprende a los mayores de dieciocho años y menores de veintiún años cumplidos. Para los efectos de esta ley, a estos grupos etarios se les conocerá como personas jóvenes (Asamblea Legislativa, 2005).

Su objetivo es fijar y fomentar las acciones necesarias que permitan a la persona joven que es sometida a algún tipo de sanción, su desarrollo personal permanente, su reinserción en la familia y la sociedad, así como el desarrollo de sus capacidades y sentido de responsabilidad. Deberán brindarse, además, los instrumentos necesarios para la convivencia social, de manera que la persona joven pueda llevar una vida futura exenta de conflictos de índole penal; para ello, cada institución del gobierno y las organizaciones no gubernamentales sin fines de lucro, deberán garantizar los programas, proyectos y servicios destinados a la población sujeta a esta ley.

• Código de la Niñez y la Adolescencia

• Establece el marco jurídico mínimo para la protección integral de los derechos de las personas menores de edad y los principios fundamentales, tanto de la participación social o comunitaria, como de los procesos administrativo y judicial que involucren los derechos y las obligaciones de esta población. Las normas de cualquier rango que les brinden mayor protección o beneficios prevalecerán sobre las disposiciones de este código (Asamblea Legislativa, 1998).

• Ley de Justicia Penal Juvenil

La ley de Justicia Penal Juvenil (LJPJ) es la ley número 7576, publicada en la Gaceta N° 82 del 30 de abril de 1996 y de acuerdo al artículo 1 se aplica a las personas "que tengan una edad comprendida entre los doce años y menos de dieciocho años al momento de la comisión de un hecho tipificado como delito o contravención en el Código Penal o leyes especiales". Dado lo anterior, en Costa Rica las personas menores de doce años no tiene responsabilidad penal y en el caso de que alguna persona realice una acción delictiva, de acuerdo con lo establecido en el artículo 6, lo correspondiente es "referir el caso al Patronato Nacional de la Infancia (PANI), con el fin de que se le brinde la atención y el seguimiento necesarios" (Asamblea Legislativa, 1996).

Ahora bien, lo determinante para aplicar la ley especializada es la edad que la persona tiene al momento de la comisión del hecho, de ahí que puede darse el caso de que una persona mayor de 18 años enfrente el proceso penal juvenil, en razón de que la persecución penal inició cuando aún era persona menor de edad.

Asimismo, la ley hace una diferenciación sobre la aplicación en el artículo 4, en cuanto:

...al proceso, las sanciones y su ejecución entre dos grupos: a partir de los doce años de   edad y hasta los quince años de edad, y a partir de los quince años de edad y hasta tanto   no se hayan cumplido los dieciocho años de edad (Asamblea Legislativa, 1996).

No reconoce este proceso especializado la emancipación y en el caso que no se pueda definir fehacientemente la edad de la persona acusada que impresione ser menor de 18 años, se le tendrá como persona menor y así se le juzgará. Según regula el artículo 9, supletoriamente se aplica el Código Procesal Penal en todo que no se encuentre regulado de forma expresa en la ley de estudio.

Debe considerarse que según regula el artículo 8, la interpretación de esta ley debe

...aplicarse en armonía con sus principios rectores, los principios generales del derecho penal, del derecho procesal penal, la doctrina y la normativa internacional en materia de menores. Todo ello en la forma que garantice mejor los derechos establecidos en la Constitución Política, los tratados, las convenciones y los demás instrumentos internacionales suscritos y ratificados por Costa Rica. (Asamblea Legislativa, 1996).

Por otra parte, el artículo 7 de la LJPJ, expone los principios rectores en materia penal juvenil:

Serán principios rectores de la presente ley, la protección integral del menor de edad, su interés superior, el respeto a sus derechos, su formación integral y la reinserción en su familia y la sociedad. El Estado, en asocio con las organizaciones no gubernamentales y las comunidades, promoverá tanto los programas orientados a esos fines como la protección de los derechos e intereses de las víctimas del hecho (Asamblea Legislativa, 1996).

Igualmente, existen derechos y garantías de la persona menor de edad involucrada en el proceso penal, detallados por el artículo 10:

Desde el inicio de la investigación policial y durante la tramitación del proceso judicial, a los menores de edad les serán respetadas las garantías procesales básicas para el juzgamiento de adultos; además, las que les correspondan por su condición especial. Se consideran fundamentales las garantías consagradas en la Constitución Política, en los instrumentos internacionales ratificados por

Costa Rica y en las leyes relacionadas con la materia objeto de esta ley (Asamblea Legislativa, 1996).

Dicho artículo exhorta a la persona operadora del derecho en sede Penal Juvenil a tener presente lo regulado otros cuerpos normativos, como por ejemplo, la Convención de Derechos del Niño, Reglas Mínimas de las Naciones Unidas para la Administración de la justicia de menores, (Reglas de Beijing) y el Código de Niñez y Adolescencia, entre otros ya mencionados anteriormente.

Otras garantías abarcadas en esta ley son el derecho a la igualdad y a no ser discriminado o discriminada. La Constitución Política de Costa Rica (1949), en su artículo 33, iguala a todas las personas en su condición de seres humanos, prohibiendo toda clase de discriminación y respetando la dignidad humana.

La LJPJ lo regula al indicar que durante la investigación policial, el trámite del proceso y la ejecución de las sanciones, se les respetará a los y las menores de edad el derecho a la igualdad ante la ley y a no sufrir discriminación por ningún motivo.

A su vez, cuentan con el derecho al debido proceso, que tiene que ver con el respeto de los derechos y garantías que le asiste a las personas acusadas y al desarrollo del procedimiento y al derecho de abstenerse de declarar, el cual se basa en los derechos y garantías de la persona menor de edad involucrada en el proceso penal, retomando los principios de privacidad y derecho de defensa, que si bien es cierto se mencionaron como principios, tienen una doble funcionalidad, ya que se convierten en derechos que le garantizan a la persona menor de edad que su caso se llevará de forma privada y que ningún acto procesal puede generar un estado de indefensión. La privacidad del proceso conlleva a que en materia penal juvenil no exista archivo criminal, la hoja de delincuencia de una persona menor de edad, sometida a un proceso penal, independiente del resultado del proceso no se afecta, tampoco se cuenta con archivos fotográficos ni se aplica el tema de reiteración delictiva.

Sobre la estructura del proceso penal juvenil, el sujeto de intervención de esta ley es la persona que al momento de la presunta comisión del hecho, tenga 12 a menos de 18 años. Los defensores y defensoras igualmente son sujetos y sujetas que intervienen al igual que las personas ofendidas, desconociendo esta ley la figura del querellante como tal. No obstante, la persona ofendida podrá tener un representante legal que le asesore, sin que dicho representante tenga una participación activa en el desarrollo del proceso. Dentro de los órganos que intervienen se encuentran el Ministerio Público, la Policía Judicial y el PANI.

Igualmente, los órganos judiciales competentes en materia penal juvenil, según la ley especializada, son el Juzgado Penal Juvenil, el cual en primera instancia conoce los casos donde figura como acusada un persona menor de edad. Corresponde a las personas juzgadoras de los Juzgados Penales Juveniles conocer el proceso desde la etapa investigativa, lo que conlleva medidas cautelares, allanamientos, realización de audiencias tempranas, aplicación de medidas alternas hasta el desarrollo del debate y dictado de sentencia. Por su parte, el Tribunal de Apelación Penal Juvenil conoce de las apelaciones de todas las resoluciones dictadas por los jueces de primera instancia y de las recusaciones. Finalmente, el Tribunal Superior de Casación Penal conoce de los recursos de casación Tribunal de Apelación Penal Juvenil y el Juzgado de Ejecución de la Sanción Penal Juvenil es el encargado de ejecutar las sanciones impuestas a las personas menores de edad.

La ley también establece sanciones. El artículo 121 tiene dos apartados de sanciones no privativas de libertad, estableciendo la siguiente clasificación:

Las socio-educativas:

– Amonestación y advertencia: consiste en una llamada de atención que el juez o jueza hace oralmente a la persona menor de edad acusada exhortando para que, en lo sucesivo, se acoja a las normas de trato familiar y convivencia social.

– Libertad asistida: su duración no puede exceder más de cinco años y consiste en otorgar la libertad a la persona menor de edad, quien queda obligada a cumplir con programas educativos y recibir orientación y seguimiento del juzgado, con la asistencia de especialistas del Programa de Sanciones Alternativas de la Dirección General de Adaptación Social.

– Prestación de servicios a la comunidad: se prestará en un máximo de seis meses y a lo sumo ocho horas a la semana. Lo anterior tiene que ver con la posibilidad de la persona sentenciada cumpla con la sanción impuesta, pero que ello no le impida continuar con su trabajo o estudio.

– Reparación de los daños a la víctima: Es importante anotar que las personas menores de edad deben dedicarse en principio, a estudiar, de ahí que dependen económicamente de sus padres. Por lo tanto, la persona juzgadora debe ser juiciosa a la hora de imponer como reparación de daños a la víctima las obligaciones dinerarias, para que esta no sea trasladada la sanción de forma tácita a los padres de la persona menor de edad que resulte sentenciada.

Según el artículo 127, la sanción consiste en "la prestación directa del trabajo, por el menor de edad en favor de la víctima...la pena podrá sustituirse por una suma de dinero". En la práctica, la reparación de daños mencionada se aplica principalmente en las salidas alternas, dado que se debe contar con el consentimiento de la víctima y la persona menor de edad y difícilmente la persona juzgadora llegue a discutir con ambos la sanción a aplicar.

Órdenes de orientación y supervisión: consisten en prohibiciones para regular el modo de vida de las personas menores de edad, así como promover y asegurar su formación. Durarán un período máximo de dos años y su cumplimiento deberá iniciarse a más tardar un mes después de ordenadas. Según el artículo 121, son las siguientes:

– Instalarse en un lugar de residencia determinado o cambiarse de él.

– Abandonar el trato con determinadas personas.

– Eliminar la visita a bares y discotecas o centros de diversión determinados.

– Matricularse en un centro de educación formal o en otro cuyo objetivo sea enseñarle alguna profesión u oficio.

– Adquirir trabajo.

– Abstenerse de ingerir bebidas alcohólicas, sustancias alucinógenas, enervantes, estupefacientes o tóxicos que produzcan adicción o hábito.

– Ordenar el internamiento del menor de edad o el tratamiento ambulatorio en un centro de salud, público o privado, para desintoxicarlo o eliminar su adicción a las drogas antes mencionadas (Asamblea Legislativa, 1996).

Sanciones privativas de libertad: internamiento domiciliario; internamiento durante tiempo libre e internamiento en centros especializados. En la práctica las dos primeras son de escasa aplicación. La medida de internamiento es de carácter excepcional, durará un máximo de quince años para menores entre los quince y los dieciocho años, y de diez años para menores con edades entre los doce y los quince años. Según el Artículo 131 de la Ley de Justicia Penal Juvenil, el juez o jueza deberá considerar el sustituir esta sanción por una menos drástica, cuando sea conveniente. La medida de privación de libertad nunca podrá aplicarse como sanción cuando no proceda para un adulto, según el tipo penal. En este sentido, se anota que "Al aplicar una medida de privación de libertad, se deberá considerar el período de detención provisional al que fue sometido el menor de edad".

Adicionalmente, Burgos (2010) hemos expuesto en relación al tema de la fase de ejecución e indica que:

> Cuando resulta inevitable la imposición de una sanción se dispone la menor restricción de derechos posible, se limita al mínimo indispensable la intervención de la justicia penal, esto como producto del paradigma minimalista que informa esta materia, derivado de ello se trata de no imponer una sanción privativa de libertad, reducirlas al mínimo pues esta opción es la última ratio, tiene un carácter excepcionalísimo y si el internamiento debe imponerse, debe durar el menor tiempo posible, así lo establecen las Reglas Mínimas de las Naciones Unidas para la Administración de Justicia de Menores y las Reglas de las Naciones Unidas para la protección de los menores privados de libertad. La Ley de Justicia Penal Juvenil transformó el paradigma tutelar–defensista por uno de naturaleza minimalista garantista, lo cual quiere decir que un Estado de derecho debe intervenir punitivamente el mínimo posible, al tiempo de otorgar a todos sus ciudadanos un conjunto de garantías, implica también que durante la ejecución penal el principio de legalidad y todas las garantías deben cubrir y ser aplicables a esta última fase del proceso (p. 45).

De la normativa y doctrina analizada anteriormente se infiere que la sanción penal juvenil tiene como fin la reinserción de la persona menor en la sociedad, una vez que cumpla las sentencias que se le imponen. Es decir, el objetivo es la resocialización, por medio de penas alternativas.

4. EL DERECHO PENAL JUVENIL

Desde la década de 1970, el temor al delito ha adquirido una mayor relevancia en el país. Lo que en un tiempo se veía como una ansiedad situacional y localizada, que afectaba a las personas y comunidades en riesgo social, ha llegado a considerarse como un problema social fundamental y una característica de la cultura contemporánea costarricense. El temor al delito ha llegado a considerarse como un problema por sí mismo, claramente distinto del delito y la victimización reales y se han desarrollado políticas particulares que no apuntan a reducir el delito, sino los niveles de temor, como lo son los tribunales de flagrancia, que se han convertido en una respuesta a la presión social, más no a lo preventivo.

Actualmente, estudios promovidos por los gobiernos analizan regularmente los niveles y el carácter de este temor, categorizando y midiendo las reacciones emocionales provocadas por el delito, siendo un tema trascendental en sus planes de gobierno, como respuesta a los temores provocados, inseguridad generalizada, ira y resentimiento, correlacionándolos con los patrones reales de riesgo y victimización.

Históricamente, la pena privativa de libertad y los centros penales han manejado una connotación como lugares tenebrosos, moral y estructuralmente decayentes, así como atacados constantemente por la opinión pública al ser considerados privilegios para las personas que "deberían pagar por lo que hicieron". No se debe, pues, concebir la prisión, su "fracaso" y su reforma mejor o peor aplicada.

La entrada de las personas menores de 18 años al mundo de la ciudadanía por la vía del derecho penal no deja de ser paradójica, pero implica su incorporación a la vivencia de normas, instituciones y procedimientos que no son nuevos, al contrario, nacieron con la modernidad, pero hoy se adaptan a sus nuevos destinatarios.

4.1. Creación del Derecho Penal Juvenil

Según señala González (2008, 112), a mediados de los años noventa, la ratificación de la Convención sobre los Derechos del Niño por parte de la Asamblea Legislativa resolvió la vertiente "técnico-jurídica" del proceso de legitimación del nuevo derecho penal juvenil.

A esas alturas, la norma constitucional había incorporado el legado garantista de la Convención, no así el resto del ordenamiento jurídico, en particular la Ley Orgánica de la Jurisdicción Tutelar de Menores, que continuaba ajena al ordenamiento jurídico superior. Una vez entrado en vigencia el nuevo instrumento jurídico internacional se inició un largo proceso de modificación de la legislación interna para adaptarla a su mandato.

El autor continúa señalando que entre los años 1994 y 1996 se produjeron dos reformas legislativas al régimen de administración de la justicia penal para adolescentes. La primera consistió en la reforma de la Ley Orgánica de la Jurisdicción Tutelar de Menores, vigente en el país desde el año 1964, mientras que la segunda, la Ley de Justicia Penal Juvenil, derogó la Ley Tutelar e impuso la entrada en vigencia del derecho penal juvenil. Ambas leyes respondieron en menor o mayor grado al nuevo enfoque de derechos que promueve la Convención como parte del "deber ser" en la administración de justicia de menores.

Esta Convención les otorga a las personas menores de 18 años diferentes grados de ciudadanía, acordes a su condición de sujeto o sujeta en proceso de desarrollo, los cuales le habían sido negados a esta población por el mundo adulto durante toda la modernidad. En el caso de los y las adolescentes, que en la legislación costarricense se definen como las personas mayores de 12 y menores de 18 años, la Convención formula en sus artículos 37 y 40 los parámetros para establecer cuándo un sistema de administración de justicia penal se aproxima a una concepción que garantice el respeto de sus derechos y garantías fundamentales o cuándo se desliza hacia el autoritarismo (González, 2008:114).

A inicios de 1995, se integró una comisión interinstitucional redactora de un futuro Código de Derechos de la Niñez y la Adolescencia, que incluía el tema del derecho penal juvenil. La Comisión operaba bajo la coordinación de la Defensoría de los Habitantes. Sin embargo, desde octubre de 1993, aún antes de la aprobación de la reforma de la Ley Tutelar, la Comisión de Asuntos Penales de la Corte Suprema de Justicia propuso la redacción de una ley procesal especial de responsabilidad penal para adolescentes. Ante la crisis de la Ley Tutelar, el tema de la responsabilidad penal adolescente quedó por fuera del proceso de redacción del Código de la Niñez y la Adolescencia. La cooperación técnica para la redacción del anteproyecto de Ley de Justicia Penal Juvenil se le encargó al Instituto Latinoamericano de las Naciones Unidas para la Prevención del Delito y Tratamiento de Delincuente (ILANUD) (Programa Penal Juvenil, sin fecha).

La aprobación de la Ley Penal Juvenil en 1996, acaba con la impunidad penal que generaba la antigua Ley Tutelar de Menores (1964), ya que por un lado no respondía a la realidad social del país y por otro, solo podía aplicarse hasta que los adolescentes cumplieran 18 años de edad, cuando se declaraba extinta la acción tutelar. Es decir, no se podía juzgar, ni sancionar, una vez cumplida la mayoría de edad. Tampoco se podía aplicar el Código Penal. Según detalla Tiffer (2011) además de impunidad, se generaba una gran arbitrariedad con este modelo tutelar, ya que se incorporaba a niños, niñas y adolescentes al sistema judicial, principalmente si se encontraban en una condición de pobreza.

Esta ley, a su vez constituye un verdadero ejemplo y un modelo a seguir en lo que se refiere a los aspectos procesales y que su aprobación constituyó un paso adelante al abandonar antiguas concepciones que pretendían reprimir cualquier conducta desviada, sin hacer mucha diferencia entre lo que constituía delito y lo que conformaba un simple comportamiento desviado de las costumbres y tradiciones imperantes. Además significó un cambio dentro de la concepción de política criminal del Estado costarricense, ya que de un modelo tutelar, que consideraba a los jóvenes sin responsabilidad e incapaces de infringir la ley penal, se pasó a un modelo que establece la posibilidad de que los jóvenes infrinjan la ley penal, se les encuentre culpables por ello y consecuentemente, se les imponga una sanción Burgos (2011, 16).

Se identifican tres momentos en el proceso penal juvenil, a saber:

Un primer momento jurisdiccional donde se ha previsto la posibilidad de la conciliación entre las partes, que puede constituir, en caso de arreglo, una forma anticipada de conclusión del proceso. Cuando la conciliación no procede, se inicia un segundo momento, la indagatoria de la persona acusada. Luego, el juez o jueza penal juvenil resuelve la procedencia o no de la acusación, y si se admite, continuará el proceso. Se podrá ordenar la detención provisional de la persona joven solo en casos graves y excepcionales, lo mismo que la imposición provisional de alguna orden de orientación y supervisión. También existe el sobreseimiento que es definitivo o la supervisión del proceso a prueba, como formas de conclusión anticipada del proceso. La conclusión anticipada del proceso es provisional y está sujeta al cumplimiento de una de las órdenes de orientación y supervisión que puede imponer el juez o jueza (durará máximo de dos meses, con posibilidad de prórroga de dos meses más). Finalmente, el tercer momento se inicia posteriormente a la resolución que admite la acusación. La persona menor de edad declara oralmente sobre los hechos de que se le acusa y se presentan las pruebas ofrecidas por las partes Burgos (2011:45).

Una vez que la persona menor de edad es sentenciada, se le ubica en uno de los tres centros del Programa Penal Juvenil, mismos que serán mencionados a continuación. Todos se encuentran conformados por un equipo técnico: Dirección, Trabajo Social, Psicología, Orientación, Derecho y área Educativa, quienes le dan a la población acompañamiento durante la ejecución de su sentencia desde el ingreso al Centro Penal, durante la pena y al egreso. Dicha atención se brinda de manera individual o grupal según sea necesario y en distintos ejes; drogadicción, violencia y ofensa sexual.

Si bien el Programa es una sola unidad, cada centro posee su propia población, metodología, actividades deportivas y recreativas y en la valoración de recursos domiciliares y laborales.

4.2. Programa Penal Juvenil

Dentro de la Dirección General de Adaptación Social del Ministerio de Justicia y Paz, se encuentra el Programa Penal Juvenil, conformado por el Centro de Formación Juvenil Zurquí (CFJZ), el Centro Especializado Adulto Joven (CEAJ) y el Programa de Sanciones Alternativas (PSA).

*   Centro de Formación Juvenil Zurquí: se encuentra ubicado en San Luis de San Isidro de Heredia. Al 15 de julio del 2016, albergaba a 124 personas privadas de libertad menores de edad, de las cuales 4 son mujeres. Además, hay 6 mujeres mayores de edad, de acuerdo con datos aportados por Sofía Elizondo, trabajadora social del Centro (Elizondo C. 15 julio 2016). Cantidad de población. Entrevistadora Garro, J.

- Centro Especializado Adulto Joven: se encuentra ubicado en San Rafael de Alajuela dentro del complejo La Reforma. Al 19 de julio del 2016, albergaba a 132 personas privadas de libertad mayores de edad, según datos aportados por María de los Ángeles Espinoza, Orientadora del Centro (Espinoza, M. 19 julio 2016). Cantidad de población. Entrevistadora Garro, J. Asimismo, algunos jóvenes que se encuentran en el CAE Adulto Joven cuentan con la posibilidad de ser trasladados a una sección de Oportunidades denominada Sección E, donde se incorporan a actividades laborales remuneradas y de igual manera, continúan con sus estudios.

- Oportunidades Juveniles: este programa no atiende una cantidad poblacional fija, por el contrario, aborda casos específicos de orientación a personas que han egresado de prisión o que son referidos por el Programa de Sanciones Alternativas, siendo que se les brinda acompañamiento en aspectos laborales y de articulación con otras instituciones de bienestar social. Asimismo, la Trabajadora Social de Oportunidades Juveniles labora en conjunto con el CFJ Zurquí algunos procesos grupales como en el eje de drogadicción. (Guevara, O. 6 julio 2016). Cantidad de población. Entrevistadora Garro, J. En el caso de Oportunidades Juveniles, se encuentra conformada por dos trabajadoras sociales, una de las cuales pertenece administrativamente al Ministerio de Educación Pública.

- Sanciones Alternativas: se encuentra ubicado en San Luis de San Isidro de Heredia, compartiendo espacio con el CFJZ. Al 19 de julio del 2016, atiende a 800 personas en todo el territorio nacional, mismas que no se encuentran privadas de libertad, si no que disfrutan de una sanción alternativa como las antes mencionadas, según datos aportados por Ciany Saborío, psicóloga del Programa (Saborío, C. 19 Julio 2016). Cantidad de población. Entrevistadora Garro, J).

Según Isabel Gámez, secretaria técnica del Programa Penal Juvenil (2016, s.p) un enfoque restaurativo puede aplicarse en diversos ámbitos y contextos en la prevención de los conflictos en espacios propiamente comunitarios. Enfatiza en que el PSA parte de la sanción impuesta y de ahí derivan las acciones, por lo que no se realiza un trabajo directo con la víctima, ni se anticipan condiciones de favorecimiento a una resolución de conflictos.

El objetivo que se persigue, es anudar la Justicia Restaurativa como favorecimiento de la inclusión social y el aprovechamiento de la misma por parte de la persona joven, a través de la construcción de redes y el desarrollo de procesos de implementación a habilidades para la vida.

En el ámbito de la sentencia, la incorporación incluye principios, procesos y prácticas restaurativas al considerar las necesidades de la persona joven, la participación comunal y la inclusión social que se convierten en sí mismas, con un fin o resultado restaurativo a las sanciones impuestas. Las sanciones tienen un carácter obligatorio para los y las jóvenes; la orientación hacia el enfoque restaurativo, supone prácticas formales y planificadas, ofertadas de manera complementaria a la sanción impuesta, de forma de enriquecer el proceso personal a través del diálogo y la responsabilidad personal, con un enfoque restaurativo de carácter informal, las que pueden ser incorporadas en la ejecución de las sanciones. La condición de las personas víctimas u ofendidas y su atención en el proceso, es competencia estrictamente judicial, agrega Gámez.

El PSA promueve la prevención especializada para proteger de los efectos nocivos de la privación de libertad, el cuidado riguroso para evitar la estigmatización, la inclusión antes indicada y otros abordajes que implique la sensibilización acerca del delito cometido. En este sentido, según información aportada por Gámez, se plantea una manera alternativa para atender técnicamente a la población sujeta de ley desde la libertad asistida, ordenes de orientación y supervisión, prestación de servicios a la comunidad y bajo la luz de la Justicia Restaurativa, a saber:

– Libertad Asistida: se creó una guía de entrevista para la exploración, que abarca todas las áreas de vida de la persona joven, de manera que tenga propósito de referencia para la atención, acompañamiento, la activación de red y el énfasis de mejora o reforzamiento de las áreas requeridas. Asimismo, se tiene una estrategia de indagación de necesidades de inclusión social, para aplicar primeramente a grupos de jóvenes con sanción alternativa.

- Proceso de seguimiento de órdenes de orientación y supervisión: son mandatos o prohibiciones que la persona joven se ve obligada a cumplir y pretenden no solo regular su desenvolvimiento en el medio externo, sino propiciar su incorporación o su permanencia en actividades que favorezcan su crecimiento personal, académico, laboral y social y con ello la construcción de un proyecto de vida estable y sana.

- Prestación de Servicios a la Comunidad: realizar tareas gratuitas, de interés general, en entidades de asistencia, públicas o privadas, como hospitales, escuelas, parques nacionales y otros establecimientos similares. Esta sanción no es abarcativa a las familias, sino que se centra en la responsabilidad de cumplimiento de la persona joven.

5. CONTEXTO ACTUAL EN COSTA RICA DEL DERECHO PENAL JUVENIL Y ALTERNATIVAS PROPUESTAS

Ninguna teoría antecede a la realidad, según expone Garro (2015, 16). Las necesidades, el dolor, la represión y la eventual conquista de la conciencia alienada en función de la emancipación o al menos de la transformación de las condiciones negativas por otras mejores, caracterizan la historia humana. Los derechos humanos, como parte de la historia que refleja las luchas constantes de las grandes masas ante distintas formas de poder, han atravesado distintas maneras de ser concebidos a la luz del pensamiento.

Continúa anotando, que toda estructura jurídica intrínsecamente posee o refleja elementos esenciales para un proyecto o ideología dominante. Los derechos humanos, a pesar de su origen determinado por la cuestión de la necesidad y la dignidad humana, no se ven exentos de la permeabilidad del poder de clase. De modo tal que no son neutrales sino producto de procesos históricos y reformulaciones del ejercicio del poder de las personas ante sus semejantes y las instituciones. La tensión constante que se deriva de ello se halla en comprender cuándo un derecho cumple con el cometido humano de garantizar la dignidad de la persona, o simplemente se torna una consigna política que carece de asidero en la cotidianidad. El fundamento derivado de la necesidad y la acción colectiva ha dado paso a la construcción del concepto de derechos humanos como garantías jurídicas.

Según el Primer Estado de la Justicia (2015), la tutela judicial efectiva de derechos es el libre acceso de todas las personas al sistema de administración de justicia, para obtener una resolución de fondo ajustada al marco legal vigente, que garantice el cumplimiento de los derechos ciudadanos o la defensa de un interés legítimo (p. 152).

En la sociedad, se presenta un fenómeno llamado "populismo punitivo", en el que muchas personas exigen penas severas a quienes cometen un delito, por encima de los procesos penales existentes y sin tomar en consideración que quienes se involucran en estas circunstancias tienen las mismas garantías fundamentales. Llobet (2016) explica que este concepto se refiere a la población reclamando un endurecimiento del sistema penal, que se argumenta en velar por los derechos de las víctimas, pero no así de las personas a las que se responsabiliza de un delito (p. 3). El populismo punitivo considera que la criminalidad va en aumento y que esto es culpa de las lenidad de las leyes, por lo que es bien aceptado dentro de la sociedad (p. 4).

El autor también señala que ese término se caracteriza por promover la idea de que las garantías fundamentales de las personas privadas de libertad sean disminuidas, porque de resguardarse los derechos humanos, se estaría protegiendo de forma excesiva a las personas delincuentes (p. 5).

Se observa cómo el populismo punitivo aparece cuando se trata de delitos en los que hay personas menores de edad involucradas, ya que la ciudadanía suele calificarlas con los mismos estándares de las personas adultas y exige penas fuertes, incluso, a manera de "escarmiento" por sus acciones, y sin tomar en consideración que hay un procesos penales específicos para esta población.

Aunado a esto, Artavia et al. (sin fecha) evidencian que los niños, niñas y jóvenes pueden sufrir una revictimización en los procesos penales, ya que hay personas funcionarias públicas que ejercen violencia hacia ellas, valiéndose de su posición de autoridad. Por ejemplo, al hacerles entrevistas o en los procesos investigativos y de juzgamiento. Además, si llegan a cumplir una pena en los centros especializados, topan con personal que en ocasiones no está sensibilizado o capacitado para atenderles bajo una visión integral que coloque en primer lugar el interés superior de la persona menor (p. 54).

El colectivo de personas que conviven en los establecimientos penitenciarios, presenta una serie de características en torno al encierro en instituciones totales con respecto a sus concepciones de realidad y a su propia situación e identidad, especialmente en la población menor o adulta joven que inició su prisionalización aún siendo menor de edad, en una etapa de desarrollo en la que se está reformulando la personalidad y desarrollo de habilidades y destrezas.

Es por esto que recientemente se ha incorporado a la atención de la población sujeta del derecho penal juvenil, la justicia restaurativa, y las audiencias tempranas, mismas que se describirán a continuación.

5.1. Audiencias tempranas

Desde la promulgación de la Ley de Justicia Penal Juvenil, el proceso penal en este campo ha tenido algunos cambios en la forma de aplicación. Si bien es cierto el texto de la ley como tal se mantiene con pocas reformas, la aplicabilidad del proceso se apoya en la actualidad de directrices institucionales, que a la postre han demostrado lo efectivo de su atención. Cabe destacar que el proceso penal para personas adultas tiene claramente estructuradas cuatro etapas a saber: la investigativa, la intermedia, la etapa de juicio y la etapa de ejecución. Para ello, existen órganos establecidos con funciones propias. Consecuentemente, para la aplicación de las diferentes etapas, intervienen el Ministerio Público, los Juzgados Penales y los Tribunales de Justicia.

Ahora bien, la Ley 7576 es una ley especial de la que en su artículo 1 se desprende que:

> "serán sujetos de esta ley todas las personas que tengan una edad comprendida entre los doce años y menos de dieciocho años al momento de la comisión de un hecho tipificado como delito o contravención en el Código Penal o leyes especiales".

Asimismo, el artículo 9 señala que "en todo lo que no se encuentre regulado de manera expresa en la presente ley, deberán aplicarse supletoriamente la legislación penal y el Código Procesal Penal".

Esto es de suma importancia, dado que en la estructura de la aplicación del proceso penal juvenil no fueron creados los Tribunales de Justicia, debiendo la persona juzgadora conocer de forma concentrada lo que en un proceso de adultos conoce la persona juzgadora de la etapa intermedia y la de la etapa de juicio.

Ante este panorama y en aplicación supletoria del Código Procesal el Consejo Superior del Poder Judicial (2012), en sesión N° 55-12, celebrada el 5 de junio de 2012, crea mediante la circular 146-2012, el Manual de Procedimientos y Fluxogramas relacionados con la aplicación de las audiencias tempranas en Penal Juvenil y en atención a ello los Juzgados Penales Juveniles realizan dichas audiencias orales, las cuales se señalan previo a la admisión de la acusación.

El fin de las audiencias tempranas es brindar un abordaje inicial a la persona acusada y a la ofendida. Es el momento que el o la imputada tiene el primer contacto con el órgano jurisdiccional, la fiscalía y la parte ofendida. Dicho abordaje conlleva hacerle ver sus derechos y obligaciones del proceso que inicia, así como las advertencias acerca de la seriedad del mismo.

Otro de sus objetivos es dar al proceso penal juvenil la celeridad y flexibilidad que este conlleva y así cumplir con el mandato constitucional de justicia pronta y cumplida. Estas audiencias son orales y en ellas se materializan los principios de justicia restaurativa y mínima intervención estatal. En la audiencia temprana, se brinda el espacio para que el Ministerio Público, la Defensa y la persona juzgadora examinen la pieza acusatoria para admitirla o rechazarla. Si la acusación contiene elementos de forma que corregir, se le solicita a la representación del Ministerio Público que proceda a su corrección de inmediato, lo cual puede realizar en forma oral, sin afectar que la acusación se haya presentado por escrito. Si la acusación contiene defectos de fondo y es procedente, se dicta el sobreseimiento definitivo de forma oral.

En caso que la acusación no contenga defectos se dicta en el acto la procedencia de ésta y se consulta a las partes la aplicación de una salida medida alterna, sea conciliación, suspensión del proceso a prueba o un procedimiento abreviado. En caso de que sea planteada la persona juzgadora la valora y dicta la resolución correspondiente. Ahora bien, si no existe propuesta de salida alterna o si ésta no cumple con los requisitos de procedibilidad o legalidad, en los casos que no se deba recabar prueba, se dicta la citación a juicio del artículo 95 de la LJPJ, las partes pueden renuncian al término de cinco días y en ese momento ofrecen la prueba con que cuenten. La persona acusada es citada para juicio así como la parte ofendida, (la citación es mediante documento escrito) y el expediente queda listo para ir a debate.

Como beneficios de la audiencia temprana, se pueden señalar los siguientes:

- Se materializan los principios rectores de la LJPJ.
- Contribuye a la política institucional de reducir el gasto del papel.
- Reducción del circulante para señalar a juicio.
- Reducción de trámites.
- Reducción de plazos para brindar abordajes a las personas menores de edad.
- Los asuntos que van a juicio suelen ser aquellos en los que se imposibilite una salida alterna.
- La proyección social a través de la solución brindada y la satisfacción de las víctimas en estricto apego al artículo 7 del Código Procesal Penal.

5.2. Medidas alternas

Como soluciones alternas al juicio, la LJPJ prevé las siguientes:

- El instituto de la conciliación: establecido en los artículos 61 al 67, el cual consiste en acuerdo voluntario entre persona acusada y persona ofendida, definiendo claramente las condiciones y el plazo de cumplimiento, convirtiéndose en una solución pacífica al conflicto surgido. La procedibilidad de ella la establece el artículo 132 de la Ley bajo estudio y uno de sus limitantes es la gravedad del daño acusado.

- Suspensión del Proceso a Prueba: los artículos 89 al 92 y 132 regulan la aplicación de este beneficio, cuyo fin es suspender el proceso; mientras la parte acusada se somete al cumplimiento de un plan reparador, al igual que en la conciliación, la gravedad del daño acusado es un impedimento para otorgarla y como elemento diferenciador, no es determinante el consentimiento de la víctima ni del Ministerio Público. El cumplimiento satisfactorio de las condiciones aprobadas produce el sobreseimiento definitivo del proceso.

Ahora bien, si en el ínterin de la acusación al señalamiento a debate no existe la posibilidad de solucionar el conflicto de manera alterna y en caso de que la persona menor de edad resultara condenada, tal y como ya se indicó, las sanciones privativas de libertad son la *ultima ratio*. A pesar de que la ciudadanía siempre pedirá el incremento de penas, debe existir suma atención en que a quien se juzga y eventualmente se condena, es a una persona menor de edad, que se encuentra en un proceso de formación.

5.3. Justicia restaurativa en reconocimiento de la dignidad de la persona acusada

El ejercicio del derecho lleva consigo la búsqueda de la paz social y el componente de esperanza de justicia, que implícitamente aplica a una sanción. El modelo de penas y sanciones aplicables en nuestro Derecho Penal se percibe en la mayoría de la población como única justicia, cuando el condenado va a prisión. Sin embargo, De Castro (2004) ha indicado que:

> El encierro ha fracasado como un mecanismo de readaptación social y, más bien, ha sido instrumento de reafirmación de las conductas delictivas que castiga. Es ineficaz para prevenir el delito y atenta contra los derechos humanos de las personas por las condiciones en que se encuentran la mayoría de las cárceles, particularmente en las sociedades subdesarrolladas: hacinamiento, ausencia de atención médica, maltratos, violación de debidos procesos para sanciones administrativas, arbitrariedad y discrecionalidad en el personal administrativo, entre otras (p. 163).

Los tratados internacionales son instrumentos del Derecho Internacional Público que constituyen un juego de voluntades entre dos estados o más y se formaliza en documentos en donde se consigna por escrito obligaciones y derechos, esto para lograr mayor comodidad y seguridad jurídica. Generalmente regula la conducta de los estados entre sí y las organizaciones internacionales para proteger los derechos humanos, la paz y la armonía entre Estados.

El reconocimiento internacional de la necesidad de que existieran un cambio de paradigma en la solución de los conflictos implicó la creación de una normativa jurídica, dado lo cual es importante replantearse si esa normativa constituye un medio idóneo y eficaz de tutela para la víctima, o si por el contrario, se deben de hacer ajustes a nivel interno para cumplir el mandato para lo cual fueron creados.

La Declaración de Costa Rica sobre la Justicia Restaurativa en América Latina, así como la Ratificación de las Reglas Mínimas de las Naciones Unidas sobre las Medidas no Privativas de Libertad (Reglas de Tokio), tomando en cuenta la Declaración Universal de Derechos Humanos, el Pacto de Derechos Civiles y Políticos y las Reglas Mínimas para el Tratamiento de los Reclusos, conlleva la aplicación de métodos congruentes orientados con el cumplimiento de dicha normativa.

El Derecho Público Internacional busca tutelar los derechos fundamentales, velando porque los acuerdos tomados por la comunidad internacional propicien un progreso en la garantía de los derechos fundamentales y que no sean contrarias a la dignidad humana. Asimismo, favorece la creación de tratados que garanticen a todos los pueblos tener acceso a los nuevos modelos de vida. De ahí parte la responsabilidad interna de cada estado al adherirse a un convenio internacional, en realizar las modificaciones legales que sean necesarias para su aplicación.

El establecimiento de la Justicia Restaurativa y el acceso que las personas involucradas en un conflicto penal, se desprende del artículo 7 del Código Procesal Penal (1996):

> Los tribunales deberán resolver el conflicto surgido a consecuencia del hecho, de conformidad con los principios contenidos en las leyes, en procura de contribuir a restaurar la armonía social entre las partes y, en especial, el restablecimiento de los derechos de la víctima. Para tales fines, siempre tomarán en cuenta el criterio de la víctima, en la forma y las condiciones que regula este Código.

La Justicia Restaurativa es parte del derecho humano que se relaciona con el acceso a la justicia y a la solución pacífica de las controversias, cuyo fin debe ser restaurar la armonía social entre las partes, lo cual remite a soluciones alternas de corte restaurativo, en el cual a la víctima se le reconocen todos sus derechos, entre ellos el de ser resarcida de los daños ocasionados por un injusto penal.

Esta ofrece una nueva perspectiva sobre la forma de aplicar el derecho penal, marcando un sistema novedoso (a nivel del derecho interno), donde se incorpora a la solución del conflicto, todo un equipo de profesionales conformado por la persona juzgadora, una persona representante del Ministerio Público, una persona defensora, una persona profesional en Psicología y otra en Trabajo Social, en procura del restablecimiento de la paz, respetando e incorporando plenamente a la víctima en un proceso al cual fue llamada de forma abusiva.

Es así como a la persona menor de edad acusada, desde el inicio del proceso se le presenta la opción de solucionar la disputa con una medida alterna, que es una forma de aclarar el conflicto social que ha surgido a través del delito y que trata de restaurar la paz social entre las partes involucradas, es decir, son mecanismos supletorios que establece la ley para finalizar el conflicto, sin necesidad de agotar todas las etapas del proceso.

De acuerdo con la Ley de Justicia Penal Juvenil, es procedente la aplicación de una justicia con mayor celeridad, menor gasto de recursos humanos y económicos, mayor eficiencia y lo que es más importante, teniendo siempre como primer presupuesto el interés superior de la persona menor de edad acusada y en estricta atención al principio de tutela judicial efectiva.

Las medidas alternas que integra la justicia restaurativa son instrumentos procesales que detienen el ejercicio de la acción penal a favor de una persona acusada por la supuesta comisión de un ilícito, quien se somete, durante un plazo determinado a una prueba, en la cual deberá cumplir satisfactoriamente con ciertas y determinadas obligaciones legales e instrucciones que le imparta la persona juzgadora para el caso concreto, a cuyo término se declara extinguida la acción penal, sin consecuencias jurídico-penales posteriores.

Mediante la aplicación de una justicia restaurativa se respeta la dignidad de las personas víctimas y personas acusadas, en razón que expresan de forma libre y voluntaria, el deseo de someterse a ella, dignificando de esa manera la libertad de los seres humanos de tomar decisiones. La toma de decisiones de las partes va en atención al interés de cada persona y de asumir la responsabilidad de la persona menor de edad acusada, por los daños causados, lo cual minimiza los riegos de incumplimiento.

El planteamiento a seguir es analizar qué es necesario hacer para reparar el daño causado, incorporando en esta decisión el tema de dignidad y de igualdad. La norma es aplicable para toda persona, la protección de los bienes jurídicos cubre a todos los y las habitantes de determinado país, de ahí que la vulneración a esa norma conlleva la reparación, la cual es propuesta por la parte activa.

Se deja en claro que se trata de una reparación genérica; difícilmente se puede reparar el menoscabo causado a la víctima, esto por cuanto el grado de afectación que sufre una persona, cuando es perturbada por una acción ilícita es invaluable. Sin embargo, dentro del derecho Penal Juvenil, para reconocer los esfuerzos de la persona menor de edad por reparar el daño causado, no cuentan únicamente los contactos directos ofensor víctima. Así lo han expuesto Tiffer y Llobet (2009):

En lo relativo a "los esfuerzos del menor de edad por reparar el daño causado", la doctrina admite un componente educativo (de prevención especial positiva), aunque   también se basa en la prevención de integración, que forma parte de la prevención general positiva (p. 148).

Como siguiente paso, se encuentra que la persona acusada llegue a la conclusión, por sí sola, de que le corresponde reparar el daño causado, lo cual hará dentro de sus capacidades y limitaciones, tomando en cuenta a la persona juzgadora para aprobarlo, la proporcionalidad y razonabilidad, entre lo acusado y lo propuesto.

La justicia restaurativa involucra a la sociedad en la solución de los conflictos penales, lo cual hace mediante la conformación de redes de apoyo, siendo la comunidad misma que ofrece el espacio y recursos para que la persona infractora repare el daño causado. Con ello se aplica una política criminal democrática, ya que la participación ciudadana en la solución de conflictos disminuye la discriminación para con las personas acusadas de un proceso penal.

Sobre el tema se concluye indicando que las salidas alternas que se aplican por medio de Justicia Restaurativa son las mismas figuras procesales que se aplican en una audiencia temprana, a saber, conciliación y suspensión del proceso a prueba, la diferencia radica en el rol que asumen los intervinientes. Como un elemento diferenciador es el hecho de que, bajo el programa de Justicia Restaurativa, la persona acusada asume que causó un daño e indica como repararlo, lo cual no ocurre en la aplicación de estos institutos fuera de este contexto.

5.4. Justicia restaurativa en la Sanción Penal Juvenil

Los resultados actuales de la aplicación de la justicia restaurativa en el campo Penal Juvenil son verdaderamente esperanzadores, y constituyen una manifestación concreta de los principios de Desjudicialización, y del Interés Superior de la Persona menor de edad, en un afán de retornar el protagonismo a las partes en la resolución del conflicto y en la búsqueda de la Paz Social.

En la Oficina de Justicia Restaurativa de Pavas, de Julio del 2012 a diciembre del 2015, hemos realizado 935 reuniones restaurativas. De los acuerdos homologados, el 94% se   cumplieron en su efectividad. Y de los acuerdos satisfactorios las personas ofensoras retribuyeron a la víctima o comunidad con donaciones que suman los ¢92.945.000." indicó la jerarca judicial.

Después de su práctica en los juzgados juveniles (no son exclusivos, pues también aplica en el proceso penal de personas adultas), el tema se discute en la Asamblea Legislativa, tras la presentación del Proyecto de Ley de Justicia Restaurativa (expediente 19.935), en abril del 2016, el cual se justifica de la siguiente manera:

> La presente iniciativa de ley tiene por objeto establecer con carácter permanente y con carácter nacional la elaboración, aplicación y evaluación de políticas y procesos de Justicia Restaurativa como un medio de resolución alterna de conflictos en conocimiento del Poder Judicial del Estado costarricense, que contribuya a la solución judicial de conflictos jurídico penales y penales juveniles con una mayor humanización, propiciando un abordaje integral que atienda las necesidades individuales y colectivas de las partes, y proporcione a la víctima un espacio para obtener una reparación o restitución del daño sufrido, con el fin de contribuir a la paz social, a la prevención general y especial de delitos y a mantener la seguridad ciudadana. Se desarrollará mediante al menos tres programas:

a) Programa de Justicia Penal Restaurativa para personas ofensoras mayores de edad en conflicto con la ley penal.

b) Programa de Justicia Juvenil Restaurativa para personas ofensoras menores de edad en conflicto con la ley penal juvenil.

c) Programa de Tratamiento de Drogas bajo supervisión Judicial...(Asamblea Legislativa, 2016: p. 2).

De la lectura de dicho proyecto se extrae la necesidad de dar un cambio en el tratamiento a la solución de los conflictos penales. La labor apenas inicia, pero la sociedad como tal debe asimilarlo. La apertura al cambio es la educación, el conocimiento y el ofrecer otras formas de solucionar conflictos más allá del famoso "por tanto".

6. CONCLUSIONES

Costa Rica ha reconocido tratados internacionales de derechos humanos, dentro de los cuales figura el tema de las personas menores de edad. Sin embargo, hay toda una evolución en derecho internacional de derechos humanos que requiere de una formación permanente.

Los avances logrados se han basado en la administración de la justicia bajo un modelo que da respuestas integrales a los niños, niñas y adolescentes cuyos actos se encuentran en conflicto con la ley.

La conducta delictiva no sucede en el vacío. Por el contrario, es el resultado de diversos factores de riesgo a nivel social, económico, cultural y familiar, que afectan tanto a las personas ofensoras como a las víctimas. Es así como se establece una clara separación legal con la víctima, no siendo ésta sujeta de intervención de la instancia ejecutora.

Por tal motivo, las sanciones adecuadas para personas menores de edad llevan intrínseco un fin socioeducativo, siendo la pena de internamiento directo la última instancia. Previo a ello, la persona juzgadora está obligada por imperativo legal a una exhaustiva búsqueda de sanciones alternas, que cumplan con el fin resocializador y reinserten a la persona sentenciada en la sociedad.

Un enfoque de derechos humanos en el tema de la sanción penal juvenil implica una comprensión de que la persona menor de edad tiene la oportunidad de aprender de sus errores y encaminarse hacia un rumbo que a futuro le garantice calidad de vida, lo que implica también la posibilidad de finalizar sus estudios de secundaria para luego poder estudiar una carrera, tener un trabajo digno y sustento económico.

Hay quienes consideran que si las personas jóvenes cometen un delito, se les debe juzgar igual que alguien mayor de edad; no obstante, es fundamental tomar en cuenta factores como la madurez, educación y vivencias de las primeras, que son muy diferentes a las de las personas adultas. No se trata de ignorar que un niño, niña o adolescente pueda cometer o cometa un delito, sino de entender los motivos que le llevaron a hacerlo y todas las circunstancias que rodean la problemática.

A su vez, queda entendido que si dentro de la perspectiva a favor de los derechos humanos se rechaza toda clase de tortura y tratos crueles y degradantes hacia cualquier persona, esto debe quedar plasmado de una forma tajante en los procesos penales a menores de edad, pues además de ser sujetos y sujetas de derecho, son personas en formación.

Por ende, ese populismo punitivo que abunda en la sociedad y que pretende que las personas sean juzgadas con "mano dura", incluso, sin importar su edad, debe erradicarse. Esos conflictos deben dejarse a los operadores y operadoras de justicia, quienes resolverán la situación amparándose en las leyes.

En ese sentido, la labor de la persona juzgadora al aplicar la sanción penal juvenil conlleva a la aplicación de justicia que beneficie a las personas menores de edad, para que logren retomar sus actividades familiares y comunales, afrontando con responsabilidad la sentencia, pero de una forma digna y que respete sus derechos humanos, lo cual debería ser el objetivo primordial de la política criminal costarricense. Asimismo, es esencial que las personas juzgadoras también operen con la perspectiva de que los tratados internacionales de derechos humanos, y en este caso, los que salvaguardan a las personas menores, están por encima de la Constitución Política, pues lo que procuran es ampliar el reconocimiento de tales garantías.

Para lo anterior, se requiere que el estado, organizaciones no gubernamentales y comunidades promuevan programas orientados a cumplir esos fines. La Ley de Justicia Penal Juvenil no tenía, ni tiene, por objetivo eliminar o suprimir el delito.

El fin pedagógico que incorpora la Ley de Justicia Penal Juvenil debe ser el norte para las personas juzgadoras. Una sociedad que apuesta por educar a sus jóvenes tiene la posibilidad de avanzar con mayor eficiencia en el desarrollo de sus habitantes, y consecuentemente ofrece una comunidad más segura.

Asimismo, el establecimiento de medidas privativas de libertad conlleva la obligación que la persona juzgadora fundamente con la debida justificante del caso, las razones que le llevan a optar por dicha sanción, así como el cumplimiento de la sanción, mediante su aplicación. Superado lo anterior y ante la imposibilidad de aplicar sanciones no privativas, la persona juzgadora debe imponer el plazo mínimo que considere necesario para la resocialización de la persona sentenciada. Solo bajo este concepto se cumple con los fines de la Ley de Justicia Penal juvenil costarricense.

Por otra parte, la justicia restaurativa viene a ser una alternativa que muestra una visión integral y que va más allá de imponer penas. Este enfoque engloba un diálogo entre las partes y da a entender que las personas que cometen un delito menor admiten su responsabilidad y pueden redimir la situación. Medidas con este enfoque impulsan reeducar a las personas menores de edad cuando se les permite enfrentar una sanción penal que les garantice reflexionar sobre el daño causado mediante el servicio a la comunidad y otras alternativas de sanción que la ley contempla.

Igualmente, es importante hacer a un lado las visiones adultocéntricas que colocan a las personas jóvenes como incapaces de opinar. Si se reforman o desarrollan leyes u otras medidas para garantizar su bienestar, hay que escuchar sus voces, puesto que les afectará directamente. Su visión también es de suma utilidad para construir iniciativas que les competen, siempre tomando en cuenta las características propias de esta población.

La dignidad e integridad son principios inherentes a todas las personas, sin importar su edad. No existe una clasificación de "buenos" y "malos" que le dé potestad a los primeros de decidir por los segundos. Es claro que las leyes necesitan una revisión constante y adaptación, pero la clave es confiar en que los sistemas jurídicos son los que resolverán los conflictos que se presenten, en particular si se trata de menores de edad, a quienes tampoco se les pueden violentar dichas garantías. Atentar contra los derechos humanos de los niños, niñas y adolescentes que se ven envueltos y envueltas en una situación delictiva y arrebatarles la posibilidad de un futuro promisorio, es darles la espalda como sociedad y condenarles a repetir un ciclo de violencia que les impedirá su desarrollo pleno.

Mientras en la mentalidad Gardeliana de algunos "20 años no es nada...", lo cierto es que para la Justicia Penal Juvenil en Costa Rica, el año de 1996 representaba la conquista del surgimiento a la vida de nuestro derecho positivo de la primer legislación que enarbolaba los preceptos más inspiradores del punitivismo garantista de la Doctrina de la Protección Integral...

Así es como quedaban atrás más de 30 años en que la Ley Orgánica de la Jurisdicción Tutelar de Menores, desde los albores de los años 60, dibujaba en todo su esplendor los aspectos elementos básicos de la Doctrina de la Situación Irregular: Un modelo tutelar y paternalista, una visión completamente adultocentrista del mundo, que propiciaba abusos constantes en la aplicación de medidas cautelares y sanciones, la más de las veces impuestas al tenor del riesgo social, sin que desde el punto de vista penal, se justificara realmente de conformidad con el Principio de Proporcionalidad(Proporcionalidad en sentido estricto, Idoneidad y Necesidad), su aplicación excepcional, especialmente cuando esta consistía en una restricción de derechos fundamentales de la persona menor de edad en conflicto con la ley penal, y particularmente si involucraba su privación de libertad...

Sin duda hemos avanzado mucho: La Jurisprudencia, en especial del Tribunal Superior Penal Juvenil –lamentablemente desaparecido desde finales del año 2011 gracias a erróneas y poco técnicas decisiones burocráticas de distintos poderes de la República– motivo de orgullo y ejemplo para el resto de la justicia en el campo penal juvenil en Iberoamérica, cimentó las bases de la aplicación de una Justicia con rostro de Niñez al amparo del norte de los principios inspiradores de la materia: El Interés Superior de la Persona Menor de Edad, el Respeto a Sus Derechos, su Formación y Protección Integral, su Reinserción en su Familia y en la Sociedad(Artículo 7 de la LJPJ), y una visión Socio Educativa de la imposición de las Sanciones, que hacía simplemente incompatible un ejercicio ligero de la Ley del Talión en una fase explorativa del desarrollo del individuo, en donde el delito en la mayoría de los casos se presenta más como una entidad episódica y producto de carencias afectivas, educativas, sociales y económicas, que como un resultado exclusivo de la mentalidad sociopática, del dolo más aberrante, y de la mentalidad más alevosa con que disfrazan amarillistamente algunos bajo el manto del Populismo Puntivo a la clientela de la Justicia Penal Juvenil.

Ciertamente son más aspectos positivos que negativos los que obtenemos en el balance de estas "Bodas de Porcelana" del ejercicio de este aún joven y fértil terreno de acción de las Personas en conflicto con la ley Penal, pero sin embargo, aún nos queda mucho trecho que recorrer en cuanto a los retos del presente y del futuro a corto y mediano plazo:

1 La obtención de una Justicia cada día más Especializada en el campo Penal Juvenil de Todos los actores de la Administración de Justicia;

2 El desarrollo pleno de políticas de estado que permeen un mayor ejercicio de la Justicia Restaurativa en esta materia;

3 Una decidida y constante inversión en alternativas de Prevención, a través del Deporte, los Valores Espirituales, la Recreación, La integración familiar sean prioritariamente apoyados por el estado, la comunidad, y cada uno de nosotros desde cualquiera que sean nuestras posibilidades de ayuda en cada caso;

4 Un combate al hacinamiento penitenciario que no existía en los primeros 15 años de vigencia de la Ley de Justicia Penal Juvenil, y que ahora en los últimos años padecemos casi de manera similar porcentualmente al que existe en el campo de adultos en nuestro país;

Como he manifestado previamente en otros libros y artículos, no debemos permitir que nuestras legítimas aspiraciones en la búsqueda de un mañana mejor para nuestros jóvenes y adolescentes en conflicto con la normativa penal juvenil en Costa Rica, sean utilizadas una y otra vez por los mercaderes de la demagogia, para hacernos pensar que verdaderamente se quiere hacer algo, por quienes tienen la capacidad y el poder de realizarlo, pero que en la realidad, las convierten en algo así como: "una carta al niño Dios, sin sello postal, ni dirección del remitente, que difícilmente llegará a su destinatario, y mucho menos pueda algún día obtener una respuesta eficiente y efectiva de quien efectivamente lo requiere y necesita...".

Si no invertimos más y mejor en Prevención del Delito, luego gastaremos muchísimo más en policías adicionales, en más cárceles y en el proceso que legitima el llenarlas con cada vez más niños hacinados en el país supuestamente más feliz del mundo...

7. BIBLIOGRAFÍA

ARTAVIA et al. (sin año). Derecho penal para personas menores de edad. San José, Costa Rica.

BURGOS, Á. (2010). La Omega y el Alfa del Proceso Penal Juvenil en Costa Rica: la fase de ejecución. [En línea]. Recuperado de revistas.ucr.ac.cr/index.php/juridicas/article/download/13339/12612. [2015, 3 de agosto].

BURGOS, Á. (2011). Quince años de vigencia de la Legislación Penal Juvenil en Costa Rica. En: 15 años de Justicia Penal Juvenil en Costa Rica. Lecciones aprendidas. Defensa de Niños y Niñas en Costa Rica (DNI). Costa Rica.

CONDE, P. (2009). La creación y el espacio terapéutico en el médio penitenciario. En Revista Papeles de arteterapia y educación artística para la inclusión social, 4. 137-148.

DE CASTRO, B. (2004). Introducción al estudio de los Derechos Humanos. Madrid, España.

GARRO, J. (2015). Diseño de Investigación de Trabajo Final de Graduación: Factores que limitan al estado costarricense garantizar los derechos humanos a la población penal juvenil que egresa del CAE adulto joven como fin preventivo de la reincidencia. San José, Costa Rica.

GÁMEZ, I. (2016). Minuta de reunión del Programa Penal Juvenil. Centro de Formación Juvenil Zurquí. Heredia, Costa Rica. [2016, 26 de abril].

GONZÁLEZ, M. (2008). La producción política de la Justicia Penal Juvenil. Tesis para optar por el grado de Magister Scientiae en Ciencias Políticas. Universidad de Costa Rica. San José, Costa Rica.

LLOBET, J. (2016). El "éxito" del populismo punitivo en Costa Rica y sus consecuencias. En Revista Digital de la Maestría en Ciencias Penales, 8. [En línea]. Recuperado de http://revistas.ucr.ac.cr/index.php/RDMCP/article/view/25288/25552. [2016, 27 de julio].

LLOBET, J. y TIFFER, C. (1999). La Sanción Penal Juvenil y sus alternativas en Costa Rica. [En línea]. Recuperado de http://www.justiciajuvenilca.org/~/media/Microsites/Files/Intl%20Juvenile%20Justice/LEY-PENAL-JUVENIL-COSTA%20RICA.ashx. [2015, 2 de agosto].

Pensamiento Penal. (2016). Costa Rica. Proyecto de ley sobre justicia restaurativa. En Revista Pensamiento Penal. [En línea]. Recuperado de http://www.pensamientopenal.com.ar/legislacion/43497-costa-rica-proyecto-ley-sobre-justicia-restaurativa. [2016, 6 de agosto].

TIFFER, C. (2011). 15 años de Justicia Penal Juvenil. *En nacion.com*. [En línea]. Recuperado de http://www.nacion.com/archivo/anos-justicia-penal-juvenil_0_1207079369.html. [2016, 22 de julio].

8. NORMATIVA CONSULTADA

Asamblea Legislativa de la República de Costa Rica. (1996). Ley de Justicia Penal Juvenil. San José, Costa Rica.

Asamblea Legislativa de la República de Costa Rica. (1998). Código de la Niñez y la Adolescencia. San José, Costa Rica.

Asamblea Legislativa de la República de Costa Rica. (2005). Código Procesal Penal. San José, Costa Rica.

Asamblea Legislativa de la República de Costa Rica. (2005). Ley de Ejecución de las Sanciones Penales Juveniles. San José, Costa Rica.

Asamblea Legislativa de la República de Costa Rica. (2016). Proyecto de Ley: Ley de Justicia Restaurativa. [En línea]. Recuperado de www.asamblea.go.cr/sil_access/ver_texto_base.aspx?Numero_Proyecto=19935. [2016, 13 de agosto].

Comisión Interamericana de Derechos Humanos. (2008). Principios y Buenas Prácticas sobre la Protección de las Personas Privadas de Libertad en las Américas. Washington, Estados Unidos.

Consejo Superior del Poder Judicial. (2012). Circular 146-2012. San José, Costa Rica.

Organización de las Naciones Unidas. (1955). Reglas mínimas para el tratamiento de los reclusos. Nueva York, Estados Unidos.

Organización de los Estados Americanos. (1985). Convención Interamericana para Prevenir y Sancionar la Tortura. Washington, Estados Unidos.

Organización de las Naciones Unidas. (1985). Reglas Mínimas de las Naciones Unidas para la Administración de la justicia de menores. Nueva York, Estados Unidos.

Organización de las Naciones Unidas. (1988). Conjunto de Principios para la protección de todas las personas sometidas a cualquier forma de detención o prisión. Nueva York, Estados Unidos.

Organización de las Naciones Unidas. (1989). Convención sobre los Derechos del Niño. Nueva York, Estados Unidos.

Organización de las Naciones Unidas. (1990). Directrices de las Naciones Unidas para la prevención de la delincuencia juvenil. Nueva York, Estados Unidos.

Organización de las Naciones Unidas. (1990). Principios básicos para el tratamiento de los reclusos. Nueva York, Estados Unidos.

Organización de las Naciones Unidas. (1990). Reglas de las Naciones Unidas para la protección de menores privados de libertad. Nueva York, Estados Unidos.

Organización de los Estados Americanos. (1991). Protocolo a la Convención Americana sobre Derechos Humanos relativo a la Abolición de la Pena de Muerte. Washington, Estados Unidos.

República de Costa Rica. (1949). Constitución Política de la República de Costa Rica. San José, Costa Rica.

Capítulo 22
La falta de medidas cautelares especializadas como factor de fracaso en la formación integral del niño infractor y su reinserción en la familia y la sociedad

Kamel Tarick José Castro
Poder Judicial. Juzgado de letras de la niñez, La Ceiba
Honduras
kameljose90@hotmail.com

1. INTRODUCCIÓN

¿Somos todos iguales ante la ley? En menores infractores son objetivos la formación integral, reinserción en la familia y la sociedad, entre otros conceptos repetidos en foros, seminarios, cuya eficacia debería comprobarse en un estudio amplio. En este nos centraremos en el niño puesto a la orden del juzgado acusado de una infracción y que amparado bajo el estado de inocencia, deberá dictársele medidas cautelares hasta llegar a la sentencia. A pesar de la especialización, las medidas cautelares son las mismas que a los adultos del código procesal penal ordinario, donde no es objetivo formar ni reinsertar, solo someter al proceso. Investigaremos si el catálogo aplicable es acorde con el carácter especial y los objetivos del proceso de niñez, si bien estas son de carácter excepcional (especialmente la privativa de libertad) y existen presupuestos específicos para su aplicación, examinaremos esta excepcionalidad, los criterios utilizados al imponerlas y conoceremos realmente si todos los niños son iguales ante la ley.

2. MARCO TEÓRICO

2.1. Breve evolución histórica del niño frente al delito

Por siglos las políticas criminales eran adultocéntricas, hasta hace muy poco se pensó que los menores no necesitaban consideraciones especiales.

Hasta 1899 en Chicago inició la jurisdicción especializada, sistema tutelar donde el niño era un sujeto pasivo en el proceso. La Declaración de Ginebra 1924 y la Declaración Universal de los Derechos del Niño 1959. Declaraciones sin fuerza vinculante y hasta 1989 La Convención de Derechos del Niño, además de vinculante, introdujo una nueva perspectiva acerca de los niños; *La Convención ofrece, por tanto, un panorama en el que el/la niño/a es un individuo y el miembro de una familia y de una comunidad, con derechos y responsabilidades adaptados a la etapa de su desarrollo.*[1] Esto demandaba una respuesta del Estado acorde a este carácter de responsabilidad frente al menor que infringe la ley.

2.2. Especialidad de Instituciones y de los procedimientos de niñez infractora

La Convención de la que Honduras es parte, sobre los niños en conflicto con la ley establece en su Artículo 40.3 que Los Estados deberán establecer leyes, procedimientos, autoridades e instituciones específicos para los niños de quienes se alegue que han infringido las leyes penales.

Sobre las autoridades e instituciones, la Constitución en su título III establece la jurisdicción y tribunal especial para los asuntos de familia y menores y para procedimientos específicos, está el Código de la Niñez y la Adolescencia que regula el ámbito penal en su Título III, en un procedimiento distinto al ordinario.

---

[1]   RAVETLLAT I: "La convención sobre los derechos del niño. Elaboración y caracteres esenciales". *Aproximación histórica a la Construcción socio jurídica de la Categoría infancia*. P.83

El espíritu de la especialización discrepa de los adultos, que aun para los niños ya sentenciados, apunta a la reintegración de este su familia y la sociedad, de acuerdo a la convención en su art. 40.1. Es un proceso fundamentalmente pedagógico.

2.3. Excepcionalidad e intervención mínima del Derecho Penal y la niñez infractora

El derecho penal debería ser la última ratio, *El control formal penal debe dejarse únicamente para los casos y las conductas graves que así lo ameriten, para mantener el equilibrio social que procura el sistema penal.* [2]

Excepcionalidad más marcada en niñez, el artículo 40.3.b de la Convención dice que se debe evitar procedimientos judiciales. En la legislación interna, el código de la niñez entre sus principios rectores contiene entre otros la lesividad o la oportunidad. Además plasma y promueve formas alternativas de solución a los conflictos, como criterio de oportunidad, conciliación y suspensión del proceso a prueba.

Se deberían judicializar única y exclusivamente los casos donde sea imposible salidas alternas obviado por los operadores ya que se *evidencia una extrema judicialización y no hacen uso de sus facultades para no judicializar. Más del 80% de las causas son remitidas al juzgado por las fiscalías o fiscales de turno y el 95% de los niños que la policía remite a la fiscalía de turno es referido a los juzgados*[3].

2.4. Aplicación supletoria del código procesal penal

Supletoriamente nos remite al Código procesal penal en dos aspectos:

Las reglas del debate y medidas cautelares aplicables. Sobre las reglas del debate (recortando plazos) no es contraproducente, son as-

---

2   BURGOS A. "Principios jurídicos fundamentales de la nueva legislación costarricense" *Manual de derecho penal juvenil costarricense. Tomo 1.* P. 53

3   GONZÁLEZ NORALES D. "Resultados" *La Situación de las y los Adolescentes con Medidas Alternativas en el Sistema de Justicia Especial Hondureño. Resumen ejecutivo.*

pectos procesales. Con las medidas cautelares, como afecta al niño en sus libertades, entorno, derechos, cabe preguntarse qué tan congruentes son con el interés superior, los objetivos del código y que tan útiles resultan en atención a principios rectores como la reinserción y reeducación del niño.

2.5. Sobre las medidas cautelares. Finalidad y objetivos

La finalidad es asegurar la eficacia del procedimiento, la presencia del imputado y la obtención de la prueba.

Como son exactamente las mismas que para adultos, contenidas en el código procesal penal en su *Artículo 173*, sin idea de reinserción ni reeducación, únicamente útil a efecto de sujetar al encausado al proceso, proteger la víctima y asegurar pruebas, estaría bien si se atendiera a los presupuestos y al carácter excepcional. Si el proceso penal ordinario debería ser la "última ratio" en niñez debería ser aún más excepcional, es decir se deberían judicializar pocos casos, los pocos ingresados se deberá buscar soluciones alternas y a los restantes se les deberá dictar medidas cautelares cuando sea inevitable, como excepción y no norma. Una medida cautelar en niñez debería ser una rareza y una que prive la libertad aún más. Averiguaremos si las medidas se imponen mediante auto motivado, si es realmente la excepción y no la norma, carácter excepcional sobre el que Burgos dice; *A pesar de la cercanía con el derecho penal de adultos en cuanto a las causales que se establecen para que puedan ser decretadas, la fundamentación que les sirve de base no deber dejar de lado la existencia de un derecho especial como es el penal juvenil, con una doctrina de protección integral de la persona menor de edad y con principios educativos, esto implica un cuidado aún mayor en relación al de adultos al momento de la utilización de dichas medidas cautelares, teniendo en cuenta su carácter excepcional.* [4] No hay que perder de vista los objetivos y principios rectores del proceso y el interés superior donde se debe promover su reeducación, reinserción social y familiar aun en las medidas cautelares, máxime que aún es inocente.

---

4   BURGOS A. "Medidas cautelares en la jurisdicción penal juvenil" *Manual de derecho penal juvenil costarricense. Tomo 1.* P. 173

2.6. Excepcionalidad de la privación de libertad

Como principio rector del sistema en su art. 180 se incluye la excepcionalidad *La privación de libertad tiene carácter excepcional y se aplicará únicamente por el tiempo determinado en este Código.* Sin profundizar el grave perjuicio del internamiento cautelar o como sanción, medida grave, sobre la que Gómez Hidalgo dice: *Privar al menor de un bien jurídico tan preciado como su libertad ambulatoria, y conlleva la separación física temporal de su familia y de su entorno ambiental, por lo cual sólo se debería acudir a tal consecuencia jurídica cuando se muestre como absolutamente inevitable, con un carácter realmente excepcional, existiendo una opinión general favorable a su existencia, pero sólo para casos especialísimos, habiendo sido esta medida objeto de críticas, por los efectos estigmatizadores y criminógenos y el desarraigo familiar y ambiental que provoca.*[5] En la privación de libertad como medida y no como sentencia, el encausado está amparado bajo el principio de presunción de inocencia, por tanto debería ser dictada solo en casos especialísimos, Burgos dice: *Si aún para la imposición de sanciones mediante sentencia condenatoria en consideración a las particularidades de la persona menor de edad se trabaja en la búsqueda continua de alternativas a la prisión que cumplan los fines educativos y de reinserción de la persona menor de edad a la sociedad, ¿Cómo no tener en cuenta que en una fase previa, donde se goce de un estado de inocencia, la detención debe ser la "última ratio" de la "última ratio"*[6] Todas las medidas cautelares son excepcionales, pero la privativa de libertad deberá usarse cuando sea imposible aplicar otra, el código de la niñez en su Artículo 192. Además de obligar a motivar, pone presupuestos específicos: gravedad de la infracción (delitos contra la vida, sexuales, grave violencia), reincidencia o rechazo otras medidas impuestas y en caso de peligro de fuga.

---

5   GOMEZ HIDALGO J. "Estudio de las medidas aplicables" *Estudio de las medidas establecidas en la ley reguladora de responsabilidad penal de menores. P. 65*
6   BURGOS A. "Las medidas cautelares en la jurisdicción penal juvenil" *Manual de derecho penal juvenil costarricense. Tomo 1. P. 176.*

2.7. Peligro de fuga

Además de la gravedad y el incumplimiento de otras medidas, la privación de libertad se dictara cuando exista peligro de fuga.

La legislación ordinaria en su artículo 179.1 define peligro de fuga por falta de arraigo, teniendo en cuenta el domicilio, el asiento de su familia, sus negocios, trabajo y facilidades para abandonar el país, criterios adultocéntricos difíciles de compaginar a realidad de niñez;

- El domicilio del imputado. Es improbable que un niño encausado tenga casa, probablemente tampoco su familia tenga casa; si esto es fundamento para dictar una detención cautelar, seria castigar la pobreza.

- El asiento de su familia. Si el niño carece de un entorno familiar sólido, es principio rector la reinserción del niño en su familia. Dictar medida cautelar restrictiva de libertad por desinterés familiar o que nadie compareció a audiencia, no son elementos validos, especialmente antes de sentencia.

- De sus negocios o su trabajo. La convención, establece que un niño antes de trabajar debería estudiar art. 28, con las carencias del país en educación, si él no estudiar es sinónimo de peligro de fuga y usado para dictar medida cautelar de internamiento, estamos ante una contradicción flagrante de los objetivos de la Convención, la Constitución y el Código.

Lo anterior no debería ser motivo de imponer detención, si por infracciones similares pero con distintas circunstancias sociales, económicas, educativas no se dicta detención, seria criminalizar la pobreza. Recordando que las medidas deben ser motivadas al solicitar y al dictarlas. *No basta la presunción sino que debe haber elementos objetivos para acreditar con la probabilidad suficiente la existencia de un peligro procesal, o bien existen indicios que acrediten que el menor no se sujetara al proceso.*[7] Según el modelo de seguridad ciudadana las medidas cautelares son norma y no excepción, modelo que permeado el proceso de niñez. Y objetivamente, un niño que no estudia ni trabaja y sin un control formal familiar, es factible que evada el proceso y

---

7   BURGOS A. "Las medidas cautelares en la jurisdicción penal juvenil" *Manual de derecho penal juvenil costarricense. Tomo 1*. P. 176.

realmente el catálogo de medidas cautelares de adultos, no es útil para sujetar al proceso más allá de la prisión preventiva.

3. HIPÓTESIS Y OBJETIVOS

Hipótesis; La falta de medidas cautelares especializadas es un factor de fracaso en la formación integral del niño infractor y su reinserción en la familia y la sociedad.

Objetivo principal; Explorar si el catálogo de medidas cautelares del código procesal penal ordinario es compatible y eficaz con la especialización del código de la niñez y con los objetivos de este.

Objetivos específicos;

- Analizar si se cumplen los presupuestos establecidos en la ley para la imposición de estas medidas, que deberían ser excepcionales en observancia de sus requisitos, finalidad y objetivos.

- Demostrar que la medida cautelar de internamiento se impone a los niños infractores por circunstancias no atribuibles a ellos.

- Evidenciar que la falta de un catálogo con medidas especializadas acorde a los objetivos del sistema es contraproducente en el caso concreto.

- Comprobar la necesidad de medidas cautelares especializadas en el proceso de niñez, orientadas a la reinserción social, familiar y educativa del niño.

4. METODOLOGÍA DE INVESTIGACIÓN

4.1. Investigación cualitativa

La Investigación se enfoca en el caso concreto. Donde el método idóneo es el cualitativo que; *Los investigadores se aproximan a un sujeto real, un individuo real que está presente en el mundo y que puede en cierta medida ofrecernos información sobre sus propias experiencias, opiniones, valores, etc. Por medio de técnicas o métodos como las entrevistas, historias de vida, el estudio del caso o el análisis documental*[8].

---

8   MONJE ÁLVAREZ C. "Proceso y fases de la investigación cualitativa y cuantitativa" *Metodología de la investigación cualitativa y cuantitativa. Tomo 1.* P. 32

4.2. Definición de la población

Será una muestra no-probalística, de conveniencia, elegidos por el investigador.

Formada por diez Jueces de Letras de la Región Norte de Honduras que conocen proceso de niñez infractora, solo tres de los diez son especializados contraviniendo la norma constitucional. Para conocer qué motiva a dictar una medida cautelar, si estas son excepcionales y motivadas, el método idóneo es la entrevista no estructurada donde *Las preguntas pueden ser de carácter abierto y el entrevistado tiene que construir la respuesta; son flexibles y permiten mayor adaptación a las necesidades de la investigación y a las características de los sujetos,*[9] Definida la metodología y la población, la entrevista será:

✓ ¿Dictada la vinculación impone medidas cautelares en todos los procesos?
✓ ¿Las solicitudes y resoluciones son motivadas?
✓ ¿Cuál es el objetivo de aplicar medidas cautelares?
✓ ¿Qué toman en cuenta para aplicar una medida cautelar de libertad en niñez?
✓ ¿Qué toman en cuenta para aplicar una medida cautelar de detención cautelar?
✓ ¿Qué es peligro de fuga?
✓ ¿Consideran que las medidas cautelares disponibles son apropiadas?

4.3. Técnica de análisis de datos

Al momento de analizar, se seleccionaran fragmentos que se ajusten a los objetivos de la investigación. Con el objeto de; *Expresarlos y describirlos de una manera conceptual, numérica o grafica de tal manera que responda a una estructura sistemática, inteligible para otras personas.*[10] Esquematizando la información de modo gráfico, dejando la última columna para el análisis conclusivo.

---

9   VARGAS JIMÉNEZ I. "La entrevista en la investigación cualitativa: nuevas tendencias y retos." *Revista Calidad en la Educación Superior*. Volumen 3, numero 2. 2012. Pág. 126

10   MONJE ÁLVAREZ C. "Procesamiento, análisis e interpretación de datos" *Metodología de la investigación cualitativa y cuantitativa. Tomo 1. P. 193*

5. RESULTADOS

5.1. Excepcionalidad

Los jueces saben que la privación de libertad es excepcional.

Sobre la excepcionalidad de las medidas cautelares en general hay confusión, algunos creían que "medidas cautelares" es únicamente "detención cautelar". Explicado que pueden ser privativas y no privativas, fue evidente que la imposición de medidas es norma y no excepción. Tanto que juez Colon 2 manifestó: *"si se vincula nos tenemos que ir por una que puede ser privativa de libertad o las demás"* Y Atlántida 3 dijo:*"En todos los procesos audiencia si se vincula al proceso debe imponerse medidas.* Solamente una de las diez entrevistadas Cortes 1 dijo: *"el código de la niñez se establece que de ser necesario se dicten medidas cautelares sólo de ser necesario."* Se puede concluir que en materia de niñez infractora la imposición de medidas cautelares no es excepcional.

5.2. Motivación. (Finalidad y objetivos)

Los entrevistados tienen claros los objetivos de la imposición de estas medidas,

El problema versa en qué circunstancias se teme que el encausado no se someta al proceso. Por ello el código exige motivación. Ante la pregunta si la solicitud y la imposición es mediante auto motivado, unánime fue la respuesta que se hace en forma oral, el Colon 2 dijo: *"Siempre lo hacen en forma verbal, porque casi siempre cuando presen-*

*ta en el escrito solicita verbalmente la medida que de acuerdo su pare-
cer es lo procedente, casi siempre optan por la media detención cautelar
en forma verbal."* aduciendo el carácter oral del proceso y economía
procesal, Atlántida 3 dijo; *"Se hacen la audiencia motivándolos para
ahorrar tiempo lo que es la economía procesal."* Ninguno de los diez
entrevistados dijo imponer las medidas mediante auto motivado como
lo requiere el Código, ni la privativa de libertad. Por lo que concluimos
que las medidas además de no ser excepcionales se imponen con inobservancia de su requisito más elemental, la motivación.

5.3. Medidas privativas y no privativas de libertad

La gravedad de la infracción es el criterio más enumerado.

Ocho de diez manifestaron que lo toman en cuenta para imponer una medida privativa de libertad, Yoro 1 dijo; *La gravedad de
la infracción, que haya producido daños a la vida o integridad de
la persona o delitos sexuales, que implique violencia como homicidio, asesinato, las violaciones tiene que ser una infracción bastante
fuerte enmarcado en el 192* El criterio de gravedad es claro, es un
catalogo. Pero como no es el único, hay niños con medida de detención por infracciones no graves. En los centros pedagógicos Jalteva
y El Carmen de 108 con medida cautelar; 4 por violencia intrafamiliar, 18 por delitos contra la propiedad, algunos en tentativa. 21
niños por delitos relacionados con posesión y facilitación para el
tráfico de drogas, 3 por portación ilegal de armas. 65 Niños que sus
infracciones incluso en adultos ameritan medidas menos gravosas
o salidas alternas, en quienes se incumplió la excepcionalidad y se
judicializo, nos preguntamos que llevo al juez a dictar la medida
cautelar excepcional en infracciones no son graves, aun sin ser ven-
cidos en juicio.

5.4. Peligro de fuga

Explicamos los problemas para definir peligro de fuga en menores,
igual los entrevistados manifestaron que es difícil de definir.

Juez Colon 2 dijo: *"Es un poco complejo porque para adulto ya
determina cómo entender el concepto del peligro de fuga, pero en*

cuanto a niñez es un poco complejo, yo no podría darle elementos concretos que puedan determinar o conceptuar esa respuesta." A pesar de ser uno de los tres elementos a considerar, Juez Colon 1 dijo; *"porque es difícil es raro que haga eso, nunca he tomado una determinación de imponer una medida cautelar por peligro de fuga."* Según las respuestas, los otros criterios a tener en cuenta para dictar una medida de detención cautelar son mayoritariamente dos:

- Si el niño está sometido al sistema educativo o tienen trabajo. Seis de los diez revelaron que un niño que no estudia, es más probable que se le dicte medida cautelar privativa frente a otro niño que si estudia, aun por la misma infracción, es considerado peligro de fuga, Atlántida 3 dijo; *"un menor que no hacen más que cometer una infracción, que no estudian, no trabajan, no está sometido a la vigilancia de sus padres"* Similar a lo que dijo Atlántida 4; *"sería que este menor no garantice que desea someterse al proceso o que no acredite estar cursando estudios superiores o secundarios."*

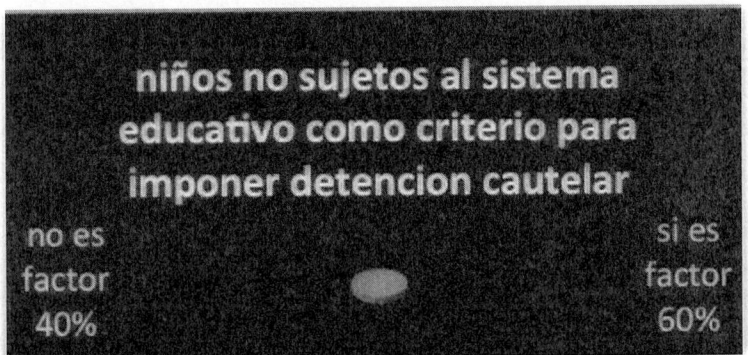

- La presencia de los padres o representantes. Ocho de diez lo toman como criterio para imponer medida de detención, (proporción igual a la gravedad de la infracción). Aunque el niño es sujeto de derechos y obligaciones sobre peligro de fuga Colon 3 dijo: *"es como que yo le dé una medida cautelar y que el niño no se encuentre con su padre o representantes legales que no tenga un domicilio ya que un niño no es responsable de sus propios actos"*

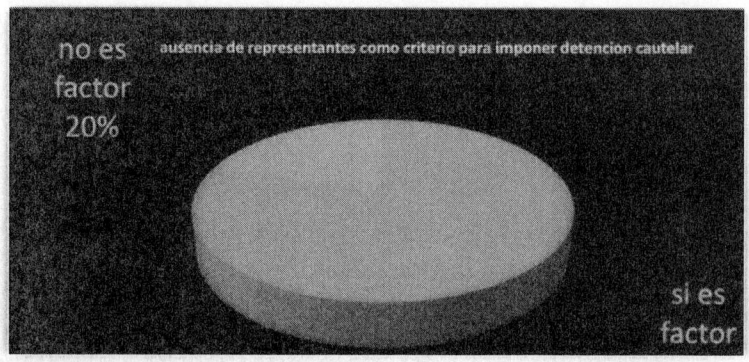

La detención se les dicta a niños que no tienen padres o representantes, contradicción a los principios del código como la reinserción en la familia, igualmente si el niño no estudia, clara contradicción a uno de los objetivos, integrarlo al sistema educativo. Lo que evidencia que la detención se dicta en algunos casos por causas no imputables a los niños y todo con un mínimo indicio, sin ni siquiera haber sido vencido en juicio.

5.5. Criterio de los evaluados sobre las medidas cautelares

Tres de siete jueces consideran que sí son adecuadas, aunque Atlántida 3 dio una respuesta que nos pareció acertada, dijo; *"podríamos decir que no porque en primer lugar las medidas cautelares a que se refiere el 173 en el código procesal penal son destinadas para personas adultas ... hay medidas cautelares que no deberían ser aplicable a menores sino que deben ser orientadas a la situación de lo que se busca, reinsertar al menor a una educación"* igualmente Juez Atlántida 1 dijo: *"No en todas hay unas que necesitan cambiarlas con el tiempo que está pasando ahora los centros no tiene suficientes oficios para que el niño salga rehabilitado"*.

6. CONCLUSIÓN Y REFLEXIÓN FINAL

Se comprobó la hipótesis; la falta de medidas cautelares especializadas es un factor de fracaso en la formación integral del niño y su reinserción en la familia y sociedad, según lo siguiente:

- El catálogo de medidas ordinario es incompatible con los objetivos de niñez, tiene como finalidad única someter al encausado al proceso, sin apuntar a la reinserción social, familiar, ni su reeducación.

- Fundamenta su legitimidad en requisitos específicos para su imposición, que se demostró en la práctica no se observa ni siquiera el más básico, la motivación.

- Justificadas en su carácter excepcional, más la privación de libertad, se evidencio que son la norma y no la excepción. Incluso el internamiento se impone por infracciones que hasta en adultos se buscaría una alternativa, imponiéndola según criterios no atribuibles a los niños, (no estudiar ni trabajar, o no tener representantes o que estos sean irresponsables), entorpeciendo una posible reinserción.

- Se imponen con inobservancia a los requisitos, no son excepcionales y se dictan por circunstancias ajenas a los niños, la falta de un catálogo con medidas especializadas acorde a los objetivos del sistema es contraproducente en el caso concreto, por ejemplo: un niño acusado de una infracción que no estudia, no debe ser internado por ello, debe estudiar, según la convención en su art. 28 1. Un niño acusado de una infracción sin familia o que esta sea negligente, lejos de penarlo internándolo, el Estado debería protegerlo según la convención en su Art 40. 1.

- Es patente la necesidad de medidas cautelares especializadas orientadas a la reinserción social y familiar.

7. RECOMENDACIONES

El juez frente a población que no estudia y sin familia debe tener catalogo de medidas acorde a sus circunstancias, me parecen acertadas, aplicables a nuestra realidad las disponibles en Costa Rica, descritas por el Dr. Burgos y contenidos en la legislación costarricense; *Órdenes de orientación y supervisión. El Juez Penal Juvenil podrá imponer las siguientes órdenes de orientación y supervisión: 1.- Instalarse en un lugar de residencia determinado o cambiarse de él. 2.- Abandonar el trato con determinadas personas. 3.- Eliminar la visita a bares y discotecas o centros de diversión determinados. 4.- Matricularse en un centro de educación formal o en otro cuyo objetivo sea enseñarle alguna profesión u oficio. 5.- Adquirir trabajo. 6.- Abstenerse de ingerir bebidas alcohólicas, sustancias alucinógenas, enervantes, estupefacientes o tóxicas que produzcan adicción o hábito. 7.- Ordenar el internamiento del menor de edad o el tratamiento ambulatorio en un centro de salud, público o privado, para desintoxicarlo o eliminar su adicción a las drogas antes mencionadas.* [11] Se podría pensar que imponer medidas cautelares de carácter socioeducativo previo a sentencia tiene carácter de pena anticipada, considero que si es evidente que el niño no goza de sus derechos familiares o educativos, el Estado lejos de agravar esta situación, debe velar porque el niño, incluso el ya condenado, disfrute de esos derechos, máxime cuando aun es inocente. Y una medida cautelar privativa de libertad de seis meses motivada oralmente, ante una infracción no grave, tiene más carácter de pena anticipada que una medida cautelar socioeducativa. No hay porque esperar la sentencia para buscar opciones, de resultar culpable y dictar sanciones socioeducativas, el niño perdió seis meses interno "cautelarmente" y si es absuelto, se privo de la libertad por seis meses a un inocente y después se le libera en peor situación de lo que se encontró.

Sobre la especialidad de instituciones y procedimientos, proponemos la discusión de catalogo de medidas cautelares especializadas en la materia, acorde a los objetivos y principios rectores del sistema, pero antes cumplir lo ya existente, exigir a fiscales y jueces cumplir requisitos, especial la motivación, que obliga una reflexión más minuciosa. Es necesario uniformidad de criterios y que estos sean claros. El concepto adultocéntrico como peligro de fuga debería ser aclarado o eliminado como causal de imponer medidas cautelares. Se requiere capacitación, los entrevistados revelaron no haber sido capacitados, evidenciado en errores básicos como que los niños no son responsables de sus actos. Sobre instituciones. Solo tres de los evaluados son jueces especializados incumpliéndose la especialidad de los tribunales, especialidad que perdiendo importancia frente a materias recientes

---

[11]   BURGOS A. "Las medidas cautelares en la jurisdicción penal juvenil" *Manual de derecho penal juvenil costarricense. Tomo 1. P. 198*

como juzgados contra la violencia domestica, anticorrupción y antiextorsión. Seria utópico que en cada Juzgado se nombre un Juez de la Niñez, pero sería práctico y funcional que el Poder Judicial reordene la competencia territorial de los juzgados de niñez, por sectores o por departamentos, delimitando de mejor forma la zona que conocen los jueces especializados ya existentes, cumpliendo las exigencias internacionales.

8. BIBLIOGRAFÍA

BURGOS, A. "Medidas cautelares en la jurisdicción penal juvenil" *Manual de derecho penal juvenil costarricense. Tomo 1.*

BURGOS, A. "Principios jurídicos fundamentales de la nueva legislación costarricense" *Manual de derecho penal juvenil costarricense. Tomo 1.*

CAFFERATA, NORES J:"Política Criminal". *Manual de Derecho procesal Penal.*

CANO PAÑOS, M. "¿supresión, mantenimiento o reformulación del pensamiento educativo en el derecho penal juvenil? Reflexiones tras diez años de aplicación de la ley penal del menor" *Revista Electrónica de Ciencia Penal y Criminología. ISSN1695-0194. 2012.*

GÓMEZ HIDALGO, J. "Estudio de las medidas aplicables" *Estudio de las medidas establecidas en la ley reguladora de responsabilidad penal de menores.*

GONZÁLEZ NORALES, D. "Resultados" *La Situación de las y los Adolescentes con Medidas Alternativas en el Sistema de Justicia Especial Hondureño. Resumen ejecutivo.*

MONJE ÁLVAREZ, C. "Proceso y fases de la investigación cualitativa y cuantitativa" *Metodología de la investigación cualitativa y cuantitativa. Tomo 1.*

RAVETLLAT, I: "La convención sobre los derechos del niño. Elaboración y caracteres esenciales". *Aproximación histórica a la Construcción socio jurídica de la Categoría infancia.*

VARGAS JIMÉNEZ, I. "La entrevista en la investigación cualitativa: nuevas tendencias y retos." *Revista Calidad en la Educación Superior. Volumen 3, numero 2. 2012.*

Capítulo 23
El proceso penal aplicado en menores infractores

Edson Manfredo Nolasco Abrego

Fiscal. Ministerio Público

nolascoedson11422@gmail.com

1. INTRODUCCIÓN

El proceso penal en su certera concepción según lo expresa Gonzáles, (2012), surge como un conjunto de normas que regulan la actividad jurisdiccional del Estado, con el objeto de la precisa aplicación las leyes, que deben ser impuestas a la ciudadanía en general y particularmente a la que delinque, no obstante, no implica que tal proceso penal solo sea aplicable a mayores de edad, pues se conoce de los menores infractores.[1]

Por este considerado hecho, al respecto de los menores de edad, se observa que el proceso penal hondureño contempla un proceso penal aplicado directamente a los menores infractores, con todas las consideraciones y primacía de los derechos de estos, sin embargo, es mucho lo que se ha debatido sobre la edad punible, la cual el Estado de Honduras tiene contemplada a partir de los 18 años, que es cuando los menores de edad pueden ser juzgados como adultos.

El reducir la denominada edad punible trae una serie de implicaciones, puesto que el hecho de ratificar tratados universales como el de Derechos Humanos y la Convención de los Derechos del Niño, es una variante al tema al discutir la edad punible y al pensar en rebajar

---

[1]   Gonzáles, F. (2012). Implementación de los Brazaletes Electrónicos de Localización en las Medidas Sustitutivas del Proceso Penal Guatemalteco. Guatemala. http://biblioteca.oj.gob.gt/digitales/43253.pdf (*Tol 1111111*)

la misma, pues ante todo un menor de edad esta en su condición de menor hasta los 18 años y sus derechos son universales, deben por tanto ser inquebrantables e inviolables, pese a este escenario de derechos y garantías que para la niñez existen, es necesario recordar que en países como los centroamericanos y muy especial es la situación de Honduras donde se desarrollan grupos delictivos denominados maras, no dejando de lado otros fenómenos delictivos como lo es el narcotráfico u otros, sean conexos o no.

Este fenómeno ya mencionado, es el que ha puesto en tela de juicio un tema como es la edad punible[2], pues si un menor de edad puede ser el autor de una escena dantesca, entonces se le puede suponer responsable y consiente del hecho, pero es lógico que existen muchos factores por los cuales un menor de edad puede llegar a cometer cierto tipo de infracciones, factores que son vitales como: el ambiente bajo el cual se desarrollan, el cual incluye familia, amigos, la comunidad entre otros, y que se suponen y referente de la formación de un menor de edad.

Con la concreta expresión de un menor de edad infractor, se llega al cuestionamiento acerca de si estos son objeto de tutela u objeto de derecho, pues de suponer que la primera figura contempla lo que es protección, defensa y custodia de los menores de edad, en tanto la siguiente implica un poder jurídico sobre quién o tales situaciones, en tanto la ordenanza del Estado y la universal, demuestran que la niñez es objeto de tutela.

2. OBJETIVOS

Los objetivos bajo los cuales se perfiló la investigación al respecto del Proceso Penal Aplicado en Menores Infractores son los siguientes:

1. Explicar lo concerniente a la edad punible, en relación directa con el proceso penal aplicado a los menores infractores de la ley en Honduras.

2. Enunciar el proceso penal aplicado a los menores infractores de la Ley en Honduras.

---

2   Fumero, F. (2017). Edad Punible en Honduras. La Tribuna Web. http://www.latribuna.hn/2017/05/11/la-edad-punible-honduras/ (Tol 1111111)

3. Determinar bajo argumentación los aspectos anteriores y posteriores del delito, bajo un escenario previo de formación del menor de edad, orientados al conocimiento propio de situaciones de orden personal, familiar o del entorno social.

3. ETAPAS DEL PROCESO PENAL EN HONDURAS

El Proceso Penal hondureño, fue adoptado en el año de 1999, aunque en realidad en su totalidad se adopto uniformemente en el año 2002, dejando atrás un proceso inquisitivo con el cual se contaba anteriormente, es así como el proceso penal se encuentra divido en etapas:[3]

1. Etapa Preparatoria; Esta incluye una serie de procesos como son: la denuncia, la investigación preliminar, el requerimiento fiscal y la audiencia preliminar.

2. Etapa Intermedia: En esta se encuentran las fases del proceso tales como: la formalización de la acusación, la contestación de cargos, el auto de apertura a juicio y la remisión de actuaciones al Tribunal de Sentencia.

3. Juicio Oral y Público: En esta etapa del proceso se contempla la preparación del debate, la sustanciación del juicio, la deliberación y la sentencia.

El nuevo proceso penal de Honduras, como la Constitución de la República lo observa contempla el hecho, visible del derecho a la defensa en su artículo 82, pero además de ello retomando la gran diferencia que existe entre lo que es el nuevo proceso penal planteado por el Código Procesal Penal, puesto en vigencia en el año de 1999, y el proceso penal anterior contemplado en el Código de Procedimientos Penales, un proceso inquisitorio como lo era, en donde el sujeto se consideraba en su totalidad culpable, hoy día se le supone inocente del delito antes no se determine toda culpabilidad.

Este proceso penal, que se contempla en sus tres etapas y que cuenta con un proceso diseñado para las oportunas intervenciones y derechos de las partes implicadas en el mismo, es decir bajo el precepto

---

3   República de Honduras. (1999). Código Procesal Penal. Tegucigalpa. http://www. poderjudicial.gob.hn/CEDIJ/Leyes/Documents/CPP-RefDPI.pdf (*Tol 1111111*)

de que debe haber ante toda denuncia una contestación, de modo que los derechos de las partes se hagan valer y respetar como una garantía constitucional y jurídica.

En conclusión, el nuevo proceso penal aplicado en Honduras, es un proceso lo suficientemente pensado, y hasta cierto punto más humanitario, como garante de los Derechos Humanos que es, en donde cada pieza y fase encaja, con el objeto de llegar a una realidad de una forma precisa, una forma en la que los derechos y bienestar de cada ser humano son respetados, no obstante, que aunque se dio el paso trascendental en el mismo no por ello se asegura el cumplimiento del mismo al cien por ciento, por lo que existen de cierta forma algunos vacíos que futuramente pueden ser contemplados, aunado a ello cuestiones meramente administrativas de los órganos correspondientes que afectan la aplicación de tales procedimientos.

4. MENORES INFRACTORES

La niñez es un tesoro sumamente fundamental para la sociedad, pues estos son el futuro de la misma, y es por ello que se le debe a la niñez una vida digna, es decir una vida en donde se le ofrezcan sus garantías y estas sean cumplidas como derechos, en este sentido la Constitución de la República observa, en su artículo 119, "El Estado tiene la obligación de proteger a la infancia".[4]

De este modo, el Estado ofrece a la niñez garantías constitucionales, que son primordialmente sus derechos y que se encuentran contenidos a su vez en la Convención de los Derechos del Niño, tales derechos y garantías incluyen aspectos como: la salud, la alimentación, la educación, la vivienda, la seguridad, derecho a una familia entre otros aspectos, que se encuentran contemplados así mismo en los diez derechos fundamentales de la niñez y al respecto de ello Honduras cuenta con una serie de leyes que respalden tales aspectos como lo es el Código de la Niñez y la Adolescencia y el Código de Familia entre otras.

---

4   Constitución de la República. (1982). Tegucigalpa. http://www.poderjudicial.gob. hn/CEDIJ/Leyes/Documents/ConstitucionRepublicaHonduras.pdf. (*Tol 1111111*).

Pero partiendo del hecho de que la niñez es un tesoro muy grande para las sociedades y las familias, se pretende que los niños por ser niños, no deberían de ser ningún problema para la sociedad, pero tomando en cuenta la serie de sucesos y fenómenos que hoy día se presentan, la dinámica de la vida, de las familias y las sociedades ha cambiado, por lo que la niñez ha cambiado, y la problemática actual ha cobrado como victimas principales, al más caro interés de la sociedad pues lo que le afecta genera un efecto en la sociedad que es en lo sumo circular, pues el daño que se infringe o infringió a la niñez, es regresado a la sociedad de un modo bastante hostil.

Con lo que se llega al conocimiento de los menores infractores de la Ley, estos son menores, que se encuentran en una situación jurídica atenuada, y se supone deben estar sometidos bajo patria potestad, bajo autoridad, por parte de sus padres, o bajo circunstancias diferentes de un tutor, pero que dichos menores de edad, se encuentra bajo una situación en la cual ejercen infracciones, es decir delitos, o faltas.[5]

Mejor expresado un menor de edad comete faltas o infracciones, de ahí que se defina como menores infractores de la ley, no obstante, que se considera lo que es un menor de edad y presumiendo que este no ha desarrollado el pleno uso y goce de su juicio de su raciocinio, mismo que tampoco se desarrolla en lo sumo o en total en un adolescente que carece de este mencionado juicio, y que se encuentran en un periodo de desarrollo, mismo que es crucial para formar a un ser humano para su futuro.

Un menor de edad que se encuentra expuesto a escenarios o ambientes en los cuales predominan el descontrol, la agresividad, la violencia, la irresponsabilidad y que son en pocas palabras ambientes en lo sumo hostiles, carentes de amor y de valores, hogares sin educación, alimentación sin acceso a salud, a vivienda, es decir sin acceso por tanto la niñez a una vida digna, solo puede producir una niñez relegada y resentida, una niñez lastimada que no se encuentra en la dirección correcta de la vida, por lo que esto genera un resultado negativo que afecta grandemente a la niñez y a la sociedad en general.

---

[5]   Cabanellas, Guillermo. (1997). Diccionario Enciclopédico de Derecho Usual. Vol. V. Editorial Heliasta. (*Tol 1111111*)

Como es evidente pues, se desencadena a través de los nuevos fenómenos sociales a consecuencia directa de estos, lo que son los menores infractores, que por el hecho de ser niños requieren a la vez de un proceso penal que por ende sea aplicable a los mismos, tomando en consideración su respectiva situación y las atenuantes del caso dada la situación jurídica de los menores de edad.

5. DE LA LEGISLACIÓN VIGENTE CON RESPECTO A LOS DERECHOS DE LOS MENORES DE EDAD EN HONDURAS

Como en las diferentes naciones que ratifican la Convención de los Derechos Humanos (1948) y la Convención de los Derechos del niño (1989), Honduras es uno de los países ratificantes de tales derechos, por lo que de ahí y de los derechos que emanan de la ley magna de la nación, la Constitución de la República se desprende la legislación vigente con respecto a los Derechos de la Niñez, atendiendo a la siguiente estructura:

1. Declaración de los Derechos del Niño: Esta declaración observa un hecho importantísimo en su artículo 3, numeral 1, "En todas las medidas concernientes a los niños que tomen las instituciones públicas o privadas de bienestar social, los tribunales, las autoridades administrativas o los órganos legislativos, una consideración primordial a que se atenderá será el interés superior del niño.

   Al respecto, se observa que el interés superior del niño, conlleva al hecho de que el derecho del menor de edad es superior y prima sobre cualquier otro derecho, en este sentido, se entiende pues la fundamental razón por la cual debe y existe un proceso penal aplicado preferencialmente a menores de edad, como ya se observó con todas las atenuantes del caso.

2. Constitución de la República: la carta magna de la nación, observa al respecto de lo que es la niñez y sus derechos, se observa pues que el Estado cuenta con la obligación de la plena protección de la niñez, según se indica en el artículo 119 numerales 2 y 3, "Los niños gozarán de la protección prevista en los acuerdos internacionales que velan por sus derechos. Las leyes

de protección a la infancia son de orden público y los establecimientos oficiales destinados a dicho fin tienen carácter de centros de asistencia social".

La Constitución de la República observa sobre lo que son los acuerdos internacionales para la protección de la niñez enfocándose así, en la Convención de los Derechos del Niño y de este modo consagra en su cuerpo legal, tales derechos.

3. Código de la Niñez y la Adolescencia: Esta ley fue emitida en el año de 1990, justo un año después de a celebración de la Convención de los Derechos del Niño, Honduras por tanto ratifica tal instrumento en el año de 1990 y emite el Código en cuestión con el objeto de dar valor al referido instrumento y de fomentar y desarrollar una sociedad y una cultura de cuidado y responsabilidad hacia la niñez.

Así pues, el artículo 3 de la ley observa que, "Constituyen fuentes del Derecho aplicable a los niños:

• La Constitución de la República;

• La Convención sobre los Derechos del Niño y los demás tratados o convenios de los que Honduras forme parte y que contengan disposiciones relacionadas con aquéllos;

• El Código (de la Niñez y la Adolescencia); y,

• El Código de Familia, así como las leyes generales y especiales vinculadas con los niños.

4. Código de Familia: Esta ley por el efecto de tener como primordial fin a la familia incluye pues el fundamental cuidado y atención de la niñez, denominados como los hijos en una forma integral para la familia.

Es así como el Código contiene en su artículo 2, "es deber del Estado proteger la familia y las instituciones vinculadas a ella, así como el de garantizar la igualdad jurídica de los cónyuges y de los hijos entre sí". Es así referida la niñez en la ley de familia, como los hijos que forman parte integral del matrimonio y por ende de la familia, existen otras leyes complementarias a la protección de la niñez y la familia en Honduras, tales como: La Ley para la Maternidad y la Paternidad Responsable, la Ley de la Dirección de Niñez Adolescencia y Familia (DINAF), también el Código Procesal Civil, contiene algunos rasgos con respecto a lo que a lo procedimental se refiere en lo que concierne a procesos que incluyen a la niñez, como son los procesos de familia, estas son algunas de las leyes que existen en Honduras para la protección integral de la niñez y para garantizar el cumplimiento del derecho de los mismos.

6. DE LA EDAD PUNIBLE

Punible es un término que implica el hecho de una pena, es decir alguien que ha incurrido en un acto que es por tanto penado según la gravedad del mismo, este término en sí, no aplica cuando del Sistema Especial de la Niñez Infractora se refiere, esto no es aplicable, hasta después de cómo lo contiene la ley, el menor de edad ha dejado de serlo, por tanto ya tiene la edad suficiente para ser penado, por tanto ya cuenta con la edad punible.

El Derecho Penal, es el que cuenta con toda la autoridad para imponer la potestad punitiva, para imponer penas o castigos a quienes han infringido la ley[6], penas que son en lo sumo onerosas en diversos sentidos, como lo es el sentido moral, y es por ello que cabe cuestionar que un sistema penal como lo es el implantado para los infractores, en general, sea aplicable a la niñez, es evidente que no lo es, y que por tanto no cuenta con todas las providencias del caso para ser aplicable a la niñez.

Es por esa razón que se determina la edad punible, y en lo que respecta al Estado de Honduras, esta se encuentra establecida en la edad de dieciocho años, como lo establece el Código de la Niñez y la Adolescencia de la edad en la que para la ley el menor de edad deja de serlo, de igual modo como se establece en la Convención de los Derechos del Niño.

Como ya lo establece la Constitución de la República, la niñez gozara de protección, misma que se encuentra contenida en los con-

---

6   Ossorio, Manuel. (2007). Diccionario de Ciencias Jurídicas, Políticas y Sociales. https://conf.unog.ch/tradfraweb/Traduction/Traduction_docs%20generaux/Diccionario%20de%20Ciencias%20Juridicas%20Politicas%20y%20Sociales%20-%20Manuel%20Ossorio.pdf (*Tol 1111111*)

venios internacionales que han sido ratificados, y que velan por el bienestar y derechos de los niños y adolescentes, seria pues, un delito y una suma violación de los derechos si no se respetara la protección de la que goza la niñez y del hecho de que estos para ser juzgados cuentan con un Sistema Especial para la Niñez Infractora.

Por lo que conlleva a salvaguardar de la mejor manera posible, y a observar el principio del, "interés superior del niño", a través del sistema para la niñez infractora, de ningún modo se le impone pues a estos una pena, como la pena de privación de la libertad, estos cumplen sanciones que son lo menos onerosas posibles, con el objeto de no dañar su moral, de no afectar su motivación, de no fomentar el hecho de la agresividad y de este modo demostrar a la niñez que la sociedad en la que se encuentran, de la que forman parte, no es una sociedad que no los observa como el más caro interés.

La edad punible, solo determina la edad en la que un individuo puede ser juzgado bajo el sistema penal ordinario, de acuerdo a las circunstancias de sus faltas o delitos, y que se considera tal sistema penal ordinario pues agresivo y perjudicial para ser aplicable a los menores de dieciocho años, en esencial cumplimiento de lo que contiene la Constitución de la República y los convenios internacionales.

7. DE LAS MEDIDAS SUSTITUTIVAS

Para comprender lo que es una medida sustitutiva y su grado de implicancia con el proceso penal aplicado a los menores infractores, se debe entender lo que la pena de privación de libertad es e implica en el escenario del sistema penal ordinario, como ya se venía disertando al respecto, para contextualizar esta pena implica el hecho de que la persona juzgada perderá totalmente o se encontrara sujeta o restricta de su libertad, bien sea temporal o como sucede en algunas legislaciones propias de otras naciones restrictos totalmente a la libertad, lo que se le conoce como cadena perpetua, es decir cumplirá cárcel lo que le resta de vida.

En realidad esta pena es una de las que se consideran lo suficientemente onerosas y que por tanto conllevan una serie de secuelas negativas en las personas que se encuentran cumpliéndola o ya lo han hecho, dado estas circunstancias esta no es una de las consecuencias con las cuales un menor de edad tenga que acarrear como consecuencia de sus actos, pues se supone el hecho de que la sociedad y la Ley, así como el Estado buscan el bienestar y el éxito de la niñez.

Bajo estos preceptos, es por ello que el Sistema Especial para la niñez infractora o en todo caso el proceso penal aplicado a los menores infractores observa aplicar en lugar de penas, las sanciones o medidas sustitutivas, estas medidas se aplican en el caso de determinar la participación o grado de culpabilidad del menor de edad.

Estas medidas sustitutivas pueden ser un arresto domiciliario o reclusión en algún centro que es indicado para menores de edad, en donde se supone estos deben contar con todos los aspectos básicos para una calidad de vida digna, como son alimentación, salud, vivienda, educación, vestimenta y recreación.

Pues el objeto de aplicar tales sanciones o medidas sustitutivas no es otro más que el de tratar de rehabilitar a la vez que reingresar a la niñez infractora con éxito y de una manera provechosa en la sociedad, el Código de la Niñez y la Adolescencia, en su Artículo 5 observa que, "En todas las medidas que tomen las instituciones públicas o privadas, los tribunales, las autoridades administrativas o los órganos legislativos, la consideración primordial que se entenderá será la del interés superior del niño".

Y en base a esta premisa se entiende pues que lo que esencialmente importa al momento de intentar juzgar a un menor de edad, es su bienestar que es lo que implica el interés superior del niño, principio por el cual se garantiza una vida integral, funcional y digna a la niñez, y que no debe ni puede ser olvidado tal principio bajo ninguna circunstancia en la que se encuentra la niñez.

8. MENORES DE EDAD OBJETO DE DERECHO O DE TUTELA

Ser objeto de derecho y ser objeto de tutela cuenta con ciertas implicancias que tratándose de la niñez puede implicar ciertamente un nivel mayormente aplicable a la figura de la tutela, pero se debe pues analizar y observar ambas aseveraciones.

Ser objeto de derecho en sí implica todo aquello que la ley confiere como derecho o como responsabilidad al ser humano, por tanto, es digno según la ley de conferirle y reconocerle pues al mismo sus derechos, pero también de imponerle sus responsabilidades y las consecuencias de tales o cuales actos en la medida de lo que estos acarreen.

Por otra parte, la tutela es una figura que implica, un poder que se ejercita sobre las personas en particulares casos sobre menores de edad, y que por tanto carecen de capacidad de entender y de, poder necesarios y amplio para administrar.. para administrar el patrimonio propio[7], aunque en la realidad no sólo se debe carecer de capacidad para administrar el patrimonio propio, si no, además, de la capacidad para poder cuidarse a sí mismos y representarse en diversos casos.

Es por ello que bajo algunas circunstancias la ley observa la necesidad de asignar tutores, que procuren el cuidado de la niñez en las condiciones más optimas posibles, de este modo la niñez es sumo objeto de tutela y aunque lo es de derecho puesto que tienen y cuentan con una serie de derechos, también son objeto de tutela pues son en extremo vulnerables.

Es decir que la niñez cuenta con una serie de derechos por lo que se le puede considerar objeto de derechos, pero no cuenta con la misma serie de responsabilidades con las que puede contar una persona adulta pues no acarrea ni aplica las mismas consecuencias tratándose de cuestiones jurídicas o legales.

Bajo este escenario existe pues la figura de la tutela en donde de mayor modo se busca proteger a la niñez y salvaguardarla en la medida de lo posible, pues la tutela como tal es una figura con un carácter protector encontrándose el sujeto pasivo de tutela (menor de edad) y el sujeto activo (tutor).

El artículo 2 de la Declaración Universal de los Derechos del Niño, observa que," Los Estados Partes (los que han ratificado la citada convención) tomarán todas las medidas apropiadas para garantizar que el niño se vea protegido contra toda forma de discriminación o

---

[7]   República de Honduras. (1990). Código de la Niñez y la Adolescencia. Tegucigalpa. http://www.rnp.hn/wp-content/uploads/2014/01/Decreto-352013-Reformas-Codigo-de-la-Ninez-y-Adolescencia.pdf. (*Tol 1111111*)

castigo por causa de la condición, las actividades, las opiniones expresadas o las creencias de sus padres, o sus tutores o de sus familiares".

En todo caso tal aseveración expresada en el artículo también aplica a la sociedad en general que profiera algún daño o perjuicio contra la niñez, se observa pues como la legislación vigente y los convenios internacionales protegen a la niñez bajo la figura de la tutela, basada también en el interés superior del niño.

Esta figura cuenta con una naturaleza jurídica que en la realidad emana de lo que es la naturaleza del hombre, pues todo cuanto se conoce hoy día jurídicamente hablando, se conoció en el ámbito natural, es así pues como primeramente surge del Derecho Natural.

El Derecho Natural es donde se fundamenta la naturaleza humana, son derechos que son pensados de forma natural, es decir como lo es el derecho a la vida, el derecho a la libertad y el derecho a la alimentación y de cierto modo incluye el derecho a la libertad, esta serie de derechos que son inherentes a la naturaleza del hombre dieron pie a los derechos humanos y se le denomina natural.

Es por tanto la tutela como actualmente se le reconoce una figura jurídica fundamentada en el Derecho Natural, pues como surge la protección de la niñez, en base a un instinto materno, el de proteger a los hijos y en lo que son los merecidos derechos humanos y derechos de la niñez como tal cuando del bienestar de estos se trata, pues no es de olvidar que la tutela no es una figura únicamente aplicable a la niñez, pero si muy estrechamente relacionada a esta.

Concluyendo con lo que es la figura de la tutela se observa pues que un menor de edad por el hecho de ser niño o adolescente se encuentra bajo una protección funcional e integral de modo jurídico y dentro de esta protección figura la tutela, por lo que un menor de edad es objeto de tutela, es decir objeto de protección y sumo cuidado.

9. PROCESO PENAL APLICABLE A MENORES DE EDAD EN HONDURAS

Del modo en que dentro del sistema penal ordinario existe un proceso penal ordinario, existe dentro del Sistema Especial para la Niñez Infractora un proceso penal aplicado a menores infractores y que contiene como principio fundamental, "el interés superior de la niñez", observando bajo este principio que todos los niños o adolescentes (definidos como personas menores de 18 años) en conflicto con la ley, tienen derecho a ser tratados de acuerdo con normas especiales de justicia de menores.

Es decir que estos no seran sometidos al proceso penal ordinario, por ser considerado este oneroso para el interés de la niñez, en palabras simples y comunes esto es el deseo de no querer afectar de un modo traumático a la niñez, en lo que respecta a materia de responsabilidad penal, se observa a través de los convenios internacionales que la niñez no puede ni debe de ningún modo ser juzgado de la forma ordinaria.

Es así como la legislación de Honduras observa a través del Código de la Niñez y la Adolescencia en su artículo 209, que "El proceso para la niñez infractora de la ley tiene como objetivo establecer la existencia jurídica de una conducta tipificada como hecho delictivo o falta, quién es su autor, el grado de responsabilidad de éste y, en su caso, determinar la aplicación de las sanciones que correspondan (…)". Este se llevará a cabo de acuerdo a lo dispuesto en la Ley y supletoriamente, conforme al Código Procesal Penal, orientándose por los principios rectores y demás disposiciones de especialidad establecidas en el Código, bajo el título correspondiente".

Bajo el mismo artículo ya citado se incluyen las fases bajo las cuales se encuentran el mencionado proceso penal aplicado a los menores infractores que comprende las siguientes:

1. Preparatoria,

2. Intermedia,

3. Juicio,

4. Así como las formas alternativas o simplificadas del proceso y los presupuestos de procedibilidad y aplicación de los recursos.

La misma ley en su artículo 210 establece acerca de la creación progresiva de la Jurisdicción Especial de Justicia para la Niñez Infractora de la Ley, que esta deberá estar integrada por:

1. Jueces de Garantías;

2. Jueces de Juicio;

3. Jueces de Ejecución; y,

4. Tribunales de Apelaciones.

El artículo 211 del Código de la Niñez y la Adolescencia continua exponiendo sobre lo que conlleva cada fase del proceso penal aplicado a la niñez infractora, e indica los siguientes actos según las fases del proceso así:

1. La fase preparatoria comprende los actos siguientes:
   a. Denuncia,
   b. Investigación,
   c. Acusación,
   d. Vinculación al Proceso.
2. La fase intermedia comprende los siguientes actos:
   a. Interposición de incidentes, excepciones y nulidades;
   b. Formalización de la acusación y contestación de cargos; y,
   c. Auto de apertura a Debate.
3. La fase de juicio comprende los actos siguientes:
   a. Preparación del Debate;
   b. Audiencia de Debate;
   c. Individualización de la Sanción;
   d. Sentencia.

10. CONCLUSIONES

1. En lo que respecta a la edad punible en Honduras se suscita un debate, pues es de pensar que dados los altos índices de criminalidad cada vez más crecientes, y basados en el hecho de que estos se suscitan por menores de edad, es decir por menores de 18 años, lo lógico es que para poder castigarles según la magnitud de sus crímenes lo mejor es la reducción de la edad punible.

No obstante, para ello no se puede olvidar el hecho de que Honduras es uno de los países que ha ratificado la Convención de los Derechos del Niño, y que, bajo este argumento de ley, no existe la total posibilidad y sobre todo la libertad de que Honduras pueda actuar autónomamente al respecto.

Antes bien, Honduras debería de implementar programas proactivos que contrarresten la problemática que se genera a través de los menores de edad, y que a la vez estos programas sean funcionales en la formación de la niñez como futuro de Honduras.

2. El proceso penal aplicado a la niñez infractora es en lo sumo muy diferente al proceso penal ordinario, aplicado a cualquier imputado mayor de 18 años, pues este proceso especializado para la niñez observa principalmente el interés superior de esta, que radica en el bienestar, y no olvidando que las normas enunciadas en lo referente a materia de niñez predominan como lo estipula la ley a cualquier otra norma que es igualmente válida y vigente.

Por ello, a los menores de edad deben aplicárseles penas menores, o lo menos dolorosas posibles, y debe implementarse el interés, la vigilancia y la observación necesaria en tales casos, con la clara meta de rehabilitar a los menores de edad que son objeto de tutela principalmente por el hecho de ser niños.

Y aunque el proceso penal aplicado a los menores de edad contiene las fases esenciales de un proceso penal ordinario, difiere en las penas emitidas y aplicadas y en el valor fundamental que la niñez tiene para la nación, aun contemplando el hecho de que puede ser Honduras uno de los países donde esencialmente se violenten más los derechos fundamentales de la niñez.

3. Para que un menor de edad llegue al punto de ser un infractor de la ley es de observar que son menores que provienen de familias disfuncionales, familias que no muestran ningún interés por la formación y cuidado de los hijos, que, bajo los argumentos de la pobreza y otras escasas explicaciones, dejan en el abandono y a su suerte esta niñez.

Exponiéndola a un enorme riesgo social, de violencia, de abusos de toda índole, de ser reclutados por grupos de criminales para sus propios fines e intereses, muchas veces estos menores huyen de hogares en donde reina la violencia doméstica, los vicios como la droga y el alcohol, y en donde la alimentación no existe o es escasa, y la educación no está contemplada para ellos.

Pues existen muchos hogares en donde los padres no ejercen ningún trabajo, por tanto, no existe ningún tipo de sustento para los hijos y la familia en general, en cuyo caso muchos menores en busca de un poco de alimento son llevados a delinquir, y luego de ello estos se convierten en parte del problema social, de la delincuencia, de la inseguridad, de los altos índices de criminalidad de los cuales también son responsables.

11. BIBLIOGRAFÍA

FUMERO, F. (11 de Mayo de 2017). *La Tribuna Web*. Obtenido de La Tribuna Web: http://www.latribuna.hn/2017/05/11/la-edad-punible-honduras/

GONZÁLES, F. (2012). *Implementación de los brazaletes electrónicos de localización en las medidas sustitutivas del proceso penal guatemalteco*. Guatemala. Obtenido de http://biblioteca.oj.gob.gt/digitales/43253.pdf

OSSORIO, M. (2007). *Diccionario de Ciencias Jurídicas, Políticas y Sociales*. Recuperado el 02 de Junio de 2018, de https://conf.unog.ch/tradfraweb/Traduction/Traduction_docs%20generaux/Diccionario%20de%20Ciencias%20Juridicas%20Politicas%20y%20Sociales%20-%20Manuel%20Ossorio.pdf

República de Honduras. (1982). Constitución de la República. Honduras. Obtenido de http://www.poderjudicial.gob.hn/CEDIJ/Leyes/Documents/ConstitucionRepublicaHonduras.pdf

República de Honduras. (1984). Código de Familia. Honduras. Recuperado el 2018, de http://www.acnur.org/t3/fileadmin/Documentos/BDL/2016/10420.pdf?view=1

República de Honduras. (1996). Código de la Niñez y la Adolescencia. Tegucigalpa, Honduras. Obtenido de http://www.rnp.hn/wp-content/uploads/2014/01/Decreto-352013-Reformas-Codigo-de-la-Ninez-y-Adolescencia.pdf

República de Honduras. (1999). Codigo Procesal Penal. Tegucigalpa: OIM.

UNICEF. (1990). *Convención sobre los Derechos del Niño*. Organización de las Naciones Unidas. Obtenido de http://www.un.org/es/events/childrenday/pdf/derechos.pdf

Capítulo 24
Causas de reincidencia de la niñez en conflicto con la Ley Penal en Honduras

Patricia Azucena Mejía San Martín
Oficial Jurídico
Dirección de Niñez, Adolescencia y Familia (DINAF)
Honduras
patfram@hotmail.com

1. INTRODUCCIÓN

La presente investigación surge de la necesidad de poder contar con un mecanismo de protección encaminado a garantizar la prevención desde el núcleo familiar y la comunidad, contando con el respaldo legal desde el Estado, así como, las normativas y leyes que recogen los derechos fundamentales de las personas menores de edad, Convención Sobre los Derechos de los Niños y demás instrumentos complementarios establecidos en la normativa internacional: Reglas Mínimas de Naciones Unidad para la administración de Justicia de Menores (Reglas de Beijing), Reglas de las Naciones Unidas para la protección de los menores privados de libertad y Directrices de las Naciones Unidas para la prevención de la delincuencia juvenil (Directrices de Riad), de las cuales Honduras es parte signataria.

En un intento de integrar y democratizar los esfuerzos a favor de la niñez, partiendo de la transformación de sus derechos de forma clara y exigible, tal como lo recoge la Convención Sobre los Derechos del Niño, el Estado de Honduras, procede a la elaboración del Código de la Niñez y la Adolescencia en el año de 1996.[1]

---

[1] El Código de la Niñez y la Adolescencia se aprobó por el congreso Nacional de la Republica de Honduras mediante Decreto No 73-96 del 31 de mayo de 1996

En Honduras la Niñez en Conflicto con la Ley Penal, es sometida a un modelo de justicia retribucionista, es por ello que resultan imprescindible la implementación de un Sistema de Justicia Penal Especial, que contenga un abordaje integral, tomando en cuenta lo establecido en la normativa nacional e internacional en lo referente al tratamiento de la Niñez vinculada a procesos judiciales. Para lo cual se debe de crear una plataforma incluyente que involucre a todos los sectores intervinientes con el objetivo de garantizar una verdadera reintegración familiar y social de esta población, mediante una verdadera Justicia Restaurativa, lo anterior con el único objetivo de poder incidir en la reducción de los índices de reincidencia de Niñez en conflicto con la Ley Penal en Honduras, para lo cual, se deberá de tomar en cuenta los factores individuales que lo llevaron a la comisión de una Infracción Penal, es decir, buscar los factores de riesgo en las conductas propias del niño, niña o adolescente, tomando en cuenta elementos como: la familia, la escuela, el barrio, los pares y las bandas de adolescentes, que pueden incidir de forma positiva o negativa en la vida de ellos.

En Honduras la responsabilidad Penal para las personas menores de edad que cometen una infracción de tipo penal, se encuentra regulada en el Código de la Niñez y la Adolescencia desde 1996, la cual establece el rango de edad que oscilan entre los 12 años hasta antes de los 18 años. Rangos que se dividen en tres grupos etarios, entre 12 y 13 años; entre 14 y 15 años; y entre 16 hasta antes de los 18 años, los cuales son tomados en cuenta para la sustanciación, aplicación y ejecución del Proceso. Delimitando con ello aquellos que se consideran inimputables.

2. PLANTEAMIENTO DEL TEMA

2.1. Antecedentes de la Investigación

El tema de la Niñez en Conflicto con la Ley Penal, es un fenómeno social que ha tensionado a todos los gobiernos, debido a su incremen-

---

y entro en vigencia el 5 de septiembre de 1996.

to en los últimos años. En el caso de Honduras, cada día son más las personas menores de edad que se encuentran dentro del Sistema de Justicia Penal Especial, vinculados a procesos judiciales. Cada Estado ha adoptado diferentes medidas para buscar controlar el aumento de las infracciones de tipo penal, desde el enfoque de la teoría situacional del delito, la que plantea que existe una elección racional del delincuente, quien evalúa la oportunidad de cometer delitos en términos de costos/beneficios.

No se están tomando en cuentas las causas de reincidencia en esta población, el Estado en la actualidad, no cuenta con programas de prevención efectivos ni integrales que trabajen en el tema, apegadas a respetar las garantías procesales de la normativa nacional e internacional y es que un factor que influye en el aumento de la incidencia de detenciones, según informes sociales y criminales sobre el tema, es el involucramiento de personas menores de 18 años de edad en la dinámica criminal de las maras y pandillas para actividades de extorsión, tráfico de drogas y robo agravado.

2.2. Preguntas del objeto de estudio

¿Cuáles son las causas que provocan la reincidencia de la niñez en conflicto con la Ley Penal y que cometen Infracciones de tipo penal?

¿Considera importante la implementación del modelo de justicia restaurativa, con técnicas desjudicializadoras y aplicando la educación y la resocialización?

¿Considera que se debe seguir aplicando el modelo actual de justicia retributiva en materia de niñez?

¿Considera usted que la solución para disminuir la incidencia de la niñez en conflicto con la ley penal, es reducir la edad punible y agravar las sanciones?

¿Considera usted que las instituciones relacionadas en materia de niñez al igual que el personal operativo, deben de estar capacitados para implementar el modelo de la justicia restaurativa?

2.3. Objetivos del tema de investigación

2.3.1. Objetivo General

Analizar las causas de la reincidencia de la niñez en conflicto con la Ley Penal, que son vinculadas a procesos judiciales y que encuentran cumpliendo medidas o sanciones dentro del Sistema de Justicia Penal Especial hondureño, con el fin de cambiar el modelo actual retribucionista, por un enfoque educativo y resocializador, a través de la Justicia Restaurativa.

2.3.2. Objetivo Específico

- Contribuir a la compresión y aplicación de los principios rectores en materia de niñez, apegado a la normativa nacional e internacional.
- Plantear un abordaje socializante que favorezcan el proceso para la reinserción familiar y social.
- Describir el perfil de las personas menores de edad que están cumpliendo medidas y sanciones privativas de libertad, por reincidir en la comisión de una infracción.

2.4. Viabilidad del tema de investigación

La presente investigación, tiene como finalidad analizar y entender el fenómeno de la reincidencia de las personas menores de edad, en la comisión de infracciones que los lleva a ser vinculados a procesos judiciales en nuestro contexto. Entendiendo el fenómeno de la delincuencia y la reincidencia, como producto de la interacción de factores sociales que excluyen y vulneran al niño, niña o adolescente situándolo en el escenario propicio para la iniciación al mundo delictivo.

Poder conocer las causas de la reincidencia en la comisión de infracciones de tipo penal de las personas menores de edad, permitirá orientar a la implementación de un verdadero sistema de protección de garantías, encaminadas a una prevención sistemática, restitutiva y garante de derechos, con una intervención integral, basada en el Interés Superior del Niño; que conduzcan a la disminución de los índices de reincidencia en la comisión de nuevas infracciones.

3. MARCO TEÓRICO

3.1. Marco Teórico de la Justicia Penal en Honduras

El Estado de Honduras en el año de 1962, hace su primer esfuerzo por regular los asuntos relacionados con las y los niños, a través de la Ley de jurisdicción de menores, la cual fue desestimada siete años después, en virtud de carecer de instancia competente para hacer efectivo el contenido de la Ley, posteriormente mediante decreto No. 92 del 24 noviembre de 1969, se promulga la Ley de jurisdicción de menores; en cuyo contenido solo considera asuntos de su competencia relacionada con niños infractores, en la década de los 80 el Dr. Gerardo Martínez Blanco, renombrado jurista hondureño, elaboró una nueva propuesta de Ley de jurisdicción de menores, pero la misma no fue respaldada por los operadores de justicia ni por los legisladores, por lo que esta propuesta no trascendió, cabe mencionar que esta propuesta de legislación de menores mantenía un ámbito de competencia restringido como las anteriores.

Con la entrada en vigencia de la nueva *Constitución de la República de Honduras el 11 de enero del año 1982, mediante decreto No 131*, se da el reconocimiento de los derechos de la niñez, teniendo como referencia la Declaración de los Derechos del Niño de 1959. Siendo que Honduras es uno de los veinte países del mundo que suscribe y ratifica la Convención sobre los Derechos del Niño en 1990, la hace parte de su derecho interno. Momento trascendental para Honduras, ya que contrae compromisos relevantes para la vida de más del 50% de su población, misma que estaba constituida por niños, niñas y adolescentes.

El Código de la Niñez y la Adolescencia, fue aprobada por el Congreso Nacional de la Republica de Honduras mediante Decreto No 73-96 en fecha 31 de mayo de 1996 y entro en vigencia en fecha 5 de septiembre de 1996. El código trata de proteger de manera integral a los niños, que es la nueva nomenclatura que usa nuestra legislación, en lugar de menores estableciendo que *"para todos los efectos legales"* se entiende por niña o niño a toda persona menor de 18 años. Este código cuenta con 288 artículos contenidos en tres libros de la siguiente manera: a). Libro I de los derechos y libertades de los niños;

b). Libro II de la protección de los niños; y, c). Libro III aspectos institucionales y disposiciones finales transitorias.

El objetivo General del Código de la Niñez y la Adolescencia de Honduras, es la protección de las y los niños en los términos que consagra la Constitución de la Republica y la Convención sobre los Derechos de los Niños, siendo el pilar fundamental la protección integral, la cual se entenderá como el conjunto de medidas encaminadas a proteger a los niños individualmente considerados y los derechos resultantes de las relaciones que mantengan entre sí y con los adultos. En razón de lo anterior, el presente código define los principios en que se debe de regir, y crea los organismos y procedimientos necesarios para el abordaje de la Niñez en conflicto con la Ley Penal.

La administración del cumplimiento de las medidas o sanciones impuestas a las y los niños en conflicto con la Ley Penal y que son vinculados a procesos judiciales, ha pasado por tres instituciones del Estado, en un inicio, los centros de internamiento estaban a cargo del desaparecido Instituto de la Niñez y la Familia (IHNFA), el cual fue suprimido mediante *Acuerdo Ejecutivo PCM-26-2014, publicado en el Diario Oficial la Gaceta en fecha 6 de junio del 2014*, dando paso a la creación de la Dirección de Niñez, Adolescencia y Familia (DINAF), mediante *Decreto Ejecutivo PCM-27-2014, publicado en el Diario Oficial la Gaceta en fecha 6 de junio del 2014*, institución que estuvo a cargo el acompañamiento de las medidas y impuestas a los niños, niñas y adolescentes por los Juzgados de Letras de la Niñez, desde finales del año dos mil catorce (2014) hasta el treinta y uno de diciembre del año dos mil dieciséis (2016), dando seguimiento a 1,105 niñas y niños vinculados a procesos judiciales, con el objetivo de lograr alcanzar un proceso de reeducación y reinserción familiar y comunitaria, brindando una atención integral a las y los niños vinculados a procesos judiciales como a su familia, de manera individual y colectiva. A partir del primero de enero del año dos mil diecisiete (2017) pasa al Instituto Nacional para la Atención a Menores Infractores (INAMI) creado mediante *Decreto Ejecutivo PCM 72-2016, publicado en el Diario Oficial la Gaceta en fecha 07 de septiembre del 2016*, la cual tiene como finalidad la de liderar el Sistema de Justicia Especializada, teniendo a su cargo la administración y funcionamiento de los Complejos Pedagógicos de Internamiento para personas menores de edad, privados de libertad y el seguimiento de las medidas y sanciones no privativas de libertad impuestas, a través de programas encaminados a la reinserción familiar y social.

Hablar de la Justicia Penal Juvenil hondureña, supone tomar en consideración lo que se establece en la Constitución de la República de Honduras de 1982, referente a que la infancia gozará de la Protección prevista en los acuerdos internacionales, los cuales tienen como objetivo velar por sus derechos, para ello, el Código de la Niñez y la Adolescencia ya establece la creación del Sistema Especial de Justicia para la Niñez en conflicto con la Ley Penal, disposiciones contenidas en el Titulo III "De los Niños Infractores de la Ley" Capítulo I, artículos del 180 al 268; Sistema en el que se administrará una justicia especializada desde el inicio del proceso y todas las actuaciones y diligencias instruidas contra niñas y niños estarán a cargo de órganos y operadores especializados. En ese sentido, los Estados Partes tomarán todas las medidas apropiadas para promover el establecimiento de leyes, procedimientos, autoridades e instituciones específicas para la tramitación de las causas instruidas contra niñas y niños cuyas edades oscilen en el rango desde doce (12) años hasta antes de los dieciocho (18) años de edad, a quienes se les suponga o sean declarados infractores de la ley, es decir, que han quebrantado la escala de valores jurídicos más importantes que protege el derecho penal.

El sistema de justicia penal actualmente ha sido únicamente de conocimiento de juristas y operadores de justicia, sin embargo, es preciso la incorporación y la participación de otros actores no tradicionales como ser: la sociedad y la comunidad; Las directrices de RIAD, establecen que *"deberá prestarse especial atención a las políticas de prevención que favorezcan la socialización e integración eficaces de todos los niños, niñas y jóvenes, en particular por conductos de la familia, la comunidad los grupos de jóvenes que se encuentran en condiciones similares, la escuela, la formación profesional y el medio laboral y la escuela[2]"*; estas últimas cumplen un papel formador de conocimiento de habilidades para la vida de un adulto y ser los espacios de mayor influencia para la preservación de valores sociales, morales y culturales en el que crece y se desarrolla la niñez hondureña.

---

[2]   Directrices de las Naciones Unidas para la Prevención de la Delincuencia Juvenil (Directrices de RIAD), numeral IV, inciso A, B y C.

En el año 2013, el Sistema de Justicia Especial fue objeto de importantes reformas para mejorar su funcionamiento y tutela de derechos, libertades fundamentales y garantías procesales, atendiendo en forma diferenciada y específica las cuestiones referentes a las y los niños en conflicto con la Ley penal. A partir de estas reformas, el proceso para la niñez en conflicto con la Ley Penal, se sustanciará de manera supletoria, conforme al Código Procesal Penal particularmente en las fases preparatoria, intermedia y de juicio.

El mismo Código de la Niñez y la Adolescencia, establece la creación progresiva de la Jurisdicción Especial de Justicia para la Niñez Infractora de la Ley, la cual deberá estar integrada por: a) Jueces de Garantías, son los facultados para conocer de las fases preparatoria e intermedia y salvaguardar los derechos y libertades fundamentales de niñas y niños sometidos al Sistema de Justicia Especial; b) Jueces de Juicio, son los responsables de deliberar y pronunciarse respecto de todas las cuestiones debatidas en el juicio de forma esencial, declarando la responsabilidad penal por la infracción a la ley o la inocencia de niñas y niños sometidos al proceso e imponer las sanciones, atendiendo al principio de proporcionalidad y racionalidad; c) Jueces de Ejecución, son quienes dan seguimiento al cumplimiento de la medida o sanción impuesta, de igual manera a la revisión periódica de las mismas; y, d) Tribunales de Apelaciones.

3.2. Sanciones Contempladas en el Código de la Niñez y la Adolescencia

El Estado de Honduras como garante de los derechos de las y los niños, ha contemplado en su normativa nacional un amplio catálogo de sanciones, las cuales tienen por objeto la incorporación a un proceso reeducativo, por medio de su formación integral y familiar, para lograr su reinserción social y el pleno desarrollo de sus capacidades mediante su orientación y tratamiento.

Las decisiones concernientes a las sanciones privativas de libertad impuesta a las y los niños que han sido vinculados a procesos judiciales, tomadas por las y los Jueces de Letras de la Niñez, deben tener como consideración primordial el *"Interés Superior del Niño"*, es decir que la privación de libertad deberá ser de carácter excepcional, por el menor tiempo posible y como último recurso.

Según datos proporcionados por la Unidad de Estadística del Centro Electrónico de Documentación e Información Judicial (CEDIJ), durante los años del 2015 al 2017, los Juzgado de Letras de la Niñez y Adolescencia o el que hace sus veces han dictado 2,123 sentencias a niñas, niños y adolescentes en conflicto con la ley penal a nivel nacional, detalladas de la siguiente manera: en el año 2015 fueron sentenciados 525 NNA, durante el año 2016 fueron sentenciados 906 NNA y en el 2017 fueron sentenciados 692 NNA, de los cuales en la actualidad 422 se encuentra en proceso de rehabilitación y reinserción familiar y social dentro de los diferentes Complejos Pedagógicos de Internamiento, encontrándose la mayoría cumpliendo una medida socioeducativa No Privativa de Libertad.[3]

3.2.1. Sanciones No Privativas de Libertad

El Código de la Niñez y la Adolescencia, contempla como sanciones no privativas de libertad las siguientes: 1) Amonestación (art. 196): Como el llamado de atención hecho por el Juez en la audiencia al sancionado, exhortándolo para que en lo sucesivo se acoja a las normas familiares y de convivencia social; 2) Libertad asistida (art.197): Medida educativa, socializadora e individualizada, la cual le otorga libertad al sancionado, bajo la supervisión y orientación del personal especializado del INAMI, en la cual desarrollará sus habilidades, destrezas y capacidades en el área educativa y de formación laboral para su desarrollo personal. Esta medida no podrá ser inferior a seis (6) meses ni mayor a dos (2) años; 3) Prestación de servicios a la comunidad (art.198): Consistente en la realización de tareas de interés general por parte del sancionado, la cual se prestará de modo gratuito en entidades de asistencia pública o privada sin fines de lucro, siempre y cuando esta no atente contra su salud, integridad física o psicológica y no interfiera en su proceso educativo, la prestación no

---

[3]   Unidad de Estadística del Centro Electrónico de Documentación e Información Judicial (CEDIJ), correspondiente a los Juzgados de Letras de Niñez y Adolescencia a nivel nacional en los años 2015, 2016 y 2017.

podrá ser inferior a seis (6) meses ni mayor de un (1) año; y, 4) Reparación del daño a la víctima (art.199): La cual tiene por finalidad resarcir el daño causado, asignando al sancionado una obligación de dar o restituir la cosa dañada. El plazo para el cumplimiento no deberá ser mayor a un (1) año.

3.2.2. Sanciones de Orientación y Supervisión

Las sanciones de orientación y supervisión consisten en reglas de conducta o prohibiciones impuestas por el juez y supervisadas por el INAMI, con el objetivo de promover y asegurar la formación integral y reinserción social de la niña, niño o adolescente, su duración no podrá ser menores a tres (3) meses ni superior a dos (2) años, siendo las siguientes: a) Residir en un lugar determinado o cambiarse de él; b) Frecuentar o dejar de frecuentar determinados lugares o personas; c) Abstenerse de consumir drogas, otros estupefacientes o bebidas alcohólicas, que produzcan adicción o hábito; d) Participar en programas especiales para la prevención y tratamiento de adicciones; e) Someterse a programas educativos con el fin de comenzar o finalizar la escolaridad básica, si no la ha cumplido, aprender una profesión u oficio o seguir cursos de capacitación en el lugar o institución que determine el juez; f) Someterse, si es necesario, a tratamiento médico o psicológico, de preferencia en instituciones públicas; y, g) Asistir o integrarse a los correspondientes sistemas o centro educativos.

3.2.3. Sanciones Privativas de Libertad

Ya el Código de la Niñez y la Adolescencia, en su artículo 201 en relación con los artículos 204 y 205 del mismo cuerpo legal, establece que la privación de libertad, es de carácter excepcional, el cual deberá utilizarse cuando no sea posible aplicar ninguna otra sanción o en los casos en los que el sancionado sea declarado responsable de un hecho delictivo grave, son sanciones privativas de libertad las siguientes: a) Privación de libertad domiciliaria (art.202), la cual no será menor a un (1) meses ni superior a nueve (9) meses; b) Régimen de semi-libertad (art.203), esta sanción no podrá dictarse por un plazo inferior a dos (2) meses ni superior a ocho (8) meses; y, c) Privación de libertad en un centro especializado o certificado (art.204 y art.205), es de carácter excepcional, la Ley establecen rangos por grupos etarios de la siguiente manera: cuando la edad del infractor oscile entre dieciséis (16) y los dieciocho (18) años no cumplidos, la privación de libertad no podrá ser inferior a seis (6) meses ni superior a ocho (8) años; entre catorce (14) y quince (15) años, la privación de libertad no podrá ser inferior a cuatro (4) meses ni superior a cinco (5) años y entre doce (12) y trece (13) años, la privación de libertad no podrá ser inferior a un (1) mes ni superior a tres (3) años.

4. REINCIDENCIA

4.1. *La Reincidencia de las personas menores de edad en conflicto con la ley Penal*

El conocimiento de los antecedentes legislativo facilita la compresión de su contexto actual, para ello es necesario comenzar con la aproximación histórica de la reincidencia a grandes rasgos a través de los tiempos, en este recorrido histórico se identifica la tendencia a incrementar la pena como expresión de rechazo frente a la recaída en la acción delictiva. En las culturas más antiguas, el reincidente no era objeto de los castigos más severos dada la gran cantidad de delitos que se castigaban con la pena de muerte y la dificultad para identificar a los autores que ya habían sido previamente condenados, según el *Manava Dharma Sastra o Libro de la Ley de Manú*, texto religioso con códigos de conducta individual y social, escrito brahmánico del año 500 a.C., indicaba que "el Rey castigaba primero con la simple amonestación, después con severos reproches, la tercera vez con multa y finalmente con la pena corporal"; en el Derecho hebreo, S. XIII a.C., el delito era castigado con azotes y la reincidencia con una cadena perpetua que constituía una pena de muerte de manera indirecta.

Para hablar sobre la reincidencia es materia penal, es preciso entender su definición desde la etimología del concepto, *la reincidencia se denomina como la repetición de un cierto vicio, yerro o desliz*. El concepto suele emplearse en el ámbito del derecho con referencia al hecho de cometer una misma clase de delito en dos o más oportunidades.

Es por tal razón que la reincidencia, se considera como un agravante a la hora de condenar a una persona, es decir: aquel que, en su momento, fue condenado por un cierto delito y luego reincide, recibe una condena más grave en la segunda ocasión, esta definición aplicada al sistema de Justicia Penal Juvenil, sería la comisión reiterada de una actividad delictiva por parte del mismo niño, niña o adolecente. Según Andrés Aedo en la configuración de la reincidencia *"tiene que haber al menos dos acciones ilícitas comprobada, separadas por un tiempo delimitado y habiendo recibido los estímulos por parte del Estado, para no volver a cometer ilícitos"* (Andrés Aedo Henríquez, 2010, pág. 295).

Las niñas, niños y adolescentes viven una etapa de muchos cambios en su comportamiento que originan la proliferación de la reincidencia, para enumerar algunos: son fácilmente influenciables, tienen necesidad de pertenencia, poseen una autoestima frágil, desean obtener prestigio y respeto y sobre todo el deseo de mantener un estilo de vida a partir de la obtención de dinero fácil con el pleno conocimiento de que el hurto y el tráfico de estupefacientes, son delitos menores que tienen sanciones reducidas, beneficios e incluso la posibilidad de quedar en libertad (Ballester, 2012, p.19).

Es en la etapa de la adolescencia, en donde se ve identificado que los individuos tienden a mostrar una alta frecuencia y versatilidad en la comisión de delitos, por lo que se ve reflejado que la comisión de delitos y la reincidencia, es más altas en esta etapa de la vida. Para poder disminuir esta incidencia, se debe de tomar en consideración la efectividad, el tipo y el tiempo de la intervención que se le brinda al niño, niña y adolescente durante el cumplimiento de la medida o sanción que le ha sido impuesta.

Según datos estadísticos proporcionados por el Programa de Justicia Penal Especial de la Dirección de Niñez Adolescencia y Familia (DINAF), correspondiente de diciembre del 2014 a diciembre del 2016 en donde la atención estuvo bajo el seguimiento de la DINAF, el número de niña, niños y adolescentes vinculados al sistema de justicia penal especial a quienes se les impusieron medidas alternativas a la privación de libertad fue de 924. Y bajo la administración del Instituto Nacional para la Atención a Menores Infractores (INAMI), ingresaron al programa de atención de medidas sustitutivas a la privación de libertad, correspondiente al periodo del 1 de enero al 31 de diciembre del

2017, 328 niñas y niños y del 1 de enero al 30 de septiembre del 2018, ingresaron 432 niñas y niños, siendo los delitos de mayor impacto la extorsión, el hurto, el tráfico ilícito de estupefacientes, delitos sexuales y el homicidio; de la estadística anterior actualmente 353 adolescentes reinciden en estas conductas punibles cometidos en su mayoría por adolescentes hombres, siendo la minoría adolescentes mujeres.[4]

Visto desde otra perspectiva, el tema de la "reincidencia" en la delincuencia juvenil ha sido puesto en diversas miradas; las cuales señalan la situación de las conductas delictivas de las niñas, niños y adolescentes, como expresión de un individualismo contemporáneo que nutre sus derivaciones en la acción desviada (Hendler,2009), circunstancias aparejadas a la pérdida de valores, carencias afectivas, desintegración social o la falta de normatividad, rigurosidad judicial y familiar. Además, se encuentran argumentos que plantean que existe una conexión entre pobreza y delincuencia, alimentada por la insatisfacción de necesidades básicas, la presencia de las llamadas "familias disfuncionales con ausencia de la figura del padre", o familias uniparentales en donde solo existe la figura materna con sobre carga de obligaciones y la ambivalencia en las figuras cuidadoras.

Para el cumplimiento de las medidas y sanciones privativas de libertad, el sistema de Justicia Penal Especial en Honduras, cuenta con cinco Complejos Pedagógicos para albergar a las niñas, niños y adolescentes a nivel nacional, mismo que se encuentran ubicados en la zona central del país a excepción del Complejo Pedagógico El Carmen ubicado en la zona norte del país; lo que conlleva al desarraigo de su lugar de origen y con ello se contribuye al rompimiento de los lazos familiares, sobre todo en aquellos casos en que las familias tienen limitantes económicas que impiden que las visitas puedan realizarse de forma permanente; en la actualidad dichos complejos se encuentran bajo la administración del INAMI, actualmente la población entre niñas, niños y adolescentes privados de libertad dentro de estos Complejos Pedagógicos es de 422.[5]

---

[4]   Datos proporcionados por el Programa de Atención a Medidas Sustitutivas a la Privación de Libertad del INAMI.

[5]   Datos recolectados hasta el 5 de noviembre del 2018, proporcionados por los diferentes Complejos Pedagógico que existen y se encuentran bajo la administración del INAMI.

Patricia Azucena Mejía San Martín

La reinserción social se debe de iniciar desde el momento en que la niña niño o adolescente en conflicto con la ley es sancionado por la autoridad competente, debe de continuar durante el cumplimiento de su sanción y seguir cuando el adolescente retorna a su vida en libertad sin una medida coercitiva. En este proceso, se debe de trabajar en el fortalecimiento de valores y habilidades para la vida y buscar que él o la adolescente, vuelva a formar parte de un grupo social al ser incluido nuevamente en la comunidad de la que quedó marginado por la comisión de una infracción de tipo penal.

Un adecuado proceso socioeducativo, que es la finalidad de sistema de Justicia Penal Especial, tiene como objetivo primordial la reinserción familiar, comunitaria, social y laboral de las y los adolescentes. Una adecuada reinserción social tiene como efecto los bajos índices de reincidencia, pero es necesario concientizar al entorno social del joven para que se le brinde el apoyo necesario, con miras a evitar su reincidencia.

4.2. Perfil Judicial de los jóvenes

En general, el perfil genérico de las y los niños o adolescentes en conflicto con la ley penal que han cometido infracciones, los muestra como personas "que presentan o han presentado un alto grado de absentismo y fracaso escolar, muestran capacidades intelectuales por debajo de la media, con frecuencia debido a la carencia de estímulos educativos y socio-afectivos; han experimentado, en diversos grados, consumos de diferentes drogas, permanecen desocupados la mayor parte del día, no cuentan con límites ni normas, muestran una baja tolerancia a la frustración, así como, una deficiente capacidad para la resolución de problemas.

Hay quien señala que existe un "perfil" para las niñas, niños o adolescentes infractores, el cual, corresponde a determinadas características o circunstancias de la personalidad de las y los adolescentes y hay quienes sostiene que no hay un patrón o modelo de conducta que conduzca a las y los adolescentes a la comisión de hechos delictivos. Nos encontramos pues ante la disyuntiva de establecer, qué relevancia tienen en la comisión de hechos delictivos, las características personales y psicológicas del propio menor de edad y qué influencia tiene el entorno familiar, personal y social que le rodea.

Se han identificado 5 tipos de comportamiento delictivo que son diferentes en cuanto a la naturaleza de los factores de riesgo asociados,[6] los cuales son : 1) El comportamiento delictivo considerado como normal: Este concepto se refiere al comportamiento delictivo generado en un contexto donde la norma considera aceptable la adopción de estos comportamientos. En estos casos, los factores de riesgo usuales no son relevantes. Este tipo de delincuencia hace referencia, por ejemplo, a los delincuentes de cuello blanco, casos en los cuales muchas veces no es posible apreciar la presencia de factores de riesgo; 2) El comportamiento delictivo asociado a la hiperactividad: Una característica importante que se presenta como antecedente repetido en adolescentes infractores reincidentes, es el hecho de haber padecido hiperactividad en la infancia. La hiperactividad es un síndrome de aparición temprana que se asocia a dificultades cognitivas y bajo nivel de atención y/o impulsividad. El síndrome hiperactivo contribuye a generar desajustes sociales que llevan al niño, niña o adolescente a establecer relaciones personales pobres con las personas de su entorno, especialmente con adultos significativos (padres, profesores, etc.); 3) El comportamiento delictivo asociado a ciertas etapas vitales: La prevalencia del comportamiento delictivo tiende a elevarse durante la adolescencia. En este sentido, es importante diferenciar el comportamiento delictivo que surge durante adolescencia y que desaparece con la edad, de aquel que tiende a persistir a lo largo de la vida. El comportamiento delictivo persistente tiende a tener un comienzo más temprano, es decir, durante la infancia, y se asocia con una mayor presencia de factores de riesgo; 4) El comportamiento delictivo asociado al abuso de sustancias: El abuso de sustancias tiende a ocurrir con el comportamiento delictivo. En este sentido, también se ha constatado que los factores de riesgo que anteceden al abuso de sustancias y al comportamiento delictivo son similares. Es decir, el incurrir en comportamiento delictivo puede predisponer al abuso de sustancias, así como el abuso de sustancias puede predisponer al comportamiento delictivo; y, 5) El comportamiento delictivo asociado a problemas psicológicos o psiquiátricos: Como ya se mencionó, en algunos casos se observa la concurrencia de problemas psiquiátricos o psicológicos

---

[6]   Factores de riesgo y delincuencia juvenil: revisión de la literatura Nacional e Internacional, Andreas Hein.

con el comportamiento delictivo. En este sentido, existe la tentación de considerar la delincuencia como producto de diversos trastornos psicológicos o psiquiátricos.

4.3. Principios aplicables al proceso penal juvenil

Existen algunos principios que, en consideración a las condiciones de las niñas, niños o adolescentes infractores, resultan aplicables en el proceso penal especial, los cuales son: a) El principio de interés superior del niño, el cual fue introducido por la Convención Sobre los Derechos del Niño y se encuentra establecido en el Código de la Niñez y la Adolescencia, que permite resolver situaciones conflictivas o de difícil decisión, siempre atendiendo a lo que resulte más adecuado para los intereses de las y los niños; b) La responsabilidad ante la infracción, que permite determinar la edad mínima en la que una persona debe responder personalmente ante la justicia por los actos u omisiones ilícitas que ejecute; c) Jurisdicción especializada, que posibilita que las y los niños o adolescente infractores sean investigado, procesado y juzgado por un procedimiento específico y una jurisdicción distinta a la que conduce los delitos ejecutados por los adultos; d) El principio de confidencialidad, que prohíbe que un proceso y el juicio mismo contra un adolescente sea abierto al público en contraposición a la publicidad del sistema acusatorio, para evitar perjuicio a la imagen del adolescente y el rechazo de la sociedad; e) Racionalidad, proporcionalidad y determinación de las medidas y sanciones, las medidas y sanciones que se impongan a las y los niños o adolescentes, deben ser racionales y proporcionales a la infracción cometida o supuestamente cometida y adecuadas a las circunstancias en que se encuentre el infractor o su puesto infractor; f) Excepcionalidad, la privación de libertad tiene carácter excepcional y se aplicará únicamente por el tiempo determinado, establecido en la normativa hondureña; g) Oportunidad, es el beneficio de la abstención total o parcial del Ministerio Público del ejercicio de la acción penal o de la facultad de limitarla a una o varias de las infracciones, mediante la aplicación de medidas alternas al juicio; y, h) Justicia Restaurativa, este es un principio general del proceso penal para las y los niños o adolescentes infractores de la Ley, la cual promueve la inclusión de los valores de respeto, responsabilidad y transformación de las relaciones en todos los procesos que intervenga un niño o niña, con el propósito de brindarle apoyo en su acto voluntario de responsabilizarse por sus acciones y efectos dañinos, a través del diálogo respetuoso con la persona ofendida, familiares y personas de su entorno comunitario, para encontrar en conjunto la manera de enmendar y corregir el mal causado.

Todos los principios mencionados son recogidos con mayor o menor concreción y con diversas denominaciones a lo largo del articulado del Código de la Niñez y la Adolescencia de Honduras.

4.4. Factores asociados a la reincidencia Penal Juvenil

Dentro de los factor más importante asociados a la reincidencia de las niñas, niños y adolescentes en la comisión de hechos delictivos, se encuentra la familia, el cual "provee un ambiente dentro del cual los individuos viven procesos que determinan su estilo de interacción en otros contextos, tales como la escuela, el trabajo, y sus relaciones afectivas fuera de su núcleo de origen" (Hernández, 1997, p. 16); todo ser humano necesita experimentar y conocer nuevas cosas que le brinda la sociedad, generando en ellos y ellas conductas y patrones a seguir que pueden provocar cambios para su vida, que pueden ser positivos (el respeto por la norma, los valores y principios) o negativos (la transgresión de la norma).

La adaptación a las normas sociales, forman parte del proceso evolutivo que se inicia en la primera infancia, cuando por inhabilidad de las figuras paternas y/o maternas estos vínculos primarios resultan deficientes, nos encontramos con trastornos en el apego resultando uno de los factores de riesgo en la conducta transgresora de las y los niño o adolescentes. En la adolescencia la influencia que tienen los grupos de pares surte mayor impacto, convirtiéndose en un soporte en el transcurrir cotidiano de las y los niños o adolescentes; con ellos, se construye un capital cognitivo y emocional, que se traduce en los equipajes que cargan para transitar y participar del mundo ilegal.

4.4.1. Personales

La Personalidad, se refiere a los patrones de pensamientos característicos que persisten a través del tiempo y de las situaciones que distinguen a una persona de otra. La personalidad está íntimamente relacionada con el temperamento y el carácter, el concepto de personalidad es más amplio que ellos.

Algunos patrones de comportamiento, como el consumo de alcohol, tabaco y otras drogas, así como conductas transgresoras o delictivas, son causas importantes de muerte e invalidez entre las y los adolescentes y son características de situaciones críticas de vida, estilos de vida, condiciones sociales inapropiadas y de desajustes personales, los cuales son asociados a factores de riesgos que los ubican en el contexto de la vida delictiva.

La irritabilidad, la hiperactividad, el oposicionismo y la agresividad temprana en las y los niño y adolescentes han sido asociados al desarrollo de comportamiento delictivo posterior. La presencia de dichas características parecen ser tanto una expresión de estilos parentales inadecuados, como un factor que contribuye al deterioro de las relaciones armónicas con la familia y por ende los expone a otros factores de riesgo.

Los estudios de reincidencia permiten observar que el comportamiento delictivo persistente de las y los adolescentes tiende a tener un comienzo más temprano, con la comisión de delitos de baja gravedad, pero alta frecuencia, el cual se lleva a cabo en periodos muy breves de tiempo, iniciando a esta vida delictiva posterior a los 12 años y generalmente reactiva a factores situacionales, pero sin que ello derive en un proceso de desadaptación social más permanente, y alcanzado su máximo en las edades de 16 a 17 años. Debemos de tener en cuenta, que el desarrollo de los individuos no se da de forma aislada, ya que viven y se relacionan con una compleja red en la que interactúan, como la escuela, la familia, los grupos de pares y ciertas situaciones que influyen de forma directa e indirecta en el desarrollo de las y los niños y adolescentes y en donde todas estas circunstancias pueden llegar a convertirse tanto en factores protectores o en algunos casos factores de riesgo.

4.4.2. Socio Familiares

Una de las primeras interacciones de las y los niños ocurre en la familia, situaciones familiares como la falta de cariño e interés por parte de los padres o de los cuidadores y una crianza insuficiente, los ponen en una situación de vulneración. Debemos de tener presentes que la familia, es el primer espacio de socialización y de estructura psíquica para las y los niños, en este lugar aprenderán a relacionarse con los demás, a encontrar la protección, cuidados y la contención emocional que necesitan. Sin embargo, también puede ser el espacio donde encuentren diversas problemáticas, como la violencia, el desapego, el abandono, los cuales pueden ser el detonante que los introduzca en el futuro a incursionar en la comisión de hechos delictivos.

En diversos estudios realizados, ha quedado claramente evidenciada la influencia que tiene la familia en el desarrollo del comportamiento delictivo, donde las pautas educativas y de supervisión adquieren relevancia tanto para la comisión de hechos delictivos, como en su reincidencia. En cuanto al comportamiento delictivo inicial, existen varios criterios que deben ser tomados con precaución, ya que por sí solos parecen no ser un factor de riesgo, sin embargo, resultan influenciables como ser: a) estrés familiar; b) estructura familiar, y c) estilo parental hostil, crítico y punitivo transmitido por generaciones, que marcan una pauta significativa por parte de los progenitores hacia sus hijos.

La exposición a cualquier situación de violencia o maltratos sufridos desde temprana edad, es el principal elemento en la trayectoria de la vida de las y los niños o adolescentes vinculados a proceso judiciales y sobre todo a los que se han convertido en reincidentes, la exposición a la violencia puede generar sentimientos negativos en esta población, que hacen más probable que responda con agresión al estrés; sentimientos como la ira se asociarían con una tendencia a percibirse a sí mismo como víctima.

La influencia que ejercen los grupos de pares sobre las niñas, niñas o adolescentes es un factor que se debe de tomar en cuenta, ya que estos forman parte de los aspectos centrales de su vida, del desarrollo intelectual, el desempeño escolar y el comportamiento. La imitación y el entrenamiento en el grupo de pares figuran como factores importantes en el involucramiento durable de los adolescentes en la delincuencia, según los criminólogos. *(Farrington y otros, 1996 en Canales, 2008).*

En síntesis, en lo que respecta al ámbito familiar es posible concluir que los padres inefectivos, que no supervisan, que son ambiguos, y cuyos métodos disciplinarios dependen de su propio estado de ánimo más que de lo que las y los niños y adolescentes han hecho, no responden a las necesidades de los mismos, y se convierten en un contexto de riesgo para ellos.

4.4.3. Socio económico

Actualmente, no hay duda de que el comportamiento delictivo de las y los niños y adolescentes, se ve influenciado por una larga lista de variables socioeconómicas. Entre las más importantes podemos mencionar: a) desventajas socioeconómicas, la pobreza juega un rol fundamental en el desarrollo del comportamiento delictivo de las y los adolescentes, aunque no queda claro, de qué forma la pobreza actúa como elemento que favorece el desarrollo de comportamientos de riesgo; b) desempleo juvenil, en términos macro-sociales, altas tasas de desempleo en una región determinada se asocian con un aumento de delitos contra la propiedad. Estos resultados apoyan la tesis que relaciona la comisión de delitos de propiedad con la necesidad económica.[7]

Quizás la situación más extrema es para aquellas y aquellos niños y adolescentes que se encuentran en situación de calle. En ellos se concreta la ruptura con todas las redes de apoyo, donde la vulneración de derechos es intensa y ésta se expresa en la imposibilidad de acceso a la educación, la vivienda y la seguridad; ya que no solo carecen del vínculo social, sino que pierden la opción de que lo vean como individuo, no forman parte de la sociedad y no tienen posibilidad de inclusión social. Encontrarse a la deriva, a merced de sus propias acciones para sobrevivir, explicaría el alto porcentaje de reincidencia en la comisión de hechos delitos.

Según lo que sostiene la Criminóloga Doris Cooper, en la delincuencia común se puede identificar diferentes "nichos etiológicos", que en estricto sentido corresponden a problemas sociales graves que el Estado debe enfrentar. El primer y principal nicho, es la pobreza y la extrema pobreza; Las niñas, niños y adolescentes de sectores empobrecidos, en la actualidad perciben y tienen clara conciencia de

---

[7] Teoría del estrés familiar, en Plunkett, 1999.

su marginación. Esta conciencia de la marginalidad y de la marginación de que son objetos determinada poblaciones y comunidades, se produce por un mayor acceso a los medios de comunicación y conocer los barrios de clase alta, donde observan en términos reales, las grandes diferencias socioeconómicas. En este nicho etiológico se desarrollarías la llamada economía alternativa informal ilegal, donde se validan los accesos a recursos por vías alternativas a las normadas por la sociedad, entre ellas, la participación en robos, que es considerado un trabajo válido.[8]

5. CONCLUSIONES Y RECOMENDACIONES

A la vista de lo expuesto, se puede apreciar que aún queda mucho trabajo por hacer y desde diferentes ámbitos para afrontar con garantías de éxito el asunto de la reeducación y resocialización de las y los niños y adolescentes en conflicto con la ley penal, vinculados a infracciones de tipo penal. En primer lugar, porque el Estado, a menudo se enfoca más por necesidades económicas y políticas inmediatas, antes que, por planteamientos más productivos a medio y largo plazo, persiste en que la solución al problema radica en exigir reformas que endurezcan las sanciones impuestas a esta población.

Se hace necesario el diseño y la implementación de una verdadera política pública de protección integral que observe la generación de condiciones necesarias para el buen desarrollo de nuestra niñez, como sujetos titulares de derechos, a efecto de prevenir el acontecimiento de conductas antisociales, queda claro que el plan de atención y las actividades que se desarrollan con las y los niños o adolescentes dentro de los Complejos Pedagógicos, no están logrando el objetivo de generar procesos de cambio, por el contrario, se afianzan las conductas delictivas, considerándoseles las escuelas del crimen.

En razón de lo anterior, es preciso revisar nuestra normativa nacional, en el entendido que las medidas correctivas no están contrarrestando la incidencia de conductas delictivas en las y los niños y adolescentes. Se requiere del compromiso por parte del Estado para el

---

[8]   Teoría de los Nichos Etiológicos de la Delincuencia, Doris Cooper Mayr.2005

fortalecimiento de los diferentes actores que forman parte del sistema de Justicia Penal Especial. A través de la innovación de estrategias pedagógicas y jurídicas a fin de generar procesos de cambio en esta población, que garanticen que las y los niños y adolescentes que sean encontrados responsables de la comisión de una infracción penal, sean realmente juzgados en el marco del debido proceso, respondiendo por sus acciones y con opciones reales de procesos de rehabilitación y reinserción social. que permitan una verdadera incorporación de las niñas, niños y adolescentes a su comunidad, con proyectos de vida y cambio.

6. BIBLIOGRAFÍA

AEDO HENRÍQUEZ, A. (2010). Reincidencia: Crítica metológica y propuesta de medición e interpretación para el sistema penal chileno. Derecho y Humanidades, 293-307, Tirant lo Blanch, Valencia, 2019

AMEZCUA, J. A., PICHARDO, M. C., & FERNÁNDEZ, E. (2002). Importancia del clima social familiar en la adaptación personal y social de los adolescentes. Revista de Psicología General y Aplicada, 55, 575-590, Tirant lo Blanch, Valencia, 2019.

ARRIAGADA, S. (2007). Justicia, género e identidad. Boletín Jurídico. Ministerio de Justicia, 56-64, Tirant lo Blanch, Valencia, 2019.

BALLESTER PASTOR, M. (2012). *La era de la corresponsabilidad: los nuevos retos de la política antidiscriminatoria*. España: Universidad de Valencia, Tirant lo Blanch, Valencia, 2019.

BARATTA, A. (2002). Criminología crítica y crítica del derecho penal: introducción a la sociología jurídico-penal. Buenos Aires, Argentina: Siglo Veintiuno, Tirant lo Blanch, Valencia, 2019.

BECKER, H. (2010). Outsiders. Hacia una sociología de la desviación. Buenos Aires, Argentina: Siglo Veintiuno, Tirant lo Blanch, Valencia, 2019.

CANALES, M. e. (Junio de 2008). Una aproximación a los factores que inciden en la comisión del delito adolescente. Señales, Tirant lo Blanch, Valencia, 2019.

CAMPOS, D. (2002). Loïc Wacquant (2000). Las cárceles de la miseria. Recuperado el 2 de noviembre de 2015, de www.scielo.cl: http://www.scielo.cl/scielo.php?pid=S025071612002008400010&script=sci_arttext, Tirant lo Blanch, Valencia, 2019.

CAPDEVILA, M., FERRER, M., & LUQUE, E. (2005). La reincidencia en el delito en la justicia de menores. Barcelona, España, Tirant lo Blanch, Valencia, 2019.

CAPDEVILA, M., FERRER, M., & LUQUE, E. (2005). La reincidencia en el delito en la justicia de menores. Barcelona: Centro de Estudios Jurídicos y Formación Especializada, Generalitat de Catalunya. Recuperado el 10 de octubre de 2015, de http://www.oijj.org/sites/default/files/documental_3635_es.pdf Tirant lo Blanch, Valencia, 2019.

Código de la Niñez y la Adolescencia de Honduras, Decreto Número 73-1996, reformado mediante Decreto 35-2013, 27 de febrero 2013, Tirant lo Blanch, Valencia, 2019.

Código Penal Vigente de Honduras, Decreto Numero 144-83, Tirant lo Blanch, Valencia, 2019.

Constitución de la República de Honduras, Decreto Número 131, 11 de enero del 1982, Tirant lo Blanch, Valencia, 2019.

COOPER MAYR, D. (2005). Delincuencia y Desviación Juvenil: Teoría de los Nichos Etiológicos de la Delincuencia. Buenos Aires, LOM Ediciones. Primera Edición, Tirant lo Blanch, Valencia, 2019.

Decreto Ejecutivo Número PCM-56-2015, de fecha 14 de septiembre del 2015, sobre el Estado de emergencia de los Centro de Internamiento para jóvenes que han cometido infracciones a la Ley, Tirant lo Blanch, Valencia, 2019.

Decreto Legislativo No. 35-2013 de fecha 6 de septiembre 2013, Tirant lo Blanch, Valencia, 2019.

Diccionario electrónico Definición.de (s.f.). Reinserción Social. Recuperado el 10 de diciembre de 2015 de http:// definicion.de/reinsercion-social/

HENDLER, E. (2009). *Las Raíces Arcaicas del Derecho Penal*. Buenos Aires: Editores del Puerto, Tirant lo Blanch, Valencia, 2019.

Reglas Mínimas de las Naciones Unidas para la Administración de la Justicia de Menores (Reglas de Beijing), numeral 5 Objetivo de la justicia de menores, Tirant lo Blanch, Valencia, 2019.

Unidad de Estadística del Centro Electrónico de Documentación e Información Judicial (CEDIJ), Poder Judicial de Honduras, Tirant lo Blanch, Valencia, 2019.

Capítulo 25
Eficacia de la sanción de privación de libertad para la reeducación y reinserción social de los niños y niñas en el proceso penal juvenil en Honduras

Yensy María Barrientos Fonseca
Poder Judicial. Defensora Pública
Honduras
ybarrientos@poderjudicial.gob.hn

1. INTRODUCCION

Una vez declarada la culpabilidad de una niña o niño sometido a un proceso penal juvenil debe de imponérsele una sanción; de acuerdo a la legislación especial hondureña estas sanciones pueden ser no privativas de libertad y privativas de libertad, entre las sanciones privativas de libertad se encuentra la sanción de privación de libertad en centros especializados y certificados para tal efecto, siendo esta sanción la más gravosa puesto que implica que el niño o niña debe ser separado de su entorno familiar y comunitario y colocado en un centro pedagógico.

A través de este trabajo de investigación se pretende determinar si la aplicación de la sanción de privación de libertad ha resultado eficaz para el logro los objetivos de reeducación y reinserción social de los niños y niñas; analizando de manera concreta la forma en que se ha implementado en Honduras y señalando si resulta necesario realizar cambios en la forma en que se ha venido efectuando.

La presente investigación consta de cuatro capítulos, el primero aborda el sistema penal juvenil, el concepto de privación de libertad desde la doctrina, su regulación en el ámbito nacional e internacional.

En el segundo capítulo se desarrolla la construcción conceptual de la reeducación y reinserción social, así como sus alcances en el proceso penal juvenil.

En el tercer capítulo se expone la situación actual de los centros Pedagógicos hondureños, los programas de formación que actualmente se ofrecen dentro de dichos centros, analizando las posibilidades de reeducación y reinserción social que tienen los niños y niñas que cumplen sanciones de privación de libertad.

Finalmente, el cuarto capítulo contiene las conclusiones y recomendaciones obtenidas de la investigación realizada, como un aporte significativo para las y los operadores de justicia a la hora de evaluar la idoneidad y eficacia que se pretende tenga la imposición de la sanción de privación de libertad a las niñas y niños sujetos a un proceso penal juvenil.

2. LA SANCIÓN DE PRIVACIÓN DE LIBERTAD EN EL SISTEMA PENAL JUVENIL

2.1. El Sistema Penal Juvenil

El sistema penal juvenil es un sistema de justicia penal para niños y niñas en edades mínimas que oscilan entre los 12 y los 14 años de edad y hasta antes de cumplir los 18 años (aunque estas edades se determinan en la legislación interna de cada país), a quienes se les acusa por la comisión de una o varias infracciones o faltas a la ley penal y cuyo objetivo fundamental es la reeducación de la niña o niño sometidos al proceso a fin de que bajo una correcta intervención pueda alcanzar su desarrollo pleno.

Como se señala en el documento (UNICEF, 2006), los adolescentes deben tener derecho a una justicia especializada, esto al amparo de lo que establece La Convención Sobre los Derechos del Niño y las Reglas de Beijing para la Administración de Justicia de Menores donde se recomienda la organización de una justicia especializada, flexible y diversa, para juzgar a las personas menores de 18 años. Siendo su razón de ser el reconocimiento de la adolescencia como la etapa de la vida en la que las personas se encuentran en plena evolución intelectual, emocional y moral, sin haber culminado el proceso de formación para la vida adulta, lo que facilita, si se intervine a tiempo, la recuperación del sujeto infractor en una proporción superior a la de los delincuentes mayores de edad.

2.2. Concepto de la Sanción de Privación de Libertad

2.2.1. Desde la Doctrina

Se denomina pena privativa de libertad a "un tipo de pena impuesta por un juez o tribunal como consecuencia de un proceso penal y que consiste en quitarle al reo su efectiva libertad personal ambulatoria (es decir, su libertad para desplazarse por donde desee), fijando que para el cumplimiento de esta pena el sentenciado quede recluido dentro de un establecimiento especial para tal fin". La pena privativa de libertad, tal como su nombre lo indica, consiste en privar de libertad de tránsito al individuo sentenciado. (Wikipedia) (p.1)

2.2.2. Desde el Ámbito Internacional

Existen una serie de instrumentos internacionales que regulan la sanción de privación de libertad, para el caso las Reglas de las Naciones Unidas para la Protección de los Menores Privados de Libertad (Reglas de la Habana), en su acápite II, Alcance y aplicación de las Reglas establece:

A los efectos de las presentes Reglas, deben aplicarse las definiciones siguientes:... b) **Por privación de libertad** se entiende toda forma de detención o encarcelamiento, así como el internamiento en un establecimiento público o privado del que no se permita salir al menor por su propia voluntad, por orden de cualquier autoridad judicial, administrativa u otra autoridad pública. La privación de la libertad deberá efectuarse en condiciones y circunstancias que garanticen el respeto de los derechos humanos de los menores. Deberá garantizarse a los menores recluidos en centros el derecho a disfrutar de actividades y programas útiles que sirvan para fomentar y asegurar su sano desarrollo.

2.2.3. Desde el Ámbito Nacional

El Código de la Niñez y Adolescencia Hondureño regula las sanciones que se pueden imponer a los niños, niñas y adolescentes que después de haberse sometido a un proceso penal juvenil son declarados culpables por la comisión de una o varias infracciones a ley penal; el artículo 195 de este cuerpo legal establece:

> Las sanciones a los Niños (as) tienen por objeto su incorporación a un proceso reeducativo, por medio de su formación integral y familiar, para lograr su inserción social y el pleno desarrollo de sus capacidades, mediante su orientación y tratamiento. El Juez podrá ordenar que su ejecución se realice en forma simultánea o sucesiva, verificando que las mismas no sean incompatibles entre si. Son sanciones aplicables las siguientes:

> a) Sanciones no privadas de libertad: ...b) Sanciones de orientación y supervisión... c) Sanciones privativas de libertad: 1) La privación de libertad domiciliaria; 2) Régimen de Semi-libertad; y, 3) La privación de libertad en centros certificados o especializados el Instituto Hondureño de la Niñez y la Familia (IHNFA), (Ahora Dirección de Niñez Adolescencia y Familia DINAF) para sancionados.

Este artículo contempla la finalidad de las sanciones aplicables en el proceso penal juvenil siendo esta fundamentalmente la inserción del niño o niña a un proceso de reeducación o rehabilitación, y esto a través de un trabajo articulado para la formación integral del niño o niña.

El artículo 204 del Código de la Niñez y la Adolescencia de Honduras regula la sanción de privación de libertad, estableciéndose en el mismo:

> La Privación de Libertad en un centro estatal especializado o certificado por el Instituto Hondureño de la Niñez y la Familia (IHNFA), (Ahora Dirección de Niñez Adolescencia y Familia DINAF) es de carácter excepcional, podrá ser aplicada cuando:

> a) Se trate de una conducta realizada mediante grave amenaza o violencia hacia las personas, la vida, la libertad individual, la libertad sexual, robo agravado y tráfico de estupefacientes; y,

b) Se trate de delitos dolosos y graves, sancionados por la Ley, con una pena mínima superior a ocho (8) años.

3. LA REEDUCACIÓN Y REINSERCIÓN SOCIAL DE NIÑOS Y NIÑAS CON SANCIÓN DE PRIVACIÓN DE LIBERTAD EN EL PROCESO PENAL JUVENIL

3.1. Conceptualización de Reeducación

Resulta relevante tener claro el concepto o significado de la reeducación a fin de poder dirigir correctamente el proceso de intervención de niños y niñas que cumplen sanción de privación de libertad en un centro pedagógico, al respecto (Palma) citando a (Rodríguez), señala:

> El proceso de reeducación se entiende como un conjunto de procedimientos y normas que se emplean para que un individuo recupere sus habilidades y destrezas, es decir todas aquellas funciones que se perdieron, estancaron, suspendieron o en el peor de los casos no se recibieron; en donde los diferentes entes facilitadores procuran una modificación de la conducta, o la introyección en el individuo de normas y valores mediante una metódica enseñanza; es un proceso de intervención que demanda atención especializada, a través de la cual se pretende que el individuo logre un adecuado desenvolvimiento y procurar restablecer una apropiada interacción social; cuando esto último se logra, consecuentemente se llega a la Reinserción social que se busca mediante la aplicación de la ley penal juvenil. En esta etapa se ha logrado una modificación conductual, una habilitación del individuo para que pueda desempeñarse constructivamente y productivamente en la sociedad.

3.2. Alcances de la Reeducación

La reeducación de los niños y niñas con sanción privativa de libertad abarca varios aspectos de la vida del niño o niña, siendo los más importantes:

3.2.1. Educación Formal

Resulta fundamental que todo niño o niña que ingresa a un centro de privación de libertad, inicie o continúe con su formación académica, dado que se encuentra en un nivel de desarrollo en el cual debe proporcionársele las herramientas necesarias para incursionar a futuro en el ámbito laboral y profesional.

(Fidalgo, 2008) conceptualiza la formación formal como "la formación que se ofrece en los centros de formación. Ésta tiene un carácter estructurado, está planificada, las personas disponen de recursos y personal experto, tanto en el conocimiento a transmitir como en el propio proceso de formación. La formación formal suele tener una fecha de inicio y un final".

Los centros de privación de libertad de niños y niñas deben contar con personal altamente capacitado en el área de la pedagogía a fin de que con sus conocimientos y experiencias puedan elaborar y desarrollar planes educativos para que los niños continúen avanzando en su formación académica, acorde al sistema educativo nacional en sus diferentes niveles, primaria y secundaria, en busca de que una vez que egresen de los centros pedagógicos puedan reincorporarse al sistema educativo sin ninguna dificultad.

3.2.2. Educación No Formal

Además de la formación académica o formal debe incluirse en los proceso de enseñanza aprendizaje de las niñas y niños privados de libertad la educación no formal que resulta de gran importancia en el desarrollo de sus habilidades y destrezas, entendiendo la educación no formal como "todas aquellas actividades que se llevan a cabo fuera del ámbito escolar, así mismo pretendiendo desarrollar competencias intelectuales y morales de los individuos" (WIKIPEDIA).

Como lo señala (Trilla, 1998) Se entiende como "educación no formal" al conjunto de procesos, medios e instituciones específicas y diferencialmente diseñados, en función de explícitos objetivos de formación o de instrucción, que no están directamente dirigidos a la provisión de los grados propios del sistema educativo reglado".

Los centros pedagógicos deben ofrecer a los niños y niñas privadas de libertad una amplia oferta educativa no formal de tal manera que el niño o niña pueda escoger uno o varios talleres de aprendizaje que sean de su interés y que les permitan incursionar en el ámbito laboral cuando egresen de los centros.

3.3. Conceptualización de Reinserción Social

Para comprender el concepto de reinserción social, se debe entender en primer lugar el concepto de reinsertar, y según lo señalan (Porto y Merino, 2016): "es la acción de volver a formar parte de un conjunto o grupo que, por algún motivo, se había abandonado". Asimismo cuando se habla de reinserción social se incluye por ende a la sociedad que como continúan señalando (Porto y Merino, 2016) es el conjunto de seres humanos que comparten cultura e historia.

3.4. Alcances de la Reinserción Social

3.4.1. Reinserción Familiar

Consiste como su nombre lo indica en la oportunidad que tiene en el niño o la niña que ha sido sancionada por la comisión de una infracción a la ley penal de incorporarse nuevamente a su núcleo familiar del que estuvo de alguna manera separada durante el cumplimiento de la sanción de privación de libertad en un centro o complejo pedagógico, donde se le ha dado toda la intervención necesaria y especializada permitiéndole reflexionar sobre su comportamiento y aquellas circunstancias personales o familiares que lo pudieron llevar a cometer acciones contrarias a la Ley; asimismo ha existido una intervención no solo con el niño o niña si no también con sus familiares para que puedan entender de una mejor manera la problemática que ha venido enfrentando el niño y tengan las herramientas y conocimientos adecuados para abordarlo debidamente una vez que retorne al seno familiar.

Es significativo recalcar la importancia que tiene la familia en el proceso de reinserción del niño o niña en conflicto con la ley penal, como lo señala Santos M, Llorente D y Larrondo D "los lasos de consanguinidad y afinidad propios de la familia, y los sentimientos de amor y cariño entre sus miembros que estos originan, ejercen una influencia moral entre ellos que se convierte en el factor primero que los conmina a no realizar conductas que lesionen a la sociedad y son el punto de partida para lograr la posterior reinserción social de aquel que haya violentado las normas de la comunidad".

3.4.2. Reinserción Comunitaria

La reinserción a la comunidad del niño sancionado con privación de libertad, inicia con el abordaje que se le da en el centro pedagógico, donde se le prepara durante el cumplimiento de su sanción tanto en el área formal como no formal por personal capacitado, volviéndolo competitivo en el ámbito laboral y profesional, de tal forma que una vez que egresa del centro cuenta con las destrezas y conocimientos necesarios para incursionar en la sociedad de manera proactiva; esta reinserción debe ir más allá en el caso de las niñas y niños sancionados en un proceso penal juvenil pues también debe comprender el acercamiento a las instituciones ya sean públicas o privadas para que puedan generar apertura sin ningún tipo de exclusión a esta población que merece la oportunidad de demostrar su potencialidad y su capacidad de cambio y desarrollo.

Al respecto y muy acertadamente Fabra Fres N y Heras Trias P (2016), señalan que en el proceso del retorno a la comunidad:

Los cambios de identidad realizados deben afrontar la vida en libertad. Las elecciones tomadas en un contexto de prisión deben ser reafirmadas en el nuevo contexto. Siendo de nuevo clave el acompañamiento educativo para facilitar la inclusión en el nuevo contexto. A menudo, a la salida de prisión será necesario establecer nuevos vínculos sociales, romper con los contextos de procedencia para evitar iniciar de nuevo el uso de la delincuencia como forma de vivir. Procesos en los que el acompañamiento educativo refuerza los cambios y ayuda a resolver las dificultades propias del proceso. Si el período de internamiento en prisión ha sido largo, tendremos además un trabajo añadido de facilitar la comprensión de los cambios acontecidos en el entorno social: cambios tecnológicos, de comunicaciones y medios de transporte, urbanísticos, de tendencias y usos sociales, en las relaciones personales del entorno (nuevas parejas, nacimientos y defunciones...), entre otros. Elementos que pueden ser muy desestabilizadores y pueden requerir un entrenamiento y análisis para su comprensión y adquisición de nuevas pautas. Poniendo de relieve la necesidad una vez más, de acompañamiento educativo.

4. LA SANCIÓN DE PRIVACIÓN DE LIBERTAD EN EL PROCESO DE REEDUCACIÓN Y REINSERCIÓN DE LA NIÑEZ HONDUREÑA SOMETIDA AL PROCESO PENAL JUVENIL

4.1. Situación de los Niños con Sanción de Privación de Libertad en el Complejo Pedagógico Renaciendo

Para establecer la situación actual de los niños y adolescentes del Centro Pedagógico Renaciendo se realizó una entrevista con la Coordinadora del Programa de Educación a Nivel Nacional del Instituto Nacional para la Atención a Menores Infractores (INAMI), órgano adscrito a la Secretaria de Estado en los Despachos de Derechos Humanos, Justicia, Gobernación y Descentralización, creado mediante Decreto Ejecutivo PCM-061-17, y cuya finalidad es la de liderar el sistema de justicia especializada para los menores infractores y quien tiene a su cargo la organización, administración y funcionamiento de los centros pedagógicos de internamiento para menores infractores privados de libertad.

Esta entrevista tuvo por objeto recabar información acerca de los programas para la reeducación y reinserción social con los que cuenta la institución y la manera como se considera que dichos programas podrían generar los mejores resultados para los niños que cumplen sanción de privación de libertad específicamente dentro del Centro Pedagógico Renaciendo.

En la entrevista la Coordinadora del Programa de Educación a Nivel Nacional del Instituto Nacional para la Atención a Menores Infractores (INAMI), señaló que actualmente en todos los Centros Pedagógicos incluido el Centro Renaciendo cuentan con programas de educación formal y educación no formal, educación formal hasta

Bachillerato en Humanidades, asimismo informó con mucho agrado que este año todos los niños están incluidos en el sistema educativo a nivel formal.

La entrevistada dejo ver que el año pasado solo se estaba brindando educación primaria en los centros de internamiento pero este año habrá educación secundaria, además que con el apoyo de la cooperación internacional se está habilitando el espacio de centros y talleres en el Centro Renaciendo, indicando con mucho optimismo que en el caso del centro Renaciendo los niños exteriorizaron su interés por recibir cursos de inglés básico, football, pintura y dibujo, mecánica automotriz, piñatería, barbería, cómo iniciar un negocio y se le va agregar, computación, y electrónica.

Subrayó que se están haciendo las gestiones a nivel de la Secretaría de Educación, a fin de que se responsabilicen de la educación de los centros.

También destacó la cooperación de Orphan Helpers, quienes desarrollan un programa denominado la academia del éxito en Renaciendo, mismo que tiene 2 objetivos, uno es evangelizarlos y así fortalecer la parte espiritual y el otro es prepararlos para el emprendedurismo, este programa lo desarrollan anualmente y extienden fondos semilla para que los niños puedan iniciar un negocio de acuerdo a la formación que adquieran en el centro.

Enfatizó el hecho de que cada niño debe tener un plan de atención individual (PLATIN), el cual se elabora de acuerdo a lo que se encontró en los informes psicológicos y sociales, de orientación y educativos, cada área interviene de acuerdo a su competencia, para el caso el área de psicología desarrolla charlas y atenciones individuales que van orientadas de acuerdo a las necesidades del niño o niña, igual trabajo social, el área legal, médica, orientación, área de educación; así se elabora un plan de trabajo que van desarrollando en forma mensual con temas que tienen que ver con autoestima, cultura de paz, la responsabilidad penal en la que ellos han incurrido para hacer conciencia que lo que han hecho no es lo correcto pero que pueden rehabilitarse, aprender cosas nuevas que les pueden permitir desarrollarse y crecer como personas.

Puntualizó que actualmente están en un proceso de construcción de un modelo de atención integral, para que el personal sepa cuáles son las primeras atenciones que debe recibir el niño inmediatamente que ingresa al centro, ya se cuenta con un primer documento pero se está construyendo un documento más grande que permita articular acciones con todos los operadores de justicia con la idea de incluirlo en una política pública de atención a niños en conflicto con la ley.

En cuanto a los programas que se desarrollan con la familia de los niños privados de libertad la entrevistada manifestó que desarrollan el programa de escuela para padres, recalcando la importancia de trabajar a la par de la familia al igual que se hace desde adentro con los niños. En cuanto al programa mencionó que se realiza una vez a la semana, los días de visita y que este año se piensa intensificar.

En cuanto al personal que atiende a los niños privados de libertad en el centro Renaciendo según refirió la entrevistada hay un equipo completo de psicólogos, abogados, trabajadores sociales, pedagogos, educadores, orientadores, hay uno de cada área, del equipo de educación son 5 los docentes que manejan el tema de la educación formal y los instructores los ponen a disposición las instituciones con quienes se tiene los convenios de acuerdo a los talleres, orientadores hay 5, quienes atienden actualmente un total de 141 niños.

Según informó la entrevistada actualmente los niños están separados por edades, los de menor edad están en unos módulos distintos, pero no están separados los niños sancionados de los procesados.

Con respecto a niños vinculados a pandillas indicó que en el plan de atención individual va estipulado el tema de la responsabilidad penal, la desprogramación de maras y pandillas, todo el trabajo con la familia para abordar esa problemática.

Con respecto a los niños con problemas de adicción o consumo de drogas dentro del centro la entrevistada señaló que se les brinda atención médica, se remiten al Hospital Psiquiátrico Mario Mendoza para que les hagan el diagnóstico y ellos decidan qué tratamiento requieren, si es medicamentoso o terapéutico; asimismo se trabaja en la educación preventiva con charlas y capacitaciones que dentro del plan de atención van contempladas.

En relación a los niños que egresan del centro manifestó la entrevistada que actualmente no tienen ningún tipo de acompañamiento académico o laboral por parte de INAMI, pero se está trabajando en esa idea, entendiendo que es una cuestión progresiva por lo que se están fortaleciendo las medidas alternativas.

Finalmente enfatizo la entrevistada que actualmente en el centro Renaciendo se ha retomado la gobernabilidad, los niños están más anuentes a participar en todos los procesos educativos formales y no formales lo que resulta esperanzador para alcanzar la reeducación de los niños privados de libertad.

4.2. Sobre las Posibilidades de Reeducación

Al analizar la situación de los niños privados de libertad en el Centro Renaciendo, análisis que se desprende de la entrevista realizada a la Coordinadora del Programa de Educación a Nivel Nacional del Instituto Nacional para la Atención a Menores Infractores (INAMI), así como de la investigación doctrinal realizada en el presente trabajo, se puede determinar el esfuerzo de las actuales autoridades encargadas de la atención de niños y niñas que cumplen sanción de privación de libertad en los diferentes centros pedagógicos del país.

Sin embargo aún y cuando es notorio todo el trabajo que han venido desarrollando en el corto tiempo que tiene de estar en funcionamiento el Instituto Nacional para la Atención a Menores Infractores (INAMI), no se puede desconocer el hecho de que en este momento los centros pedagógicos no están brindando las condiciones básicas de infraestructura, organización y mucho menos de programas de educación formal y no formal que son primordiales en el proceso de reeducación de los niños privados de libertad, pues como bien lo hizo ver la Coordinadora del Programa de Educación se espera que hasta este año se empiece a impartir la educación formal para el caso del Centro Renaciendo, así mismo ya cuentan con las coordinaciones necesarias para desarrollar una propuesta de alrededor de 10 talleres de interés para los niños, y esto en vista que hasta este año se construyeron las aulas destinadas a recibir clases y los talleres y que se está trabajando en este momento para equipar una biblioteca.

Asimismo cabe destacar el poco personal técnico profesional con que cuentan los centros pedagógicos, en el caso del Centro Renaciendo, solo cuenta con un trabajador social, un psicólogo, un pedagogo para atender una población total de 141 niños a la fecha, lo que indudablemente resulta insuficiente para poder dar un abordaje adecuado y una atención individualizada que se ajuste a las necesidades y a la problemática que presentan los niños del Centro.

Hasta este momento no se cuenta con un modelo de atención integral, pero están en proceso de construcción de ese modelo, se espera que este modelo coadyuve a que el personal sepa cuáles son las primeras atenciones que debe recibir el niño inmediatamente que ingresa al centro.

Con todo lo anterior se puede vislumbrar a futuro mejores oportunidades de reeducación de los niños privados de libertad, y específicamente de los niños que cumplen sanción en el Centro Pedagógico Renaciendo, de concretarse todas los avances a los que hizo referencia la Coordinadora del Programa de Educación a Nivel Nacional del Instituto Nacional para la Atención a Menores Infractores (INAMI), pero en este momento aún hay muchos retos por afrontar por parte de las autoridades encargadas para poder hablar de una verdadera y efectiva propuesta de reeducación en los centros.

4.3. Sobre las Posibilidades de Reinserción Social

De la mano con la reeducación subsiste la posibilidad de la reinserción social, no se puede pensar en reinsertar a la sociedad un niño privado de libertad que no ha pasado por un proceso reeducativo adecuado, puesto que se estaría retornando a la familia, a la comunidad un niño con la misma problemática y debilidades con las que ingresó al centro de privación y en algunos casos hasta con mayores dificultades dada la posible estigmatización y marginamiento que podría sufrir dentro de su familia y comunidad por haber estado privado de libertad por la comisión de un infracción a la ley.

Se deben intensificar los programas de trabajo con los padres y familiares de los niños, hasta este momento en los centros solo se cuenta con el programa de escuela para padres con charlas que se imparte una vez a la semana los días de visita, lo que resulta insuficiente para preparar el entorno familiar para que reciba adecuadamente al niño una vez que retorne a su casa y constituya una fuente de contención para el niño que le permita avanzar y no retroceder en su proceso de desarrollo.

Se deben establecer políticas públicas de cooperación con la empresa pública y privada a fin de que se pueda ofrecer a los niños que egresan de los centros de privación de libertad oportunidades de empleo en las diferentes áreas o el apoyo al emprendedurismo, es decir que se les proporcione los insumos básicos para iniciar sus pequeños negocios. Actualmente esas oportunidades para los niños que egresan de los centros de privación de libertad no existen, impactando drásticamente en su proceso de reinserción social pues muchos niños al salir cuentan con distintas certificados tanto de educación formal como no formal pero no encuentran apertura en campo laboral para poner en práctica lo aprendido dentro del centro.

5. CONCLUSIONES Y RECOMENDACIONES

5.1. Conclusiones

1. Para asegurar que se logre la reeducación y reinserción social de los niños y niñas con sanción privativa de libertad es necesario en primer lugar que los centros o complejos pedagógicos reúnan una serie de condiciones especiales tanto en su infraestructura, que les permita permanecer en condiciones dignas, donde se satisfagan sus necesidades básicas como alimentación, salud, educación, recreación, asimismo que dicha infraestructura permita hacer la separación como lo establece la ley por grupos etarios, así como separando los niños procesados de los sancionados, asimismo que los centros cuenten con suficiente personal técnico, del área de la salud, orientadores y pedagogos para que puedan brindar una atención individualizada, orientación y tratamiento integral acorde a las necesidades de cada niño o niña.

2. Para garantizar el acceso a la reeducación de los niños y niñas con sanción privativa de libertad se necesita adecuados programas educativos tanto de educación formal como educación no formal, que se ajusten a las necesidades de esta población vulnerable no solo por su condición de niños, sino también por estar privados de libertad, programas con los que los Centros Pedagógicos hondureños como ser El Carmen, Jalteva, Sagrado

Corazón de María, Renaciendo y Extensión Renaciendo Cobras no han contado de manera articulada y organizada, puesto que durante los últimos años, en algunos centros ni siquiera se contaba con las aulas para que los niños recibieran su educación formal mucho menos centros para talleres como es el caso del Centro Renaciendo, donde se espera que este año se retome la educación formal y no formal; por lo que como consecuencia se puede inferir que la sanción de privación de libertad no ha podido ser eficaz en el proceso de reeducación de los niños sancionados cuando no se les ha podido garantizar su derecho elemental a la educación.

3. La reinserción social de los niños y niñas privadas de libertad únicamente puede producirse si dentro de los centros pedagógicos se garantiza en primer lugar la reeducación, el acceso de los niños a los programas de educación formal y no formal, asimismo si se les brinda la intervención profesional adecuada e integral para que los niños reflexionen sobre los alcances de su conducta y se potencialicen sus habilidades y destrezas, a fin de que puedan reintegrarse a su familia y a la comunidad con mejores herramientas, asimismo dentro del centro deben desarrollarse programas efectivos con los padres de familia que los preparen para darles la contención necesaria a los niños y niñas una vez que egresan del centro y retornan a su hogar, actualmente los centros pedagógicos hondureños no cuentan con programas debidamente estructurados de trabajo y apoyo a las familias de niños y niñas privadas de libertad, lo que genera que la sanción de privación de libertad no logre alcanzar el objetivo de la reinserción social del niño.

4. A pesar de la reciente creación del Instituto Nacional para la atención a Menores Infractores (INAMI), es notorio el esfuerzos por trabajar en la construcción de un verdadero proceso de reeducación y reinserción social para los niños privados de libertad en los centros pedagógicos de todo el país, dando grandes pasos como la creación de protocolos de seguridad, la creación de modelos de atención que esperan se establezcan como política pública; con lo anterior se vislumbra con optimismo la posibilidad de que el algún momento no tan lejano, los niños y niñas que inevitablemente tengan que cumplir una sanción

privativa de libertad puedan gozar del acceso a la reducación y reinserción social, alcanzando con ello los objetivos de la justicia penal juvenil.

5.2. Recomendaciones

1. Capacitar a los operadores de justicia y todo el personal involucrado con el proceso penal juvenil, de manera constante en derecho internacional de los derechos humanos, jurisprudencia de la Corte Interamericana de Derechos Humanos, brindándole las oportunidades de recibir cursos especializados en la materia.

2. Deben diseñarse programas de formación integral que vayan dirigidos específicamente a atender la problemática de niños y niñas en conflicto con la ley penal y además privados de libertad que busquen desarrollar las capacidades y habilidades, el desarrollo de su personalidad, autoestima, respeto a los derechos humanos y a las leyes, fortalecimiento de los valores morales en los niños.

3. Se deben diseñar programas de atención, específicos para niños con problema de consumo de drogas y adiciones, así como programas concretos para intervenir con niños afines a las maras o pandillas con el objeto de procurar que puedan desvincularse de las mismas.

4. Generar convenios de cooperación entre el INAMI y la empresa tanto pública como privada a fin de que se les brinde oportunidades de empleo a los niños y niñas que egresan de los centros de privación de libertad.

5. Hacer campañas de sensibilización para que la sociedad en general pueda entender los objetivos de reeducación y reinserción social del proceso penal juvenil, y el papel fundamental que juega la sociedad en el proceso de reinserción una vez que el niño es egresado de un centro pedagógico a fin de que no tenga que sufrir rechazo o estigmatización, contrario a ello encuentre apertura y oportunidades de demostrar las potencialidades que desarrolló durante su permanencia en el centro de privación de libertad.

6. BIBLIOGRAFÍA

FABRA FRES N, Y HERAS TRÍA P. *La Reinserción Social Post-penitenciaria: Un Reto para la Educación Social.* s.l. 2016.

PALMA E. *Los Modelos de Reeducación en la Justicia Penal Juvenil en El Salvador.* . s.l. y s.f.

PÉREZ PORTO J Y MERINO M. *Definición de Reinserción Social.* s.l. 2016.

Unicef. *Preguntas y Respuestas ¿Qué es un Sistema Penal Juvenil?* S.l. 2006

VIVANCO VARGAS G, *"La Privación de Libertad: sus costos sociales", Contribuciones a las Ciencias Sociales,* s.l. 2017

Documentos legislativos consultados

Código de la Niñez y Adolescencia de Honduras. Decreto Legislativo N° 35 del 27 de febrero del 2013.

Reglas de las Naciones Unidas para la Protección de los Menores Privados de Libertad. Resolución 45/113 de 14 de diciembre de 1990.

7. ENLACES CONSULTADOS

Recuperado de https://es.wikipedia.org/wiki/Pena_privativa_de_libertad. Consultado el 21 de diciembre de 2018.

Recuperado de https://innovacioneducativa.wordpress.com/2008/10/07/formacion-formal-y-formacion-informal/. Formación Formal y Formación Informal. Ángel Fidalgo. Consultado el 23 de enero del 2019.

Recuperado de https://es.wikipedia.org/wiki/Educación_no_formal. Trilla 1998. Consultado el 23 de enero del 2019.

Recuperado de www.monografias.com/trabajos94/papel-familia-reinsercion-social-del-sancionado/papel-familia-reinsercion-social-del-sancionado.shtml. El papel de la Familia en la reinserción social del sancionado. Santo Torres M, Tito Llorente D y Larrondo Chacón D. Consultado el 04 de febrero del 2019.

Capítulo 26
La respuesta del estado a la situación característica de los y las adolescentes en conflicto con la Ley

Diana Manuela Medina Mejía
Consultora independiente.
Directora sector Justicia y Seguridad
Asociación para una Sociedad más Justa (ASJ)
dianamedinahn03@gmail.com

1. INTRODUCCIÓN

En Honduras, el propósito del Sistema Especial de Justicia para la Niñez en Conflicto con la ley (Sistema) tiene como objetivo rehabilitar y reinsertar en la familia y comunidad a los adolescentes que infringen la ley penal[1]. Esta rehabilitación y reinserción social, implica, no sólo evitar la reincidencia, sino también ajustes vitales en la conducta y actitud de los adolescentes, en su forma de relacionarse y en su vinculación familiar y laboral, entre otros.[2]

Un engranaje de instituciones públicas y algunas privadas se pone en marcha con ese propósito, mas, para su logro es necesario partir de la comprensión sobre la multicausalidad, endógena y exógena, que condiciona el comportamiento antisocial en la adolescencia, para el desarrollo de programas de prevención y control coherentes con éstos detonantes, siendo conveniente haber indagado en este estudio, desde la perspectiva del actor principal del Sistema, el o la adolescente, y los intervinientes del Sistema, la existencia de una respuesta coherente y diferenciada que

---

[1]   Artículo 180 del Código de la Niñez y la Adolescencia (CNA).
[2]   Factores de éxito asociados a los programas de intervención con menores infractores (2011), Departamento de Personalidad, Evaluación y Tratamiento Psicológico Facultad de Psicología, Universidad de Barcelona.

se corresponda con la realidad y retos de los y las adolescentes para el cumplimiento de tal comisión (objetivo general del estudio).

Con ese fin, el presente estudio implicó un trabajo exploratorio sobre las vivencias de los sujetos del Sistema (adolescentes mujeres y hombres de grupo etario 15 a 17 años promedio) y de los profesionales (con hasta 20 años de experiencia) y el uso de la fenomenología como método de investigación, desde una perspectiva descriptiva que pretende hacer *zoom* a las principales características individuales, familiares y del entorno comunitario de los y las adolescentes que ingresan al Sistema, considerando también, sus temores, preocupaciones, metas, y principales necesidades y obstáculos para lograrlas. Todo para abrir la posibilidad de repensar en ajustes a la dinámica de gestión e intervención del Sistema, tomando en cuenta elementos clave en procesos de intervención que funcionan para prevención terciaria.

Como resultado, finalmente, se concluyó con una propuesta de recomendaciones sobre aspectos fundamentales hacia los que el Estado debería encaminar sus esfuerzos para mejorar su respuesta en la atención de los y las adolescentes en conflicto con la ley.

En la Parte I se describe las principales características individuales, familiares y comunitarias de los y las adolescentes, sus metas, necesidades y limitaciones para lograrlas y sus necesidades principales y temores. En la Parte II se expone la respuesta del Estado ante la situación característica de los y las adolescentes. Finalmente, en la Parte III, se rescata principios y elementos contenidos en procesos de intervención basados en evidencia de efectividad con la expectativa de orientar la focalización de los esfuerzos públicos a partir de la toma de decisiones informada.

2. CARACTERÍTICAS, NECESIDADES Y PREOCUPACIONES DE LOS Y LAS ADOLESCENTES DESDE LA MIRADA DE LOS OPERADORES DEL SISTEMA

Considerando, que la mayoría de las características de los adolescentes que ingresan al Sistema están relacionadas con la problemática individual, familiar y comunitaria que presentan, existe un patrón en el perfil a considerar en sistemas de alertas temprana para prevenir el comportamiento antisocial.

Sobre generalidades, el grupo etario de 15 a 17 años de edad y sexo hombre reporta mayor ingreso que las mujeres[3]. En cuanto a otros aspectos, las principales características se han clasificado en:

a. Rasgos de personalidad: No son asertivos, presentan carencias afectivas, inseguridades, problemas en la gestión de emociones, influenciables, baja autoestima y sentimientos de inferioridad.

b. Estilo de vida de subsistencia: Por dos razones: i. las necesidades económicas de la familia o simplemente la aspiración de bienes ante la insatisfacción, conduce a los adolescentes a buscar alternativas económicas por mecanismos ilícitos o no asumiendo en ambos casos, la responsabilidad directa de la provisión familiar, siendo más marcado en las adolescentes, y representando una de las limitaciones para la continuidad de sus estudios; y ii. al vivir en comunidades con altos índices de violencia y delito, en los que las pandillas han impuesto su *gobernabilidad*, los adolescentes son captados, voluntariamente o no, para la actividad delictiva, so pena de muerte, lo que les coloca al *filo de la navaja*[4].

c. Las adicciones: La mayoría de los y las adolescentes ha utilizado drogas antes de su ingreso al Sistema, padeciendo la abstinencia al ingresar a los centros pedagógicos.

d. Presencia de traumas: Particularmente, en el caso de las adolescentes, presentan traumas relacionados al abuso sexual. Sobre la consulta de cómo eran en su vida en el pasado, las respuestas son diversas, pero todas relacionadas a necesidades de afecto, adicciones, depresión, emociones de tristeza y enojo, entre otros. "(me sentía) *mal, con muchos problemas, con la necesidad de una madre...*" "*...tenía drogas, mal, enfadada,*

---

3   Según estadísticas del Centro electrónico de documentación e información judicial (CEDIJ), sobre acusaciones presentadas a nivel nacional por edad y sexo, 2016.

4   Referido por la persona entrevistada P1

triste, lastimada…" (Adolescente, grupo focal, Centro Sagrado Corazón)

e. Vinculación a pandillas: Los adolescentes que se vinculan a una pandilla, son inaccesibles, suspicaces, desafiantes, se aíslan y no colaboran en los procesos, lo que obedece a los códigos o lineamientos impuestos por las pandillas so pena de sanciones mortales.[5] Por el contrario, los adolescentes que no integran una pandilla *"…son más accesibles, pero con inseguridades, con un sentido de desprotección, sin orientación, muchas carencias afectivas, influenciables, (con) desesperanza…"* (Entrevista P4); no obstante, estos adolescentes están muy cerca de sumarse a la filas de las pandillas de manera voluntaria.

f. Abandono del hogar: La insatisfacción de necesidades físicas y afectivas representa de las principales motivaciones para el abandono del hogar, exponiéndose a peligros relacionados con la droga y la influencia negativa. *"…quisiéramos que nos comprendieran. Por qué andamos en la calle, tal vez, en la calle encontramos lo que las personas o nuestra casa no nos pueden dar"* Adolescente de 17 años de edad.

g. Actitud ante el reingreso al Sistema: En el primer ingreso, los y las adolescentes se muestras inseguros, temerosos, desorientados, con mucha incertidumbre, mas, en el segundo o tercer ingreso se muestran despreocupados, indiferentes, informados de lo que puede suceder en el proceso y de cómo evadirlo.

Sucede algo diferente en las adolescentes según su edad. En el primer ingreso, las adolescentes de 14 años de edad promedio, muestran rebeldía ante la autoridad, enojo, descontento, mas, las de 17 y 18 años de edad en los subsiguientes ingresos, evidencian preocupación por su futuro y solicitan apoyo y oportunidades.

Las familias de los adolescentes tienen el perfil de las familias que generan el caldo de cultivo para la delincuencia juvenil, adicciones y la integración de maras y pandillas.

---

5   Asociación para una Sociedad Más Justa (2016), *Estudio situacional sobre las condiciones de privación de libertad de la niñez en conflicto con la ley*. Recuperado de http://asjhonduras.com/webhn/estudio-situacional-sobre-las-condiciones-de-privacion-de-libertad-de-la-ninez-infractora-de-la-ley-penal/

a. Entornos no protectores y familias mono parentales: Caracterizada por la débil comunicación, ausencia de supervisión, sin muestras de afecto, convivencia en condiciones de violencia, entre otros. Esta es una de las situaciones que motiva la *huida* de casa. Paralelamente, despierta el rencor y resentimiento en los adolescentes, pues con frecuencia lo manifiestan: "*.... Era muy común escucharlos expresar su odio y deseos de venganza hacia su progenitor varón...*"

b. Actitud ante la comisión de la infracción: Las familias en el primer ingreso, sobre todo la madre, reacciona con sorpresa, incredulidad y en apoyo a sus hijos (as), mas, con el tiempo y sobre todo si existe un reingreso al Sistema, adquieren una actitud de indiferencia, desesperanza sobre el cambio de sus hijos (as), lo que impacta negativamente, mas, cuando se trata de familias que están vinculadas a pandillas se muestran persistentes en sus visitas y seguimiento.

c. Tercera generación de pandillas: Según el Programa Nacional de Prevención, Rehabilitación y Reinserción Social, la conformación de grupos de pandillas se acentuó a partir de los años 90 tras las penalidades de muerte ante su abandono,[6] lo que ha edificado, hoy, la tercera generación de familias vinculadas a pandillas y al quehacer delictivo.

Los barrios o colonias de residencia de los adolescentes, se caracterizan por la desigualdad, discriminación, exclusión, alta incidencia delictiva y la presencia de pandillas. Esta última característica se presenta como un factor que limita de manera concluyente derechos fundamentales de los niños, niñas y adolescentes, en virtud de la gobernabilidad de las pandillas en los barrios y su giro delictivo (droga, extorsión y robos, entre otros), dejando sin posibilidad de acciones para neutralizar a docentes y familias, para quienes el desplazamiento forzado es una mejor opción[7].

---

[6]   Programa Nacional de Prevención, Rehabilitación y Reinserción Social (2014), 2, Situación de Maras y Pandillas en Honduras, Tegucigalpa, Honduras.

[7]   Comisionado Nacional de Derechos Humanos (2017). El desplazamiento interno forzado en Honduras.1. Recuperado de http://conadeh.hn/wp-content/uploads/2018/07/INFORME-DESPLAZAMIENTO-BOCETO-ACNUR.pdf

Con relación a las necesidades que los adolescentes requieren, indicar que en principio hay que señalar su dignificación como seres humanos sujetos de derechos, quitar las etiquetas de delincuente sin remedio, de primeros responsables de la inseguridad y de sujetos sin posibilidad de cambio, en contraposición al mensaje que reciben de su familia, de la sociedad y de sí mismos. *"... (en la sociedad) piensan que somos mala influencia, delincuentes, que nunca vamos a cambiar, que somos incapaces de lograr algo..."* (Adolescente de 17 años de edad, Grupo focal Centro Pedagógico Jalteva).

En consultas a los y las adolescentes, sobre cómo perciben les ve la sociedad, existió consistencia en la percepción de que son delincuentes, personas que afectan a la sociedad y sin futuro, que no tienen opción a cambio y que deben estar presas. *"... (en la sociedad) me ven como una delincuente que no puede cambiar su vida, no me aceptarían, creen que soy una mala persona y no tengo sentimientos, como una basura, muerta, presa..."* Adolescente, Grupo focal en Centro Sagrado Corazón.

Esta percepción, no está tan lejos de la realidad, y es el mensaje que se da a los adolescentes en su familia y en la sociedad, lo que les provoca desmotivación y desesperanza, por ello buscan afirmación en sus pares, quienes no les cuestionarán.

Mas, si hubiera una nueva visión en la sociedad y se buscara tesoneramente la consolidación institucional y la implementación de estrategias de intervención con la participación de todos los sectores con miras al cumplimiento del objetivo del Sistema, habría menos espacio para la ejecución de medidas populares en materia de seguridad. *"... cuando uno sale de aquí* (del centro pedagógico) *lo miran de menos, porque uno ha andado en la calle. Estamos aquí por algo, cierto, pero el que estemos aquí no significa que así vamos a ser siempre..."* (Entrevista A1, 17 años de edad)

Además, y sobre todo, requieren del respeto de sus derechos humanos, la vida, la educación, salud, protección, seguridad, oportunidades y un espacio en su familia y comunidad, lo que demanda una respuesta coordinada y armónica del Estado y un trabajo consistente con la familia para ser la catapulta para la no reincidencia.

En los adolescentes, existen disparadores que obstaculizan su concentración en un nuevo comienzo fuera de lo ilícito y por ende en la no reincidencia. Sus temores y preocupaciones están orientados a su autoestima y vida y el de su familia.

Los adolescentes, han interiorizado el mensaje resonante y negativo de incapacidad y desesperanza de su familia y sociedad, y les preocupa no poder cumplir las expectativas propias y de su familia. El temor al fracaso es una constante que provoca desaliento a la hora de vincularse en actividades de formación en los centros pedagógicos, lo que implica, aunque parece obvio inducirlo, los programas de intervención deberían considerar un énfasis en el trabajo de identidad, autoestima y proyecto de vida.

En otra dimensión, si son integrantes de la pandilla, no tienen opción de cumplir objetivos diferentes a los del grupo, so pena de muerte. "... (no saben) *qué sucederá con ellos si deciden salir de las asociaciones ilícitas no saben cuánto tiempo de vida tendrán, si deciden seguir no saben el tipo de muerte que tendrán. Pero siempre piensan en el cambio, pero los limita la falta de protección, no contar con alguien que pueda guiarles en el proceso de salida y contar con los recursos que les permita tener una vida digna fuera de todo lo ilícito...*" (Entrevista P7)

En consecuencia, para adolescentes que tienen hijos surge la preocupación por su bienestar, en cuanto a que no *lleven* la vida que ellos han tenido y que puedan ser afectados en su integridad física por las pandillas. Esto, a su vez, debe ser objeto de preocupación y resolución de las políticas sociales y de seguridad en Honduras. Además, de manera más amplia los y las adolescentes se preocupan por su familia en dos sentidos: i. la seguridad por la vinculación de su familia a la actividad ilícita; y ii. bienestar económico de su familia, en virtud, como se anticipó, que los adolescentes han asumido el rol de proveedor de su familia, aunque sea por medios ilícitos.

3. LAS METAS Y OBJETIVOS DE VIDA DE LOS Y LAS ADOLESCENTES: DESDE SU MIRADA

Las metas de los y las adolescentes que ingresan al Sistema se ven influidas por una cosmovisión alimentada por su entorno familiar, social y del Sistema. El entorno orienta sus metas a la subsistencia y sobrevivencia por medios disonantes a la ley o no, lo que escapa, sin duda, a la posibilidad de tener expectativas diferentes. Así, inclusive, ciertos adolescentes que ingresan al Sistema aspiran a ascender en los niveles de liderazgo de las pandillas, pues en su familia no reconocen otro modelo de socialización. *"...Los jóvenes de pandilla anhelaban los liderazgos dentro de su grupo, para ser más respetados y admirados..."* (Entrevista P7)

Sobre las metas de los y las adolescentes, existe una constante en cuanto a aspiraciones relacionadas a trabajar, ejercer un oficio y estudios universitarios, siendo en las adolescentes más marcada la aspiración de estudios universitarios, por cierto, en aquellas carreras que se vinculan a su estadía en el Centro, como Psicología, Derecho y Medicina. Algunas metas que platearon los y las adolescentes:

Los adolescentes	Las adolescentes
"... ser uno de los mejores arquitectos, ayudar a mi familia..."	*"...quiero ser doctora para ayudar a las personas enfermas..."*
"...tener un taller de carpintería..."	*"...seguir mis estudios y graduarme y ser una gran profesional y tener mi título..."*.
"...ser mecánico automotriz..."	*"...cambiar mi vida, seguir con mis estudios y ser una abogada..."*
"... ser doctor..."	*"...yo quisiera ser psicóloga, tener mi casa y una familia linda y mi trabajo*
"... ser barbero..."	*"...ser aeromoza, ser una persona diferente*
"...ser ingeniero..."	*"...Yo quisiera ser doctora y psicóloga, salir de aquí*
"...ser abogado..."	*"...sueño salir de este centro, prepararme, estudiar mucho para ser doctora*

Al respecto, importante es referenciar, la oferta de servicios del Sistema integra programas alternativos de educación no formal, precisamente, de barbería, cocina, carpintería, entre otros[8]. No obstante,

---

[8]   Comisión Nacional para el Desarrollo de la Educación Alternativa No Formal (CONEANFO), 2017, Memoria anual: Juntos hacemos posible la inclusión.

sería importante repensar el enfoque institucional y promover estrategias que permitan un mensaje diferente sobre sus aspiraciones, cultivar la esperanza y logro de un viaje de mayor escala en la vida, es decir, de ampliar su visión para tener un proyecto de vida de otro alcance.

Sobre las necesidades y obstáculos para el logro de sus metas, las y los adolescentes, coinciden en las necesidades y obstáculos que podrían limitar el logro de su meta. En cuanto a las necesidades, de manera coherente con las metas planteadas en el apartado anterior, sus características y necesidades (individuales, familiares), los y las adolescentes requieren de tener más confianza propia, afecto, apoyo de su familia, dinero, estudios universitarios, aprender un oficio, motivación, valor y esfuerzo. Por supuesto, en el caso de los adolescentes, aprender un oficio se evidenció más marcado que en las adolescentes, quienes aspiran a estudios universitarios.

Sobre los obstáculos, de manera consistente, los y las adolescentes creen que las drogas, malas compañías, actitudes, el temor al fracaso, la falta de recursos y de un trabajo, son los factores de riesgo principales, lo que, a su vez, se relaciona con las características referidas por los entrevistados profesionales.

4. RESPUESTA DEL ESTADO ANTE LAS CARACTERÍSTICAS DE LOS Y LAS ADOLESCENTES EN CONFLICTO CON LA LEY PENAL

4.1. La respuesta del Estado no está considerando las principales características de los y las adolescentes-Respuesta no diferenciada

En este estudio se describen los mayores retos de los y las adolescentes para la no reincidencia y reinserción. Esto pasa por: i. problemas de inseguridad, temor, carencias afectivas, traumas; ii. la problemática de las pandillas en todos los niveles del modelo ecológico; y

---

Recuperado de https://docs.wixstatic.com/ugd/2de390_3049de1ab5c4419aace-1607ca62d05fa.pdf

iii. problemas familiares (familia ausente o vinculada a la actividad delictiva). No obstante, los procesos de intervención no contemplan programas de abordaje que respondan a ésta problemática, lo que no reduce el riesgo de reincidencia, en virtud, que los y las adolescentes al egresar del Sistema, siguen enfrentándose a los mismos factores de riesgo que les colocaron adentro. Así, no se está trabajando en el desarrollo de habilidades de afrontamiento, considerando que muchas de las necesidades y factores que contribuirían al desistimiento de la conducta antisocial, como las situaciones de riesgo que genera en algunos adolescentes su familia. En consecuencia, no se está brindando una respuesta diferenciada que considere el abanico de características de los sujetos, los factores criminógenos y las características y estilos de aprendizaje de los infractores a fin que la intervención se corresponda con el riesgo de reincidencia. Es así, como aquellas intervenciones basadas en teorías validadas sobre el comportamiento criminal y que se avocan a las necesidades criminógenas y que consideran, producen mayores resultados. Losel, advierte que los programas intramuros exitosos son aquellos cognitivos, cognitivo-conductuales o multimodales. Por su parte, las intervenciones basadas en el trabajo de casos no estructurado, el mero aconsejamiento, las intervenciones psicodinámicas, aquellas orientadas a la introspección y las no dirigidas, tienden a tener un menor impacto. [9]

4.2. La repuesta del Estado no es conforme a la ley

El artículo 181 del Código de la Niñez y la Adolescencia garantiza para nuestra niñez el pleno respeto de los derechos y garantías establecidas en la Constitución de la República, otra normativa nacional y la internacional, no obstante a pesar de la regulación que antecede, en los centros pedagógicos no es posible garantizar derechos fundamentales de los adolescentes, como la vida, la salud, la protección, la educación y un trato digno.[10]

---

[9] Lösel, F. (1995). *The efficacy of correctional treatment: A review and synthesis of meta-evaluations*. En: McGuire, J. (Ed) (1999) What Works: Reducing Reoffending. Wiley.

[10] La Corte Suprema de Justicia, en sentencia de fecha primero de abril de 2016, en ocasión del Recurso de exhibición personal, registro SCO-0849-2015, refirió:

En lo que respecta al proceso, en el artículo 180-B del Código de la Niñez y la Adolescencia, se establece los principios que deben regular el engranaje del Sistema, los que conviene contrastar con la realidad característica:

Interés Superior: A pesar del imperativo que representa este principio, el Sistema no logra la consolidación requerida para garantizar el ejercicio de los derechos de los y las adolescentes y la toma de decisiones que privilegia lo que más les beneficie.

Reinserción de El Niño (a) en su Familia y en la Sociedad: La familia y la comunidad, juegan un papel fundamental en la reinserción de los adolescentes, mas, la oferta de servicios institucional no contempla programas de abordaje integral para la familia y la comunidad, lo que resulta relevante considerando que, según este estudio, estos entornos conllevan obstáculos para los y las adolescentes difíciles de superar por su vinculación con las pandillas.

Justicia Especializada: Se prevé la especialización en los operadores de justicia y de intervención a efecto de facilitar la comprensión de su propósito, sin embargo, en Honduras, sólo existen tres departamentos con asignación de jueces de justicia especial.

Humanidad: Al privilegiarse la seguridad en los centros sin estrategias de contención, las condiciones de habitabilidad son limitadas en cuanto a espacio y trato digno. Para 2016, adolescentes internos en el Centro Pedagógico Renaciendo dormían al intemperie debido a los conflictos provocados por la rivalidad entre las pandillas.[11]

Excepcionalidad: Según el Centro Electrónico de Documentación e Información Digital (CEDIJ) del Poder Judicial (2017), se aplicaron 361 medidas no privativas de la libertad y 266 medidas privativas de la libertad, siendo la diferencia entre uno y otro a penas 95. En Estados Unidos de Norteamérica (USA), las nuevas experiencias de campamento con metodología que destaca el plan de actividades

---

"...se logra determinar las condiciones precarias y de vulneración en que viven los menores internos en el Centro Pedagógico Renaciendo, lo que enmarca una problemática institucional generalizada y repetitiva que concluye en la muerte de menores internos en forma violenta.

[11] https://www.elheraldo.hn/sucesos/619754-219/a-la-intemperie-duermen-mas-de-60-menores-en-renaciendo

físicas y habilitación social, y las experiencias en recintos pequeños y trabajo personalizado, estarían mostrando indicadores de impacto muy favorables y por sobre los fracasos de las grandes cárceles y los campamentos militarizados. Además, es que experiencias de países europeos y latinoamericanos, coinciden en sugerir, que las dimensiones de los centros cuyo fin legal es esencialmente educativo, no debieran superan en su capacidad a los 80 adolescentes. Los grandes centros militarizados para 100 a 500 adolescentes, evidencia malos resultados respecto a reincidencia y a las condiciones de vida y de habitabilidad interna.[12]

4.3. La respuesta estatal responde a los efectos del problema en los centros pedagógicos

La ingobernabilidad, las evasiones y los episodios de violencia que han causado la muerte de adolescentes en los centros, sólo son los efectos de un problema causal. Estas condiciones y la debilidad institucionalidad pública han determinado la reacción del Estado. En el tiempo, las acciones de los diferentes gobiernos se han rebobinado en dos reacciones: i. Creación y *supresión (suprimido)*[13] de instituciones rectoras, en materia de niñez en virtud de la ineficacia de su gestión, y ii. la declaratoria de estado de emergencia por la gravedad de la situación mediante Decretos ejecutivos en Consejo de Ministros, lo que implica relevo de autoridades (entre los años 2012 a 2015 se emitieron cinco decretos), sin la definición clara de roles, funciones en el marco de la emergencia y sin visualizar el abordaje de problemas causales. En ambos casos, se ha focalizado los esfuerzos del Estado en problemas de pasivo laboral, uso ineficiente de los recursos, gasto recurrente, infraestructura y en dar vida a nuevas instituciones no en el fortalecimiento de la capacidad institucional para brindar una oferta de servicios integral y holística conforme a la demanda existente. Esta

---

12   Servicio Nacional de Menores (2008), Centro de cumplimiento de Régimen Cerrado. Fundamentos para su diseño y funcionamiento en términos de gestión e infraestructura.

13   Término utilizado en los Decretos Presidenciales en Consejo de Ministros para cerrar instituciones.

reacción institucional preocupa al Comité de Derechos del Niño y lo ha apuntado en sus cinco informes periódicos.[14]

4.4. La respuesta estatal no está considerando la evidencia científica en el abordaje de los y las adolescentes

A nivel internacional, el Modelo Cognitivo Conductual es el más utilizado en la intervención de adolescentes en conflicto con la ley, en virtud de evidencia científica sobre la reducción del riesgo delictivo en su aplicación, pues parte de la concepción de la existencia de déficit en las competencias, habilidades, cogniciones y emociones como factores influyentes en el comportamiento delictivo.[15] Este modelo integra la aplicación de tres aspectos fundamentales: i. cambio terapéutico (cambio en los pensamientos, actitudes, forma de resolución de conflictos, entre otros), ii. Motivación como objetivo de intervención (deseo del adolescente de cambiar su comportamiento); y iii. Relaciones terapéuticas (relación adolescente-terapeuta).

Estas especificaciones para el éxito de las intervenciones, deben ser un disparador de la reacción ineludible del Estado en cuanto al ajuste de los procesos de intervención, tomando en cuenta, que no se aplica este Modelo, no existe suficiente asignación de psicólogos especializados, y que los adolescentes que están en los centros Sagrado Corazón y Jalteva conciben como una necesidad la *motivación¸* para hacer un cambio en su comportamiento, aspecto que no se está trabajando.

4.5. La respuesta del Estado no está considerando la evidencia en prevención terciaria

Existen estudios científicos que acuñan, elementos importantes en la intervención de prevención terciaria con adolescentes, que tienen

---

[14]   El Comité de Derechos del Niño ha sido persistente en expresar su preocupación por la debilidad institucional en los entes rectores de la protección de la niñez en Honduras, sobre su intervención, presupuesto y cobertura territorial, entre otros.

[15]   Varios, Departamento de Personalidad, Evaluación y Tratamiento Psicológico Facultad de Psicología, Universidad de Barcelona. (2011). *Factores de éxito asociados a los programas de intervención con menores infractores.*

un impacto en la incidencia delictiva. Como resultado de estudios longitudinales en delincuencia, se estima, que aproximadamente un 5% de todos los adolescentes que han cometido alguna infracción persisten en la delincuencia en su adultez llegando a ser los responsables de más de la mitad de todos los delitos que se cometen en una sociedad (Farrington, 2008; Howell, 2009). Esta evidencia debería ser el motor que impulsa la concentración de los esfuerzos necesarios para fortalecer a la institucionalidad y su oferta de servicios en la materia, máxime considerando que la población adolescente que ingresa el Sistema no supera los 1000 adolescentes.

Con todo, Redondo (2008) plantea la combinación de factores de riesgo para la conformación de la conducta antisocial, según el Modelo de Triple Riesgo Delictivo (TRD), que agrupa características individuales, familiares, comunitarias y circunstanciales. Por supuesto, las características identificadas en este estudio coinciden con las establecidas en este modelo. Al valorar estos riesgos, se puede determinar la potencialidad de reincidencia, mas, actualmente, en Honduras, no se desarrollan evaluaciones de riesgo en los adolescentes que, por una parte, orienten la intervención y, además, permitan un análisis profundo para la toma de decisiones en el abordaje del problema en la sociedad.

Redondo traza una ruta crítica para realizar intervenciones efectivas: Evaluación de necesidades- Planteamientos de objetivos-Modelo teórico- Programa en acción- Aplicación- Evaluación de efectividad.[16]

Este es un recorrido, por el que, los y las adolescentes, actualmente no transitan.

4.6. *La respuesta del Estado a los y las adolescentes no está en la agenda pública, más allá del Sistema*

La prevención por vías distintas al control formal es la agenda pendiente en materia de seguridad en Honduras. Para el 2018 la asignación presupuestaria para la ejecución de estrategias de control ba-

---

[16]   Factores de éxito asociados a los programas de intervención con menores infractores (2011), Departamento de Personalidad, Evaluación y Tratamiento Psicológico Facultad de Psicología, Universidad de Barcelona.

sadas en la reacción ante la violencia superó los catorce mil millones de lempiras versus catorce millones de lempiras aprobados para la prevención de la violencia y el delito.

No se cuenta con una política pública de prevención de la violencia y el delito, que focalice los problemas causales de la violencia y la delincuencia juvenil, lo que implica, entre otros, no existen estrategias y programas encaminados a la prevención.

Adicionalmente, no se está considerando una intervención diferenciada que atienda la problemática que enfrentan los y las adolescentes y que por ser de diversos matices no solamente se encuentra en la cancha del Sistema, sino de todo el engranaje del Estado vinculado en la misma a partir de sus competencias máxime las instancias públicas responsables de las políticas sociales y de protección de la niñez y la adolescencia.

5. ELEMENTOS DE IMPORTANCIA EN LA INTERVENCIÓN PARA LA REINSERCIÓN

5.1. Coherencia con la realidad de los y las adolescentes

5.1.1. Intervención diferenciada

La evidencia científica establece la necesidad de desarrollar intervenciones individualizadas según el riesgo de reincidencia. Aunque existen factores de riesgo preestablecidos, la motivación para infringir la ley tiene huella digital, lo que amerita, si el diseño de programas basados en evidencia, pero que puedan ser reflexibles en los planes de atención de cada adolescente. No valorar las repercusiones que tiene para un o una adolescente el transitar por el Sistema sin el apoyo de su familia (o con su influencia negativa) o lidiando con problemas de adicciones o traumas o con carencias afectivas les coloca en la línea de inicio de una carrera en la que no estarán en condiciones de ganar.

Así también, dictar medidas privativas de la libertad para adolescentes de riesgo bajo de infringir la ley, se convierte en un factor criminogénico, lo que implica, la ley especial no debería definir criterios para la imposición de esta clase de medidas, sino como producto de la necesidad de brindar tratamiento intensivo.[17]

5.1.2. Intervención ejecutada por profesionales comprometidos

Como se anticipó, la motivación para el cambio debe ser uno de los objetivos de la intervención y en esto, es fundamental el perfil del profesional responsable, quién modela su motivación e interés por el cambio, con influencia de tal magnitud que si el o la adolescente percibe esa actitud podría replicarla.[18]

Este requerimiento toma mayor importancia al considerar, que los modelos de intervención con resultados promisorios conllevan la participación voluntaria de los y las adolescentes en las actividades de intervención,[19] lo que podría verse afectado considerando las preocupaciones y temores que tienen con respecto a su futuro, seguridad y su familia. Esto, a su vez, provoca gran preocupación al considerar la constante rotación de los profesionales de los centros pedagógicos.

5.1.3. Intervención con la familia

Trabajar con la familia de los y las adolescentes es fundamental en la intervención para la reinserción, dada su relación con factores de riesgo para la infracción de la ley. Así, la implementación de la terapia familiar funcional (FFT), el tratamiento multidimensional en casas de acogida (MTFC) y la terapia multisistémica (MST) han demostrado su efectividad al mejorar el funcionamiento familiar como la reducción de la reincidencia.[20]

[17] Redondo, S. (2008a). *Manual para el tratamiento psicológico de los delincuentes. Madrid*: Pirámide.
[18] Fundación Paz Ciudadana (2015). Reinserción social y laboral de infractores de ley. Estudio comparado de la evidencia, Chile
[19] Stephenson, M., Giller, H. y Brown, S. (2007) *Effective Practice y Youth Justice.* Willan Publishing
[20] Idem. Fundación Paz Ciudadana (2015)

5.2. Elementos de importancia en la respuesta del Estado a los y las adolescentes

5.2.1. Intervención basada en evidencia

Insistir en la necesidad de promover intervenciones basadas en lo que funciona. La evidencia da cuenta de principios fundamentales que deberían aplicarse en la intervención para la reinserción, acentuando los pasos que deberían seguirse para el logro de éxito.

Estos principios son:

a. Identificación de necesidades criminógenas: Según Andrews y Bonta (2010), referido a la importancia de identificar los factores de riesgo, estáticos, dinámicos o parcialmente modificables, como punto de partida en la intervención.

b. Evaluación del nivel de riesgo: Establece la intensidad de la intervención, a partir del establecimiento de criterios para la medición del riesgo de reincidencia en la conducta infractora. Permite establecer los parámetros de la intervención a fin que no resulte iatrogénica.

c. Adecuación del programa: Conocidas las necesidades criminógenas y el nivel de riesgo de reincidencia, se define los objetivos y acciones de la intervención, en el que se debe considerar la situación de aprendizaje de los y las adolescentes.

d. Base teórica del programa: Conlleva la utilización de programas basados en la evidencia y desarrollo. (McGuire, 2008).

e. Dosificación del programa: Según el tiempo y duración.

f. Integridad del programa: Evoca a la persistencia en la teoría inicial del programa, la implementación por parte de la persona que lo diseña y su capacidad para desarrollar las actividades previstas (de implementar).

g. Modalidad del programa: Relacionado a las intervenciones multimodales con un enfoque cognitivo conductual.

5.2.2. La administración de justicia como medio para la reinserción y bajo modelos de gestión por resultado

Una política pública de justicia juvenil, debería establecer como objetivo final la reinserción social de los y las adolescentes, alejando toda posibilidad de que la imposición de la sanción es el fin y que debe haber otro (sub) sistema de reinserción responsable de la intervención.

Para el caso, en el Código de la Niñez y la Adolescencia se regula con mayor claridad aspectos relacionados al proceso penal especial, lo que, sin duda es meritorio, para el debido seguimiento del proceso, sin embargo, la administración de justicia y la reinserción deberían verse como un todo en busca del cumplimiento del objetivo, de manera que los operadores del sistema de justicia especial contribuyan a lo que habrá de venir en la intervención.

Por otra parte, el Estado asigna fondos de presupuesto general de la República de Honduras, en materia de reinserción social, mas, no se cuenta con sistemas de rendición de cuenta que evidencien el resultado de la inversión, limitando la posibilidad de repensar el diseño de las estrategias y modelos de intervención utilizados, y la necesidad de inversión. Además, los modelos de gestión por resultados importan el fortalecimiento institucional, la idoneidad de los profesionales y la existencia de herramientas, protocolos, guías de actuación, entre otros.[21]

6. CONCLUSIONES - RECOMENDACIONES

Como resultado de este estudio se determinaron las principales características de los y las adolescentes que ingresan al Sistema Especial de Justicia Penal, quienes tienen necesidades afectivas, baja auto estima, inseguridad, sentimientos de inferioridad, temor al fracaso, están expuestos a situaciones de peligro, con resentimiento hacia miembros de su familia, pero que anhelan y necesitan su apoyo, afecto y compañía.

Aspiran, sobre todo las adolescentes, a obtener títulos universitarios de medicina, derecho, ingeniería, psicología, entre otros; tener una familia y trabajo, ser personas transformadas y demostrar a la sociedad que pueden cambiar. Además, reconocen como necesidades

---

[21]   Morales Hugo (2010). Una aproximación a la situación de los Servicios de Reinserción Social para Adolescentes en conflicto con la Ley Penal en los Sistemas de Justicia Juvenil de América Latina.

para lograr sus metas, el apoyo de la familia y sociedad, terminar el colegio e ir a la universidad, valor, esfuerzo, dinero, amor de su madre, motivación, perdonar y dejar el pasado atrás. Por otra parte, las drogas, malas amistades y compañías, el temor al fracaso, no poder desvincularse de una pandilla y el rechazo, son parte de las limitaciones que identifican para alcanzar sus metas.

Las familias de los y las adolescentes, son disfuncionales con entornos no protectores, que les han abandonado durante el proceso, lo que agrava más su situación e impacta negativamente en la contemplación de cambio. Esta problemática tiene su origen antes del ingreso de los adolescentes al Sistema, y pareciera compleja la identificación de respuestas o soluciones efectivas en el recorrido de la administración de justicia especial y la intervención, por lo que, echando un pie atrás, la gestión de soluciones a ésta problemática comienza con la prevención y protección de la familia.

El ámbito comunitario de los y las adolescentes, se caracteriza por la desigualdad, discriminación, alta incidencia delictiva y la presencia de pandillas, todos elementos que contribuyen a la reincidencia y desplazamiento forzoso.

Estas condiciones y características, establecen la diana de las políticas públicas sociales y de prevención de la delincuencia juvenil con un enfoque de seguridad humana. Más, se requiere el fortalecimiento de la institucional pública, el trabajo coordinado en el engranaje del Estado y la transformación de la gestión y oferta de servicios de intervención basada en la evidencia de lo que funciona, no solo en la reinserción social, sino en la prevención de delincuencia juvenil como fin, privilegiando la protección de la familia y estableciendo sistemas de alerta temprana cuando existan potenciales factores de riesgo.

7. BIBLIOGRAFÍA

ANDREWS, D.A. y BONTA, J. (2010) The Psychology of Criminal Conduct. Anderson Publishing.

Asociación para una Sociedad Más Justa (2016),1, Estudio situacional sobre las condiciones de privación de libertad de la niñez en conflicto con la ley. Recuperado de http://asjhonduras.com/webhn/estudio-situacional-sobre-las-condiciones-de-privacion-de-libertad-de-la-ninez-infractora-de-la-ley-penal/

FARRINGTON, D., TTOFI, M., & COID, J. (2009). Development of adolescence-limited, late-onset, and persistent offenders from age 8 to age 48. Aggressive Behavior, 35(2), 150-163.

Fundación Paz Ciudadana (2015). Reinserción social y laboral de infractores de ley. Estudio comparado de la evidencia Chile.

HOWELL, J.C. (2009). Preventing and reducing juvenile delinquency. California: Sage.

MORALES, Hugo (2010). Una aproximación a la situación de los Servicios de Reinserción Social para Adolescentes en conflicto con la Ley Penal en los Sistemas de Justicia Juvenil de América Latina.

LÖSEL, F. (1995). The efficacy of correctional treatment: A review and synthesis of meta-evaluations. En: McGuire, J. (Ed) (1999) What Works: Reducing Reoffending. Wiley.

Programa Nacional de Prevención, Rehabilitación y Reinserción Social (2014), 2, Situación de Maras y Pandillas en Honduras, Tegucigalpa, Honduras.

REDONDO, S. (2008a). *Manual para el tratamiento psicológico de los delincuentes.* Madrid: Pirámide.

REDONDO, S. (2008b). Individuos, sociedades y oportunidades en la explicación y prevención del delito: Modelo del Triple Riesgo Delictivo (TRD). Revista Española de Investigación Criminológica, Artículo 7, N. 6. (Accesible en: www.criminologia.net).

Revolving Doors Agency (2012) Integrated Offender Management, Effective alternatives to short sentences. Recuperado de http://socialwelfare.bl.uk/subject-areas/services-activity/criminaljustice/revolvingdoorsagency/1527892012integrated_offender_management.pdf

STEPHENSON, M., GILLER, H. y BROWN, S. (2007) Effective Practice y Youth Justice. Willan Publishing.

Capítulo 27
Fundamentación de un modelo de prevención de la violencia a través del recurso comunitario

Rosa Margarita Zambrano Pérez
Vicepresidenta y Gestora de proyectos.
Asociación Colaboración y Esfuerzo (ACOES)
Honduras
proyectoshn@acoes.org

1. INTRODUCCIÓN

A continuación, se presenta un estudio basado en un contexto de una ONG en los que se trabajan proyectos de cooperación al desarrollo, orientados a la promoción social en ambientes de exclusión social, con jóvenes de esa realidad que lideran dichos proyectos. (OPS) Entendida la exclusión social como parte de la violencia estructural, esta va más allá de los aspectos económicos y sociales que definen la pobreza e incluye aspectos de carácter político, de derechos, de género y de ciudadanía que vinculan las relaciones entre los individuos y los Estados. Allí se encuentra la acumulación de desventajas, la creciente desprotección, la debilitación de canales de inclusión, las condiciones sociales de fuerte privación, las barreras educativas, laborales y culturales y las dificultades para acceder a los servicios básicos.

Considerando de gran importancia conocer el impacto que tienen las actividades que gestiona ACOES a través de una educación integral como base para salir del ciclo de la violencia y la pobreza.

Los procesos educativos y de desarrollo que implementa ACOES los fundamenta en valores que estimulen la solidaridad y participación activa para avanzar hacia la construcción de una sociedad más justa e igualitaria, los protagonistas son los mismos jóvenes que reciben protección. Este modelo de trabajo aporta elementos novedosos por las características que presenta, se ve que se puede adaptar a otros contextos de exclusión en el que hace falta emplear un método de trabajo participativo y de corresponsabilidad sobre todo en los jóvenes.

2. CONCEPTO DE VIOLENCIA Y PREVENCIÓN

Para abordar el concepto de prevención y violencia, se da a conocer por separado cada uno de ellos, mismos que son clave para el desarrollo del presente trabajo. La OMS define la violencia como "El uso intencional de la fuerza física, amenazas contra uno mismo, otra persona, un grupo o una comunidad que tiene como consecuencia o es muy probable que tenga como consecuencia un traumatismo, daños psicológicos, problemas de desarrollo o la muerte" (OMS, 2002). En las diversas formas de violencia donde está presente el no desarrollarse como persona, está implícito un acto claro violencia. Por otro lado, en la Figura 1, se grafican una serie de aspectos que ayudan a entender que el fenómeno de violencia es más que algo aislado sino más bien se produce con la intervención de actores que de manera directa o indirecta afectan.

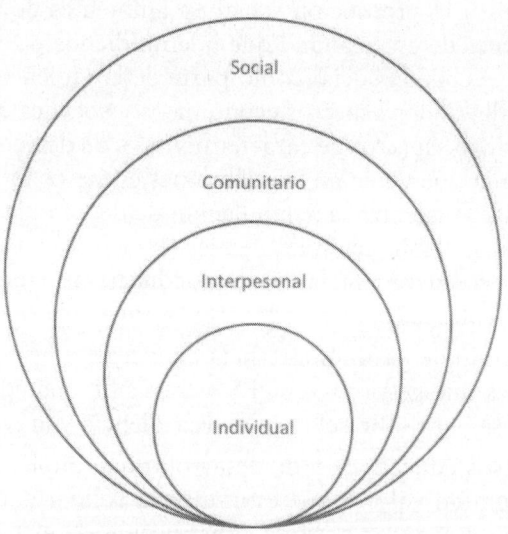

Figura 1. Modelo ecológico de Bronfennbrenner.

(Barasch & Webel, 2002) Ofrecen dos ámbitos de la violencia como punto de partida: la violencia abierta o manifiesta en el que sus efectos son evidentemente trágicos como ser abuso físico, abandono infantil, bullying. La violencia estructural que se gesta en las instituciones afecta a sectores de la sociedad reduciendo sus oportunidades y facilitando la desprotección de las poblaciones. Con esto la sociedad debe establecer redes: familia, colegio, servicios sociales, iglesia, entre otras que sostengan a la niñez y juventud ante situaciones de violencia, evitando estrategias de expulsión que los llevarán a cometer delitos y caer en una espiral de violencia generando más víctimas.

La violencia como tal es contraria a la vida y al desarrollo de la persona, por lo que en la niñez y juventud, debe tenerse en cuenta a la hora de abordarles las consecuencias que a futuro se agudizarían sino se hace un trabajo efectivo a temprana edad, entre ellas menciona (Pinheiro, 2006): La exposición temprana a la violencia es crítica porque puede tener impacto en la arquitectura del cerebro en proceso de maduración. En el caso de exposición prolongada a la violencia, inclusive como testigo, la perturbación del sistema nervioso e inmunológico puede provocar limitaciones sociales, emocionales y cognitivas, así como dar lugar a comportamientos que causan enfermedades, lesiones y problemas sociales.

La exposición a la violencia durante la niñez también puede provocar mayor predisposición a sufrir limitaciones sociales, emocionales y cognitivas durante toda la vida; a la obesidad y a adoptar comportamientos de riesgo para la salud, como el uso de sustancias adictivas, tener relaciones sexuales precoces y el consumo de tabaco.

En cuanto a la prevención se dice que es la acción que considera a los individuos y las poblaciones expuestos a factores y comportamientos de riesgo que ocasionan enfermedades, lesiones o daños en la salud propia y en la de otros. Este concepto de la salud fácilmente se aplica a garantizar el pleno desarrollo integral evitando víctima o la victimización.

3. FACTORES DE PROTECCIÓN Y FACTORES DE RIESGO

Siguiendo el modelo ecológico, se muestra la clasificación de factores de protección y factores de riesgo que afectan a la niñez y juventud.

Factores de protección: redes de apoyo, buen apego a la familia, resiliencia, rendimiento escolar adecuado, habilidades sociales, manejo del tiempo libre, alta tolerancia a la frustración, entre otros, todo esto fomenta en el joven, seguridad para trabajar en su proyecto de vida aun cuando estén en su entorno peligros y amenazas.

Factores de riesgo: deterioro del barrio, desempleo, problemas familiares, historias de abuso, falta de escolaridad, fracaso escolar, *acoso escolar*, falta de empatía y baja tolerancia a la frustración, estos elementos se pueden reducir incluso moverse transitoriamente con un trabajo efectivo y red de los diversos actores que participan en la formación de la juventud. No son elementos genéticos o que se hereden, en muchos casos el solo hecho de ser niño ya es un factor de riesgo por ejemplo en el tema de grupo delictivos como las maras en Honduras son más propensos los varones.

Cuando las bases del desarrollo de la identidad son deficitarias, la afirmación adolescente se establece carente de un compromiso estructurante, que busque evitar los peligros para poder preservar los logros presentes y futuros. En cambio, se incrementan las conductas riesgosas que buscan la satisfacción inmediata o la autoafirmación a través de acciones efímeras que dan sensaciones de logro y reconocimiento. (OPS).

4. ESTRATEGIAS DE PREVENCIÓN

(Rau Vargas & Castillo Fajardo, 2008) Plantean modelos que colocan la prevención y detención de la violencia como un elemento de desarrollo social para crear iniciativas que se orienten a modelos de mayor integralidad, usando estrategias desde estos conceptos.

- Prevención situacional, para reducir las oportunidades de delitos contra potenciales víctimas, aumentando el riesgo para los infractores de ser detenidos.

- Prevención social, con acciones para atender factores personales, familiares y sociales que predisponen a una persona a cometer delitos o actos violentos (desarrollo social y económico, servicios de salud y educación, con énfasis en la situación de niños y jóvenes).

- Prevención para la integración o reintegración (rehabilitación), con acciones destinadas tanto a la víctima –para evitar su reincidencia– como al victimario.

- Prevención comunitaria, creando mejores condiciones de seguridad en los vecindarios para influir sobre la delincuencia, la victimización y la inseguridad.

5. UN PASO MÁS: LA RESILIENCIA

(Villalba Quezada, 2003) Extrae en su artículo el concepto de resiliencia desde la disciplina de Trabajo Social, la que implica sobreponerse a las dificultades y tener éxito a pesar de estar expuestos a situaciones de alto riesgo. Es en momentos de tensión cuando la persona muestra la posibilidad de sobrellevar, que le permiten avanzar cuando su entorno hostil justificaría el fracaso y al contrario saca partido adquiriendo la visión humana para lograr sobreponerse.

El tema de la prevención de la violencia en la niñez y juventud es necesario trabajar en este aspecto desde todos los ámbitos en los que el adulto puede aportar para no naturalizar la violencia sino maximizar la capacidad de resiliencia para salir adelante e incluso transformar su entorno. Al ser un proceso individual se debe abordar con estrategias que permitan seguir el ciclo de desarrollo de la persona, o en medio de una realidad adversa aportar a la niñez y juventud elementos-factores de protección para afrontar con otra mirada su presente y futuro inmediato, frutos de la experiencia permitirá a otros de su entorno lograrán también sacar partido de las dificultades y progresar.

Un niño o joven presenta características de resiliencia sencillas y básicas, que vistas desde su situación de vulnerabilidad, para los guías o tutores deben ser suficiente indicio para potenciar y, sobre todo, para hacer un trabajo comunitario en las primeras edades en que se implementan programas educativos y de desarrollo, se toman las características elaboradas por la (OPS):

- **Competencia social**

    Los niños y adolescentes resilientes responden más al contacto con otros seres humanos y generan más respuestas positivas en las otras personas; además, son activos, flexibles y adaptables aún en la infancia. Este componente incluye cualidades como la de estar listo para responder a cualquier estímulo, comunicarse con facilidad, demostrar empatía y afecto, y tener comportamientos prosociales.

- **Resolución de problemas**

Las investigaciones sobre niños resilientes han descubierto que la capacidad para resolver problemas es identificable en la niñez temprana. Incluye la habilidad para pensar en abstracto reflexiva y flexiblemente, y la posibilidad de intentar soluciones nuevas para problemas tanto cognitivos como sociales. Ya en la adolescencia, los jóvenes son capaces de jugar con ideas y sistemas filosóficos.

- **Autonomía**

Distintos autores han usado diferentes definiciones del término "autonomía". Algunos se refieren a un fuerte sentido de independencia; otros destacan la importancia de tener un control interno y un sentido de poder personal; otros insisten en la autodisciplina y el control de los impulsos. Esencialmente, el factor protector a que se están refiriendo es el sentido de la propia identidad, la habilidad para poder actuar independientemente y el control de algunos factores del entorno.

- **Sentido de propósito y de futuro**

Relacionado con el sentido de autonomía y el de la eficacia propia, así como con la confianza de que uno puede tener algún grado de control sobre el ambiente, está el sentido de propósito y de futuro. Dentro de esta categoría entran varias cualidades repetidamente identificadas en lo publicado sobre la materia como factores protectores: expectativas saludables, dirección hacia objetivos, orientación hacia la consecución de estos (éxito en lo que emprenda), motivación para los logros, fe en un futuro mejor, y sentido de la anticipación y de la coherencia. Este último factor parece ser uno de los más poderosos predictores de resultados positivos en cuanto a resiliencia.

6. ACOES

ACOES, la organización objeto de investigación nace en 1993 con la iniciativa misionera de Patricio Larrosa, sacerdote de Huéneja, Granada, desde ese entonces 26 años manteniendo hasta ahora el objetivo de dar oportunidades de desarrollo a través del apoyo en sus estudios a niños y jóvenes de zonas marginadas de Tegucigalpa, capital y áreas rurales de Honduras.

Un paso más para continuar el apoyo que fue creciendo con el transcurrir de los años fue la conformación de la Asociación Colaboración y Esfuerzo, ACOES, constituida como organización no gubernamental en el 1996, según sus estatutos persigue los siguientes objetivos: [a) Ejecutar de forma no lucrativa proyectos de ayuda humanitaria para la niñez de todo el país, y población en general, de áreas marginadas, tendentes a crear y desarrollar condiciones de vida que favorezcan la paz, la justicia, los derechos, la solidaridad y el desarrollo integral del ser humano en los sectores de población más desfavorecidos. b) Fomentar la superación del nivel educativo de la población atendida en los diferentes proyectos que se ejecuten (ACOES, s.f.).

La sede central se encuentra en la colonia Monterrey, en la casa cural, en uno de los barrios marginales de Comayagüela, ciudad que actualmente se encuentra a unida a Tegucigalpa. En este lugar se sitúa el centro de operaciones desde el que se coordina el trabajo en todo el país. Desde sus inicios ACOES ha trabajo apostando por jóvenes procedentes de los barrios más desfavorecidos de la ciudad, a los que se les da la oportunidad de formarse al mismo tiempo que asumen la responsabilidad de gestionar los distintos proyectos de la organización.

Actualmente existe una estructura en la cual se continúa con esta misma filosofía. La educación y la formación de niños y jóvenes es el principal objetivo que hay y que se busca el desarrollo del pueblo hondureño por el propio pueblo hondureño. Se trata de dar oportunidades a la vez que responsabilidades para formar personas que se impliquen en la mejora de las condiciones de vida de su gente.

Las principales características que motivan a la creación de los proyectos son:

- La gran mayoría de familias son monoparentales, donde el padre ha abandonado la casa por lo que la madre es la encargada del sostenimiento. Suele ser una persona analfabeta o con estudios muy limitados, como única fuente de ingresos es la venta de tortillas de maíz o lavar ropa. Los ingresos no llegan a 3-4

euros al día, por eso todas las personas de la casa tienen que
aportar algo para sobrevivir.

- Se suele convivir con otros parientes en la misma casa. Puede
haber 12 personas en una casa, en diferentes habitaciones, que
comparten baño, cocina etc. lo que supone un hacinamiento,
falta de privacidad, conflictos, abusos etc.

- No son familias cohesionadas. Esto supone que los hijos a partir de cierto momento tienen que aportar algo en la casa, aún si
tener la edad ni una formación académica o técnica completada
lo que les da cierta independencia de la autoridad de los padres
y libertades que a su edad no son apropiadas.

- Los estudios superiores son nulos en el entorno familiar y de
los vecinos lo que en muchos casos desincentivados por la violencia estructural en cuanto que la educación en el caso de las
zonas rurales solo hay centros hasta noveno grado y para bachillerato desplazarse a otra comunidad generando gastos que
la familia no puede cubrir

- Las familias tienen un presupuesto de supervivencia que impide
no solo costear los gastos de educación sino los mínimos gastos
de vestido, higiene personal, salud etc.

La realidad de los jóvenes en Honduras está envuelta en violencia
estructural por lo que las estrategias de prevención deben ser integrales, que aporten al joven un entorno seguro en que se vayan construyendo y él mismo aporte para establecer factores protectores para
un desarrollo en su barrio o comunidad, como indica (Domínguez
Alonso, 2011) pensar en actuar, antes, implica pensar en clave comunitaria, actuando allí y desde allí, donde tienen lugar las situaciones y
conflictos que afectan al conjunto de la población.

Los jóvenes asumen responsabilidades que no son las propias de
su edad por lo que hay que considerar a fortalecerle el liderazgo, trabajo en equipo, resolución de conflictos y resiliencia y que sume a su
formación escolar ya que la frustración y el retraso de la recompensa
son elementos que orillan a caer en la red de violencia a la que inicialmente sabe que debe alejarse.

ACOES se mueve en un entorno violento por lo que las acciones
emprendidas responden al concepto de prevención primaria reactiva
es decir prepara a los jóvenes a reaccionar de manera positiva ante

una situación de riesgo naturalizada por su entorno familiar o comunitario.

Hay un claro fomento y promoción de iniciativas de desarrollo a través de la educación y el voluntariado que hace atractivo a los jóvenes formar parte, siendo generadores de un cambio a la vez que se les ayuda, aportando a sus zonas origen, pues en su mayoría los proyectos han ido surgiendo por la iniciativa y compromiso de ayudar a los suyos. Es así como se ha conseguido la gestión de 42 proyectos (ACOES, s.f.).

Para objeto de la investigación describimos el proceso de los Centros de Capacitación Juvenil por ser los gestores de las acciones que ACOES emprende en los proyectos que se ejecutan. De acuerdo con lo indagado formar parte del proyecto de ACOES es sin distinción de su estilo de vida, estructura familiar, religiosidad o nivel educativo ya que hay un elemento que es la procedencia de barrios conflictivos en el que todos se ven expuestos a la violencia, como factor común en de encontrar oportunidades que les permitan ser y realizarse.

A lo largo de los años se ha ido creando un espacio de formación integral para recibir entre ellos mismos capacitación en las áreas: español, matemáticas e inglés ofimática, formación en valores, gestión de proyectos, cuidado de la tierra y de contenido artístico. Todo ello para ir desarrollando capacidades para que permitan la autogestión, ya que dentro de los mismos jóvenes se ha establecido una organización para dar soporte a la estructura que cuenta con coordinadores, administradores y capacitadores. Estos jóvenes son el punto de partida para el resto de los proyectos que han generado una red de voluntarios en 12 departamentos del país.

Se han organizado de manera que les permite colaborar y formarse en los proyectos y a la vez poder asistir a sus respectivos centros de educación formal dada la ayuda que dicho proyecto les brinda que consiste en: paquete escolar, matrícula, uniforme, transporte, libros, etc. Todo esto bajo normas y valores como la puntualidad, responsabilidad que ellos mismos gestionan.

ACOES ha diversificado sus programas de intervención a las colonias y barriadas urbanas, lo que implica no sólo un enfoque de intervención y promoción educativa, si no de prevención de violencia.

Es imprescindible evitar el aislamiento social de las y los jóvenes, incorporándolos a dinámicas más amplias y amplias, sobre todo en términos de participación y ejercicio de derechos, desde una perspectiva ciudadana. (Rodríguez, 2007)

7. CONCLUSIONES

La juventud que crece en entornos violentos puede minimizar o neutralizar factores de riesgo si se trabaja con ellos la resiliencia, esta como llave para agregar otros elementos que sean factores protectores y motivadores que pasen de la frustración de no poder hacer algo a dar soluciones para la mejora de su realidad.

En Honduras existe una violencia estructural que se manifiesta a través de actos antisociales como delictivos, dinámicas que resulta de jóvenes que son los autores y también víctimas de una situación de polarización económica y de exclusión.

Dentro de las actuaciones de prevención de la violencia en jóvenes se contempla escasamente el papel activo de estos en la transformación de su realidad, manteniendo un estilo adulto centrista, perdiendo el recurso importante que son los mismos jóvenes como protagonistas de su desarrollo, así como el aporte de los adultos se desaprovecha al no canalizarlo como lo que es un compañero de camino. Las estrategias que se implementan son más efectivas y exitosas al tomar en cuenta los distintos actores en la vida del joven, así como su sentir como sujeto de derechos.

En la medida en que las iniciativas en entornos de exclusión y violencia se enfoquen de una manera integral, hay mayores posibilidades de que los jóvenes se impliquen, permanezcan y que haya continuidad y una mayor interrelación entre las distintas entidades que se interesen por el desarrollo de los jóvenes.

Esta participación provocara una actitud crítica y comprometida con la realidad, genera un compromiso crítico para fomentar actitudes y valores con sus pares y familias.

La educación juega un papel importante en la prevención de la violencia, esta va más allá de adquirir contenidos de un plan de estudio; incluye habilidades para la vida que en etapas anteriores de su vida no adquirieron y avanzando hacia un estilo de vida con valores y actitudes que tiene que ver con la solidaridad, los derechos humanos y la justicia.

Las acciones de prevención que se implementan en el país son a corto plazo por lo que resta efectividad al terminar la financiación sin dejar una estructura humana en la zona ya que son agentes externos los que la promueven.

Para ACOES un elemento para prevenir la violencia es a través de la educación integral: formación teórica, formación práctica, voluntariado y la autogestión, apostando por el potencial que tiene la juventud de conocimiento del contexto donde implementan los proyectos, generación de iniciativas para colaborar en la transformación de estos frutos los centros que se han ido abriendo a lo largo de los más de 25 años de la institución, un punto de enganche y permanencia es la educación formal en la que se enlistan inicialmente por mero requisito de pertenecer al proyecto para luego ser una catapulta para ser agente de cambio en su familia y comunidad.

ACOES es un referente de prevención de la violencia secundaria basado en el trabajo comunitario dando participación a la juventud lo que les vuelve protagonistas de un proceso de cambio en su entorno.

8. RECOMENDACIONES

Se debe apostar en el país en políticas de prevención de la violencia desde un enfoque de promoción del desarrollo del joven relacionado con factores protectores, más que la contención a cometer actos delictivos, viéndose reflejado en las estadísticas educativas, de empleo y de homicidios en las que los jóvenes son los más afectados.

Se cuenta con una amplia bibliografía de iniciativas de prevención de la violencia en jóvenes en contexto de países desarrollados, es necesario que desde las universidades y demás instituciones dediquen especial atención a la investigación en zonas como las de Honduras que presenta características particulares tanto para explicar el fenómeno de la violencia, así como las acciones que podrían resultar efectiva en cuenta a su tratamiento.

La prevención de la violencia en jóvenes debe iniciar desde la promoción de sus capacidades como sujetos de derechos en formación y como protagonista de la transformación de una realidad que ellos mismo se dan cuenta que no es normal que se crezca en ciertas condiciones.

Sería importante divulgar esta forma de trabajo que realiza ACOES, ya que son experiencias innovadoras de prevención de la violencia. Se puede implantar el modelo en otras instituciones y localidades. En donde la estructura que practican permite un trabajo que parte de los jóvenes y se extiende a otros de su entorno como una razón más para buscar cambios positivos.

Se debe sistematizar esta práctica para recoger de manera metodológica lo que se pone en marcha y así facilitar su réplica tanto en lo interno de ACOES al pasar los años y para nuevos voluntarios en otras zonas, así como para otros organismos que trabajan la prevención y fomento de la juventud.

Elaborar manuales que describan las actividades a implementar en los centros que tiene ACOES, por medio de la experiencia y formación de los voluntarios de mayor tiempo de colaborar que ya tiene incluso formación superior, esto facilitaría la labor al resto de jóvenes y a los que venideros.

Al contar ACOES con una red de instituciones como SETEM, Gil Gayarre y Universidades de Granada, Universidad de Málaga, Universidad de Salamanca, Universidad de La Coruña, y, en país, con la Universidad Nacional Autónoma de Honduras y colaboraciones con la Universidad Tecnológica Centroamericana UNITEC orientar de manera más clara las acciones de promoción de la juventud y su entorno respecto a fortalecerle factores protectores de la prevención de la violencia, así mismo dotar a los educadores voluntarios para saber manejarse en el contexto de violencia que conocen perfectamente y se aprovecharía mejor esta ventaja si se les dota de herramientas.

9. BIBLIOGRAFÍA

ACOES. (s.f.). *acoes.org*.

BARASCH, D., & WEBEL, C. (2002). *Peace and Conflict studies*. SAGEPublications.

DOMÍNGUEZ ALONSO, F. J. (2011). *Actuaciones preventivas en contextos comunitarios.* Alicante: Universidad de Alicante.

OMS. (2002). Obtenido de http://apps.who.int/iris/bitstream/handle/10665/67411/a77102_spa.pdf;jsessionid=59026AC8B3F958F22858F4F812E385B2?sequence=1

OPS. (s.f.). *Estado del Arte de Las Experiencias y Proyectos de Prevención en Ambitos Escolares.*

PINHEIRO, P. (2006). *INFORME MUNDIAL SOBRE LA VIOLENCIA CONTRA LOS NIÑOS Y NIÑAS.*

RAU VARGAS, M., & CASTILLO FAJARDO, P. (2008). Prevención de la violencia y el delito mediante el diseño ambiental en Latinoamérica y El Caribe: Estrategias urbanas de cohesión social e integración ciudadana. *INVI*, 169.

RODRÍGUEZ, E. (2007). Jóvenes y violencias en América Latina: priorizar la prevención con enfoques integrados. *Revista Latinoamericana de Ciencias Sociales, Niñez y Juventud*, Vol. 5 no. 1 ene-jun.

VILLALBA QUEZADA, C. (2003). *El concepto de resiliencia individual y familiar. Aplicaciones en la intervención social.* Madrid.